The Holt, Rinehart and Winston Accuracy Commitment: From Manuscript to Bound Book

As a leading textbook publisher in foreign languages since 1866, Holt, Rinehart and Winston recognizes the importance of accuracy in foreign language textbooks. In an effort to produce the most accurate introductory foreign language program available we have added two new stages to the development of *¡Dímelo tú!*, Third Edition — **double proofing** in production and a **final accuracy check** by experienced teachers.

The outline below shows the unprecedented steps we have taken to ensure accuracy:

Author	Writes and proofs first draft.
1st Round of Reviews	Review of first draft manuscript. Independent reviewers check for clarity of text organization, pedagogy, content, and proper use of language.
Author	Makes corrections/changes.
2nd Round of Reviews	Review of second draft manuscript. Independent reviewers again check for clarity of text organization, pedagogy, content, and proper use of language.
Author	Prepares text for production.
Production	Copyediting and proofreading. The project is **double-proofed** — at the galley proof stage and again at the page proof stage.
Final Accuracy Check	The entire work is read one last time by experienced instructors, this time to check for accurate use of language in text, examples, and exercises. The material is read word for word again and all exercises are worked to ensure the most accurate language program possible. The accompanying workbook/lab manual, tapescript, and video are proofed simultaneously.
Final Textbook	Published with final corrections.

Holt, Rinehart and Winston would like to acknowledge the following instructors who, along with others, participated in the final accuracy check for *¡Dímelo tú!*, Third Edition: Tom Fonte, El Camino College; Elaine Rees, Cosumnes River College; Ricardo Castells, Florida International University; Rigo Ibarra, Long Beach City College; Maria Fleck, University of California—Riverside; Paola Bianco, Wilkes University; Maria Villamil, University of Nebraska—Omaha; Lee Daniels, Texas Christian University; Fernando Palacios, University of Alabama—Tuscaloosa; and Yolanda Rivera-Castillo, University of Houston—Downtown.

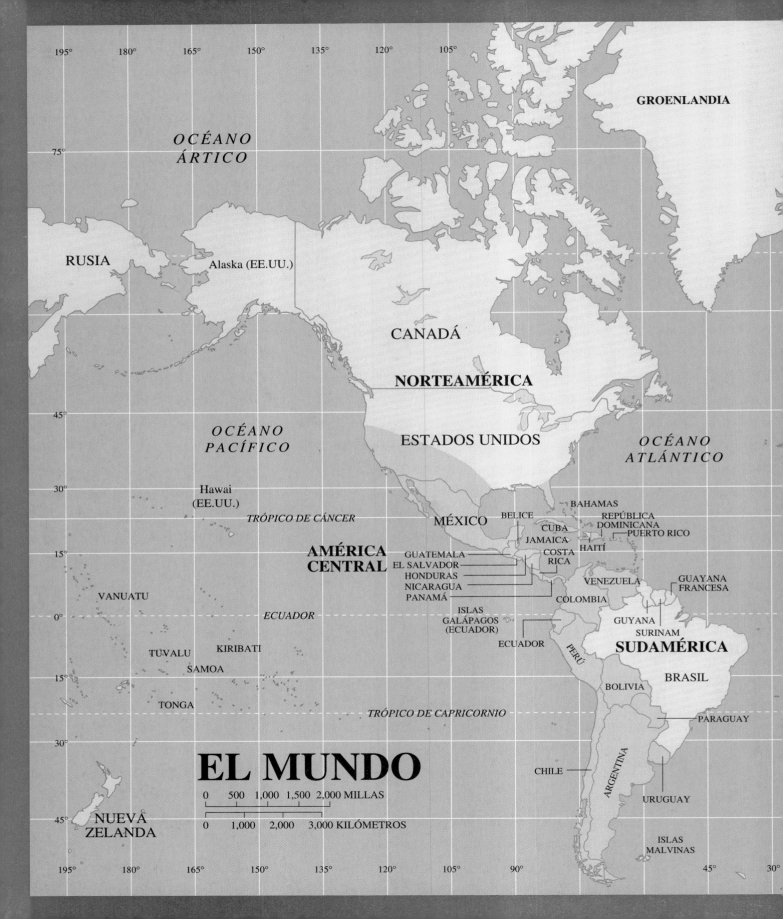

EL MUNDO

195° 180° 165° 150° 135° 120° 105°

OCÉANO
ÁRTICO

75°

GROENLANDIA

RUSIA   Alaska (EE.UU.)

CANADÁ

NORTEAMÉRICA

45°   ESTADOS UNIDOS

OCÉANO
PACÍFICO

OCÉANO
ATLÁNTICO

30°   Hawai
             (EE.UU.)

TRÓPICO DE CÁNCER   MÉXICO   BELICE   BAHAMAS
                                              CUBA   REPÚBLICA
                                                      DOMINICANA
                                              JAMAICA   PUERTO RICO
15°   GUATEMALA   COSTA   HAITÍ
AMÉRICA   EL SALVADOR   RICA
CENTRAL   HONDURAS
VANUATU   NICARAGUA   GUAYANA
                 PANAMÁ   VENEZUELA   FRANCESA
                          ISLAS   COLOMBIA
0°   ECUADOR   GALÁPAGOS   GUYANA
                          (ECUADOR)   SURINAM
                          ECUADOR   SUDAMÉRICA
TUVALU   KIRIBATI   PERÚ
SAMOA   BRASIL
15°   BOLIVIA
TONGA   TRÓPICO DE CAPRICORNIO   PARAGUAY

30°   EL MUNDO
             0   500 1,000 1,500 2,000 MILLAS   ARGENTINA

             0   1,000 2,000 3,000 KILÓMETROS   URUGUAY
45° NUEVA
     ZELANDA   ISLAS
                                                   MALVINAS

195° 180° 165° 150° 135° 120° 105° 90°   45° 30°

LOS HISPANOHABLANTES EN LOS ESTADOS UNIDOS

0   125   250   375   500 MILLAS

0   250   500   750 KILÓMETROS

Maine

Minnesota

New Hampshire
Vermont

Mass.
Conn.

Wisconsin

Nueva York

Rhode Island

40°

Michigan

Iowa

Pennsylvania

Illinois

Nueva Jersey
Delaware
Washington, D.C.
Maryland

Ohio

Indiana

Virginia
Occidental

Misuri

Virginia

35°

Kentucky

Carolina
del Norte

Tennessee

OCÉANO ATLÁNTICO

Arkansas

Carolina del
Sur

30°

Georgia

Misisipí

Porcentaje de Población
Hispana

Raíces

Alabama

20 ó más

10-19.9

México   Cuba

70°

3.0-9.9

Luisiana

0-2.9

Puerto
Rico

Otros

Florida

Total EE. UU.
Población Hispana

25°

GOLFO DE MÉXICO

95°   90°   85°   80°

20°

¡Dímelo tú!

Third Edition

Fabián A. Samaniego
Emeritus, University of California—Davis

Thomas J. Blommers
California State University—Bakersfield

Magaly Lagunas-Carvacho
University of California—Davis

Viviane Sardán
University of California—Davis

Francisco Rodríguez
Santa Barbara City College

Holt, Rinehart and Winston
Harcourt Brace College Publishers

Fort Worth   Philadelphia   San Diego   New York   Orlando   Austin   San Antonio
Toronto   Montreal   London   Sydney   Tokyo

Publisher	Rolando Hernández-Arriessecq
Acquisitions Editor	Terri Rowenhorst
Developmental Editor	Elke Herbst
Project Editor	Mary K. Mayo
Art Director	David A. Day
Production Manager	Debra A. Jenkin

Cover credit:

Background	© Digital Stock
Man and woman walking	© Corel
Mother and daughter at Mayan ruin	Macduff Everton/The Image Works
Couple in Seville	Odyssey/Frerck/Chicago
Street dancing at festival	Odyssey/Frerck/Chicago
Festival	Odyssey/Frerck/Chicago

ISBN: 0-03-020078-4

Library of Congress Catalog Card Number: 97-74837

Address for Editorial Correspondence: Holt, Rinehart and Winston, 301 Commerce Street, Suite 3700, Fort Worth, TX 76102.

Address for Orders: Harcourt Brace & Company, 6277 Sea Harbor Drive, Orlando, FL 32887-6777. 1-800-782-4479.

Web site address: http://www.hbcollege.com

Holt, Rinehart and Winston will provide supplements or supplement packages to those adopters qualified under our adoption policy. Please contact your sales representative to learn how to qualify. If as an adopter or potential user you receive supplements you do not need, please return them to your sales representative or send them to: Returns Department, Troy Warehouse, 465 South Lincoln Drive, Troy, MO 63379.

Printed in the United States of America

9 0 1 2 3 4 5 6 032 9 8 7 6 5 4

Holt, Rinehart and Winston
Harcourt Brace College Publishers

Preface To the Student

Teaching for Competency

To develop fluency in Spanish, you must learn to perform a wide variety of communicative language tasks, such as asking and answering questions, describing, narrating, making comparisons, expressing opinions, and hypothesizing. You must learn to perform these tasks in multiple contexts: home, school, department stores, restaurants, travel agencies, traveling abroad, hotels, concerts, lectures, movie theaters, or night clubs. Finally, you must learn to perform these tasks within an appropriate range of accuracy. *¡Dímelo tú!* will help you accomplish this by having you *interact* in Spanish with your classmates and with your instructor on a daily basis.

Organization of *¡Dímelo tú!*, Third Edition

As with the previous edition, the third edition consists of a preliminary lesson (**Antes de empezar**), a model lesson (**Para empezar**), and fifteen chapters.

Antes de empezar   In this preliminary lesson you will complete a series of group activities that will help you see the global importance of studying the Spanish language and Hispanic culture. You will also receive specific advice on how to study a foreign language and learn about the overall format of the third edition.

Para empezar   Here you will learn to greet people, make introductions, and say good-bye. You will also be exposed to all major components of each *Paso* (Step) in the third edition.

Each of the fifteen chapters of *¡Dímelo tú!* are divided into three *Pasos* with the following components:

Lo que ya sabes...   This set of questions refers to the photos on the two-page chapter opening spread. The photos have been selected to introduce the chapter theme and/or the country of focus. The questions are designed to help access knowledge you might already have regarding the chapter theme and/or country to be studied in the chapter.

¿Eres buen observador?   This section introduces the theme of a *Paso* and challenges you to make cross-cultural comparisons and intelligent guesses about some aspect of the theme by looking at a specific photo, a drawing, or a variety of advertisements from all over the Spanish-speaking world. Then you will be asked to answer some comprehension questions.

¿Qué se dice...?   Built into the illustrated narratives and dialogues in this section are the new lesson vocabulary and language structures. The first narrative in every *Paso* is recorded on the audio CD that accompanies the text. You are expected to listen to it and answer the questions in the text **before** beginning the *Paso* in class. Your instructor will use the drawings to help you understand as he or she narrates the remaining parts of the story or dialogue. In class, you are expected to listen carefully to the narration; you are not expected to understand every word, but you should be able to grasp the main point of the narrative.

Ahora, ¡a hablar!   In this section you will be guided through your first productive efforts with the structures and vocabulary that you learned to understand in the previous *¿Qué se dice... ?* section.

Y ahora, ¡a conversar!   In this section you will do a variety of pair/group cooperative activities designed to encourage creativity with the language and develop fluency in speaking Spanish. By interacting with other students in such activities as finding differences in look-alike pictures, conducting interviews and creating interview grids, resolving cooperative crossword puzzles, and playing language Bingo, you will accomplish this goal.

¡Luz! ¡Cámara! ¡Acción!   In this section you will be asked to perform two or three role plays that will allow you to see for yourself if you have mastered the communicative language tasks of the *Paso*.

¿Comprendes lo que se dice?   The first two *Pasos* in each chapter have this listening section. In *Paso 1* of Chapters 1–10, you will listen to such materials as brief dialogues, short radio and television news reports, and weather reports. In *Paso 2* of Chapters 1–10, you will view a wide variety of television programs. In the last five chapters of the text, you will watch a complete soap opera, *La dinastía del amor*.

Noticiero cultural   The first two *Pasos* of each chapter present these short cultural readings. In *Paso 1,* the text focuses on a specific Hispanic country or region (*Lugar*); *Paso 2* either highlights a noteworthy Hispanic person of that country (*Gente*), or presents a cross-cultural miscommunication that you will be asked to identify and explain (*Costumbres*).

El español en otras disciplinas...   In this section at the end of *Paso 1* you will see how Spanish has applications that go beyond the classroom. You will actually do a wide variety of tasks involving other disciplines—geography, art, history, music, mathematics, and so on.

¿Te gusta escribir?   This section at the end of *Paso 2* teaches you to write in Spanish the same way you are taught to write any kind of document in English. Each writing task begins with initial planning and brainstorming. Then you write a first draft that is shared, reviewed, and edited by your peers. A final draft that incorporates your peers' suggestions and corrections is then prepared and turned in for grading.

¿Te gusta leer?   This section, which occurs only in *Paso 3,* has a reading selection preceded by specific reading strategies and pre-reading activities called *Antes de leer.* The reading selections are taken from Hispanic magazines and newspapers, literary works, and cultural essays written by the authors.

Viajemos por el ciberespacio a...   In this section you are encouraged to travel through cyberspace to every Spanish-speaking country featured in your book. You may choose to read the headlines in some of the world's most prestigious newspapers or find out what is happening in the Hispanic world of sports, movies, or theaters in such cities as Buenos Aires, Lima, Madrid, or Mexico City. Through the World Wide Web you can directly communicate with the people in Hispanic cities across the globe.

En preparación   All major grammar explanations appear in this section at the end of each chapter. For easy reference, grammatical points are numerically keyed to each *Paso* of the text. Before beginning each *Paso,* you are asked to study the corresponding grammar sections at home and come to class prepared to ask questions about anything you did not understand.

¿Sabías que...?   These sections appear whenever appropriate in each chapter. They provide specific cultural information on many aspects of contemporary life in Latin America and Spain.

A propósito...   These sections appear wherever appropriate in each chapter and have two functions: they present grammar structures as needed to perform specific communicative tasks, and they preview major grammar structures explained in later chapters.

Appendixes   Besides the Spanish/English and English/Spanish vocabularies, the appendixes include accentuation; charts of regular, stem-changing, and irregular verbs; a brief explanation of supplemental grammar points, an index of grammar, and a separate index of culture and functions.

Visual Icons Used Throughout the Text

The Pair Work Icon is used throughout each **Paso**, in particular in the **Ahora, ¡a hablar!, Y ahora, ¡a conversar!,** and **¡Luz! ¡Cámara! ¡Acción!** sections, to help students and the instructor readily identify activities designed for paired work.

The Group Work Icon is used throughout each **Paso**, in particular in the **Y ahora, ¡a conversar!** and **¡Luz! ¡Cámara! ¡Acción!** sections, to help students and the instructor readily identify activities designed for work in groups of three or more.

The Listening Icon is used in the **¿Qué se dice...?** sections to indicate that students must listen to the Student CD before coming to class. This icon is also used in the **¿Comprendes lo que se dice?** section in **Paso 1** to indicate that students will be listening to an audio CD or cassette in class.

The Video Icon is used in the **¿Comprendes lo que se dice?** section in **Paso 2** to indicate that students will be viewing and listening to a videotape in class.

The Writing Icon is used in the **Ahora, ¡a hablar!** and **Y ahora, ¡a conversar!** sections whenever the activities require the students to do some writing. This icon is also used in the **¿Te gusta escribir?** section to indicate when students will be writing rather than planning, organizing, or revising.

The Reading Icon is used in the **Noticiero cultural** and **¿Te gusta leer?** sections to inform students that these are reading activities.

Cuaderno de actividades/Manual de laboratorio

The *Cuaderno de actividades/Manual de laboratorio* is an integral part of the *¡Dímelo tú!* program. This material provides you with the additional reading, writing, and listening comprehension practice necessary to attain competency in Spanish.

The activities workbook provides numerous vocabulary-building activities, writing activities, and cultural readings, all keyed to the specific structures and vocabulary being presented in each chapter.

In the audio program you will listen to radio programs and advertisements, public address announcements, and phone conversations, and you will actively participate by marking the correct responses, taking notes, drawing the person or thing being described, and so on. These listening activities are carefully keyed to the structures and vocabulary presented in each chapter.

Cuaderno para hispanohablantes

The *Cuaderno para hispanohablantes* was developed to meet the unique needs of Spanish native speakers enrolled in a first-year course. This workbook provides alternative listening, speaking, reading, and writing activities to complement the textbook. A listening component tailored to the specific needs of native speakers also accompanies this workbook.

Tutorial Software

The *Tutorial Software* correlated directly to *¡Dímelo tú!* allows you to do grammar homework and practice grammar exercises in the language lab or at home. This software provides immediate feedback, error analysis, and scoring.

The Web Site

The *¡Dímelo tú! Home Page* provides a range of interactive web activities, linked to each chapter of the text, that make it easy for you to explore the Hispanic world on the Internet. Additional support materials and links to other resources on the web can also be found at http://www.hrwcollege.com.

Encuentros en español CD-ROM

The *Encuentros en español* CD-ROM takes you on a mystery adventure that unwinds in sixteen different locations in the Spanish-speaking world. Along the way, you will face situations that require many basic Spanish language functions you have learned in the *¡Dímelo tú!* program. You will progress through the adventure by using listening, reading and writing skills, and by completing interactive exercises integral to the story. Activities also build vocabulary and practice grammar structures. Rich cultural material and geographic information introduce each new country where the story is set. The story and cultural material are illustrated with video, audio, photos, realia, original animation and graphics. Glossary and grammar tools are available throughout the program.

Acknowledgments

A revision of this magnitude cannot be completed without the help and participation of many individuals. We wish to express our sincere appreciation to all who supported us in preparing the third edition, in particular to the many users of both the first and second editions. Without their continued support and input this third edition would not have been possible.

We wish to express a very special and heartfelt thank you to our developmental editor, Elke Herbst, for her insightful input, careful guidance, and willingness to listen and to try something new. We would also like to thank Miriam Bleiweiss, developmental editor, for her expert supervision and guidance in the development of the extensive ancillary package that accompanies this text.

We further appreciate the support throughout the project from both Rolando Hernández-Arriessecq, vice president/publisher of Holt, Rinehart and Winston, and Terri Rowenhorst, program director.

A special word of thanks goes to David A. Day, senior art director, who so efficiently handled the extensive art program of this edition, to Debra Jenkin, senior production manager, as well as our project editors Mary Kathryn Mayo and Claudia Gravier who ever so patiently made sure we met all our production deadlines.

We gratefully acknowledge those instructors who reviewed the third edition manuscript. Their insightful comments and constructive criticism were indispensable in the development of this edition. In particular, we thank

Suan Navey-Davis, North Carolina State University; Lynda J. Jentsch, Samford University; Fausto Avendaño, California State University—Sacramento; Alice Ruth Reckley, University of Missouri—Kansas City; Octavio de la Suaree, William Patterson College; Sonia López Blakely, Colorado State University—Fort Collins; Estelita Calderón-Young, Collin County Community College; Olga Berrios Winston, California State University—Bakersfield; Domenico Sottile, College of the Desert; Raquel Oxford, University of North Texas; Catherine M. Barrette, Wayne State University; and Carmen Chaves Tesser, University of Georgia.

Finally, we wish to express heartfelt thanks to Tom Wetterstrom, Jorge Yviricu, Omar Carvacho, and Janet B. Rodríguez, who through their patience and encouragement have supported us throughout this project.

Contenido

¡Dímelo tú!

Third Edition

Antes de empezar

In this section, you will ...

- answer the question, "Why study a foreign language?"
- learn about Spanish as a global language.
- learn how Spanish can help you in your future career.
- be advised on how to study Spanish in *¡Dímelo tú!*

La Calle Olvera,
Los Ángeles

water falls
Las cataratas
de Iguazú, Paraguay/
Argentina/Brasil

El patio de los leones,
la Alhambra, Granada
Spain

Las ruinas de Tikal
en Guatemala

Panamá, ciudad capital

La biblioteca,
Universidad
Nacional Autónoma
de México

Lo que ya sabes...

1. How many of these places do you recognize? In what countries are they located?

2. Can you describe the importance of each of these places?

3. Have you traveled to other well-known sites in the Spanish-speaking world? If so, what are they?

Why study a foreign language?

Students often ask themselves why they should study a foreign language, but many have difficulty responding. To help you understand the importance of foreign language study, let's explore the many reasons for learning Spanish.

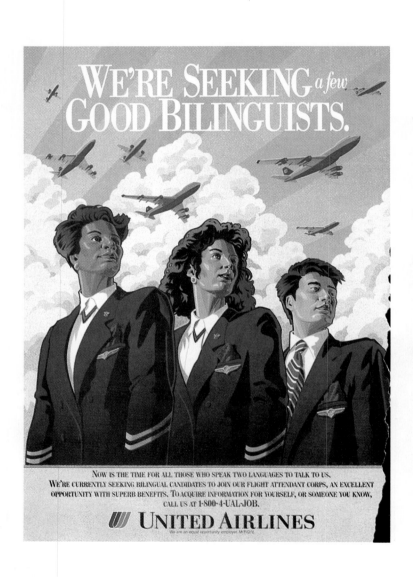

Spanish as a Global Language

Spanish is one of the official languages of the United Nations and the fifth most widely spoken language in the world. As advances in world communications bring us in closer contact with other countries, Spanish is destined to assume a major role. To gain a more global perspective on the importance of Spanish, work in groups of four and respond to the following.

1. Spanish is the official language in . . .
   - a. five countries.
   - b. eleven countries.
   - c. fifteen countries.
   - d. twenty-one countries.

2. List as many Spanish-speaking countries as you can.

3. Spanish is spoken by approximately . . .
   - a. 100 million people.
   - b. 200 million people.
   - c. 300 million people.
   - d. 400 million people.

Spanish in the United States

The influence of Spanish culture and language in the United States is most evident in the Southwest and Florida because these regions were first settled by the Spaniards. The first permanent European settlement in the continental United States was founded in 1565 at St. Augustine, Florida, by the Spaniards. (The Mayflower did not arrive at Plymouth Rock until 1620.) In Santa Fe, New Mexico, the Palace of the Governors, the oldest government building still in use in the continental United States, was built in 1610. In Texas, the first Spanish mission was established in 1690. By 1776, when the thirteen colonies declared their independence, the Spaniards had established seven missions along the California coast.

Today, one does not need to look far to see the influence of Spanish culture in this country. Again, working in groups of four, see how much you know about the influence of Spanish on U.S. culture by answering the following.

Palacio de los gobernadores en Santa Fe, Nuevo México

1. Name seven states that have Spanish names.

   New Mexico, Arizona, California, Nevada, Florida, Colorado, ~~Texas~~ Montana.

2. How many major cities in the U.S. can you list that have Spanish names?

   Santa Ana   Santa fe, Sacremento, Los Angeles San Antonio
   San Ysidro   San Diego   El Pasa   San Fransisco   El Monte

3. Are there any eating establishments in your hometown that serve Spanish or Spanish-American cuisine? What are they?   *Los Hermanos,*
   Don Pepés, La Hacienta Viejo   The Old Hacienda
   El Sombrero

4. The population of the U.S. is approximately 254 million. The number of Spanish speakers in the United States is approximately . . .

   a.   12 million.   c.   32 million.

   (b.) 22 million.   ~~d.   42 million.~~

5. If you were stuck in an elevator with sixteen people in downtown Los Angeles, how many of them do you think would speak Spanish?

   a.   two   (c.) six

   b.   four   d.   eight

6. Match the U.S. cities with the major Spanish-speaking population that has settled there.

   (1)   Cubans   a.   San Francisco
   (2)   Mexicans   b.   Miami
   (3)   Puerto Ricans   c.   Los Angeles
   (4)   Nicaraguans and Salvadorans   d.   New York

7. Which of the following words have been borrowed from the Spanish language?

potato   chili   canoe   patio   rodeo   hurricane   tobacco   chocolate   sherry   bronco   lasso   canasta   tomato   conquistador   MACHETE   ranch   corral

How can learning Spanish help me?

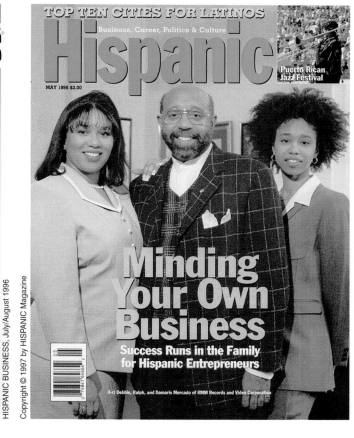

HISPANIC BUSINESS, July/August 1996

Copyright © 1997 by HISPANIC Magazine

One obvious way learning Spanish can help is in traveling. Learning to speak Spanish will open the doors to twenty-one different countries for you. It will also help you appreciate the valuable contributions made by Hispanic people in the fields of art, music, literature, and Western civilization in general.

Knowing the language can also help you in the business world. Working in groups of four, decide how knowing Spanish could help a person in the following professions. Explain your answers.

hotel management	law or law enforcement
journalism or publishing	photography
real estate	teaching
social or health services	library science
politics	international business
government	international communications

Learning Spanish will also make you more aware of your native language and will help you realize that when you speak or write, you do so to communicate ideas, not words alone. As you learn Spanish you will learn that ideas are communicated in different ways in different languages, and that there are few exact word-for-word relationships between languages.

How should I study Spanish?

Learning Spanish, like learning to play the piano or to play tennis, requires daily practice. Your ability to understand and to communicate in Spanish will increase each day if you are willing to use the language. Take advantage of every minute you are in the classroom. Do not be afraid to make mistakes when speaking, as this is a normal part of the learning process.

Here is a list of recommendations for how to study Spanish.

1. Practice every day. In class, make every effort to use what you already know. Outside of class, practice what you are learning with classmates or find a student who speaks the language to practice with you. Repeated use of Spanish will help you internalize the language.

2. Learn to make intelligent guesses. Spanish has hundreds of cognates, words that look or sound similar to their English equivalents. Learn to recognize and use them. For example, what do the following mean in English?

repite	**universidad**	**grupo**
clase	**información**	**conversación**

3. Experiment to find your own learning style and use what works best for you! Some possibilities are: make vocabulary cards with Spanish on one side and English translations or a picture on the other, write the answers to all textbook exercises, say words aloud as you study them, use the tapes that go with the text at home, look at pictures in magazines or newspapers and try to describe them in Spanish.

4. Organize your study time. When planning your schedule, decide on a certain time to study Spanish each day and stick to it. If you miss a day, make it up! It is much easier to learn a foreign language in small segments each day, rather than trying to study an entire chapter in a few hours.

5. Participate! Create learning opportunities for yourself. Don't wait to be called on or until someone else in class takes the initiative. Be aggressive.

6. Don't panic because you don't know a particular word. Listen to what you do understand and guess at the unknown.

7. Draw on your own life experience. Listen to the context and try to anticipate what you will hear. For example, if talking about McDonald's, what would you expect the following to mean?

hamburguesa	**mostaza**
lechuga	**salsa de tomate**
tomate	**cebolla**
mayonesa	**patatas fritas**

8. Listen to Spanish radio and/or Spanish T.V. programs. Learn the lyrics to songs in Spanish you like, and be daring, get involved with one of the many soap operas, called **telenovelas,** currently being transmitted on T.V. in the United States.

9. When reading, don't expect to understand every word you see. You will often be asked to work with authentic materials, such as this advertisement, that clearly have some language that you can understand and some that you are not expected to know. Always focus on what you do know and use that information to make intelligent guesses at the words you do not know. For example, in this advertisement, you probably know the meaning of the five words that are repeated three times because they look very similar to their English equivalents. Beyond that, you probably recognize that a fax number is given and what are most likely two other phone numbers. All other information probably is not within reach for you at this time. That is perfectly okay. In the questions about a reading such as this, you might be asked to consider the information that is within reach and try to guess at the rest. The questions are likely to guide you toward correct answers, for example, you might be asked the following:

> The line below the title states that **DÓNDE** is **La llave maestra** or *the master key* to something. What do you think this master key opens? In English there is an expression that in Spanish would be **Las llaves de la ciudad.** What is the expression in English?

If you guessed that **DÓNDE** is the master key to Mexico City and that the English expression is *The keys to the city* you guessed correctly and should pat yourself on the back because you are already reading authentic materials in Spanish!

Working with *¡Dímelo tú!*

Discover for yourself how *¡Dímelo tú!* is organized and what the purpose of each section of the text is. Working in groups of four, look for the section titles in the pages indicated for each set and match them with their descriptions. Be prepared to explain to the class, with examples, the purpose of each section.

Set 1: Pages 27–29

1. Lo que ya sabes
2. Paso 1
3. Tarea
4. ¿Eres buen observador?

5. ¿Qué se dice… ?

a. *Samples of authentic language*
b. *Visual introduction to lesson theme*
c. *Challenges your critical thinking skills*
d. *The first of three lessons that make up each chapter.*
e. *Specifies homework assignments*

Set 2: Pages 30–32 and 38

6. ¿Sabías que… ?

7. A propósito…

8. Ahora, ¡a hablar!

9. Y ahora, ¡a conversar!
10. ¡Luz! ¡Cámara! ¡Acción!

f. *More creative, open-ended speaking activities*
g. *Controlled speaking activities for early production*
h. *Previews structures that will be taught later*
i. *Role plays*
j. *Cross-cultural information*

Set 3: Pages 32–35 and 42

11. ¿Comprendes lo que se dice?
12. Noticiero cultural
13. El español en otras disciplinas
14. Antes de escribir
15. ¿Te gusta escribir?

k. *Short cultural reading*
l. *Writing*
m. *Prewriting activities*
n. *Interdisciplinary connections*
o. *Listening activities*

Set 4: Pages 48–53

16. Antes de leer
17. ¿Te gusta leer?
18. Viajemos por el ciberespacio a…
19. En preparación

20. ¡A practicar!

p. *Provides grammar explanations*
q. *Internet activities*

r. *Prereading activities*
s. *Practice grammar exercises for homework*
t. *Chapter reading selection*

Useful Classroom Expressions

Following are three lists of useful classroom expressions that you should learn to recognize. The first list consists primarily of cognates. Guess the meaning of these expressions.

- Dramatiza esta situación.
- En tu opinión, ¿quién… ?
- No comprendo.

- Prepara una lista por escrito.
- Selecciona una respuesta apropiada.
- En grupos pequeños…

The meaning of these expressions is less obvious, although there are a couple of cognates. What are the three cognates? What do they mean? Match each expression with its translation.

1. Comparte la información.	a.	*Read this advertisement.*
2. Contesta la(s) pregunta(s).	b.	*Describe the drawing.*
3. Escucha la conversación.	c.	*What do you do . . . ?*
4. Lee este anuncio.	d.	*In pairs*
5. Describe el dibujo.	e.	*Answer the question(s).*
6. ¿Qué haces… ?	f.	*Listen to the conversation.*
7. En parejas	g.	*Share the information.*

The following three expressions all have the same cognate, **compañero**. What do you think it means? Why do you suppose there is an (**a**) after the word? The remaining words in these expressions mean *Interview, Ask,* and *Tell,* respectively. Can you guess what the complete expressions mean?

■ Entrevista a un(a) compañero(a)...

■ Pregúntale a un(a) compañero(a)...

■ Dile a un(a) compañero(a)...

Para empezar: Saludos, presentaciones y despedidas

In this chapter, you will learn how to …

- greet people at different times of the day.
- introduce yourself and others.
- address people formally and informally.
- say good-bye in formal and informal situations.

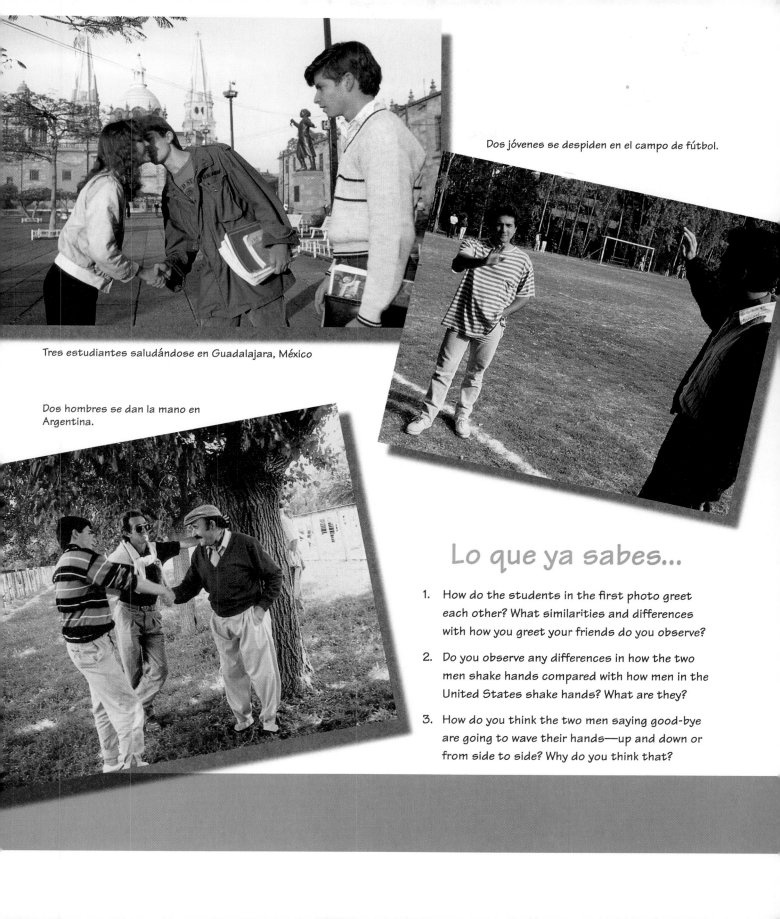

Dos jóvenes se despiden en el campo de fútbol.

Tres estudiantes saludándose en Guadalajara, México

Dos hombres se dan la mano en Argentina.

Lo que ya sabes...

1. How do the students in the first photo greet each other? What similarities and differences with how you greet your friends do you observe?

2. Do you observe any differences in how the two men shake hands compared with how men in the United States shake hands? What are they?

3. How do you think the two men saying good-bye are going to wave their hands—up and down or from side to side? Why do you think that?

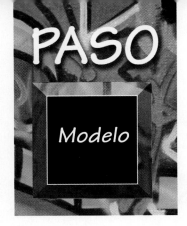

PASO

Modelo

¡Hola! ¡Mucho gusto! ¡Adiós!

TAREA

Before beginning this **Paso**, study **En preparación PE.1** and **PE.2**, and do the **¡A practicar!** exercises. Also listen to the **Paso modelo: ¿Qué se dice...?** on your Audio CD.

¿Eres buen observador?

Un beso al saludarse en México, D.F.

Dos jóvenes se dan la mano en Cuzco, Perú.

Ahora, ¡a analizar!

1. How do people in the U.S. greet each other in formal and informal situations? How do the Spanish-speaking people in the photos greet each other? What similarities and differences do you observe?

2. The men in the photo above are shaking hands. Why do you think that they do not extend their arm out as men in the United States do when shaking hands?

3. What are some gestures you use to say good-bye to your parents, relatives, friends, instructors?

¿Qué se dice...?

Al saludar / presentar / despedirse de una persona

Students' names: _____Lucia,_____Ana__Valdez_____

"Hello." _____¡Hola!_____

"What's your name?" ~~Cual es~~ ali nombre   mi llamo se Lucia ¿y tu? ¿Como te llamas?

Mi llamo Ana   mi nombre es Ana

¿Senor, cual es su nombre, vd.? (form) Como se llama, usted (form.)

ELVIRA	Hola, Carlos. ¿Cómo estás?
CARLOS	Bastante bien, ¿y tú?
ELVIRA	¡Excelente! Carlos, te presento a mi amigo Andrés.
CARLOS	Mucho gusto, Andrés.
ANDRÉS	Igualmente, Carlos.

GABRIEL	Profesor Gómez, le presento a mi amiga Teresa.
TERESA	Encantada, profesor.
PROFESOR	El gusto es mío, Teresa.

PROFESORA	Buenas tardes.
MATÍAS	Buenas tardes, profesora.
PROFESORA	¿Cómo se llama usted?
MATÍAS	Matías Suárez. Y usted es la profesora Torres, ¿no?
PROFESORA	Sí, soy Angélica Torres. Mucho gusto, Matías.
MATÍAS	El gusto es mío, profesora Torres.

RAÚL	¿Qué tal, Mario?
MARIO	Bien, Raúl, ¿y tú?
RAÚL	No muy bien. No... ¡terrible!

SUSANA	Hasta luego, Pepe.
PEPE	Hasta pronto, Susana. Adiós, Lisa.
LISA	Adiós. Hasta mañana.

A propósito...

Notice that when introducing a person who is a friend or family member you use **te presento**, but when introducing a person who is outside your circle of friends or family, such as your teachers, boss or manager, you use **le presento**.

Ahora, ¡a hablar!

A. Saludos, despedidas y respuestas.   Selecciona una respuesta apropiada para cada saludo y despedida.

Modelo

TÚ	**¡Hola!**
TU AMIGO(A)	**Buenos días.**

Saludos	Respuestas	Despedidas	Respuestas
¿Qué tal?	¡Terrible!	Hasta la vista.	Hasta luego.
¿Cómo te llamas?	Me llamo Antonia.	Adiós.	Hasta pronto.
¿Cómo estás?	Buenas tardes.	Hasta pronto.	Adiós.
¡Hola!	Buenos días.	Hasta luego.	Hasta mañana.
Buenas tardes.	Bastante bien.	Hasta mañana.	Hasta la vista.
Buenos días.	Bien, gracias.		
	Muy bien, gracias.		
	Excelente.		

B. Un estudiante muy popular. ¿Cómo saludas a estas personas en la universidad? (*Role-play greeting these people with a classmate.*)

Modelo una amiga a las nueve (9:00) de la mañana

TÚ	¡Hola, Irene! ¿Cómo estás?
AMIGA	Bien, ¿y tú?
TÚ	Bastante bien.

1. el profesor de español a las ocho (8:00) de la mañana
2. un amigo a las dos (2:00) de la tarde
3. una amiga a la una (1:00) de la tarde
4. un amigo en la clase de español
5. una amiga en la cafetería a las nueve (9:00) de la mañana
6. una profesora a las tres (3:00) de la tarde

C. Amigos nuevos. Pregúntales a tres (3) amigos nuevos cómo se escriben sus nombres.

Modelo

TÚ	¿Cómo se escribe tu nombre?
AMIGO	S C O T T R A Y (ese, ce, o, te, te; ere, a, i griega)

D. Presentaciones. Presenta a estas personas.

Modelo papá / profesora Luna

Papá, te presento a la profesora Luna.

1. profesor Durán / amigo John
2. amiga Carmen / amigo Matt
3. mamá / amiga Rosita
4. papá / señora Guzmán
5. profesor Trujillo / amigo José Antonio
6. mamá / profesora Franco

E. ¿Presentaciones o respuestas? Selecciona una respuesta apropiada para cada presentación. (*Then explain when you would use the remaining "respuestas."*)

Presentaciones	Respuestas	Presentaciones	Respuestas
Te presento a…	Igualmente.	Le presento a…	Mucho gusto.
	¡Encantada!		El gusto es mío.

Y ahora, ¡a conversar!

A. ¡Hola! Identifica a cuatro (4) personas que no conoces en la clase y preséntate. Escribe los nombres de las cuatro personas.

Modelo

TÚ	**¡Hola! Soy... ¿Cómo te llamas?**
COMPAÑERO(A)	**Me llamo Andrea Chávez.**
TÚ	**¿Cómo te escribe tu nombre?**
COMPAÑERO(A)	**A N D R E A C H A V E Z**
	(a, ene, de, ere, e, a; ce, hache, a, ve, e, zeta)

B. ¡Encantado(a)! Presenta a dos personas de la clase.

Modelo

TÚ	**Carlos, te presento a mi amiga Susana.**
CARLOS	**Mucho gusto, Susana.**
SUSANA	**Encantada.**

C. ¡Hasta mañana! Practica los saludos y las despedidas en español con tu profesor(a) y tus compañeros de clase todos los días. Usa varios saludos y despedidas.

¡Luz! ¡Cámara! ¡Acción!

A. Te presento a mi familia. Un amigo mexicano, Andrés Salazar, te presenta a su familia. Dramatiza esta situación con tres (3) compañeros de la clase. *(One plays the role of Andrés, the others of his parents. Take turns playing the different roles.)*

B. ¡Mi profesor(a)! Tú, tu papá y tu mamá están en la cafetería de la universidad. Tu profesor(a) de español también está. Tú decides presentar a tus padres a tu profesor. Dramatiza la situación con tres (3) compañeros de clase. *(Let your partners play the role of your parents and professor first. Then alternate roles.)*

¿Comprendes lo que se dice?

Estrategias para escuchar. *When listening to people speak, it is not necessary to understand every word spoken in order to comprehend the gist of what is being said. As you listen to these dialogues, don't worry if you do not understand every word. Simply try to understand enough to answer the questions below.*

¿Formal o informal? Escucha estos dos diálogos y luego selecciona la respuesta correcta a las preguntas que siguen.

1. ¿Cuál de las conversaciónes es más formal? ¿más informal?
   a. La conversación número 1.　　b. La conversación número 2.
2. ¿Cómo se llama la amiga de Julio y Rubén?
3. En la conversación número 1, ¿son las personas estudiantes o profesores? ¿Y en la conversación número 2?

NOTICIERO CULTURAL

COSTUMBRES

Antes de empezar, dime...

1. ¿Qué saludos usas con tus amigos en inglés? ¿con tus profesores?
2. ¿Son idénticos o diferentes los saludos?
3. Si son diferentes, explica la diferencia.

Saludos.   Julio Hurtado, un cubanoamericano, y Rick Henderson son estudiantes en la Universidad del Estado de Florida en Tallahassee. Rick está en la clase de Español 101 y practica español con su amigo Julio. Ellos conversan cuando el rector (presidente) de la universidad los saluda.

JULIO	Buenas tardes, Rick. ¿Cómo estás?
RICK	Muy bien, gracias. ¿Y tú?
JULIO	Bastante bien. Ah, mira, el rector de la universidad.
RECTOR	Buenas tardes, señores.
JULIO	Buenas tardes, rector.
RICK	Buenas tardes. Ahh,… ¿Cómo estás?
RECTOR	¿Qué? ¡Hmmm! ¡Adiós!

Y ahora, dime...

¿Por qué reacciona el rector negativamente al saludo de Rick?

1. Porque el saludo de Rick fue muy informal.
2. Porque el rector no tiene tiempo para hablar con Rick y Julio.
3. Porque Rick no habla español muy bien.

Lee el número que corresponde a la respuesta que seleccionaste en el Apéndice A.

Antes de escribir
Estrategias para escribir: Puntuación

¡Pobre Rick!   Estudia la puntuación en este diálogo. ¿Es idéntica a la puntuación en inglés? Explica las diferencias.

NATALIA	¡Hola, Rick! ¿Cómo estás?
RICK	¿Qué tal, Natalia? No estoy muy bien.
NATALIA	¿No? ¿Por qué? ¿Qué te pasa?
RICK	¡El rector está furioso conmigo!

Ahora, ¡a escribir!

A.   Al empezar.   Prepárate para escribir un diálogo donde Julio le presenta a Rick el rector de la universidad en una recepción para estudiantes nuevos. Haz (*Make*) una lista del vocabulario que necesitas para escribir el diálogo.

B.   El primer borrador.   Prepara un primer borrador (*first draft*) de tu diálogo.

C.   Ahora, a compartir.   Comparte (*Share*) tu diálogo con dos o tres compañeros. Haz comentarios sobre el estilo y la estructura. ¿Es lógico el diálogo? ¿Es formal o informal la presentación? ¿Y cómo contesta Rick, formalmente o informalmente? ¿Hay errores de puntuación o de ortografía (*spelling*)?

D.   Ahora, a revisar.   Lee tu diálogo una vez más. Si necesitas hacer cambios basados en los comentarios de tus compañeros, hazlos ahora.

E.   La versión final.   Prepara una versión final de tu diálogo y entrégalo (*turn it in*).

F.   Publicación.   En grupos de 4 ó 5 lean los diálogos corregidos que su profesor(a) les da (*gives you*) y decidan cuál es el mejor (*best*). Prepárense para hacer una lectura dramatizada del mejor diálogo en su grupo.

Vocabulario

Saludos y respuestas

Buenos días.	*Good morning.*
Buenas tardes.	*Good afternoon.*
Buenas noches.	*Good evening.*
¿Cómo estás?	*How are you? (fam.)*
¡Hola!	*Hello!*
¿Qué tal?	*How are you?*
Bastante bien.	*Well enough.*
Bien, gracias.	*Fine, thank you.*
¡Excelente!	*Excellent!*
Muy bien, gracias.	*Fine, thank you.*
No muy bien.	*Not very well.*
¡Terrible!	*Terrible!*

Presentaciones y respuestas

¿Cómo se llama usted?	*What's your name? (form.)*
¿Cómo te llamas?	*What's your name? (fam.)*
Me llamo…	*My name is . . .*
Mi nombre es…	*My name is . . .*
Te presento a…	*I'd like you to meet . . . (fam.)*

Le presento a…

Le presento a…	*I'd like you to meet. . . (form.)*
El gusto es mío.	*The pleasure is mine.*
Encantado(a).	*Delighted.*
Igualmente.	*Likewise.*
Mucho gusto.	*Pleased to meet you.*

Despedidas y respuestas

Adiós.	*Good-bye.*
Hasta la vista.	*Good-bye. See you.*
Hasta luego.	*See you later.*
Hasta mañana.	*See you tomorrow.*
Hasta pronto.	*See you soon.*

Universitarios

amigo(a)	*friend*
compañero(a) de cuarto	*roommate*
estudiante	*student*
profesor(a)	*professor*
rector	*president (of a university)*

Palabras y expresiones útiles

clase	*class*
conversación	*conversation*
mi	*my*
no	*no*
soy	*I am*
tú	*you (fam.)*
universidad	*university*
¿Y tú?	*And you?*
¿Yo?	*Me? (In all other instances yo = I)*

En preparación PE

PE.1   *Tú* and *Usted* and Titles of Address

Addressing people

A.   *TÚ* and *USTED*

Spanish has two ways of expressing *you:* **tú** and **usted. Tú** is a familiar form generally used among peers, acquaintances, or friends. **Usted** is a more polite, formal form used to show respect and to address anyone with a title such as Mr., Mrs., Ms. or Miss, Dr., Prof., or Rev. It is also used to address individuals you do not know well. Students generally use **tú** when speaking to each other and **usted** when addressing their teachers. Note that in the **¿Qué se dice...?** section, **te llamas** and **estás** are in the familiar **tú** form and **se llama** and **está** are in the more polite, formal **usted** form.

¡A practicar!

¿Tú o usted?   Indicate whether you should use **tú** or **usted** to address the following people.

1. your professor
2. your brothers and sisters
3. a stranger
4. your dog
5. your clergyman

6. your roommate
7. your doctor
8. your girlfriend / boyfriend
9. a bank clerk
10. a waitress

B.   Titles of Address

The most frequently used titles in Spanish are

señor	*Mr.*	profesor(a)	*professor*
señora	*Mrs.*	doctor(a)	*doctor*
señorita	*Miss*		

The definite article, **el** or **la,** must precede a title when talking about someone.

Es la doctora Sánchez.	*She is Dr. Sánchez.*
El profesor Díaz es bueno.	*Professor Díaz is good.*

¡A practicar!

¿El o la?   Complete the following introductions by indicating if a definite article should be used with each person's name as you introduce the people to your mother.

Modelo   Mamá, _____ señor Pérez y mi amigo _____ José.

Mamá, el señor Pérez y mi amigo José.

1. Mamá, mi amiga _____ Rosa María.
2. Mamá, _____ el _____ profesor González.
3. Mamá, _____ señorita Perea, la directora del laboratorio.
4. Mamá, _____ *(name)* _____ mi mejor *(best)* amigo(a).
5. Mamá, _____ el _____ señor Padilla.
6. Mamá, _____ José Aguilar.

PE.2   The Spanish Alphabet and Pronunciation

Spelling and forming vowel sounds

The Spanish Alphabet

a	a	k	ka	rr	erre
b	be, be larga	l	ele	s	ese
c	ce	m	eme	t	te
d	de	n	ene	u	u
e	e	ñ	eñe	v	ve, ve corta, uve
f	efe	o	o	w	doble ve, uve doble
g	ge	p	pe	x	equis
h	hache	q	cu	y	i griega
i	i	r	ere	z	zeta
j	jota				

The Spanish alphabet includes two letters that are not part of the English alphabet: **ñ** and **rr**. The **ch** and **ll** were considered single letters in the alphabet until 1994 when the **Real Academia** decided to eliminate them to accommodate the computer age. The letters **k** and **w** appear only in words borrowed from other languages. Learn the Spanish alphabet so that you can spell words in Spanish.

¡A practicar!

A.   ¡Ahora el examen de la vista!   You are getting your driver's license renewed. Take the eye test for your license. What do you say?

E

c   n   d

z   m   o   p   h

m   r   l   y   x   v   u   w

a   l   j   g   s   a   ñ   h   rr   f   z   b   i

B.   Su nombre completo, por favor.   You are on the phone with your local bank and want to know the current balance in your checking account. The bank teller asks you to spell out your name, as it appears on your account, and your mother's maiden name. First, write them out. Then spell them in Spanish.

Modelo   You write: **J O E   S M I T H**

You say: **jota, o, e; ese, eme, i, te, hache**

Pronunciation: Vowels

The Spanish vowels—**a, e, i, o, u**—are pronounced in a short, clear, and tense manner. Unlike English vowels, their sound is hardly influenced by their position in a word or sentence, nor by the stress they receive. English speakers must avoid the tendency to lengthen and change the sound of Spanish vowels. Note the difference in length and sound as you recite the vowels in English first and then repeat them after your instructor in Spanish.

¡A practicar!

A.   Las vocales.   Repeat the following sounds after your instructor, being careful to keep the vowels short and tense.

a = *hop*	e = *hep*	i = *heep*	o = *hope*	u = *hoop*
ma	me	mi	mo	mu
na	ne	ni	no	nu
sa	se	si	so	su
fa	fe	fi	fo	fu

Very few sounds are identical in Spanish and English. Therefore, the comparisons given here between English and Spanish vowels are to be used merely as a point of reference. To develop "native" pronunciation, you should listen carefully and imitate your instructor's pronunciation and that of the native speakers on the recordings.

B.   Vocales en palabras.   Escucha y repite. *(Listen and repeat.)*

Ana	él	ir	otro	uno
llama	mente	así, así	como	gusto
mañana	excelente	dividir	ojo	Uruguay

C.   Vocales en oraciones.   Lee en voz alta. *(Read aloud.)*

1.   Ana llama a la mamá de Carmen mañana .
2.   Elena es de Venezuela.
3.   Gullón es otro crítico literario famoso.
4.   La profesora Uribe es una mujer uruguaya.

Pronunciation: Diphthongs

A diphthong is the union of two vowel sounds pronounced as one in a single syllable. In Spanish, diphthongs occur in syllables containing two weak vowels (**i, u**) or a combination of a strong vowel (**a, e, o**) with a weak vowel.

¡A practicar!

A.   Diptongos.   In diphthongs consisting of a strong vowel and a weak vowel, the strong vowels are more heavily stressed.

Escucha y repite.

ai	ei	oi	ia	ie	io
baile	ley	soy	gracias	bien	Mario
airoso	afeitar	oigo	especial	viejo	diosa
gaita	veinte	Goytisolo	Colombia	miedoso	miope

ua	ue	au	eu
Paraguay	buenas	auto	Eugenia
Ecuador	cuentista	Paula	Europa
lengua	abuelo	pausar	deuda

B.   Dos vocales débiles.   When two weak vowels occur together in a word, the emphasis falls on the second vowel.

Escucha y repite.

ui	iu
ruido	veintiuno
Luisa	viuda
cuidar	ciudad

C.   Dos sílabas.   When two strong vowels occur together, or when there is a written accent over the weak vowel in a syllable containing both a strong and a weak vowel, the vowels are pronounced as two separate syllables.

Escucha y repite.

caos	idea	día	baúl
leal	crear	lío	paraíso
cacao	Rafael	comían	continúa

D.   Diptongos en oraciones.   Lee en voz alta.

1.   Luisa baila muy bien.
2.   Eugenio y Mario viajan a la ciudad.
3.   Mi tía siempre viene a las cuatro.
4.   Hay nueve nuevos estudiantes.

CAPÍTULO 1

¡Bienvenidos a la universidad!

In this chapter, you will learn how to …

- describe yourself, your friends, and your professors.
- tell where people are from.
- name your favorite classes and activities.
- describe your classes.
- talk about your activities during the first week of the semester.

La Universidad de Salamanca, España, fundada en 1215

La Universidad Nacional Autónoma de México (UNAM), México, D. F., fundada en 1553

La Universidad de Santo Domingo, República Dominicana, fundada en 1538

Lo que ya sabes...

1. How many years after the arrival of Christopher Columbus was the first university in the New World established? Where is it located?

2. When was the first university in the continental United States established?

3. When was your university established?

4. Name three universities that, in your opinion, are the most important in the United States. Which is the most important in your state?

5. How does your campus compare with the ones pictured here?

LAS AMÉRICAS

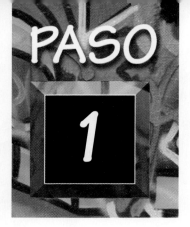

PASO

1

¿Mi compañero de cuarto?

TAREA

Before beginning this **Paso**, study **En preparación** 1.1, 1.2, and 1.3, and do the **¡A practicar!** exercises. Also listen to the **Paso 1 ¿Qué se dice... ?** on your Audio CD.

¿Eres buen observador?

NOMBRE:	Yolanda Ramírez
PAÍS DE ORIGEN:	Costa Rica
DEPORTES FAVORITOS:	béisbol y voleibol
PERSONALIDAD:	simpática, inteligente, sociable
CIUDAD NATAL:	San José

NOMBRE:	Mónica Fernández
PAÍS DE ORIGEN:	Chile
DEPORTES FAVORITOS:	tenis y baloncesto
PERSONALIDAD:	elegante, seria, paciente
CIUDAD NATAL:	Santiago

NOMBRE:	Carlos Enrique Rodríguez
PAÍS DE ORIGEN:	México
DEPORTES FAVORITOS:	fútbol, béisbol, tenis
PERSONALIDAD:	inteligente, atlético, paciente, sincero, popular, sociable
CIUDAD NATAL:	Guadalajara

Ahora, ¡a analizar!

1. ¿De dónde son estos estudiantes?
2. ¿Cuáles son los deportes favoritos de Yolanda? ¿de Mónica? ¿de Carlos?
3. ¿Cómo es Carlos? ¿Mónica? ¿Yolanda?
4. ¿Es norteamericano Carlos? ¿Mónica? ¿Yolanda?

¿Qué se dice...?

Al describir a nuevos amigos

Origen: _____ *Ecuador, Quito* _____

Universidad: _____ *Universidad Católica* _____

Personalidad de Julio: _____ *estudioso* ^activo *inteligente, popular, no timido* _____

de Matón: _____ *no es,* ^muy *inteligente,* ^poco *estonto* _____

Te quiero presentar a mi amigo Paco. Es de España, de Salamanca. Es estudiante de la Universidad de Salamanca. Es interesante y muy simpático... y algo liberal. También es atlético.

Te quiero presentar a Elena. Ella es una amiga de Venezuela, de Caracas. Ella es elegante, seria y muy paciente. Es también un poco conservadora.

ELENA	Allí, mira. Es el libro de español, ¿no?
JULIO	Sí, y aquí también hay cuadernos, papel, lápices y bolígrafos... y lo más importante, mochilas.

¿Y tú? ¿Cómo te llamas?
¿De dónde eres? ¿Eres norteamericano(a)?
¿Eres estudiante? ¿De qué universidad?
¿Eres inteligente y estudioso(a)?
¿Eres conservador(a) o liberal? ¿paciente o impaciente?
¿Eres muy popular?

A propósito...

The verb **hay** has only one form which means *there is* and *there are*. When used in a question, **¿Hay... ?** means *Is there . . . ?* or *Are there . . . ?* Be careful not to confuse it with **ser** which, when conjugated, means *is* or *are*.

Ahora, ¡a hablar!

A. Mi mejor amigo(a).   Describe a tu mejor amigo(a).

Mi mejor amigo(a) se llama (*nombre*). Él (Ella) es (inteligente / tonto). También es (liberal / conservador). Es (paciente / impaciente) y muy (popular / tímido). Ah, también es un poco (serio / divertido).

 B. ¡Qué popular!   Pablo Ramírez es muy popular y tiene muchas amigas. ¿Cómo son sus amigas? Selecciona las palabras (*words*) que las describen.

1. Ramona es (estudiosa, tímido, serio).
2. María es (romántico, simpática, serio).
3. Gloria es (tímido, tonto, atlética).
4. Ángela es (elegante, estupendo, conservador).
5. Carmen es (inteligente, atlético, serio).
6. Cecilia es (simpática, interesante, tonto).

 C. ¿Muchos?   Nombra todos los objetos en...

1. tu escritorio.
2. tu mochila.
3. el escritorio del (de la) profesor(a).
4. el escritorio de un(a) amigo(a).

D. **¿Quién es y de dónde es?**   ¿Quiénes son estos estudiantes y de dónde son?

> **Modelo**   Antonio Pino Quintana, Lima
> **Él es Antonio Pino Quintana. Es del Perú.**

1. Carlos Menéndez Suárez, Madrid
2. Patricio Carrillo Sánchez, Bogotá
3. Ramona Téllez Baca, Montevideo
4. Jorge Castillo Díaz, Santiago
5. Emma Luna Linares, Managua
6. Andrés Salazar Trujillo, San Juan
7. Lupita López Chávez, Quito

E. **Diversidad.**   Pregúntale a tu compañero(a) cómo son estos estudiantes.

> **Modelo**   Lupita López / inteligente / conservador
>
> COMPAÑERO(A)   **¿Cómo es Lupita López?**
> TÚ   **¿Ella? Es muy inteligente y conservadora.**

1. Jorge / impaciente / activo
2. Yolanda / serio / estudioso
3. Paco / inteligente / trabajador
4. Ramona / inteligente / simpático
5. Andrés / tímido / serio
6. Eva / activo / divertido
7. Yo / ¿… y… ?
8. Tú / ¿… y… ?

Y ahora, ¡a conversar!

A. **¿Quién es?**   Identifica a personas famosas (políticos, actores, artistas, deportistas, cómicos, etc.) con las características indicadas.

> **Modelo**   **Jim Carrey es muy divertido.**

1. muy divertido
2. elegante y conservador
3. tímido
4. muy serio
5. muy atlético
6. muy divertida
7. elegante y conservadora
8. tímida
9. muy seria
10. muy atlética

B. **¿Qué hay?**   Pregunta lo que hay en la mochila (o en el escritorio en casa) de tu compañero(a).

> **Modelo**
>
> TÚ   **¿Hay un lápiz?**
> COMPAÑERO(A)   **Sí, hay un lápiz.** o
> **No, hay un lápiz.**

C. **¿Son los mismos?**   Alicia, Carmen, José y Daniel son estudiantes de la clase de español de tu compañero de cuarto. Tú tienes unos amigos que se llaman Alicia, Carmen, José y Daniel. La descripción de tus amigos aparece (*appears*) la siguiente página. La descripción de los amigos de tu compañero aparece en el apéndice A. ¿Son los mismos? *(To decide if they are the same, ask your partner questions. Do not look at each other's descriptions until you have finished this activity.)*

Modelo	**¿Es Alicia de Venezuela?**
Alicia	Es una amiga venezolana. Es de Caracas. Es estudiosa, tímida y muy seria. También es muy paciente.
Carmen	Es muy seria. También es tímida, inteligente y muy estudiosa. Es de Caracas. Es sociable pero algo conservadora.
José	Es de Quito. Es muy activo y muy simpático. Es sociable y chistoso. No es muy serio.
Daniel	Es del Ecuador, de la capital. Es muy atlético, pero es un poco tímido. Es activo y estudioso. También es algo serio.

D. ¡Anuario!   ¿Cómo eres tú? Prepara una descripción de tu persona por escrito. Usa el modelo del **¿Eres buen observador?** de este **Paso.**

¡Luz! ¡Cámara! ¡Acción!

A. ¿Cómo es?   Hay un estudiante latinoamericano en la clase de historia de tu compañero(a) de cuarto. Pregúntale a tu compañero(a)...

■ el nombre del estudiante.

■ el país y la ciudad de origen del estudiante.

■ algunas características del estudiante.

■ qué hay en la mochila del estudiante.

■ la opinión de tu compañero(a) del estudiante.

B. Mejor amigo(a).   ¿Cómo es el (la) mejor amigo(a) de tu compañero(a): nombre, origen, universidad y características? Pregúntale.

¿Comprendes lo que se dice?

Estrategias para escuchar.   *A frequent first reaction when listening to spoken Spanish is to assume it is spoken "too fast" and that you "don't understand anything." In fact, it is probably being spoken at a normal rate of speech and you probably understand much more than you think. Most likely, you won't understand every word you hear, but you are not expected to do so. Simply listen for those words that you do understand and don't worry about the others. In this section, you should understand enough to get the gist of what is being said.*

Now listen as your instructor plays a dialogue in which Gloria and Rita talk about Alberto Lozano, a new student in their chemistry class. Then answer the questions that follow.

¿Cómo es Alberto Lozano según Rita? ¿según Gloria?

Según Rita:	Según Gloria:
1.	1.
2.	2.
3.	3.

NOTICIERO
CULTURAL

LUGAR... LAS AMÉRICAS

Antes de empezar, dime...

1. ¿Cuáles son tres países de Norteamérica?
2. En tu opinión, ¿cuáles son los tres sitios naturales más impresionantes de Norteamérica?
3. En tu opinión, en toda la historia de Norteamérica, ¿quiénes fueron los indígenas más importantes?

Las Américas

El continente de América se divide en América del Norte, América Central y América del Sur. El continente ofrece muchos contrastes naturales como, por ejemplo...

hermosas costas y playas como ésta en Cancún, ...

una gran variedad de aves como este hermoso quetzal...

e impresionantes lagos y volcanes.

También hay ruinas del glorioso pasado indígena, como...

las ruinas mayas en el sur de México y Centroamérica y. . .

las ruinas incaicas del Perú, como éstas de Machu Picchu.

Los contrastes se reflejan también en la gente de las Américas, como...

los indígenas: aztecas, toltecas, mayas, taínos, quechuas, araucanos y muchos más;

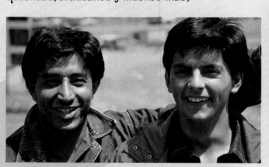

los de descendencia europea: los españoles, italianos, alemanes, portugueses,...

y la nueva raza, los mestizos: la combinación de indígena y europeo.

Y ahora, dime...

1. Con España y Guinea Ecuatorial, hay 21 países donde el español es la lengua oficial del país. Nómbralos.

2. Hay muchos contrastes en las Américas. ¿Cuáles son los más impresionantes, en tu opinión?

El español en otras disciplinas: Geografía

Las Américas. Los estudiantes en los Estados Unidos con frecuencia saben muy poco de geografía. Para mostrar (*To show*) que están bien informados de la geografía del mundo (*world*) hispano, formen grupos de cuatro y túrnense (*take turns*) en nombrar la capital o el país de estas naciones y ciudades hispanas.

1. Buenos Aires	8. San Salvador	15. Asunción
2. La Paz	9. Estados Unidos	16. Lima
3. Colombia	10. Guatemala	17. Santo Domingo
4. Costa Rica	11. Tegucigalpa	18. Uruguay
5. Cuba	12. México	19. Venezuela
6. Santiago	13. Nicaragua	20. España
7. Ecuador	14. Panamá	21. Puerto Rico

Proyecto: *Using the maps in the front of the book, draw outline maps of North America, Central America and the Caribbean, and South America. Label each map with the names of the countries and their capitals. Draw a star to show the approximate correct location of each capital. Memorize the names and location of all the countries and capitals and be prepared to label outline maps of North, Central, and South America on the chapter exam.*

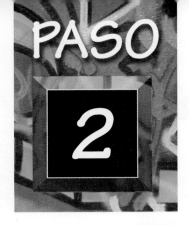

PASO

2

¡Son estupendos!

TAREA

Antes de empezar este **Paso,** estudia **En preparación** 1.4, 1.5, y 1.6, y haz por escrito los ejercicios de **¡A practicar!** También escucha el **Paso 1 ¿Qué se dice... ?** del Capítulo 1 en el CD.

¿Eres buen observador?

Ahora, ¡a analizar!

You are not expected to understand every word you see on this advertisement. Simply focus on cognates, words that look alike in both Spanish and English. By doing this, you should be able to get the gist of the message and answer the questions that follow. Then pat yourself on the back! You are already reading authentic documents after just a couple of weeks of studying Spanish!

1. ¿Cómo se llama la universidad?

2. En tu opinión, ¿qué significa «Licenciaturas»?

3. ¿Cuántos de los programas que ofrece esta universidad puedes *(can you)* nombrar en inglés?

4. Explica las actividades del 25 y del 27 de abril.

Licenciaturas en la Anáhuac:

• Actuaría • Administración y Dirección de Empresas* • Administración Turística •
• Arquitectura • Ciencias de la Comunicación • Ciencias de la Familia •
• Contaduría • Derecho • Diseño • Economía • Ingeniería Civil •
• Ingeniería en Tecnologías de la Información* • Ingeniería Industrial •
• Ingeniería Mecánica • Mercadotecnia* • Pedagogía • Psicología •
• Negocios Internacionales* • Relaciones Internacionales* •

* Nuevas Carreras

Proceso de admisión:
Examen Orientación Vocacional:
25 de Abril
Prueba de Aptitud Académica:
27 de Abril

Entregar los siguientes documentos en el Departamento de Admisiones: Solicitud de admisión, 6 fotos tamaño infantil, copia de acta de nacimiento y copia del certificado de preparatoria o constancia académica con promedio final.

UNIVERSIDAD ANAHUAC
VINCE IN BONO MALUM

Fortaleciéndonos para fortalecer tu futuro

*Informes Dpto. de Atención Preuniversitaria Universidad Anáhuac Norte,
Av. Lomas Anáhuac S/N, Lomas Anáhuac, C.P. 52760. Tels.: 328-80-12 ó 627-02-10 ext. 8238.

¿Qué se dice…?

Al hablar de las clases y los profesores

Personalidad del
profesor González: _popular y serio_

Mis pasatiempos
favoritos: _leer y escuchar música   abrazar mi gato_
mantener mis rosas   comer

La clase de física no es fácil; es muy difícil.

Los estudiantes en la clase de ciencias políticas son trabajadores y muy estudiosos. No son perezosos.

Ahora, ¡a hablar!

A. ¿Cómo son? Describe tus clases, profesores y amigos.

> **Modelo** mis clases (divertido / aburrido)
>
> **Mis clases son divertidas.**

1. mis clases (difícil / fácil)
2. los estudiantes (interesante / aburrido)
3. los profesores (paciente / impaciente)
4. unos profesores (divertido / aburrido)
5. mis amigos y yo (trabajador / perezoso)
6. mis amigos (inteligente / tonto)

B. Amigos. Describe a tus amigos de la universidad.

> **Modelo** Mi amigo…
>
> **Mi amigo Tomás es divertido y perezoso.**

1. Mi amiga…
2. Mi amigo…
3. Mis amigos… y…
4. Mis amigas… y…
5. Mis compañeros de la clase de español…
6. Mis compañeros de la clase de…

C. Mis clases. ¿Cómo son las clases de tu compañero(a)? Pregúntale cuál es su clase…

> **Modelo** más divertida
>
> TÚ **¿Cuál es tu clase más divertida?**
>
> COMPAÑERO(A) **Economía es la clase más divertida.**

Vocabulario útil

arte	economía	francés	inglés	matemáticas
biología	educación física	historia	latín	química
ciencias políticas	física	ingeniería	literatura	teatro

1. favorita
2. más interesante

3. más fácil

4. más difícil

5. más aburrida

6. más divertida

D. ¡Somos muy activos! ¿Cuál es el pasatiempo (la actividad) favorito(a) de estas personas?

> **Modelo** Silvia y Andrea / bailar
>
> **El pasatiempo favorito de Silvia y Andrea es bailar.**

1. Roberto / hablar por teléfono

2. Lupe y Alfredo / nadar

3. Patricia / escuchar música

4. Cristina / ver la tele

5. José Antonio / estudiar español

6. mis amigos y yo / comer

7. Jaime y Héctor / leer

8. Oscar / comprar discos compactos

Y ahora, ¡a conversar!

A. ¡Son estupendos! Describe a estas personas y estas clases. Menciona tres o cuatro características.

1. mi clase de español — interesante, facil, bueno

2. mi compañero(a) de cuarto y yo — divertidos, estudiosos, pacientes

3. mis amigos — tontos, aburridos, impaciente

4. mi novio(a) — bonita, simpática, romantica

5. mis profesores — interesante, divertidos, simpaticos

6. la clase de historia — favorito, dificil, mucho trabajo

B. Pasatiempos favoritos. ¿Cuáles son los pasatiempos favoritos de tu compañero(a)? Pregúntale y contesta sus preguntas.

> **Modelo**
>
> TÚ **¿Cuáles son tus pasatiempos favoritos?**
>
> COMPAÑERO(A) **Mis pasatiempos favoritos son…**

Vocabulario útil

bailar	escuchar música	leer
comer	estudiar	nadar
escribir cartas	hablar por teléfono	ver la tele

C. Mis clases y yo. ¿Cómo eres tú? ¿Cuáles son dos adjetivos que describen tu personalidad? ¿Cuáles son tus clases favoritas? Escríbelos (*Write them down*).

D. **¡A escribir!** Completa este formulario con tus datos (información) personales.

Nombre: _____
Dirección: _____
Edad: _____
Características: _____
_____
Pasatiempos: _____
_____
Clase favorita: _____

¡Luz! ¡Cámara! ¡Acción!

 A. **Nuevos amigos.** Es el primer día de clases y tú te presentas a nuevos amigos en la clase de español. Dramatiza la situación con un(a) compañero(a).

Tú	**Nuevo(a) amigo(a)**
■ Saluda a tu nuevo(a) amigo(a) y preséntate.	■ Responde y preséntate también. Pregunta de dónde es.
■ Contesta y pregunta de dónde es él o ella.	■ Menciona de dónde eres tú.
■ Pregunta sobre sus pasatiempos favoritos.	■ Describe tus pasatiempos favoritos y pregunta sobre sus pasatiempos.
■ Responde y pregunta cuál es su clase favorita.	■ Responde y pregunta cuál es su clase favorita.

 B. **Mi universidad.** Tú y un(a) amigo(a) describen sus universidades: los profesores, sus nuevos amigos y las clases. Dramatiza esta situación.

  ¿Comprendes lo que se dice?

Estrategias para ver y escuchar. *Remember that you are not expected to understand every word you hear. Just listen for those words that are familiar to you and try to get the gist of the message using the visual images on the screen. Then answer the questions that follow.*

1. ¿Qué es **Decuador**?
2. ¿Qué es lo especial de este producto?
3. ¿Cómo es **Decuador**?
4. ¿De dónde es **Decuador**?
5. ¿Porqué es interesante el nombre del producto?

NOTICIERO *CULTURAL*

COSTUMBRES… LAS AMÉRICAS

Antes de empezar, dime…

1. ¿Qué tipo de inglés hablan en los Estados Unidos?
2. ¿Cuál es la diferencia entre el inglés de Texas y el inglés de Boston o el inglés de otras partes de los Estados Unidos?
3. ¿Qué problemas de comunicación hay entre personas que hablan el inglés de Texas y el de Boston? Explica.

¿Peruano, venezolano o guatemalteco?

Dos estudiantes en una clase de español en Dallas, Texas, conversan sobre sus futuras vacaciones en tres diferentes países de Sudamérica y Centroamérica.

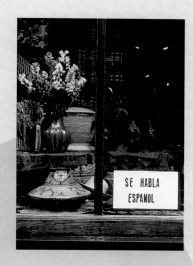

PATRICIA   ¿Qué tipo de español hablan en el Perú? ¿y en Venezuela? ¿y en Guatemala?

CAROL   Probablemente hablan peruano, venezolano y guatemalteco.

PATRICIA   ¡Ay! En la clase no hablamos ni peruano, ni venezolano ni guatemalteco. ¿Cómo vamos a hablar con la gente?

Y ahora, dime…

¿Cómo van a hablar Patricia y Carol con la gente del Perú, Venezuela y Guatemala?

1. En inglés porque todo el mundo (*everyone*) habla inglés.
2. Es imposible porque el español de la clase no es como el español del Perú, Venezuela y Guatemala.
3. Fácilmente porque el español de la clase es como el español del Perú, Venezuela y Guatemala.

Verifica (*Check*) si seleccionaste la respuesta correcta en el Apéndice A.

¿Te gusta escribir?

Antes de escribir
Estrategias para escribir: Sacar listas

Prepárate para escribir. Prepara una lista de las características de un estudiante perfecto.

Vocabulario útil

aburrido	divertido	liberal	simpático
activo	estudioso	paciente	tímido
atlético	impaciente	popular	trabajador
conservador	inteligente	romántico	
difícil	interesante	serio	

Ahora, ¡a escribir!

A. El primer borrador. Prepara una lista de todas las características del (de la) «amigo(a) ideal». ¿Eres tú un(a) amigo(a) ideal? Indica con una marca (√) todas las características que ya tienes (*already have*). Indica con un signo interrogativo (?) las características que no deseas tener (*you do not wish to have*). Indica con un asterisco (*) todas las características que deseas desarrollar (*to develop*).

B. Ahora, a compartir. Compara tu lista con las listas de dos o tres compañeros.

C. Ahora, a revisar. Lee tu lista una vez más. (*Make any changes you wish to make based on what you saw on your classmates' lists. Also, correct any spelling errors you may have noticed.*)

D. La versión final. Prepara una versión final de tu lista y entrégala (*turn it in*).

E. Publicación. Tu profesor(a) va a poner todas las listas en la pared (*wall*) para que tú y tus compañeros de clase decidan si eres un(a) amigo(a) ideal o no.

¡La clave es la organización!

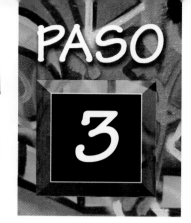

| TAREA | Antes de empezar este **Paso**, estudia **En preparación** 1.7 y 1.8 y haz por escrito los ejercicios de **¡A practicar!** También escucha el **Paso 3 ¿Qué se dice... ?** del Capítulo 1 en el CD. |

¿Eres buen observador?

"Educar para la vida"

En el
CENTRO CULTURAL UNIVERSITARIO
JUSTO SIERRA

PREPARATORIA
ELIGE TU PLANTEL

Contamos con LICENCIATURAS EN:

- Administración • Contaduría
- Derecho • Diseño Gráfico
- Relaciones Industriales
- Ciencias de la Comunicación
- Administración y Finanzas
- Sistemas Computacionales
- Estomatología (Cirujano Dentista)
- Médico Cirujano • Psicología
- Informática • Turismo

Unidad de Lenguas Extranjeras

INICIAMOS SEPTIEMBRE

Av. Acueducto 914 casi esq. Avenida IPN
Col. Laguna Ticomán C.P. 07340, México D.F.
Tels. 754-66-77 752- 07-81 752-50-43
FAX 752-59-31

INSURGENTES NORTE No. 1560
COL. LINDAVISTA
TEL. 577-34-00 577-34-04

Ahora, ¡a analizar!

1. ¿Cómo se llama la universidad?
2. ¿Cuál es el significado de «licenciatura»?
3. ¿Cuáles de las licenciaturas mencionadas puedes nombrar en inglés? ¿Cuáles no sabes qué son?
4. ¿Te interesan algunas de estas licenciaturas? ¿Cuáles?
5. ¿Cuándo empiezan las clases? ¿Cuántos planteles (*campuses*) hay?
6. ¿Es posible comunicarse con todos los planteles por fax? Explica.

¿Qué se dice…?

Al describir actividades

Handwritten annotations: amarilla, roja

Dormitory: _La residencia_

Nombres: _Miguel y Andres_

Actividad: _miguel hablar por teléfono_
no es muy paciente
necesita llamar. esperan
comi   cocina   a su papa

Ricardo y Hugo miran su programa favorito en la tele. Hugo toma un refresco. Ricardo prepara la cena, unas hamburguesas muy buenas. ¡Mmm!

Mari Carmen escucha unos discos nuevos mientras Cristina y Bárbara bailan con la música.

¡No hay nadie aquí! ¿Qué pasa con Ana y Teresa? ¡Ahhh! Ana y Teresa siempre estudian en la biblioteca.

Alfonso escucha la radio y Daniel estudia para un examen.

¿Sabías que... ?

Muchas universidades latinoamericanas celebran **la semana universitaria**—la última semana del primer mes de clases. Durante esta semana hay distintas actividades para los estudiantes cada día. Un día se dedica a practicar deportes, otro a asistir al teatro o a un concierto, otro día se dedica a hacer actividades benévolas, como visitar a personas en hospitales y asilos de ancianos (*rest homes*), otro a participar en actividades juveniles y el último día hay un baile en honor de la estudiante nombrada reina (*queen*) de **la semana universitaria**. El propósito (la razón) de todas estas actividades es recibir a los estudiantes nuevos e iniciarlos en la vida universitaria.

Ahora, ¡a hablar!

A. ¡Qué ocupado estoy! ¿Qué haces la primera semana de clases?

Modelo hablar / con amigos

Hablo con amigos.

1. buscar / mis clases
2. escuchar / a los profesores
3. comprar / los materiales
4. llamar / a mis padres
5. estudiar / las lecciones
6. hablar / con los profesores
7. tomar café / en la cafetería
8. preparar / la cena

B. ¡Tanto que hacer! Al final del primer día de clases, ¿qué hacen tú y tus nuevos amigos?

Modelo yo / llamar a mis padres

Llamo a mis padres.

1. mis amigos y yo / hablar   *hablamos*
2. nosotros / escuchar la radio   *Escuchamos la radio*
3. un(a) compañero(a) de cuarto / mirar la tele   *una con mira*
4. una amiga / estudiar   *una amiga estudia*
5. yo / bailar   *bailo*

6.   mis compañeros(as) de cuarto / preparar la cena   *preparan*

7.   ellos / tomar café con mis amigos   *toman*

8.   ellos(as) / tomar refrescos   *toman*

C.   ¿Adónde vas?   Pregúntale a tu compañero(a) adónde va si necesita hacer estas cosas.

Modelo   comprar cuadernos

TÚ   **¿Adónde vas si necesitas comprar cuadernos?**

COMPAÑERO(A)   **Si necesito comprar cuadernos, voy a la librería.**

1.   tomar café   *voy a la cafetería*   4.   comer   *voy a la cafetería*

2.   estudiar   *voy a la cuarto*   5.   comprar lápices   *voy a la librería*

3.   escuchar cintas en español   6.   escribir cartas

laboratorio del lengua   *voy a la oficina del correo*

D.   ¿Con qué frecuencia?   Pregúntale a tu compañero(a) con qué frecuencia hace estas cosas.

Modelo   llamar a tus padres

TÚ   **¿Con qué frecuencia llamas a tus padres?**

COMPAÑERO(A)   **Llamo a mis padres a veces.** o
Llamo a mis padres todos los días. o
Nunca llamo a mis padres.

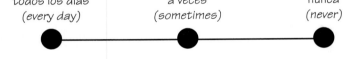

todos los días
(every day)

a veces
(sometimes)

nunca
(never)

1.   hablar por teléfono   *todos los días*   5.   estudiar mucho

2.   escuchar a los profesores   6.   mirar la tele

3.   comprar libros   7.   bailar con amigos

4.   ir a la biblioteca

Y ahora, ¡a conversar!

A.   ¡Fin de semana!   Es el fin de semana y tú y un(a) amigo(a) hablan de sus planes. ¿Qué dicen?

Modelo   **Por la mañana yo voy a tomar café con mis amigos. Luego voy a la librería para comprar…**

B.   ¿Cierto o falso?   Prepara diez oraciones **ciertas** y **falsas** sobre estos dos dibujos. Luego pregúntale a tu compañero(a) si son **ciertas** o **falsas**. Si son falsas, que las corrija *(have him/her correct them)*.

Modelo   Un estudiante toma un refresco. *(cierto)*

              Un estudiante habla por teléfono y baila. *(falso)*

C. **¿Son diferentes?**   Estos dibujos y los dibujos en el Apéndice A son similares pero hay cinco diferencias. Descríbele estos dibujos a tu compañero(a) y él / ella va a describirte los otros dibujos hasta encontrar las diferencias. No se permite ver los dibujos de tu compañero(a) hasta terminar esta actividad.

 1.

 2.

 3.

 4.

 5.

¡Luz! ¡Cámara! ¡Acción!

 A. Rin, rin. Estás hablando por teléfono con un(a) amigo(a) que asiste a otra universidad. Te pregunta sobre tu rutina de los días en que no hay clases. Dramatiza esa situación con un(a) compañero(a).

Tú
- Saluda a tu amigo(a) y pregúntale cómo está.

- Responde.

- Describe un día típico. Algunas posibilidades: mirar la tele, hablar por teléfono, ir a la biblioteca, comprar libros, preparar la cena,... Pregúntale cómo es un día típico para él (ella).

Amigo(a)
- Responde y pregunta cómo está él (ella).

- Pregunta cómo es un día típico cuando no hay clases.

- Responde. Dile adiós y menciona cuando vas a llamar otra vez.

 B. Rin, rin, rin. Ahora estás hablando por teléfono con un(a) amigo(a) de tu escuela secundaria. Él (Ella) te pregunta sobre tus compañeros(as) de cuarto. Dramatiza la situación con un(a) compañero(a) de clase. Menciona:

- sus nombres

- sus personalidades

- sus pasatiempos favoritos

- sus actividades cuando no hay clases

¿Te gusta leer?

Antes de leer
Estrategias para leer: Palabras afines

Palabras afines (*Cognates*). *Cognates are words that look alike in both languages and have the same meaning. The ability to recognize cognates can help expand your reading vocabulary and comprehension. But beware, there are also false cognates, words that look alike in two languages but have different meanings.*

1. How many cognates in the advertisement on page 49 do you recognize? Write them and their English equivalents.

2. You already know that **facultad** is a false cognate. Can you find any others? What are they? Can you guess what they probably mean?

Now read about **UNITEC** *and answer the questions that follow.*

Lectura

PARA UNA EDUCACION UNICA...

UNITEC

Campus Cuitláhuac   Campus Marina

'95

INSCRIPCIONES

La Universidad Tecnológica de México te invita a que visites nuestros dos Campus.

Aquí encontrarás donde estudiar el **Bachillerato** y continuar tu **Educación Superior** a nivel **Licenciatura** y **Postgrado**. En la **Unitec**, contamos con la **Facultad de Ingeniería** que te ofrece 6 áreas; además de **Diseño Gráfico y Arquitectura**.

En nuestra **Facultad de Administración y Ciencias Sociales** puedes escoger entre 9 **Licenciaturas**. O bien, visita la reconocida **Facultad de Odontología** que cuenta con la carrera de **Cirujano Dentista**, 4 **Maestrías** y un **Diplomado**.

Y nuestra **División de Postgrado** con 7 **Especializaciones**. Todos nuestros cursos tienen Reconocimiento de Validez Oficial de Estudios SEP N° 142.

Para mayores informes acude a la **Universidad Tecnológica de México, Campus Cuitláhuac, Norte 67, N° 2346,** Col. San Salvador Xochimanca y **Campus Marina, Marina Nacional 162,** Col. Anáhuac o llama a los teléfonos **396 60 88 y 399 20 00.**

Odontología

Universidad Tecnológica
de México

Universidades hay muchas,
UNITEC...sólo hay una.

Ingeniería Química   División Postgrado

A ver si comprendiste

1. ¿Qué es UNITEC?
2. ¿Qué títulos ofrece UNITEC?
3. Nombra tres (3) divisiones de UNITEC.
4. ¿Cómo es posible obtener más información sobre UNITEC?

Viajemos por el ciberespacio a...
LAS AMÉRICAS

Expand your horizons! *Let's travel through cyberspace to **Las Américas** and discover that you can . . .*

■ visit the magnificent land of the Americas, which extends from Alaska in the north to Tierra del Fuego, the tip of South America.

■ learn about and appreciate the diversity of the multiethnic people and cultures of this land.

■ contact a number of Latin American organizations fighting for a better and more democratic future.

■ visit some of the oldest universities of the world.

If your are a cyberspace browser, join us in **Viajemos por el ciberespacio a... Las Américas** by trying the following important addresses:

Cumbre Iberoamericana
http://www.oei.es/vicumbre.htm

http://www.cumbre.cl/

Cumbre de las Américas
http://www.oas.org/SP/PROG/RED/summits.htm

http://www.cumbre-summit.org/cumbre/eng/antes.html

Nuestra América
http://www.latinoweb.com/nuestram/

Amigos de las Américas
http://www.amigoslink.org/index.htpl

Diario Las Américas
http://www.diariolasamericas.com/

Organización de Estados Americanos
http://www.oas.org/

http://www.oas.org/SP/PINFO/charters.htm

http://www.oas.org/SP/MSTATES/bckgrdms.htm

Because addresses are likely to change without notice, the following key words will guarantee that **Viajemos por el ciberespacio a... Las Américas** will get you to your desired destination:

Amigos de las Américas
Constituciones latinoamericanas
Cumbre de las Américas
Cumbre Iberoamericana

LatinoLink
LatinoWeb
Museos Latinoamericanos
Turismo Ecológico en América Latina

http://www.hrwcollege.com

Vocabulario

Descripción de personalidad

aburrido(a)	*boring*
activo(a)	*active*
atlético(a)	*athletic*
bueno(a)	*good*
chistoso(a)	*funny*
conservador(a)	*conservative*
desorganizado(a)	*unorganized*
difícil	*difficult*
divertido(a)	*fun*
elegante	*elegant*
especial	*special*
estudioso(a)	*studious*
estupendo(a)	*stupendous*
fácil	*easy*
famoso(a)	*famous*
favorito(a)	*favorite*
grande	*big*
impaciente	*impatient*
inteligente	*intelligent*
interesante	*interesting*
liberal	*liberal*
paciente	*patient*
perezoso(a)	*lazy*
popular	*popular*
romántico(a)	*romantic*
serio(a)	*serious*
simpático(a)	*pleasant, likeable*
tímido(a)	*timid, shy*
tonto(a)	*foolish, dumb*
trabajador(a)	*hard-working*

Pasatiempos y actividades

bailar	*to dance*
buscar	*to look for*
comer	*to eat*
comprar	*to buy*
escribir cartas	*to write letters*
escuchar música	*to listen to music*
estudiar	*to study*

hablar por teléfono	*to talk on the phone*
leer	*to read*
llamar a tus padres	*to call your parents*
mirar	*to look at, watch*
mirar la tele	*to watch T.V.*
nadar	*to swim*
necesitar	*to need*
preparar la cena	*to prepare dinner*
tomar	*to drink; to take*

Clases

arte *(m.)*	*art*
biología	*biology*
ciencias políticas	*political science*
economía	*economics*
educación física	*physical education*
física	*physics*
historia	*history*
ingeniería	*engineering*
inglés *(m.)*	*English*
literatura	*literature*
matemáticas	*mathematics*
química	*chemistry*
teatro	*theater*

Materiales

bolígrafo	*ballpoint pen*
calculadora	*calculator*
cuaderno	*notebook*
diccionario	*dictionary*
escritorio	*desk*
del maestro(a)	*teacher's desk*
del estudiante	*student's desk*
goma	*pencil eraser*
lápiz *(m.)*	*pencil*
libro	*book*
mochila	*backpack*

papel *(m.)*	*paper*
pizarra	*chalkboard, blackboard*
silla	*chair*
tiza	*chalk*

Lugares

banco	*bank*
biblioteca	*library*
cafetería	*cafeteria*
cine	*movie theater*
cuarto	*room*
laboratorio	*laboratory*
librería	*bookstore*
teatro	*theater*

Expresiones de frecuencia

a veces	*sometimes, at times*
fin de semana *(m.)*	*weekend*
nunca	*never*
semana	*week*
siempre	*always*
todos los días	*every day*

Palabras y expresiones útiles

café *(m.)*	*coffee*
cena	*dinner*
con	*with*
hamburguesa	*hamburger*
maleta	*suitcase*
mucho(a)	*much, a lot*
muy	*very*
novio(a)	*boyfriend/girlfriend*
radio *(f., m.)*	*radio*
refresco	*soft drink*
también	*also*
teléfono	*phone*
un poco	*a little*

En preparación 1

PASO
1

Clarifying, emphasizing, contrasting, and stating origin

Subject Pronouns

Singular	
I	**yo**
you (familiar)	**tú**
you (formal)	**usted**
he	**él**
she	**ella**

A. Subject pronouns are usually omitted in Spanish because the verb endings indicate the person. Subject pronouns are used for clarity, emphasis, or contrast.

clarity	— **Usted** es de México, ¿verdad?
emphasis	— No, **yo** soy de Panamá.
contrast	— Ah, entonces **tú** eres panameña y **ella** es mexicana.
BUT:	— Sí, soy latinoamericana.

B. The subject pronoun **it** in English is NEVER expressed in Spanish.

Es muy importante.	*It is very important.*
No es hoy, es mañana.	*It is not today, it's tomorrow.*

C. In **Para empezar,** you learned that **tú** is a familiar form generally used among friends, and **usted** is a more polite, formal form used to show respect or to address individuals you do not know well and those whom you address with a title. Note that in Spanish, as in English, titles are frequently abbreviated in writing when used with a last name.

señor	Sr.	*Mr.*	señorita	Srta.	*Miss*	doctor(a)	Dr. / Dra.	*Dr.*
señora	Sra.	*Mrs.*	señores	Sres.	*Mr. and Mrs.*			

The Verb *ser*

Singular		
I am	yo	**soy**
you are	tú	**eres**
you are	usted	**es**
he is	él	**es**
she is	ella	**es**

A. In Spanish, there are two verbs that mean *to be*: **ser** and **estar**. These two verbs differ greatly in usage. In this chapter, you will learn various uses of **ser**.

B. **Ser** is used to define or identify. It tells who or what the subject of the sentence is. It acts as an equal sign (=) between the subject and the noun that follows. In this context, it is used to express nationality or profession.

Soy norteamericano.	Yo = norteamericano
Ella **es** estudiante.	Ella = estudiante
Tú **eres** inteligente.	Tú = inteligente

C. Just as **ser** is used to express nationality, **ser de** is used to express origin.

García Márquez es colombiano. **Es de** Colombia.
El Sr. Acuña **es de** México.

Remember that it is not necessary to use subject pronouns unless clarity, emphasis, or contrast is desired.

¡A practicar!

A. ¿Quién es?   Indicate who is being spoken about by matching each statement with its subject pronoun.

> **Modelo**   Es el profesor de español.   **él**

1. Es americano.   yo
2. Me llamo Matías.   tú
3. La profesora se llama Elena.   usted
4. Perdón, señor, ¿cómo se llama? él
5. ¿Cómo te llamas?   ella

B.   ¿Tú? ¿Usted?   What subject pronouns would the Spanish department receptionist use when speaking directly to the following people?

1.   el Sr. Ríos Menéndez, the department chairperson
2.   el Sr. Gaitán Rojas, a professor
3.   Pedro, a good friend
4.   Ana, a roommate
5.   la Sra. López Ríos, your counselor

What subject pronouns would the receptionist use when speaking about the following people?

6.   el Sr. Ríos Menéndez
7.   el Sr. Gaitán Rojas
8.   herself
9.   Ana
10.   Pedro
11.   la Sra. López Ríos

C.   ¿De dónde es... ?   Students come to your campus from different states. Tell from which states these students came.

1.   José / Texas
2.   Teresa / Ohio
3.   el profesor Meza / Nevada
4.   tu compañero de cuarto / Florida
5.   yo / Nuevo México
6.   ¿Y tú?

1.2   Gender and Number: Articles and Nouns

Indicating specific and non-specific people and things

A.   There are two kinds of articles: definite and indefinite. Both the definite article (*the* in English) and the indefinite articles (*a, an* [singular] and *some* [plural] in English) have four forms in Spanish.

Singular	Masculine	Feminine
the	**el**	**la**
a, an	**un**	**una**

Plural	Masculine	Feminine
the	**los**	**las**
some	**unos**	**unas**

Definite and indefinite articles must agree in number (singular/plural) and gender (masculine/feminine) with the nouns they accompany.

Necesito **un** bolígrafo y **una** calculadora.   *I need a ballpoint pen and a calculator.*

Los cuadernos y **las** mochilas están en **el** escritorio.	*The notebooks and the backpacks are on the desk.*

B. A noun is the name of a person, place, or thing. In Spanish, all nouns are either masculine or feminine, even when they refer to inanimate objects. The following rules will help you predict the gender of many nouns; however, the gender of nouns is not always predictable. You should always learn the gender with every new noun.

1. Nouns that refer to males are masculine, and nouns that refer to females are feminine. Many nouns referring to people and animals have identical forms except for the masculine **-o** or feminine **-a** endings.

el herman**o**	*the brother*	la herman**a**	*the sister*
el per**ro**	*the male dog*	la per**ra**	*the female dog*

    A few nouns that refer to people and animals have completely different masculine and feminine forms.

el hombre	*the man*	la mujer	*the woman*
el padre	*the father*	la madre	*the mother*

2. Generally, nouns that end in **-o** are masculine and those that end in **-a**, **-dad**, and **-ción** or **-sión** are feminine.

el libr**o**	la activi**dad**
el bolígraf**o**	la universi**dad**
la mochi**la**	la educa**ción**
la sil**la**	la televi**sión**

    Some important exceptions to this rule are:

la mano *the hand*	el sistema
el día	el poema
el problema	el programa
el tema	el drama

3. Sometimes the same noun is used for both genders. In these cases, gender is indicated by the article that precedes the noun.

el / la turista	el / la periodista *the newspaper reporter*
el / la dentista	el / la artista

4. Many nouns, especially those ending in **-e** or a consonant, do not have predictable genders and must be memorized.

el café	*the coffee*	la clase	*the class*
el arte	*the art*	la tarde	*the afternoon*

C.   All plural nouns end in **-s** or **-es.** The plural forms of nouns are derived in the following manner.

1.   Singular nouns that end in a vowel form their plural by adding **-s.**

el diccionario	*the dictionary*	los diccionarios	*the dictionaries*
una silla	*a chair*	unas sillas	*some chairs*

2.   Singular nouns that end in a consonant form their plural by adding **-es.**

el papel	*the paper*	los papeles	*the papers*
una universidad	*a university*	unas universidades	*some universities*

3.   A final **-z** always changes to **c** before adding **-es.**

el lápiz	*the pencil*	los lápices	*the pencils*
una vez	*one time*	unas veces	*a few times*

¡A practicar!

A.   ¿Qué busca Micaela?   Indicate what Micaela is looking for in the bookstore by changing the definite articles to indefinite articles.

1.   la mochila   4.   el papel

2.   los cuadernos   5.   los libros

3.   el bolígrafo   6.   la calculadora

B.   Es de...   Now tell who the following items belong to.

Modelo   papel / Carlos

Es el papel de Carlos.

1.   tiza / profesora   4.   bolígrafo / Raúl

2.   calculadora / Julia   5.   silla / profesora

3.   diccionario / Andrés   6.   lápiz / Carla

1.3   Adjectives: Singular Forms

Describing people, places, and things

Adjectives are words that tell something of the nature of the noun they describe (color, size, nationality, affiliations, condition, and so on). Spanish adjectives usually follow the noun they describe.

A.   Adjectives may be masculine or feminine. Masculine singular adjectives that end in **-o** have a feminine equivalent that ends in **-a.**

Singular

Masculine	Feminine
alt**o**	alt**a**
simpátic**o**	simpátic**a**

B. Adjectives that end in **-e,** and most adjectives that end in a consonant (except those denoting nationality and personality traits) do not have separate masculine / feminine forms.

el coche grande el vestido azul
la casa grande la camisa azul
BUT:
un español trabajador
una española trabajadora

C. Adjectives of nationality that end in a consonant add **-a** to form the feminine singular, **-es** the masculine plural, and **-as** the feminine plural.

Singular

Masculine	Feminine
alemán	aleman**a**
inglés	ingles**a**
español	español**a**

Plural

Masculine	Feminine
aleman**es**	aleman**as**
ingles**es**	ingles**as**
español**es**	español**as**

¡A practicar!

A. Solamente chicas.   María is studying at a private girls' school. How does she describe her new friends?

1. Mi amiga Rosa es _____ (atlético).
2. Mi amiga Josefina es _____ (divertido).
3. Mi compañera de cuarto es _____ (inteligente).
4. Carmen es _____ (conservador).
5. La profesora de español es _____ (bueno).
6. La directora es _____ (trabajador).

B. ¡Qué guapos somos!   A six-year-old is showing pictures and talking during her first show-and-tell report at school. Substitute the word in parentheses for the underlined word to see what she is saying.

 Modelo Mi **hermana** es activa y atlética. (hermano)
     Mi hermano es activo y atlético.

1. Él es mi <u>papá</u>. Es serio y trabajador. (mamá)
2. Él es mi <u>hermano</u>. Es divertido y simpático. (hermana)
3. Ella es mi <u>amiga</u>. Es estudiosa y tímida. (amigo)
4. Ella es mi <u>mamá</u>. Es elegante y especial. (papá)
5. Él es mi <u>vecino</u> (*neighbor*). Es impaciente y perezoso. (vecina)
6. Es mi <u>perro</u>. Es bueno y tonto. (perra)

C. Gente famosa.   Identify the nationalities of the following people.

1. Bill y Hillary Clinton son _____. Su hija Chelsea es _____ también.

2. El príncipe Carlos de Inglaterra es _____ y su ex esposa Diana es _____.

3. El rey Juan Carlos de España y su esposa la reina Sofía son _____. Sus hijos (*children*) son _____ también.

4. Ryutaro Hashimoto, el Primer Ministro del Japón, es _____. Su familia también es _____.

PASO 2

1.4 Infinitives

Naming activities

Spanish verbs fall into three categories: **-ar, -er,** and **-ir.** The verb form that ends in **-ar, -er,** or **-ir** is called an infinitive. **Necesitar** *(to need),* **ser** *(to be),* and **vivir** *(to live)* are three examples of Spanish infinitives. Notice that English infinitives are formed by *to + verb.*

Some frequently used **-ar, -er,** and **-ir,** verbs from Chapter 1 are:

bailar	*to dance*	mirar (la tele)	*to watch (T.V.)*
buscar	*to look for*	nadar	*to swim*
comprar	*to buy*	necesitar	*to need*
escuchar	*to listen*	preparar	*to prepare*
estudiar	*to study*	tomar	*to drink; to take*
hablar	*to talk*	comer	*to eat*
llamar	*to call*	leer	*to read*
mirar	*to look at, watch*	ir	*to go*

¡A practicar!

A. ¿Ahora o antes?   Indicate by checking the appropriate column **ahora** (*now*) or **antes** (*before*) if these activities are typical of your life now or before as a high school student.

		Ahora	**Antes**
1.	tomar leche (*milk*)	_____	_____
2.	hablar por teléfono	_____	_____
3.	ir a conciertos	_____	_____
4.	estudiar mucho	_____	_____
5.	mirar la televisión	_____	_____
6.	leer libros	_____	_____
7.	preparar la cena	_____	_____
8.	llamar a los padres	_____	_____
9.	comer en restaurantes	_____	_____
10.	escuchar la radio	_____	_____

B. ¿Qué necesitas hacer? From the list of infinitives above, select those that express what you need to do or like to do before, during, and after giving a party.

Modelo	Antes de la fiesta	**Necesito buscar los discos.**
	Durante la fiesta	**Necesito hablar con amigos.**
	Después de la fiesta	**Necesito limpiar el apartamento.**

1. Antes de la fiesta
2. Durante la fiesta
3. Después de la fiesta

1.5 Subject Pronouns and the Verb *ser*: Plural Forms

Stating origin of several people

Subject Pronouns

Plural	
we	nosotros, nosotras
you (familiar)	vosotros, vosotras
you (formal)	ustedes
they	ellos
	ellas

In **Para empezar**, you learned that **tú** is a familiar form generally used among friends, and **usted** is a more polite, formal form used to show respect or to address individuals you do not know well. **Vosotros(as)**, the plural of **tú**, and **ustedes**, the plural of **usted**, are used in the same way. In the Americas, there is a strong preference to use **ustedes** in place of **vosotros(as)**.

The Verb *ser*

Singular		Plural	
yo	**soy**	nosotros(as)	**somos**
tú	**eres**	vosotros(as)	**sois**
usted	**es**	ustedes	**son**
él, ella	**es**	ellos, ellas	**son**

¡A practicar!

A. ¿De todas partes? Classes begin next week and foreign students are starting to arrive on campus. Tell what countries they are from.

Modelo	Roberto Rojas y José Antonio Méndez / Colombia
	Roberto Rojas y José Antonio Méndez son de Colombia.
	Son colombianos.

1. Isabel y Julia Martínez / Venezuela
2. José Trujillo y Marta Cabezas / Cuba
3. Cecilia y Pilar Correa / Paraguay
4. Carlos Barros y tú / Costa Rica
5. Sonia Urrutia y Tomás Arias / Perú
6. Tú y yo / México

B. Presentaciones. What does Pepe say about his friends when he introduces them to his roommate?

> **Modelo** Víctor y Daniel _____ de Nuevo México.
>
> **Víctor y Daniel ____son____ de Nuevo México.**

1. Rafael y Lalo _____ mis amigos de Texas.
2. Teresa _____ estudiante de biología.
3. Ángela y Manuel _____ estudiantes de literatura.
4. Jaime y yo _____ de Chicago.
5. Todos nosotros _____ muy buenos amigos.

1.6 Gender and Number: Adjectives

Describing people

You have learned that adjectives are words that describe a person, place, or thing. Unlike English, Spanish adjectives usually follow the noun they describe.

A. Masculine singular adjectives that end in **-o** have four forms.

Singular

Masculine	Feminine
alto	alta
simpático	simpática

Plural

Masculine	Feminine
altos	altas
simpáticos	simpáticas

B. Except for adjectives denoting nationality and personality or physical traits, most other adjectives have only two forms, a singular form and a plural form. The plural is formed by adding **-s** to adjectives ending in a vowel other than **-o** and **-es** to adjectives ending in a consonant.

Singular	Plural
grande	grandes
azul	azules
BUT:	
español	españoles
española	españolas

C. When one adjective describes two or more nouns, one of which is masculine, the masculine plural form of the adjective is used.

Ana y José son muy serios. — *Anna and Jose are very serious.*

Gloria, Isabel y Pepe son muy desorganizados. — *Gloria, Isabel and Pepe are very disorganized.*

¡A practicar!

A. Mis amigos. How does Romelia describe her friends at school? Select the appropriate adjective.

1. Gilberto es muy (atlético / atlética).

2. Mi amiga Mari Carmen es (estudioso / estudiosa) y (serio / seria).

3. Mi amiga Tomasa es (simpático / simpática) y popular.

4. Andrés es (activo / activa), (divertido / divertida) y (estupendo / estupenda).

5. ¿Y yo? Yo soy (trabajador / trabajadora) y muy especial.

B. ¿Cómo son? People usually select friends that are similar to themselves. Tell what the following pairs are like.

1. Julio es divertido. (Julio y José)

2. Elena es alemana. (Elena y Pilar)

3. Paco es impaciente. (Paco y yo)

4. Lupita es liberal. (Lupita y tú)

5. Eduardo es muy atlético. (Eduardo y Carmen)

6. El perro Canela es simpático. (Canela y Matón)

7. La perra Muñeca es inteligente. (Muñeca y Matón)

8. Tú eres... (Tú y yo)

1.7 Present Tense of *-ar* Verbs

Stating what people do

A. Spanish verbs are conjugated by substituting personal endings for the **-ar, -er,** or **-ir** endings of the infinitive. In this chapter, you will learn the **-ar** personal verb endings. Notice that the **-ar** endings always reflect the subject of the sentence, or the person or thing doing the action of the verb.

-ar Verb Endings and the Verb *necesitar*

Singular			Plural		
yo	**-o**	necesit**o**	nosotros(as)	**-amos**	necesit**amos**
tú	**-as**	necesit**as**	vosotros(as)	**-áis**	necesit**áis**
usted	**-a**	necesit**a**	ustedes	**-an**	necesit**an**
él, ella	**-a**	necesit**a**	ellos, ellas	**-an**	necesit**an**

B. The present indicative of any Spanish verb has two possible equivalents in English statements and questions.

Compro ropa nueva.
I buy new clothes.
I am buying new clothes.

¿Compras ropa nueva?
Do you buy new clothes?
Are you buying new clothes?

Note that **ser** is never used in combination with another present-tense verb to express that someone is doing something. Also the English auxiliary verb forms *do* and *does* do not exist in Spanish. When asking questions, the conjugated verb by itself communicates the idea of *do* or *does*.

C. As in English, a Spanish present-tense verb may have a future meaning.

Mañana pago las cuentas. *Tomorrow I will pay (I pay) the bills.*
¿Cuándo lavamos el coche? *When will we (do we) wash the car?*

D. Some frequently used **-ar** verbs are:

bailar	*to dance*	llevar	*to carry; to take; to wear*
buscar	*to look for*	mirar	*to look at, watch*
comprar	*to buy*	nadar	*to swim*
escuchar	*to listen to*	necesitar	*to need*
hablar	*to speak*	pagar	*to pay*
lavar	*to wash*	preguntar	*to ask (a question)*
limpiar	*to clean*	preparar	*to prepare*
llamar	*to call*	tomar	*to drink; to take*

¡A practicar!

A. El fin de semana.   Complete each of the following sentences with the appropriate form of the verb in parentheses to see what Francisco and his friends do on a typical Saturday.

1. Tomás _____ (preparar) unos sandwiches.
2. Yo _____ (mirar) la televisión.
3. Ángela y Olga _____ (escuchar) la radio.
4. Pablo y yo _____ (tomar) Coca-Cola.
5. Carlos _____ (hablar) por teléfono.
6. Carlos, Olga y Tomás _____ (comprar) mucho.

B. ¡Los domingos siempre son especiales!   Why are Sundays so special for Enrique? To find out, complete the following paragraph with the correct form of the verbs in parentheses.

Por la mañana, _____ (yo / llamar) a mi amiga Cecilia. Nosotros _____ (hablar) casi una hora. Yo _____ (invitar) a Cecilia a almorzar (*to have lunch*) en mi apartamento. Ella siempre _____ (aceptar). Entonces, yo _____ (limpiar) el apartamento rápidamente y _____ (preparar) mi especialidad, ¡hamburguesas!

1.8 The Verb *ir*

Stating destination   **Ir**

to go	
voy I	vamos we
vas you	váis you
va he/she	van
va	van they

When a destination is mentioned, **ir a** is always used.

Yo **voy a** la librería.   *I'm going to the bookstore.*
Ella **va a** un banco.   *She is going to a bank.*

Contractions in Spanish: *al, del*

Whenever **a** or **de** are followed by the definite article **el**, they contract and become **al** or **del**. These are the only contractions in the Spanish language. In this lesson you will practice with **al**. Practice with **del** will come in a later chapter.

Vamos **al** teatro.   *We're going to the theater.*
La profesora va **al** laboratorio.   *The professor is going to the laboratory.*
Es Pepe. Llama **del** banco.   *It's Pepe. He's calling from the bank.*

¡A practicar!

A. Un día típico.   Today is like every other school day. Everyone is rushing around. Where does Alicia say everyone is going?

Gloria y Teresa _____ a la cafetería. Julio _____ a la biblioteca a estudiar para un examen. Beatriz y Humberto _____ al cine. Yo _____ al cuarto de Virginia. Ella y yo _____ al Café Roma a tomar un refresco. Y tú, ¿adónde _____?

B. Perdón, voy a...   Where is everyone really going? How do you correct yourself when you realize you've given the wrong destination?

Modelo   Yo voy al teatro. (la biblioteca)
        Perdón, voy a la biblioteca.

1. Marta va a la cafetería. (el restaurante)
2. Ángela va a la discoteca. (el teatro)
3. Carlos y José van al laboratorio. (la biblioteca)
4. El profesor va a la librería. (el banco)
5. Olga y yo vamos al restaurante. (la fiesta)
6. Julio y Ana van a San Francisco. (Los Ángeles)

C. ¿Adónde van todos?   It is Saturday morning and your roommate wants to know where everyone is rushing off to. What do you say?

Modelo   Ernesto / librería
        Ernesto va a la librería.

1. Gabriela / San Francisco
2. profesor / laboratorio de biología
3. Paco y Mateo / biblioteca
4. Adela y Tomás / librería
5. Mariana y yo / restaurante
6. Julio y Julia / banco

CAPÍTULO 2

Cultural Topics

Writing Strategies

- Knowing your audience and brain-storming

Reading Strategies

- Using visual images to predict content

En preparación

¡Ahora hay tanto que hacer!

In this chapter, you will learn how to …

- name and describe some jobs open to students.
- describe your dorm, apartment, or house.
- talk about roommates and dorm life or apartment living.
- describe vacation plans.
- talk about spring / summer / fall / winter break.

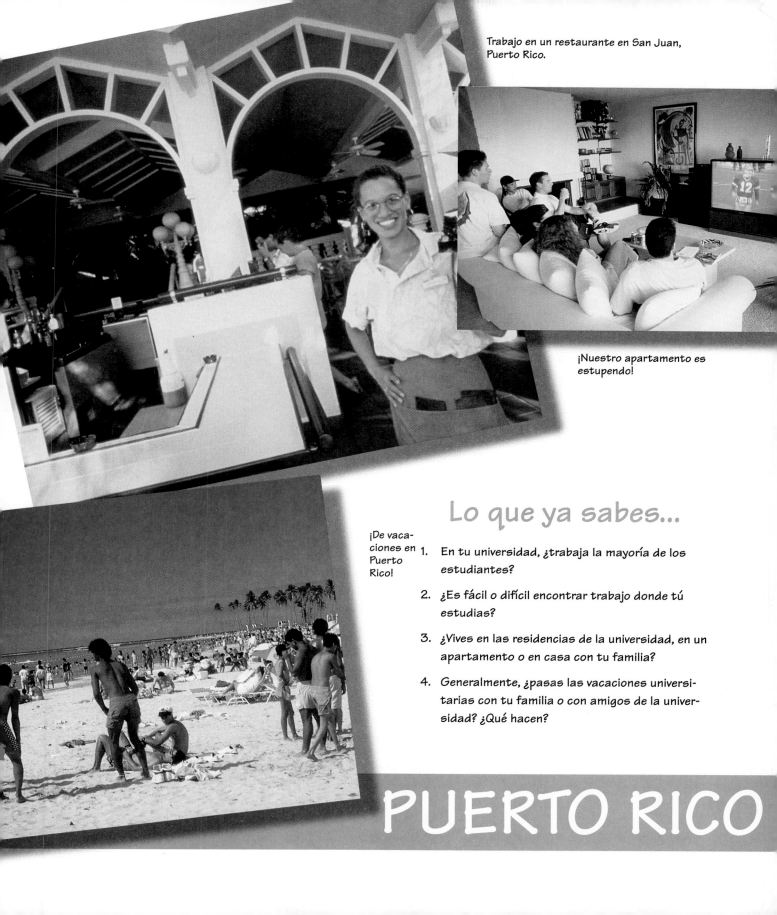

Trabajo en un restaurante en San Juan, Puerto Rico.

¡Nuestro apartamento es estupendo!

¡De vacaciones en Puerto Rico!

Lo que ya sabes...

1. En tu universidad, ¿trabaja la mayoría de los estudiantes?

2. ¿Es fácil o difícil encontrar trabajo donde tú estudias?

3. ¿Vives en las residencias de la universidad, en un apartamento o en casa con tu familia?

4. Generalmente, ¿pasas las vacaciones universitarias con tu familia o con amigos de la universidad? ¿Qué hacen?

PUERTO RICO

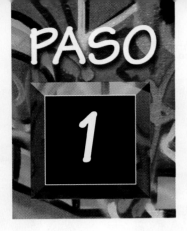

PASO 1

¿Dónde trabajas?

TAREA

Antes de empezar este **Paso,** estudia **En preparación** 2.1 y haz por escrito los ejercicios de **¡A practicar!** También escucha el **Paso 1 ¿Qué se dice... ?** del Capítulo 2 en el CD del estudiante.

¿Eres buen observador?

Ahora, ¡a analizar!

1. ¿Para qué tipo de trabajo son estos anuncios?
2. ¿Son apropiados algunos de estos puestos para estudiantes universitarios que necesitan empleo? ¿Por qué?
3. ¿Es posible trabajar tiempo completo y asistir a la universidad a la vez? Explica.
4. Explica «Magnífica presentación».

Compañía japonesa solicita inmediatamente

Secretaria bilingüe

Requisitos:
- Magnífica presentación
- Tener experiencia
- Ser soltera
- Edad de 18 a 25
- Inglés 80% (sepa traducir)

**Interesadas favor de acudir a
AV. de Las Palmas No. 239
3er Piso Col. Lomas de Chapultepec
TEL. 202-21-08**

Importante institución financiera solicita

CHOFER

Requisitos:
- Con experiencia
- Edad 20 años
- Disponibilidad inmediata
- Excelente presentación
- Que viva en el sur de la ciudad
- Recomendaciones indispensables

Ofrecemos:
- Sueldo altamente competitivo

**Interesados comunicarse a los teléfonos
598 75 78   598 82 76   598 03 26**

Solicitamos
Programador de Computadora
Experiencia en DBASE III para el
desarrollo de nuevos programas.
Inglés–Español
Dispuesto a radicarse
en Puerto Vallarta.
203-76

SEÑORITA
Para Vendedora
EN TIENDA DE ROPA

Trabajo en el centro.
Sueldo más comisiones.

Tel. 542 67 58
MISS GEORGETTE
Flamencos 12, Local B,
entre 20 de Noviembre y Pino Suárez

¿Qué se dice...?

Al hablar del trabajo

Estela y Mónica

Ocupación: _dependientes empleados) vendedora_

¿Dónde trabajan? _una tienda_

¿Qué venden? _ropa de niñas y mujeres_

Julio Pesquero es secretario y trabaja en la computadora todo el día. Escribe en el teclado mientras mira la pantalla y escucha música en los parlantes. También usa el ratón que está en la almohadilla. Sus documentos salen de la impresora.

Alicia Guzmán busca trabajo. Pero, ¿quiénes son los dos señores? «Somos gerentes y entrevistamos a los empleados nuevos».

Antonio Durán es administrador. Él decide qué hacen los otros empleados.

Soy Gilberto. Soy el cocinero aquí. Yo abro el café a las seis de la mañana y trabajo hasta las dos de la tarde.

Javier y Carmen son periodistas. Ellos escriben excelentes artículos todos los días. Por la mañana, al llegar a la oficina, ellos siempre leen sus artículos en el periódico del día.

Ahora, ¡a hablar!

A. **¿Qué es?**   Lee estas descripciones para que tu compañero(a) identifique qué es la persona que se describe: profesor, secretario, gerente, cocinero, dependiente o periodista.

1. Trabaja en una oficina. Escribe mucho y lee mucho. Generalmente escribe artículos para un periódico. *periodista*

2. También trabaja en una oficina. No lee mucho pero sí escribe mucho. Generalmente escribe en la computadora. *secretario/a*

3. Trabaja en una oficina o en un restaurante o un café. Es una persona muy importante. Esta persona decide qué hacen los otros empleados. *gerente*

4. No trabaja ni en una oficina, ni en un restaurante, ni en un café. Trabaja en una universidad. Prepara muchas clases y es muy inteligente. *Profesor*

5. Trabaja en una tienda de ropa. Vende ropa al público. Generalmente es una persona muy simpática. *dependiente*

6. Trabaja en un café o un restaurante. Generalmente abre por la mañana y prepara comida para mucha gente. *cocinero.*

B. En el trabajo. ¿Qué hacen estas personas en el trabajo?

Modelo Elisa (vender) ropa en una tienda.
           Elisa vende ropa en una tienda.

1. Pascual y Dolores (escribir) en una computadora en la oficina. *escriben*
2. Bárbara (abrir) la puerta en un café. *abre*
3. Andrea (escribir) artículos en un periódico. *escribe*
4. Cristina y David (entrevistar) a estudiantes en la universidad. *entrevistan*
5. Gilberto (preparar) la comida en un café. *prepara*
6. Teresa y yo (vender) libros en una librería. *vendemos*
7. Tú (confirmar) reservaciones en un hotel. *confirmas*
8. Mari Carmen (cocinar) en un restaurante. *cocina*

C. Ocupaciones. En tu opinión, ¿qué hacen estas personas en el trabajo? Contesta formando frases con palabras de cada columna.

Modelo **Unos gerentes entrevistan a los empleados nuevos.**

		los exámenes
gerentes	entrevistar a	los estudiantes
periodista	vender	al autobús
estudiante	preparar	la tienda
cocinero(a)	escribir	los artículos
dependiente	leer	el café
profesor(a)	correr	los empleados nuevos
secretario(a)	comer	la comida
		a máquina

gerentes entrevistan

D. Los fines de semana. Pregúntale a tu compañero(a) si hace estas cosas los fines de semana.

Modelo hablar por teléfono

    Tú   ¿Hablas por teléfono?

Compañero(a)   Sí, hablo por teléfono. o
    No, no hablo por teléfono.

1. trabajar en una oficina *No, no trabajo en una oficina*
2. estudiar en la biblioteca *Si, estudio en la biblioteca*
3. correr *Posiblemente corro.*
4. abrir el libro de español *Si, abro el libro de español*
5. escribir en la computadora *Si, escribo mucho en la computadora*
6. leer mucho *Leo mucho*
7. comer en un restaurante
8. vender ropa en una tienda

Y ahora, ¡a conversar!

A. ¿A quién describe? Selecciona tres de estos puestos y, sin decir cuáles, descríbelos para ver si tu compañero(a) adivina *(guesses)* cuáles describes.

administrador(a)	secretario(a)	gerente
cocinero(a)	dependiente	periodista

B. ¿Trabajas? ¿De veras? En grupos pequeños describan su trabajo. Si no trabajan, inventen un puesto. Luego, después de describir todos los trabajos, decidan quiénes de veras *(really)* trabajan y quiénes probablemente no trabajan.

C. ¿Nosotros? ¿Qué tipo de trabajo hay para estudiantes universitarios en tu universidad y en tu ciudad? Con un(a) compañero(a) prepara una lista de trabajos que los estudiantes universitarios hacen.

Modelo   Vendemos ropa.

D. Profesión ideal. En una hoja de papel, escribe el nombre de tu clase favorita. Luego escribe las dos características más representativas de tu personalidad. En grupos de tres o cuatro, diles a tus compañeros cómo eres y cuál es tu clase favorita. *(They are going to tell you what the ideal profession is for you based on your characteristics and favorite class.)*

¡Luz! ¡Cámara! ¡Acción!

A. ¡Ya no busco trabajo! Ahora estás en casa de tus padres. Son tus primeras vacaciones del año escolar. Tú y tus padres están hablando de tu nuevo empleo (trabajo). Dramaticen esta situación.

Mamá y papá	**Hijo**
■ Pregunten dónde trabaja.	■ Responde.
■ Pregunten qué hace.	■ Describe tu trabajo.
■ Pregunten cómo son los otros trabajadores.	■ Descríbelos.
■ Díganle buena suerte.	■ Responde.

B. Consejero(a). Tú necesitas trabajar y vas a hablar con un(a) consejero(a) *(advisor)* de la universidad. Necesitas saber qué tipo de puestos hay. Dramatiza esta situación con un(a) compañero(a).

¿Comprendes lo que se dice?

Estrategias para escuchar. *Knowing what people are talking about or anticipating what they are going to say makes it much easier to understand a foreign language. When listening to spoken Spanish, you should always try to determine what the conversation is about as you listen. In the **¿Qué se dice... ?** section of this **Paso** you met several working students. Now you are going to listen to two of them talk about how busy they are. Write down* *three things that you think they might say, then check to see if you anticipated correctly after you listen to the recording.*

Now listen as your instructor plays the dialogue between Julio and Estela and, working in pairs, answer the questions that follow.

1. ¿Qué hacen Julio y Estela? Indica quién hace las actividades con una **E (Estela)** o con una **J (Julio).**

    _____   prepara la cena

    _____   lee en la biblioteca

    _____   ayuda a su mamá

    _____   escribe en la computadora

    _____   vende ropa

    _____   trabaja de secretario

    _____   abre la tienda

    _____   trabaja en una tienda

2. ¿Cómo son los profesores de Julio y Estela? (Marca uno.)
    - ❑ divertidos
    - ❑ aburridos
    - ❑ fáciles
    - ❑ difíciles

NOTICIERO
CULTURAL

Puerto Rico

LUGAR... PUERTO RICO

Antes de empezar, dime...

En tu opinión, ¿son ciertos (**C**) o falsos (**F**) estos comentarios? *(After completing the reading, check to see if your perceptions were correct.)*

    C **(F)** 1. La isla de Puerto Rico fue descubierta por Estados Unidos en 1898.

    C **(F)** 2. Todos los puertorriqueños son ciudadanos de Estados Unidos.

    C **(F)** 3. La moneda oficial de Puerto Rico es el peso.

    (C) F 4. Los puertorriqueños votan en todas las elecciones de Estados Unidos.

    (C) F 5. Los puertorriqueños no pagan impuestos *(taxes)* a Estados Unidos.

El Estado Libre Asociado de Puerto Rico

La hermosa isla de Puerto Rico está situada junto con Cuba, con Haití, y la República Dominicana y Jamaica en el mar Caribe. Con una extensión de 9.000 km. cuadrados, es la más pequeña de estas cuatro islas. Fue descubierta por Cristóbal Colón en 1493. Fue gobernada por España hasta el final de la guerra de 1898 (entre EE.UU. y España) cuando pasó a dominio de los Estados Unidos.

El viejo San Juan, Puerto Rico

El Morro en San Juan, Puerto Rico

En 1917 los Estados Unidos declaró a todos los puertorriqueños ciudadanos de los Estados Unidos. Por esa razón, los puertorriqueños no necesitan ni visa ni pasaporte para viajar a los Estados Unidos. La moneda oficial de Puerto Rico es el dólar estadounidense y los puertorriqueños sirven en el ejército militar de los Estados Unidos, votan en todas las elecciones de los Estados Unidos menos en la presidencial y, lo más importante de todo, ¡no pagan impuestos federales!

En 1952 Puerto Rico se convirtió en el Estado Libre Asociado de Puerto Rico, su nombre oficial actual. En 1993 los puertorriqueños votaron para decidir entre tres opciones: 1) continuar como Estado Libre Asociado; 2) convertirse en el estado número cincuenta y uno de los Estados Unidos, ó 3) convertirse en una nación totalmente independiente. El resultado del voto fue: 4.4% a favor de la independencia, 46.2% a favor de convertirse en el estado número cincuenta y uno y 48.4% a favor de continuar como Estado Libre Asociado.

Y ahora, dime...

¿Similares o diferentes?   Compara a Puerto Rico y los Estados Unidos en las categorías indicadas.

	Puerto Rico	Estados Unidos
Tamaño *(Size)*	más pequeño	grande
Servicio militar	sí	sí
Moneda oficial	dollar	dollar
Derechos de votar	no para presidente	sí todas las elecciones
Ciudadanía *(Citizenship)*	sí	sí

El español en otras disciplinas: Geografía

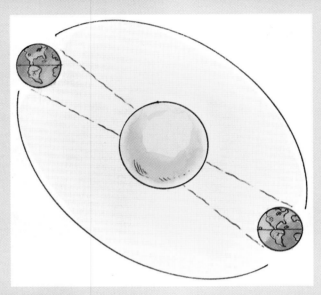

La línea ecuatorial. *Given the movement of the Earth and its position in relation to the sun during the 365 days of a year, climatic changes associated with the four seasons depend entirely on whether a country lies north or south of the equator.* Por esa razón, con excepción de Venezuela y Colombia, las estaciones *(seasons)* en toda Sudamérica son exactamente opuestas a las de Centroamérica y Norteamérica. Las cuatro estaciones son:

otoño	*autumn*	primavera	*spring*
invierno	*winter*	verano	*summer*

Contesta estas preguntas con un(a) compañero(a).

1. ¿Qué estación es en Perú cuando en los Estados Unidos es verano?
2. ¿Qué estación es en México cuando en Chile es invierno?
3. ¿Qué estación es en Argentina cuando en Ecuador es primavera?
4. ¿Qué estación es en Bolivia cuando en Guatemala es otoño?

Proyecto: Divide una hoja de papel en cuatro columnas. En las dos primeras escribe el nombre y el país de una ciudad capital de Norteamérica, dos de Centroamérica y tres de Sudamérica. En la tercera y la cuarta columna escribe una fecha *(date)* y la estación correspondiente en cada ciudad. Varía *(Vary)* las fechas para incluir todas las estaciones. En grupos de cuatro o cinco, túrnense *(take turns)* en nombrar las ciudades y fechas que seleccionaron. Sus compañeros deben nombrar *(must name)* el país y la estación de cada ciudad y fecha nombrada.

Y tú, ¿dónde vives?

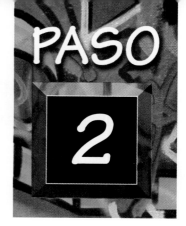

TAREA — Antes de empezar este **Paso**, estudia **En preparación** 2.2, 2.3 y 2.4 y haz por escrito los ejercicios de **¡A practicar!** También escucha el **Paso 2 ¿Qué se dice...?** del Capítulo 2 en el CD del estudiante.

¿Eres buen observador?

DÚPLEX
Sin ruidos
Llenos de luz

2 Dormitorios	3 Dormitorios
u\$s 1.500	u\$s 3.000

2 baños, Cocheras
Departamentos impecables
Av. Santa Fe 831
V-15:30–18:30 hrs.
771-8824

¿POR QUÉ PAGAR RENTAS CARAS?
ESPECIAL DE OTÕNO

1 Recámara	2 Recámaras
\$395	\$495

Sin depósito o limpieza
Cerca de la universidad
Bastantes áreas verdes

VENGA HOY MISMO
1823 W. MONTECITO
333-6968

\$199 PARA MUDARSE

Con crédito aprobado. Apartamentos con jardines, jacuzzi, cuarto de ejercicios y billares. Llame al gerente para más detalles.

764-6917

ALQUILO DEPARTMENTO
temporario en:
SAN ISIDRO y CERVIÑO

Excelentes departamentos, tenis, sauna, cocheras, balcones, vistas panorámicas.

Desde 1.800   Tel. 979-3233

Ahora, ¡a analizar!

1. Dos de estos anuncios clasificados son de periódicos de barrios hispanos en los Estados Unidos y dos de un país latinoamericano. ¿Puedes identificarlos?

2. **Departamento** es un cognado falso. ¿Qué significa en español?

3. ¿Qué diferencias notas en la manera de escribir el precio de los apartamentos en los Estados Unidos y los países latinos?

4. ¿Qué influencias del inglés notas en el español de los anuncios de barrios hispanos en los Estados Unidos?

¿Qué se dice...?

Al hablar de dónde viven los estudiantes

Alicia compra _____.

Patricio vive en _____.

El alquiler es $ _____.

(handwritten annotations: edificio, el de apartamento, apartamento, libras, 350 + 80, 55, 80 pum pro, las palmas, un apartmento, edificio, $120, para cada uno, para la npa, 4, 1 baño, Tomás cocinero, limpiar el apartamento)

ALICIA	¿Es grande el apartamento?
PATRICIO	Tiene cuatro habitaciones si incluimos la cocina, pero son grandes. Lo peor es el baño... solamente tiene un baño que compartimos entre todos. Cuando uno sale, otro entra.

ALICIA	¿Quién prepara la comida? Porque,... tú no cocinas, ¿verdad?
PATRICIO	No. Mi amigo Tomás es nuestro cocinero, más o menos. No es como en casa, pero... por lo general cocina bien.

ALICIA	¿Cómo dividen las otras responsabilidades?
PATRICIO	Es fácil. Yo lavo la ropa y mis otros compañeros limpian el apartamento. Todos somos muy responsables. Y para ir a las clases tomamos el autobús o caminamos. En diez a quince minutos llegamos. ¡Ya ves! ¡Es un apartamento ideal!

¿Sabías que... ?

En la mayoría de los países hispanos, los estudiantes universitarios no viven en residencias. Por lo general viven en casa de sus padres, si no está muy lejos de la universidad, o en apartamentos o casas privadas. Normalmente, los estudiantes universitarios no trabajan para pagar sus gastos. Dependen de la ayuda financiera de sus padres. Claro que siempre hay excepciones, en particular cuando la situación económica lo demanda. Sin embargo, la mayoría de los estudiantes universitarios viven en casa de sus padres aún después de graduarse. No se mudan a su propio apartamento a menos que consigan trabajo en otra ciudad o hasta después de casarse (del matrimonio).

A propósito...

Notice that Spanish uses the word **a** before a direct object that refers to a person or persons: **Yo llamo a mis padres.** This **a**, called the personal **a**, has no equivalent in English.

Ahora, ¡a hablar!

compartir - to share

A. Nuestro apartamento. Alberto vive con dos compañeros, Andrés y José Antonio, en un apartamento. Ellos comparten algunas cosas y otras no. ¿Qué contesta Alberto cuando le preguntan de quién son estas cosas?

Modelo   los discos de salsa / yo

Son mis discos.

1. el baño / nosotros — *Es nuestro baño*
2. la televisión / Andrés — *Es su televisión*
3. la computadora / José Antonio — *Es su computadora*
4. la radio / Andrés y José Antonio — *Es su radio de ellos*
5. los discos de jazz / nosotros — *Son nuestros discos de jazz*
6. los libros / tú — *Son tus libros.*

B. ¿Cuánto cuesta? Siempre hay cosas que necesitamos comprar para las clases. Indica cuánto cuestan las siguientes cosas.

Modelo   un buen bolígrafo

Un buen bolígrafo cuesta doce dólares y cuarenta y cinco centavos.

1. un libro de química — *ochenta y cinco dólares y sesenta y cinco centavos*
2. *¡Dímelo tú!* — *Cincuenta dólares y*
3. el *Cuaderno de actividades* — *veinte y cinco dólares*
4. un disco flexible (*floppy disk*) — *sesenta y cinco*
5. una mochila
6. papel para la computadora
7. un cuaderno
8. ¿... ?

C.   Nuevos amigos.   Alberto estudia en la universidad y tiene nuevos amigos. ¿Cuál es el número de teléfono de sus amigos?

> **Modelo**   María Rodríguez: 5–42–14–58
>
> **El número de María Rodríguez es cinco, cuarenta y dos, catorce, cincuenta y ocho.**

1. Guadalupe Montenegro: 6–83–22–99
2. Alberto y Paula Sánchez: 4–35–56–73
3. Carmen Martínez: 4–35–68–13
4. Pablo Enríquez: 6–85–24–12
5. Sofía Meléndez: 5–42–10–08
6. Arturo y Rodrigo: 7–19–33–11

D.   ¡Bienvenidos!   Alberto y Lupe están organizando una fiesta de bienvenida para todos los estudiantes que viven en las residencias de la universidad. ¿Qué dice Alberto de la fiesta?

	viene a mi casa primero.
yo	tengo la lista de los invitados.
Lupe	tenemos que preparar los últimos detalles.
Jorge	sale a comprar refrescos.
Lupe y yo	vienen a la fiesta con sus amigos.
los invitados	no tienen que pagar nada.
	vienen de todas las residencias.

E.   Una semana típica.   Hazle estas preguntas a tu compañero(a) para saber cómo es su semana típica.

1. ¿Vienes a la universidad en carro (auto), bicicleta o a pie *(on foot)*?
2. ¿Qué clases tienes este semestre?
3. ¿Tienes que estudiar mucho?
4. ¿Tienes más clases por la mañana, por la tarde o por la noche?
5. ¿Sales de noche? ¿Adónde vas?
6. ¿Para qué clases tienes que estudiar más?
7. ¿Tienes que estudiar los fines de semana?
8. ¿Vienen tus amigos a estudiar a tu apartamento?

Y ahora, ¡a conversar!

A.   ¡Aló!   Escribe tu número de teléfono en un papelito. Tu instructor(a) va a recoger los números y redistribuirlos. Ahora lee el número que tienes en el papelito. La persona que reconoce su número debe decir **¡Aló!**

B.   ¡Bingo!   Prepara tu propia tarjeta de «BINGO». Escribe uno de estos números en cada cuadrado: **B** 1–19, **I** 20–39, **N** 40–59, **G** 60–79, **O** 80–99. Escribe los números arábigos y deletréalos *(spell them out)* porque vas a tener que decirlos en voz alta si ganas. Luego toda la clase va a jugar.

B	I	N	G	O
(1–19)	(20–39)	(40–59)	(60–79)	(80–99)
Número_____ _____	Número_____ _____	Número_____ _____	Número_____ _____	Número_____ _____
Número_____ _____	Número_____ _____	Número_____ _____	Número_____ _____	Número_____ _____
Número_____ _____	Número_____ _____	Número_____ _____	Número_____ _____	Número_____ _____
Número_____ _____	Número_____ _____	Número_____ _____	Número_____ _____	Número_____ _____
Número_____ _____	Número_____ _____	Número_____ _____	Número_____ _____	Número_____ _____

C. ¿Quién lo hace? Pregúntales a tus compañeros de clase si hacen las actividades de estos cuadrados *(grid)*. Cada vez que uno diga que sí, pídele que firme (escriba su nombre) en el cuadrado *(square)* apropiado. La idea es tener una firma en cada cuadrado, **¡Ojo!** No se permite que una persona firme más de un cuadrado.

correr todos los días	lavar la ropa	caminar a la universidad	comer en la cafetería
_____ *Firma*	_____ *Firma*	_____ *Firma*	_____ *Firma*
vivir en un apartamento	leer el periódico todos los días	estudiar en la biblioteca	escribir cartas a tus padres
_____ *Firma*	_____ *Firma*	_____ *Firma*	_____ *Firma*
no comprar libros usados	preparar la comida	escuchar la radio con frecuencia	mirar videos con la familia
_____ *Firma*	_____ *Firma*	_____ *Firma*	_____ *Firma*
escribir en la computadora	limpiar su cuarto todos los días	escuchar música clásica	salir con su familia
_____ *Firma*	_____ *Firma*	_____ *Firma*	_____ *Firma*

¡Luz! ¡Cámara! ¡Acción!

 A. ¡Hola! ¿Cómo te va?   Son los primeros días de clases y ves a un(a) amigo(a) de tu escuela secundaria que asiste a tu universidad. Con un(a) compañero(a), dramatiza su conversación.

Tú	**Amigo(a)**
■ Saluda a tu amigo(a).	■ Responde.
■ Pregúntale si vive en apartamento o en las residencias.	■ Responde y repite la pregunta.
■ Contesta y comenta sobre el costo de tus libros.	■ Describe tus costos.
■ Menciona que tienes una clase en cinco minutos.	■ Pídele su número de teléfono y dale el tuyo.
■ Despídete.	■ Despídete.

 B. ¡Necesito una habitación!   Unos amigos de otra universidad están de visita en tu universidad. Tú los invitas a tu apartamento. Ellos hacen muchas preguntas sobre tus compañeros(as) de cuarto, la división de responsabilidades, el costo de los libros, etc. Dramatiza la situación con dos compañeros.

¿Comprendes lo que se dice?

Estrategias para ver y escuchar.   *In the first* **Paso** *of this chapter you learned that anticipating what you will hear aids comprehension considerably. You are now going to see an advertisement for housing that caters to university students. Write down three things you expect the advertisement to mention. After viewing the video, check to see if you anticipated correctly.*

Ahora mira el video. Luego, marca las expresiones que mejor completan cada oración.

1. Las Palmas es...
    ❏ una casa.   ❏ un edificio de apartamentos.   ❏ una residencia.

2. Las Palmas tiene salas...
    ❏ modernas.   ❏ grandes.   ❏ pequeñas.

3. Las Palmas tiene cocinas...
    ❏ modernas.   ❏ grandes.   ❏ pequeñas.

4. En Las Palmas el alquiler es...
    ❏ razonable.   ❏ muy caro.   ❏ imposible.

NOTICIERO
CULTURAL

COSTUMBRES...
PUERTO RICO

Antes de empezar, dime...

Los ingleses y los norteamericanos se comunican bien en inglés pero a veces tienen problemas de vocabulario. Por ejemplo, si un inglés dice esto, ¿qué significa?

1. *I put it in the "boot."*
   a. *It's in a suitcase.*   b. *It's in a shoe.*   c. *It's in the car.*

2. *May I borrow half a "capsicum"?*
   a. *fifty cents*   b. *half a bell pepper*   c. *a half-dozen eggs*

3. *Lower the "bonnet," please. I can't see.*
   a. *hood of a car*   b. *window shade*   c. *ladies' hat*

¡Por fin, la guagua!

¡Vendo chinas!

Lectura. Ahora lee sobre una miscomunicación que tienen un estudiante puertorriqueño y una española.

Chinas y la guagua

Dos estudiantes esperan el autobús en un barrio de San Juan de Puerto Rico. Mario es puertorriqueño y Teresa es española.

TERESA	¿A qué hora viene el autobús?
MARIO	En unos cinco minutos. Ay, no tengo tiempo para pasar por el supermercado. Mi mamá necesita unas chinas esta noche.
TERESA	¿Chinas? ¿En el supermercado? No comprendo.
MARIO	Ay chica, tú nunca comprendes… Pero mira. Ahí viene la guagua.
TERESA	¿Viene quién?

Y ahora, dime...

¿Por qué tiene problemas Teresa en comprender lo que dice Mario?

1. Porque Teresa no comprende el español muy bien.
2. Porque el español de España es totalmente diferente del español de Puerto Rico.
3. A veces Mario, que es de Puerto Rico, usa vocabulario típico de Puerto Rico que no se usa en España.

Mira si seleccionaste la respuesta correcta en el Apéndice A.

Antes de escribir
Estrategias para escribir: Grupo de ideas

A. Preparándose. Antes de escribir, hay tres preguntas que el escritor siempre debe contestar.

- ¿Para quién escribo?
- ¿Por qué escribo?
- ¿De qué escribo?

Ahora, lee esta carta y contesta las tres preguntas.

Mi querida Nati:

19 de octubre de 1997

¡Mi apartamento es fenomenal! No es muy caro. Somos cuatro compañeras de cuarto y cada una paga sólo ciento setenta y cinco dólares al mes. Mi habitación no es muy grande pero no necesito mucho espacio. Y no necesito tomar el autobús a la universidad. Camino a mis clases y llego en unos diez o quince minutos. ¡Es estupendo!

¿Cómo es tu apartamento? ¿Tienes compañeras de cuarto? Escribe pronto, y recibe besos y abrazos de...

Tu mejor amiga,

Tere

B. Para concebir ideas. *When getting ready to write, it is a good idea to brainstorm, that is, to collect as many thoughts as possible about what you are going to write.*

Ésta es la lista de ideas que preparó Tere antes de escribir su carta a Natalia:

apartamento	poco espacio
compañeras de cuarto	estéreo estupendo
baño grande	sofá grande
caminar a clases	no caro
supermercado cerca	habitación no muy grande

1. ¿Incluyó Tere toda la información en su lista de ideas? Si no, ¿qué información no se usó?

2. ¿Usó información extra? ¿Cuál o cuáles?

Ahora, ¡a escribir!

A. En preparación. Prepárate para describir tu apartamento o casa en una carta a tu mejor amigo(a). Usa la carta de Tere como modelo. *(Before starting, answer the three questions that a good writer always asks himself or herself before writing. Then brainstorm a list of everything you might say in your letter.)*

B. El primer borrador. Usa la lista que preparaste en **A** para escribir un primer borrador *(first draft)*.

 C. Ahora a compartir. *(Share your first draft with two classmates.)* Comenta sobre el contenido y el estilo de tus compañeros(as) y escucha los comentarios de ellos sobre tu carta. Si hay errores de ortografía *(spelling)* o gramática, corrígelos.

D. Ahora a revisar. Decide si es necesario hacer cambios en tu carta. *(Keep in mind your classmates' comments as you decide.)*

E. La versión final. Prepara una versión final de tu carta y entrégala.

 F. Ahora a publicar. En grupos de tres, lean sus cartas y decidan cuál es la mejor. *(Have the person with the best letter in your group read it to the entire class.)*

...y en verano, ¡vacaciones!

PASO 3

TAREA

Antes de empezar este **Paso**, estudia **En preparación** 2.5, 2.6 y 2.7 y haz por escrito los ejercicios de **¡A practicar!** También escucha el **Paso 3 ¿Qué se dice...?** del Capítulo 2 en el CD del estudiante.

¿Eres buen observador?

primavera

marzo
abril
mayo

verano

junio
julio
augusto

otoño

septiembre
octubre
noviembre

invierno

diciembre
enero
febrero

Ahora, ¡a analizar!

1. ¿Cuáles son las cuatro estaciones?

2. ¿Cuáles son los meses de cada estación?

3. ¿Qué estación asocias con esquiar? ¿las vacaciones? ¿la playa? ¿los exámenes finales? ¿el fútbol americano? ¿el béisbol? ¿el principio de las clases? ¿el final del año escolar? ¿el amor?

¿Qué se dice...?

Al hablar de las próximas vacaciones

Un grupo de estudiantes en la cafetería de la universidad habla de los planes para sus próximas vacaciones.

TERESA: Margarita, Silvia y yo también vamos a pasar las vacaciones de verano en San Juan. Salimos un lunes y regresamos un domingo. Una semana entera. ¡Pero una semana intensa! Comer, caminar, comprar y dormir... ¡nada más!

ROSA: Pues, en diciembre José y yo vamos de vacaciones a San Juan, Puerto Rico. Salimos inmediatamente después del último día de clases y no regresamos hasta el día antes de empezar las clases.

Pedro está muy _____.

El 20 de julio Pedro _____ para España.

El 30 de agosto _____.

JOSÉ: Sí. Yo soy fanático del ejercicio. De día voy a caminar y correr por la playa. Y por las noches, salgo con Rosa a beber, comer y bailar.

A propósito...

In Spanish, the word **vacaciones** is always used in the plural. The singular **vacación** is rarely used.

Ahora, ¡a hablar!

A. ¡Vacaciones! Según el **¿Qué se dice... ?**, ¿adónde van y qué van a hacer estas personas?

Sale el 20 de julio para España.

José

Teresa, Margarita y Silvia

Pedro

Rosa

Regresan de San Juan un domingo.

De noche sale con su amiga Rosa.

Regresa de las vacaciones el 30 de agosto.

Van a comer, caminar, comprar y dormir.

B. Adivinanzas. Completa estas oraciones.

Vocabulario útil

día(s)	semana(s)	mes(es)	año(s)	estacíon(es)
invierno	otoño	primavera	verano	

1. Hay cuatro _estaciones_ en un _año_.
2. En una _semana_ hay siete _días_.
3. Hay doce _meses_ en un _año_.
4. Hay cincuenta y dos _semanas_ en un _año_.
5. Vamos a esquiar en el _invierno_.
6. Las vacaciones más largas son en el _verano_.
7. Hay muchas flores en la _primavera_.
8. Septiembre, octubre y noviembre son los meses del _otoño_.

C. ¿Y tu compañero(a)? Pregúntale a tu compañero(a) qué planes tiene para las vacaciones de invierno o verano.

1. ¿Cuándo es tu último día de clase?
2. ¿Cuándo sales? ¿A qué hora?
3. ¿Adónde vas?
4. ¿Cuándo llegas? ¿A qué hora?
5. ¿Cuándo regresas? ¿A qué hora?

¿Que vas a hacer allí?

D. Las cuatro estaciones. ¿Qué hacen tú y tu familia cuando tienen un fin de semana largo de vacaciones durante cada estación?

Modelo   **En la primavera, mi familia y yo vamos a la playa.** o
   En la primavera, mi familia y yo no salimos de la casa.

	esquiar
la primavera	visitar a familiares
el verano	ir a las montañas
el otoño	no salir de la casa
el invierno	ir a la playa
	ir a Europa
	¿... ?

Y ahora, ¡a conversar!

 A. Vacaciones de primavera. Tu tío Bruce, el millonario, te va a regalar unas vacaciones de primavera para ti y tres amigos(as). Habla con tus amigos(as) ahora y decidan adónde van, cuándo salen y cuándo llegan, qué van a hacer allí y cuándo regresan. Informen a la clase de su decisión.

B. Actividades. Prepara una lista de tus tres actividades favoritas para cada estación. Luego en grupos pequeños, pregúntales a tus compañeros(as) cuáles son sus actividades favoritas y diles las tuyas.

C. Las próximas vacaciones. Pregúntale a tu compañero(a) adónde va y qué va a hacer durante las próximas vacaciones escolares. Pregúntale si va solo o con alguien, cuándo sale(n), cuándo llega(n) y cuándo regresa(n). Dile a tu compañero(a) tus planes también.

¡Luz! ¡Cámara! ¡Acción!

A. Mi viaje soñado. Tú y tus compañeros(as) de cuarto van a las montañas por cuatro días para esquiar. Ahora, tú hablas por teléfono con tus padres y les explicas por qué vas a faltar a clases el viernes y el lunes. Ellos tienen muchas preguntas acerca del viaje. Dramatiza la conversación con tu padre o madre.

B. ¿Qué planes tienen? Tú y unos(as) amigos(as) toman un refresco y hablan de sus planes para el verano. Dramatiza esta situación con dos o tres compañeros(as) de clase.

¿Te gusta leer?

Antes de leer
Estrategias para leer: Anticipar con imágenes visuales

A. Imágenes visuales. *Before reading any text, it helps to have some idea about the context. There are various clues that can aid you in anticipating information about a selection. Visual images, for example, can help convey a preliminary idea.*

Mira las imágenes visuales en «Buena de corazón» y contesta estas preguntas.

1. En este anuncio hay sólo una imagen visual principal. ¿Qué es? ¿una fruta cítrica? ¿arte moderno? ¿otra cosa?

2. También hay una ilustración muy pequeña. ¿Qué es? ¿una fruta cítrica? ¿arte moderno? ¿otra cosa?

3. En tu opinión, ¿cuál va a ser el tema principal de esta lectura? ¿una fruta cítrica? ¿arte moderno? ¿otra cosa? ¿Por qué opinas eso?

B. Para anticipar. Antes de leer el anuncio, escribe dos preguntas que, en tu opinión, esta lectura va a contestar. *(Then read the advertisement and check to see if you predicted correctly.)*

Lectura La china, uno de los frutos favoritos de los puertorriqueños, llegó a la isla en épocas antiguas desde el país que lleva su mismo nombre, China. Esta deliciosa fruta que se cultiva mayormente en los pueblos montañosos de Puerto Rico, es una rica fuente de vitamina C. Entre la familia de la china podemos encontrar: la chironja, nebo, mandarina, valencia y la china criolla.

BUENA DE CORAZÓN

Así es la china de aquí... por dentro es mucho más jugosa, más dulce, más sabrosa, que la china que viene de afuera. La china extranjera tiene mucho millaje; es todo capota y pintura y de jugo puro aguaje.

La china buena de verdad es la china de aquí.

Asegúrate frescura.   **Asegúrate que sea**   **Del País**

Departamento de Agricultura
ADMINISTRACIÓN DE FOMENTO AGRÍCOLA

A ver si comprendiste

1. Lee la(s) pregunta(s) que escribiste en **Para anticipar** y verifica si anticipaste correctamente o no.

2. ¿Por qué llaman los puertorriqueños «china» a esta fruta cítrica ?

3. ¿Es importada esta fruta cítrica en Puerto Rico? Explica tu respuesta.

4. ¿Por qué dicen los puertorriqueños que: «La china buena de verdad es la china de aquí»?

5. En tu opinión, ¿por qué hace el Departamento de Agricultura de Puerto Rico esta propaganda?

¿Sabías que... ?

The orange was introduced in Europe in the sixteenth century by the Portuguese traveling in China. Records show that Christopher Columbus took orange, lemon, and apple seeds to Haiti, on his second voyage to America. The name for oranges in Puerto Rico comes from street vendors calling out: **«Traigo naranjas de la China... de la China... de la China».** This call was eventually abbreviated to **«Traigo chinas».**

Viajemos por el ciberespacio a... PUERTO RICO

Expand your horizons! *Let's travel through cyberspace to Puerto Rico* and discover that you can . . .

- travel through seven ecosystems in one day.

- visit a mountain from which you can view the ocean, the desert, and the rain forest.

- experience the hospitality and openness of the **borinqueños.**

- discover the fascinating secrets of Taíno hieroglyphs.

- learn about the Puerto Ricans' commitment to justice and to maintaining their ties to the United States.

- stroll through the streets, plazas, and patios of **El viejo San Juan, Ponce,** and other areas of the so-called **Isla del encanto.**

If you are a cyberspace browser, join us in **Viajemos por el ciberespacio a... Puerto Rico** by trying the following important addresses:

Universidades de Puerto Rico
Universidad de Puerto Rico
http://www.upr.clu.edu/home.html

Universidad de Puerto Rico -
Humacao
http://cuhwww.upr.clu.edu/

Universidad de Puerto Rico - Ponce
http://cutpo.cu-online.com/

Universidad de Puerto Rico-Mayagüez
Campus (UPRM)
http://www_rum.upr.clu.edu/

Museo de cultura taína
http://www.amdatel.com/cb/taino.htm

Puerto Rico, Isla del encanto
http://www.coqui.com/IsladelEncanto.
html

Noticias
Noticentro Puerto Rico
http://noticentro.coqui.net/pp.htm

Because addresses are likely to change without notice, the following key words will guarantee that **Viajemos por el ciberespacio a... Puerto Rico** will get you to your desired destination:

Palabras clave

Puerto Rico	Ponce
Borinquen	Taínos
El Morro	Radio en vivo Puerto Rico
Viejo San Juan	Universidades de Puerto Rico

h t t p : / / w w w . h r w c o l l e g e . c o m

Vocabulario

Empleos

administrador(a)	*administrator*
cajero(a)	*cashier*
chófer *(m. / f.)*	*chauffeur, driver*
cocinero(a)	*cook*
dependiente *(m. / f.)*	*store clerk, sales-person*
empleado(a)	*employee*
gerente *(m. / f.)*	*manager*
lavaplatos *(m. / f.)*	*dishwasher*
mesero(a)	*waiter / waitress*
periodista *(m. / f.)*	*newspaper reporter*
secretario(a)	*secretary*
vendedor(a)	*seller, salesclerk*

En la oficina

computadora	*computer*
almohadilla	*mouse pad*
impresora	*printer*
parlantes *(m. pl.)*	*speakers*
ratón *(m.)*	*mouse*
teclado	*keyboard*
controlar	*to control*
decidir	*to decide*
dividir	*to divide*
empezar	*to begin*
entrevistar	*to interview*
escribir	*to write*
organizar	*to organize*
pagar	*to pay*
trabajar	*to work*
trabajo	*work*

Lugares

apartamento	*apartment*
café *(m.)*	*café*
casa	*house*
edificio	*building*
habitación	*dwelling, room*
hotel *(m.)*	*hotel*
montaña	*mountain*
oficina	*office*
playa	*beach*
residencia	*residence, dorm*
restaurante *(m.)*	*restaurant*
tienda	*store*

Personas

chico(a)	*boy / girl*
familia	*family*
familiares *(m. pl.)*	*extended family members*

Meses

enero	*January*
febrero	*February*
marzo	*March*
abril	*April*
mayo	*May*
junio	*June*
julio	*July*
agosto	*August*
septiembre	*September*
octubre	*October*
noviembre	*November*
diciembre	*December*

Estaciones

estación *(f.)*	*season*
invierno	*winter*
otoño	*autumn*
primavera	*spring*
verano	*summer*

Días

lunes	*Monday*
martes	*Tuesday*
miércoles	*Wednesday*
jueves	*Thursday*
viernes	*Friday*
sábado	*Saturday*
domingo	*Sunday*
día *(m.)*	*day*
de día	*during the day*
de noche	*at night*
día de la semana	*weekday*
todo el día	*all day*
fin de semana *(m.)*	*weekend*

Verbos

abrir	*to open*
aprender	*to learn*
ayudar	*to help*
beber	*to drink*
caminar	*to walk*
compartir	*to share*
correr	*to run*
hacer	*to make; to do*
invitar	*to invite*
lavar	*to wash*
limpiar	*to clean*
pasar	*to pass, spend time*
regresar	*to return*
salir	*to leave, go out*
tener	*to have*
vender	*to sell*
venir	*to come*
visitar	*to visit*
vivir	*to live*

Adjetivos

barato(a)	*inexpensive*
caro(a)	*expensive*
fanático(a)	*fanatic*
feliz	*happy*
feo(a)	*ugly*
nuevo(a)	*new*
otro(a)	*other, another*
próximo(a)	*next*
tanto(a)	*so much, so many*
último(a)	*last, ultimate*

Sustantivos

alquiler *(m.)*	*rent*
autobús *(m.)*	*bus*
baño	*bathroom*
carta	*letter*
comida	*food*
examen *(m.)*	*exam*
hora	*hour, time*
periódico	*newspaper*
puerta	*door*
vacaciones *(f. pl.)*	*vacation*

Palabras útiles

cada	*every, each*
cuántos(as)	*how many*
hasta	*until*
inmediatamente	*immediately*
lo peor	*the worst thing*

En preparación 2

PASO 1

Stating what people do

The personal endings of **-er** and **-ir** verbs are identical, except for the **nosotros** and **vosotros** forms. As with **-ar** verbs, the personal endings of **-er** and **-ir** verbs always reflect the subject of the sentence.

-er, -ir Verb Endings

Subject Pronouns	Singular Endings -er, -ir	Subject Pronouns	Plural Endings -er	-ir
yo	-o	nosotros(as)	-emos	-imos
tú	-es	vosotros(as)	-éis	-ís
usted	-e	ustedes		-en
él, ella	-e	ellos, ellas		-en

Sample -er Verb:

COMER	
como	comemos
comes	coméis
come	comen
come	comen

Sample -ir Verb:

ESCRIBIR	
escribo	escribimos
escribes	escribís
escribe	escriben
escribe	escriben

Remember that the present indicative in Spanish has three possible equivalents in English.

Los niños **comen** chocolate.	*The children **eat** chocolate.*
Dos pasajeros **leen** el periódico.	*Two passengers **are reading** the newspaper.*
Una azafata **toma** café.	*One flight attendant **does drink** coffee.*

Some frequently used **-er** and **-ir** verbs are:

beber	*to drink*	escribir	*to write*
comer	*to eat*	recibir	*to receive*
correr	*to run*	salir	*to leave, to go out*
leer	*to read*	vivir	*to live*

¡A practicar!

A. ¡Cuánta actividad!   It is only 8:00 AM and everyone is out doing something. What is everyone doing?

1. Matías _____ (beber) un café.

2. Tú _____ (escribir) una composición.

3. Pedro y Pablo _____ (comer) en la cafetería.

4. María Isabel _____ (abrir) la tienda.

5. Nosotros _____ (correr) en el parque.

6. Yo _____ (leer) mi libro de español.

B. ¡Qué día!   It is now 8:00 PM. What is everyone doing?

1. Matías / estudiar / biblioteca

2. tú / comer / pizza / restaurante

3. Pedro y Pablo / leer / libro

4. María Isabel / ver / televisión / residencia

5. nosotros / beber / refresco

6. yo / correr / por la universidad

2.2   Numbers 0–199

Counting, solving math problems, and expressing cost

0	cero	16	dieciséis	40	cuarenta
1	uno	17	diecisiete	42	cuarenta y dos
2	dos	18	dieciocho	50	cincuenta
3	tres	19	diecinueve	53	cincuenta y tres
4	cuatro	20	veinte	60	sesenta
5	cinco	21	veintiuno	64	sesenta y cuatro
6	seis	22	veintidós	70	setenta
7	siete	23	veintitrés	75	setenta y cinco
8	ocho	24	veinticuatro	80	ochenta
9	nueve	25	veinticinco	86	ochenta y seis
10	diez	26	veintiséis	90	noventa
11	once	27	veintisiete	97	noventa y siete
12	doce	28	veintiocho	100	cien
13	trece	29	veintinueve	101	ciento uno
14	catorce	30	treinta	178	ciento setenta y ocho
15	quince	31	treinta y uno	199	ciento noventa y nueve

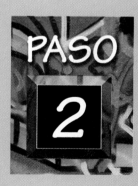

PASO

2

A. The number **uno (veintiuno, treinta y uno...)** changes to **un** before masculine nouns and **una** before feminine nouns.

Es **un** número muy difícil.	*It's a very difficult number.*
Hay cincuenta y **una** camas	*There are fifty-one double beds*
dobles en el hotel.	*in the hotel.*
La reservación es para **una** persona.	*The reservation is for one person.*

B. The numbers 16 to 29 are usually written as one word: **dieciocho, veintidós.** They may, however, be written as three words: **diez y ocho, veinte y dos, veinte y tres,** etc.

C. Numbers from 31 to 99 must be written as three words.

D. **Cien** is an even hundred. Any number between 101 and 199 is expressed as **ciento** and the remaining number.

101 ciento uno   **149** ciento cuarenta y nueve
110 ciento diez   **199** ciento noventa y nueve

Note that **y** never occurs directly after the number **ciento.**

E. Use the following expressions for solving math problems.

y *or* más (+)   menos (–)   es / son (=)
por (×)   dividido por (÷)

¡A practicar!

A. Matemáticas. Solve these math problems. Then write out the problems in Spanish.

1. $4 + 9 = ?$
2. $90 + 10 = ?$
3. $28 - 12 = ?$
4. $17 + 50 = ?$
5. $42 \div 6 = ?$
6. $11 + 152 = ?$
7. $3 \times 5 = ?$
8. $175 - 30 = ?$

B. ¿Cuánto cuesta? Tell how much the following items cost.

Modelo   una hamburguesa

Cuesta tres dólares, noventa y nueve centavos.

1. el libro de español
2. una mochila
3. un bolígrafo
4. un sandwich y un refresco
5. una pizza para ocho personas
6. un libro de ciencias

2.3 Possessive Adjectives

Indicating ownership

A. Unlike English, possessive adjectives in Spanish must agree in number with the person, place, or thing possessed. **Nuestro** and **vuestro** must also agree in gender.

Possessive Adjectives

Singular Possessor	1 Thing Possessed	2+ Things Possessed	Plural Possessor	1 Thing Possessed	2+ Things Possessed
yo	**mi**	**mis**	nosotros(as)	**nuestro(a)**	**nuestros(as)**
tú	**tu**	**tus**	vosotros(as)	**vuestro(a)**	**vuestros(as)**
usted	**su**	**sus**	ustedes	**su**	**sus**
él, ella	**su**	**sus**	ellos, ellas	**su**	**sus**

Tu apartamento es estupendo y **tus** amigos son muy simpáticos.
Your apartment is stupendous and your friends are very nice.

Nuestra casa es nueva.
Our house is new.

Nuestras habitaciones son muy grandes.
Our rooms are very big.

Note that these possessive adjectives are always placed *before* the noun they modify.

B. Usually the context will clarify any ambiguity that may result with **su / sus** *(your, his, her, their, its)*. However, when ambiguity does occur, one of the following combinations of **de** + *pronoun* is used in place of **su / sus.**

su / sus =

de usted	*your*
de él	*his*
de ella	*her*
de ustedes	*your*
de ellos	*their*
de ellas	*their*

¿Es más grande el apartamento **de ustedes?**
Is your apartment bigger?

Sí, pero la casa **de ellos** es más elegante.
Yes, but their house is more elegant.

¡A practicar!

A. ¡Carísimo!   ¿Cómo son los apartamentos o casas de estos estudiantes?

> **Modelo**   Alicia: cuarto / grande
> **Su cuarto es grande.**

1.   Andrés: apartamento / elegante
2.   tú y Carlos: casa / grande
3.   Teresa y Cecilia: residencia / nuevo
4.   yo: cuarto / especial
5.   Francisco y Mateo: amigas / simpático
6.   Marta y yo: cuarto / estupendo

B. Nuestra clase.   ¿De quién son estas cosas en la clase de español?

> **Modelo**   la computadora: de ella
> **Es su computadora.**

1.   la tiza: de ella
2.   el lápiz: de él
3.   los bolígrafos: de ella
4.   la sala de clase: de nosotros
5.   la pizarra: de nosotros
6.   los exámenes: de ustedes
7.   la mochila: de ella
8.   el cuaderno: de ellos

C. Compañeros de cuarto.   Completa este párrafo con la forma apropiada del adjetivo posesivo para saber qué le escribe Julio a una nueva amiga.

> Querida amiga:

_____ compañeros de cuarto, Carlos y Toni, son muy simpáticos. Carlos es español. _____ familia vive en Madrid. Toni es mexicano. _____ padres viven en Guadalajara con _____ abuelos (*grandparents*). ¿Y yo? _____ papás son de San Antonio, Texas. _____ casa está en un barrio hispano de la ciudad. ¿Y tú? ¿Dónde viven _____ padres?

2.4   Three Irregular Verbs: *tener, salir, venir*

Expressing obligations, departures, and arrivals

Tener		Salir		Venir	
to have		to leave		to come	
tengo	tenemos	salgo	salimos	vengo	venimos
tienes	tenéis	sales	salís	vienes	venís
tiene	tienen	sale	salen	viene	vienen
tiene	tienen	sale	salen	viene	vienen

A. When followed by an infinitive (the **-ar, -er,** or **-ir** form of a verb), **tener** becomes **tener que** and implies obligation.

Tengo que organizar mi apartamento.	*I have to organize my apartment.*
Tenemos que comprar muchas cosas.	*We have to (must) buy many things.*

B. When followed by an infinitive, **salir** and **venir** become **salir a** and **venir a.**

Salgo a correr a las 10:00.	*I go running at 10:00.*
Yo **vengo a** estudiar, y Eva **viene a** ayudarme.	*I come to study, and Eva comes to help me.*

¡A practicar!

A. Muy ocupados.   University life is not easy. Everyone's busy all the time. Select the correct form of each verb to tell what these students do.

1. Patricia (tengo / tiene) que lavar el auto.
2. Clara y Eva (salen / salimos) a las 8:00 para la universidad.
3. Felipe y yo (venimos / vienen) a estudiar con ustedes.
4. ¿Y tú? ¡Ah! Tú (vengo / vienes) a trabajar con la computadora.
5. Sí, todos los estudiantes (tiene / tienen) que trabajar mucho.
6. Yo siempre (vengo / vienes) tarde a esta clase.

B. ¿Dónde están?   Tell your roommate where everyone is this morning.

1. Juan y Mateo / tener clases
2. Patricio siempre / salir a / caminar
3. Oscar / tener que / trabajar hoy
4. Héctor / venir / más tarde
5. Yo / salir a / correr
6. Nicolás / venir / con Yolanda

C. ¡Tanto que hacer!   Tomorrow is the first day of class. Teresa and her friends, Anita and Olga, still have a lot of things to do. What problems are they having? Form at least five sentences, using one element from each column.

use que between verb & infinitive

Teresa		el horario de las clases
Olga		lavar la ropa
Anita	(no) tener	todos los libros necesarios
Olga y Anita	tener que	problemas con la computadora
nosotras		comprar la comida para la semana
		llamar a sus padres

2.5 Telling Time

Stating at what time things occur

A. The word for *time* (referring to clock time) in Spanish is **hora,** which is always feminine. To tell the hour, **es la** is used only with **una;** otherwise **son las** followed by the hour is used.

¿Qué hora es?	*What time is it?*
Es la una.	*It's one o'clock.*
Son las doce en punto.	*It's twelve sharp.*

B. Minutes from the hour to the half hour are added to the hour and connected with **y.** Between the half hour and the next hour, minutes are subtracted from the next hour and connected with **menos.**

1:24	Es la una **y** veinticuatro.
6:10	Son las seis **y** diez.
1:40	Son las dos **menos** veinte.
12:42	Es la una **menos** dieciocho.

Digital clocks have changed this more traditional way of stating time. Now, one also hears **Son las doce y cuarenta y dos** instead of **Es la una menos dieciocho.**

C. **Cuarto** means *quarter hour* and **media** is used to express *half past the hour.*

Vienen a la una y **cuarto.**	*They are coming at a quarter past one.*
Mañana salen a las siete y **media.**	*Tomorrow they leave at 7:30.*

D. **Mediodía** and **medianoche** are used to express **noon** and **midnight.**

Tengo una cita al **mediodía.**	*I have an appointment at noon.*
El autobús sale a (la) **medianoche.**	*The bus leaves at midnight.*

E. To state that something happens at a particular time, Spanish uses **a las…** This should not be confused with **son las…,** which means *It is* a specific time.

¡Apúrese! **Son las** siete menos cuarto y él llega **a las** siete en punto.	*Hurry up! It's a quarter to seven and he arrives at seven sharp.*
El concierto es **en** el teatro **a las** nueve.	*The concert is at the theater at nine.*

Note that **a las…** means *at* only when speaking about specific clock time. In most other instances *at* is translated by **en.**

F. The phrase **de la mañana / tarde / noche** is used only when a *specific* time in the morning / afternoon / evening is being stated.

El avión llega a las dos **de la mañana.**	*The plane arrives at 2:00 AM.*
Salgo a la una y diez **de la tarde.**	*I leave at 1:10 in the afternoon.*
Son las once **de la noche.**	*It's 11:00 PM.*

The phrases **en** or **por la mañana / tarde / noche** are used to express a general time (not specific clock time).

Por la mañana tengo que cancelar mi reservación.
In the morning I have to cancel my reservation.

Llegamos **en la tarde.**
We arrive in the afternoon.

¡A practicar!

A. ¿Qué hora es? Write out the following times.

1. 6:00 AM
2. 11:15 AM
3. 12:00 noon
4. 1:22 PM
5. 2:45 PM
6. 1:05 PM
7. 9:40 PM
8. 12:50 AM

B. Mis clases. Contesta las preguntas.

1. ¿A qué hora sales para la universidad por la mañana?
2. ¿A qué hora comienza tu clase de español? ¿A qué hora termina *(does it end)*?
3. ¿Tienes más clases por la mañana, por la tarde o por la noche? ¿A qué hora es tu primera clase? ¿y tu última *(last)* clase del día?
4. ¿Tomas el almuerzo *(lunch)* al mediodía?
5. ¿Con qué frecuencia te acuestas *(go to bed)* a medianoche?

2.6   Days of the Week, Months, and Seasons

Giving dates and stating when events take place

A. The days of the week are *not* capitalized in Spanish, and they are all masculine.

Los días de la semana

lunes	*Monday*	viernes	*Friday*
martes	*Tuesday*	sábado	*Saturday*
miércoles	*Wednesday*	domingo	*Sunday*
jueves	*Thursday*		

B. The months of the year also are *not* capitalized in Spanish and are also masculine.

Los meses del año

enero	mayo	septiembre
febrero	junio	octubre
marzo	julio	noviembre
abril	agosto	diciembre

C. As in English, the four seasons also are not capitalized.

Las estaciones

el otoño	*fall*	la primavera	*spring*
el invierno	*winter*	el verano	*summer*

D. To indicate that something happens on a particular day, Spanish always uses the definite article, never the preposition **en.**

Hay una fiesta **el** lunes.	*There's a party on Monday.*
No hay clases **los** sábados ni **los** domingos.	*There are no classes on Saturdays and Sundays.*

E. The preposition **en** is used to indicate that something happens in a particular month or season.

No hay vuelos **en** enero.	*There are no flights in January.*
En verano hay dos excursiones.	*In the summer there are two excursions.*

F. Dates (**las fechas**) in Spanish are given using the formula **el** + (**número**) + **de** + (**mes**) + **de** + (**año**).

El concierto es **el 5 de julio de 1998.**	*The concert is on July 5th, 1998.*

¡A practicar!

A. Fechas. Escribe en español estas *(these)* fechas.

1. la fecha de Navidad *(Christmas)*
2. la fecha de la independencia de Estados Unidos
3. la fecha de tu cumpleaños *(birthday)*
4. la fecha del cumpleaños de tu madre y de tu padre
5. las fechas del primer *(first)* día de primavera, verano, otoño, invierno

B. Días, meses y estaciones. Contesta las preguntas.

1. ¿Cuántos meses hay en un año? ¿Cuántos días hay?
2. ¿En qué meses hay nieve *(snow)*?
3. ¿Qué días hay clases de español? ¿Qué días no hay clases?
4. ¿En qué estaciones hay clases? ¿no hay clases?

2.7 Verbs of Motion

Telling where people are going

Any verb that indicates movement, such as *to walk, to leave, to run, to arrive,* is a verb of motion. Some common verbs of motion are:

andar	*to walk*	ir	*to go*	regresar	*to return*
caminar	*to walk*	llegar	*to arrive*	salir	*to leave*
correr	*to run*				

In Spanish, these verbs always use the preposition **a** to indicate movement *to* or arrival *at* a place, and **de** to indicate movement *from* a particular place.

El autobús **sale de** San Diego a las nueve y **llega a** Palo Alto a las once y veinte.
The bus leaves San Diego at 9:00 and arrives at Palo Alto at 11:20.

El lunes **regresamos de** Lima a Cuzco.
On Monday we return from Lima to Cuzco.

¡A practicar!

A. ¿Qué pasa? What is happening at the bus station in San Diego? To find out, form sentences, using the following words.

1. un niño / correr / la cafetería para comer
2. una chica / ir / los servicios
3. un autobús / llegar / Mazatlán
4. una persona / regresar / tienda / para comprar un recuerdo
5. una familia / viajar / Guadalajara
6. un señor / ir / cafetería para tomar café

B. Necesito un cambio. Isabel needs your advice. Complete the following paragraph with the appropriate form of each verb so that you may understand her problem.

Mi vida es terrible. Todas las mañanas yo ____ (correr) por veinte minutos. Luego ____ (ir) a la universidad. Allí ____ (estudiar), ____ (trabajar) y ____ (comer). Generalmente yo ____ (regresar) a casa a las 9:00 de la noche. A veces yo ____ (salir) y ____ (caminar) con el perro media hora. Pero mi problema es que nunca ____ (tener) energía. ¿Qué me recomiendan?

CAPÍTULO 3

Cultural Topics

Writing Strategies

Reading Strategies

En preparación

¿Y cuándo es la fiesta?

In this chapter, you will learn how to …

- describe what is happening at a party.
- strike up a conversation with a stranger.
- maintain a conversation.
- describe something or someone you really like.

«La sardana», baile folklórico típico de Cataluña

Club nocturno popular en Madrid

Una boda en España

Lo que ya sabes...

1. Los bailes folklóricos son muy populares en todo el mundo hispanohablante. ¿Cuáles son algunos de los bailes folklóricos populares en los Estados Unidos?

2. ¿Adónde vas tú a bailar? ¿Vas a clubes nocturnos o a fiestas de amigos?

3. ¿Qué haces en las fiestas? ¿Bailas mucho o prefieres comer, beber y conversar?

4. ¿Asistes a bodas familiares? ¿Qué hacen en las bodas familiares: bailan, comen, cantan? ¿Quiénes asisten?

ESPAÑA

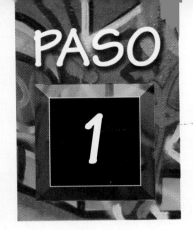

PASO

1

¡En casa de Natalia, el sábado!

TAREA

Antes de empezar este **Paso**, estudia **En preparación** 3.1 y 3.2 y haz por escrito los ejercicios de **¡A practicar!** También escucha el **Paso 1 ¿Qué se dice...?** del Capítulo 3 en el CD del estudiante.

¿Eres buen observador?

Ahora, ¡a analizar!

1. Ésta es la cubierta *(cover)* de una revista. ¿Qué tipo de información hay en la revista?

2. La revista incluye un poster: ¿De quién es el poster? ¿A quiénes les interesaría tener el poster?

3. La cubierta menciona a dos grupos musicales. ¿Cuáles son? ¿Qué tipo de música tocan?

4. ¿Cuál es tu música favorita? ¿la clásica? ¿el rock? ¿el jazz? ¿la popular? ¿la música ranchera *(country music)* de los Estados Unidos?

5. Un artículo en esta revista presenta las opiniones de ciertas personas sobre un tema algo controversial. ¿Cuál es el tema? ¿Quiénes expresan sus opiniones? ¿Qué crees que van a decir?

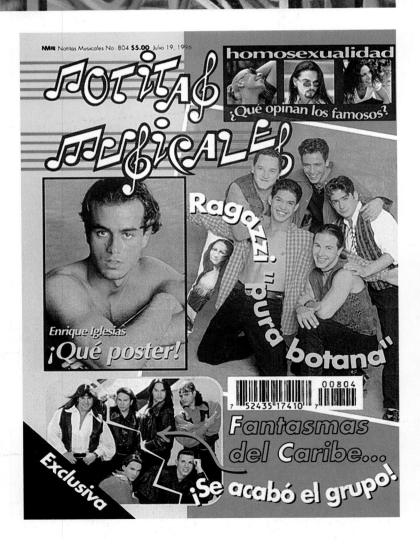

Al describir una fiesta

Hay una fiesta esta noche en casa de Natalia Alarcón.

¿Q:te preocupada ti?
A mi me preocupada

¿Qué preocupa a la señora Alarcón?

☑ los invitados	☐ los nachos	☑ los refrescos
☐ el casete de Jon Secada	☑ la comida	☐ la cerveza
☐ la persona en la alcoba	☑ la hora	☐ su hija Elisa

Ya están todos los invitados en la fiesta de Natalia. Toda la gente está muy contenta, excepto la señora Alarcón. Ella está en la sala con sus hijos. Está muy preocupada y muy nerviosa. Tiene mil preguntas para sus hijos. ¿Está la comida en la cocina? ¿Tienen el casete de Jon Secada? ¿Dónde están los nachos? ¿Quién está en la alcoba? ¿Está enfermo? ¿Está borracho? ¿Por qué está triste Nicolás? Para distraerla, Diego, su hijo, invita a su mamá a bailar.

Ahora, ¡a hablar!

A. ¿Dónde está?   Tu amiga acaba de llegar a la fiesta. ¿Qué pregunta?

    Modelo   Alicia / cocina

        Tu Amiga   **¿Dónde está Alicia?**

             Tú   **Está en la cocina.**

1. Enriqueta / sala
2. la comida / cocina
3. los invitados / patio
4. los refrescos / sala
5. el perro / patio
6. Eduardo y Arturo / alcoba

B. Es muy interesante. En la fiesta de Natalia hay una persona muy interesante. ¿Qué le preguntas?

Modelo Hola, ¿ _____ te llamas?

TÚ **Hola, ¿cómo te llamas?**

COMPAÑERO(A) **Hola, soy [*nombre*]. o Me llamo [*nombre*].**

De dónde → origin
A dónde — in motion, moving

1. ¿ _Como_ estás hoy?
2. ¿ _De Donde_ eres?
3. ¿ _Donde_ vives ahora?
4. ¿ _Qu_ estudias en la universidad?
5. ¿ _Cuantas_ clases tomas este semestre, cinco o seis?
6. ¿ _Quien_ es tu profesor(a) de español?
7. ¿ _Cual/que_ es más fácil, español o historia?
8. ¿ _Adonde_ vas después de la fiesta? ¿a la residencia?

O qué hora 9. ¿ _cuando/a que hora_ tienes que regresar a la residencia?
10. ¿ _Por que_ no vamos a un café? Yo invito.

C. ¿Cómo están? Dile a tu compañero(a) cómo estás tú y cómo están estas personas en las situaciones indicadas. Selecciona la palabra apropiada para cada una.

| aburrido | borracho | contento | enfermo |
| furioso | nervioso | preocupado | triste |

Modelo Estás en el examen final de química.

Estoy muy nervioso(a).

1. Un amigo está en el hospital. *Esta enfermo (triste)*
2. Tú estás en un concierto de música clásica. *yo estoy contenta (nerviosa)*
3. Tus amigos están estudiando para un examen difícil. *(nervioso)*
   Mis amigos están nerviosos.
4. El novio de tu amiga sale para otra universidad. ¿Cómo está tu amiga? ¿Cómo está su novio? *Mi amiga esta muy triste. El novio de lo mi amiga esta contento.*
5. En una fiesta, hablas con una persona que siempre bebe mucho. ¿Cómo estás tú? ¿Cómo está la persona con quien hablas? *Yo estoy furioso, La persona esta borracha*
6. Hay una fiesta el sábado pero tú tienes que estudiar para un examen de español. *Yo estoy preocupado.*

D. ¿Yo? ¿Interesante? Ahora una persona cree que tú eres muy interesante. Contesta las preguntas de tu compañero(a). (*Keep the conversation going as long as possible by ending each response with a question.*)

Modelo

COMPAÑERO(A)   **Hola. ¿Qué tal?**
TÚ   **Bien gracias, ¿y tú?**

Y ahora, ¡a conversar!

A.   Gente interesante.   En la clase hay mucha gente interesante. Conversa con tres personas hasta descubrir sus nombres, su origen, sus clases favoritas y menos favoritas, los nombres de sus profesores favoritos y los menos favoritos, etc.

B.   ¡Mímica!   En grupos pequeños, dramaticen, sin decir una sola palabra, la situación que su profesor(a) les va a dar. Sus compañeros tienen que adivinar la situación.

Modelo   Estás muy preocupado(a). Hay un examen en la clase de español mañana.

Acción: *Act worried. Open and close your Spanish book pretending to be studying / memorizing certain vocabulary and grammar, etc.*

C.   ¿Quién lo hace?   Pregúntale a tus compañeros de clase si hacen las actividades en este cuadro. Cada vez que uno diga que sí, pídele que firme (escriba su nombre) en el cuadrado (*square*) apropiado. La idea es tener una firma en cada cuadrado. **¡Ojo!** No se permite que una persona firme más de un cuadrado.

comer nachos con frecuencia _____ *Firma*	vivir con sus padres _____ *Firma*	estar furioso(a) con frecuencia _____ *Firma*	estar frustrado(a) ahora _____ *Firma*
estar nervioso(a) ahora _____ *Firma*	ir a México en el verano _____ *Firma*	ir a una fiesta esta semana _____ *Firma*	salir todas las noches _____ *Firma*
ir al cine con frecuencia _____ *Firma*	trabajar los sábados _____ *Firma*	tener clases los martes y jueves _____ *Firma*	no tener clases aburridas _____ *Firma*
visitar a sus padres cada fin de semana _____ *Firma*	no ser de los Estados Unidos _____ *Firma*	tener una clase de historia _____ *Firma*	preparar la comida todos los días _____ *Firma*

¡Luz! ¡Cámara! ¡Acción!

A.   ¡Es un gran éxito!   Tú estás en una fiesta fantástica cuando ves a dos personas muy interesantes que deseas conocer. Dramatiza la situación con dos compañeros(as) de clase.

Tú	**Dos personas**
■ Preséntate.	■ Respondan.
■ Pregunta si son estudiantes.	■ Respondan y pregunten qué hace él o ella.
■ Responde y pregunta sobre sus clases.	■ Respondan y pregunten sobre sus clases.
■ Contesta y menciona que uno de ellos está preocupado. Pregunta por qué.	■ Explica por qué.

B. ¡Es estupenda! Estás en una fiesta y ves que un(a) estudiante nuevo(a) que tú quieres invitar a salir está hablando con tu amigo(a). Cuando terminan de hablar, tú corres a pedirle información a tu amigo(a) sobre la nueva persona. Como no conoces a esta persona, preguntas acerca de su nombre, edad, origen, residencia, horario de clases, clase y profesor(a) favorito(a), etc. Dramatiza esta situación con un(a) compañero(a).

¿Comprendes lo que se dice?

Estrategias para escuchar. *In a previous chapter you learned that knowing what people are talking about or anticipating what they are going to say makes it easier to understand a foreign language. Knowing what to listen for, or listening for specific information also aids listening comprehension considerably. In these recorded sections and on the tests, you can always get a good idea of what to listen for if you read the questions at the end of the listening section* before *you listen to the recording. Read those questions now and write down four things that you know you have to listen for. Check to see if you anticipated correctly after you listen to the recording.*

Now listen as your instructor plays the dialogue between two guests at Natalia Alarcón's party.

¿Fumar o beber? Estamos en la fiesta de Natalia. Escucha la conversación que Paco tiene con Cristina cuando llega a la fiesta. Luego contesta las preguntas a continuación.

1. ¿Dónde están los invitados?

   a. en el patio   b. en la sala   c. en la cocina

2. ¿Qué desea tomar Cristina?

   a. un refresco   b. una cerveza   c. No desea tomar nada.

3. ¿Qué opina Paco sobre el fumar?

   a. Cree que no es bueno para la salud.

   b. Cree que está bien fumar en el patio pero no en la casa.

   c. Cree que está bien fumar porque él fuma.

4. ¿Qué opina Cristina sobre el tomar bebidas alcohólicas?

   a. Cree que está bien tomar porque ella toma.

   b. Cree que no es bueno fumar ni tomar bebidas alcohólicas.

   c. Cree que el alcohol no es bueno para la salud.

España

Bilbao
Barcelona
Madrid ✪
Valencia
Sevilla
Málaga

NOTICIERO
CULTURAL

LUGAR... ESPAÑA

Antes de empezar, dime...

Contesta estas preguntas para saber algunas de tus opiniones sobre el arte y edificios o monumentos simbólicos.

1. Nombra una ciudad antigua y una moderna en tu estado. ¿Hay alguna ciudad que sea *(is)* moderna y antigua? *Sacremento*

2. ¿Qué opinas del arte moderno? ¿del arte realista? En tu opinión, ¿cuál es mejor? ¿Por qué? *No se sabe: No gusta arte moderno y no le gusta mucho del arte realista*

3. ¿Conoces un edificio o monumento excéntrico en tu ciudad o estado? ¿Por qué lo consideras excéntrico? *los misiones - San Fernando*

4. En Washington, D.C., hay varios edificios y monumentos que son símbolos de la ciudad. ¿Hay algún edificio o monumento que sea *(is)* símbolo de tu ciudad? ¿Cuál es? *La casa blanca.*

A propósito...

Be aware when reading in Spanish that, although you have only learned the present tense so far, you will be able to recognize other tenses just from the context. Find three past tense verbs in the reading that follows. Can you find any other tenses in this reading?

Joan Miró, *Una joven en fuga,* 1968.

(escape)

Barcelona *(Cataluña)*

Si visitas la ciudad de Barcelona algún día, vas a observar que es una ciudad antigua pero también es una de las ciudades más cosmopolitas e internacionales de España.

Barcelona ha inspirado a grandes artistas que nacieron o vivieron en esa región, como Salvador Dalí, Pablo Picasso, Joan Miró y el gran arquitecto Antonio Gaudí.

Gaudí, por ejemplo, combinó elementos tan contradictorios como el expresionismo modernista, el esplendor gótico-cristiano y el misticismo árabe. Su arquitectura es un arte que combina la temática formal con la imaginación más espontánea.

El edificio más importante de Gaudí es el Templo de la Sagrada Familia. Se inició en 1883, pero todavía no se ha completado. En el Templo de la Sagrada Familia, Gaudí combinó el pasado con el presente, antiguos exteriores con interiores abstractos.

Dicen que el Templo de la Sagrada Familia es el símbolo de Barcelona, así como el edificio Empire State es el símbolo de Nueva York.

Templo de la Sagrada Familia en Barcelona

Y ahora, dime...

Contrastes. Contesta estas preguntas para ver por qué muchas personas dicen que Barcelona es una ciudad de contrastes.

1. ¿Cuáles son algunos de los contrastes que observamos en Barcelona?

2. ¿Es válido decir que Antonio Gaudí es una persona de contrastes? ¿Por qué?

3. ¿Por qué se dice que el Templo de la Sagrada Familia une el pasado con el presente? Explica.

4. Compara el Templo de la Sagrada Familia y el Empire State Building. ¿En qué son similares? ¿En qué son diferentes?

Arte mundial. El arte es una parte esencial de todas las culturas del mundo. ¿Cuánto sabes tú de arte? Con un(a) compañero(a) prepara una lista de todos los artistas que ustedes dos conocen. Indica para cada artista su país de origen. Tienen sólo cinco minutos para hacer esto.

Diego Velázquez, *Las Meninas*, 1656, Museo del Prado, Madrid.

Proyecto: Trae (*Bring*) a la clase un libro de arte con tu cuadro favorito y explícale a la clase por qué es tu favorito... ¡en español, claro!

Pablo Picasso, *Guernica*, 1937, Centro de Arte Reina Sofía, Madrid.

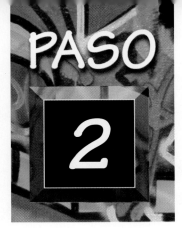

PASO 2

¿Con quién está bailando Nicolás?

TAREA

Antes de empezar este **Paso**, estudia **En preparación** 3.3 y 3.4 y haz por escrito los ejercicios de **¡A practicar!** También escucha el **Paso 2 ¿Qué se dice...?** del Capítulo 3 en el CD del estudiante.

¿Eres buen observador?

Ahora, ¡a analizar!

1. ¿Qué es el **Super 1**? ¿Qué es un camión-escenario? ¿En qué país es la gira del **Super 1**?

2. ¿Quiénes van a participar en el **Super 1** este año? ¿En cuántas ciudades van a estar?

3. Durante este mes, ¿cuántos días de descanso van a tener? ¿Cuántas ciudades van a visitar los lunes? ¿En qué ciudades van a estar los miércoles?

4. Tres de los miembros del grupo musical Clack también trabajan en otros puestos. ¿Qué hacen?

Master Plan, Clack, Scanner, La Bomba, Caribó, Drack y Carlos Izaga participan este año en la gira del Super 1. Entre julio y agosto, un camión-escenario recorrerá más de 50 ciudades españolas. En anteriores Super 1 participaron Alejandro Sanz y Sergio Dalma, y Whigfield y Paco Pil se hicieron novios allí... ¡No se te ocurra perdértelos!

Dani lleva desde los 14 años trabajando como modelo, José Luis trabaja como actor en la serie *Médico de familia* y Rubén está colaborando en la composición y programación del nuevo disco de Kike Boy. Junto a Luis y Julio César forman el grupo Clack!. Su single debut, *El morbo que me das*, es el tema perfecto para una noche veraniega.

PRÓXIMOS CONCIERTOS SUPER 1

FECHA	CIUDAD	DIAL 40
16-M	Murcia	91.3
17-X	Cartagena	102.3
18-J	Elda	100.5
19-V	Alicante	91.0
20-S	Elche	94.8
21-D	Alcoy	96.3
22-L	DESCANSO	
23-M	Onteniente	95.3
24-X	Valencia	94.2
25-J	DESCANSO	
26-V	Santa Ponsa (Mallorca)	94.1
27-S	Alcudia (Mallorca)	94.1
28-D	DESCANSO	
29-L	Gandia	96.5

20 Clack!

Fotos: Gabanicz, Jesús Aparicio, Pablo Plaza. Texto: J. Orgz.

Al describir lo que está pasando

¿Con quién habla Patricia? _Alicia   su hermana_

¿Dónde está Patricia? _con~ fiesta de Natalia_

Marca quiénes están:

❏ Diego	❏ Luis	☑ Estela
❏ Carmen	❏ Mercedes	☑ Dolores
❏ José Luis	☑ Lola	☑ Nicolás

ALICIA   ¿Qué están haciendo?

PATRICIA   Estoy decorando un pastel buenísimo. Ahora están tocando mi disco favorito. Y en el patio José Luis está tocando la guitarra y cantando. Canta tan bien.

ALICIA   Y Nicolás, ¿qué está haciendo Nicolás?

PATRICIA   Nicolás está bailando con Natalia. Ella está hermosísima esta noche. Y él está guapísimo también.

ALICIA   ¡Ay, y yo enferma! ¿Por qué hoy… cuando necesito tanto estar en la fiesta?

¿Sabías que... ?

El quincenario o cumpleaños de quince años es un día muy importante en la vida de una joven hispana de México o del suroeste de los EE.UU. Ese día, la quinceañera invita a sus parientes y amigos a una gran celebración que incluye una misa (servicio religioso) especial en la iglesia, una recepción donde sirven mucha comida y un gran baile donde todos llevan vestidos y trajes muy elegantes.

Ahora, ¡a hablar!

A. Todos están trabajando. Teresa y sus amigos están haciendo los últimos preparativos para una fiesta de cumpleaños. ¿Qué están haciendo?

> **Modelo** **Paula está decorando el pastel.**

Paula		preparar / comida
yo		hacer / limonada
Tomás		decorar / pastel
Alicia	estar	comprar / cervezas
Francisco y María		mirar / televisión
Rafael		hablar / Paula

B. ¡Fiesta! Hoy es la fiesta de tu clase de español. Es en casa de uno de los estudiantes. ¿Qué están haciendo todos?

> **Modelo** **Mis amigos *Ken* y *Greg* están hablando con la profesora.**

1. Mis amigas… y…
2. Mi amigo…
3. El (la) profesor(a)…
4. Yo…
5. Mi amiga…
6. Mis amigos… y…

C. ¡Está divertidísima! Todo el mundo está contentísimo en la fiesta de Natalia. ¿Por qué?

> **Modelo** música / buena
>
> **La música está buenísima.**

1. Nicolás / guapo
2. Teresa / hermosa
3. pastel / rico
4. comida / buena
5. invitados / contentos
6. refrescos / buenos

D. ¡Qué exagerado! You have a friend who always exaggerates when talking about himself. Following is what his friends say about him. How would he describe himself?

> **Modelo** Es alto.
>
> **Soy el estudiante más alto de la clase.**

1. Es un estudiante inteligente.
2. Es un chico interesante.
3. Es un muchacho popular.
4. Es un estudiante serio.
5. Es guapo.
6. Es un chico estupendo.

Y ahora, ¡a conversar!

A.   ¡Yo soy simpatiquísimo(a)!   En tu opinión, ¿cuál es tu cualidad más significativa? Decídelo y luego habla con varios compañeros de clase. Diles cómo eres y escucha cómo son ellos.

> **Modelo**
>
> You choose: inteligente
>
> You say: **Soy inteligentísimo(a).** o
> **Soy el (la) estudiante más inteligente de la clase.**

will have to conjugate verbs to Present Progressive on next exam. El profesor está explicando.

B.   Excusas.   ¿Qué excusas das cuando alguien te invita a correr y tú no tienes ganas de (no quieres) correr? Prepara una lista de todas las excusas que puedes usar. Luego compara tu lista con las de otras dos o tres personas.

> **Modelo**   **Lo siento, pero estoy comiendo.**

C.   ¿Qué están haciendo?   ¿Cuántas diferencias hay entre este dibujo y el de tu compañero(a) en el Apéndice A? Háganse preguntas para determinar cuáles son las diferencias. Recuerda que no se permite mirar el dibujo de tu compañero(a) hasta terminar esta actividad.

> **Modelo**   **¿Cuántas personas están bailando?**

¡Luz! ¡Cámara! ¡Acción!

A. ¡Qué fiesta! Estás en una fiesta buenísima y decides llamar a un(a) amigo(a) que está enfermo(a). En parejas dramaticen esta situación.

Tú	**Amigo(a) enfermo(a)**
■ Saluda a tu amigo(a) y pregúntale cómo está.	■ Responde. Pregunta sobre la fiesta, los invitados y sus actividades.
■ Responde. Da muchos detalles.	■ Pregunta si tu amigo(a) especial está allí y qué está haciendo.
■ Responde y despídete. Explica por qué tienes que irte.	■ Responde y despídete.

B. ¡Estoy furioso(a)! Tú estás en una fiesta después de un partido de fútbol. Estás muy frustrado(a) porque la persona que te gusta y que quieres conocer está hablando con todo el mundo e ignorándote a ti. Tu amigo(a) quiere saber por qué estás tan frustrado(a). Dramatiza la situación con un(a) compañero(a).

¿Comprendes lo que se dice?

Estrategias para ver y escuchar. *In the first* **Paso** *of this chapter you learned to anticipate what you will hear by reading the questions you will be asked* before *you listen to the recording. You can anticipate what you will see and hear on video the same way, by reading the questions first. Read those questions now and write down three things that you expect to see and hear on the video. After viewing the video, check to see if you anticipated correctly.*

Su fiesta privada de San Fermín. Todos los años en julio vienen a Pamplona turistas de todas partes del mundo para participar en la fiesta de San Fermín que incluye los famosas corridas de toros por las calles de la ciudad. Mira ahora el anuncio para **Su fiesta privada de San Fermín** y luego contesta las preguntas a continuación.

1. ¿Qué es la Agencia Gorostiaga?
2. Nombra por los menos tres cosas que hace la Agencia Gorostiaga por sus clientes.
3. El anuncio dice que es una fiesta "privada." ¿Por qué? Explica.
4. Según el anuncio, ¿por qué es necesario llamar al 8–05–23–40?

España

NOTICIERO CULTURAL

GENTE... JOAN MIRÓ

Antes de empezar, dime...

Contesta estas preguntas para ver cuánto sabes de las influencias en los artistas y del surrealismo.

1. En tu opinión, ¿qué influye más en un artista: su familia, su ciudad o su país? ¿Por qué crees eso?

2. Hay otras cosas que influyen en los artistas también. Nombra algunas.

3. ¿Qué es el arte surrealista? Descríbelo.

Joan Miró, *Pajaro y mujer a la luz de la luna*, 1949, Galería Tate, Londres.

A propósito...

Be aware that the simple present tense will be used as historical present to narrate past time. For example, in the reading that follows you will see:

Su arte antes de 1920 está influido por los colores brillantes.
Su estilo florece después de 1920, en París.

Joan Miró (1893-1983)

Como Salvador Dalí, Joan Miró, gran artista español, es uno de los hijos pródigos de la región de Cataluña.

Su arte antes de 1920 está influido por los colores brillantes de Fauves—el artista francés—el cubismo, el arte del folklore catalán y el arte de los frescos romanos de su España nativa.

Su estilo florece después de 1920, en París. El artista usa la memoria, la fantasía y lo irracional para crear las analogías visuales de la poesía surrealista. Así, en su obra aparecen por ejemplo animales de formas distorsionadas o extrañas figuras geométricas. La complejidad de líneas contrasta con una simplificación de colores.

El arte que Miró produce incluye no sólo pinturas sino también esculturas de cobre (*copper*) y masonita, litografías y murales en cerámica. Sus dos grandes murales son los de la UNESCO en París: *La muralla de la Luna* y *La muralla del Sol* (1957-1959).

Y ahora, dime...

1. ¿Por qué crees que esta lectura habla de Joan Miró como «hijo pródigo de Cataluña»? *Porque Miró es nacio en Cataluña*

2. Compara la obra de Miró antes y después de 1920.

La obra de Joan Miró

Antes de 1920	Después de 1920
1. colores brillantes	1. la memoria
2. cubismo	2. fantasía surrealista
3. arte del folklore catalán arte de los frescos romanos	3. irracional para crear las analogías visuales de la poesía surrealista

3. ¿Qué es un mural? Si hay murales en tu ciudad, descríbelos. Describe los murales *La muralla de la Luna* y *La muralla del Sol* de Miró, según tu imaginación.

¿Te gusta escribir?

Antes de escribir
Estrategias para escribir: Agrupar ideas

A. Preparándote.   Contesta estas preguntas para ver cuánto sabes de la música latina.

1. ¿Conoces a algunos músicos latinos? Prepara una lista de todos los músicos latinos que puedes nombrar.

2. Prepara una lista de los distintos tipos de música latina que tú conoces.

B. Grupos.   *When brainstorming to gather ideas for writing on a specific topic, it is helpful to organize those ideas into various groups called clusters. Brainstorming clusters are listings of closely related ideas.*

If you had brainstormed a list of ideas to write about university life, you might have organized your list in clusters similar to the following. Can you fill in the blank bubbles?

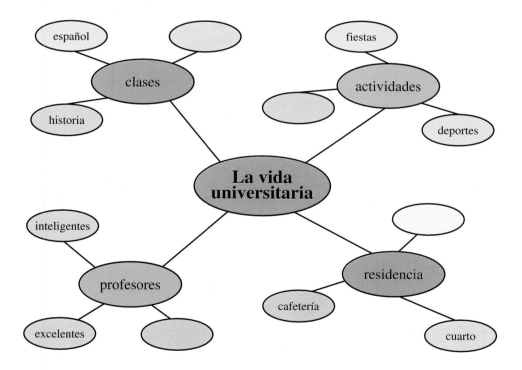

Ahora, ¡a escribir!

A. Agrupar ideas.   Prepara ideas para escribir un breve artículo sobre tu cantante latino(a) favorito(a). Si no conoces a cantantes latinos, agrupa ideas sobre tu cantante norteamericano(a) favorito(a).

B. Grupos.   Organiza tu lista de ideas en grupos de ideas parecidas (similares). Cada grupo debe incluir varias ideas relacionadas con tu cantante favorito(a).

C. El primer borrador.   Usa la lista de ideas que preparaste para escribir un primer borrador (*first draft*) de tu artículo, con uno o dos párrafos sobre tu cantante favorito(a). Pon toda la información que tienes de un grupo en un párrafo.

D. Ahora, a compartir.   Comparte tu primer borrador con dos o tres compañeros. Comenta sobre el contenido y el estilo del artículo de tus compañeros y escucha los comentarios de ellos sobre tu artículo. Si hay errores de ortografía o gramática, menciónalos.

E. Ahora, a revisar.   Si necesitas hacer unos cambios basados en los comentarios de tus compañeros, hazlos ahora.

F. La versión final.   Prepara una versión final de tu artículo en la computadora o escrita a máquina y entrégala.

G. Publicación.   En grupos de cinco, lean los artículos que su instructor les da y seleccionen el mejor para ser leído a la clase entera.

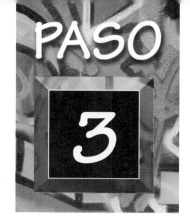

¿Sabes bailar salsa?

PASO 3

TAREA

Antes de empezar este **Paso**, estudia **En preparación** 3.5 y 3.6 y haz por escrito los ejercicios de **¡A practicar!** También escucha el **Paso 3 ¿Qué se dice...?** del Capítulo 3 en el CD del estudiante.

¿Eres buen observador?

La salsa se viste de mundo

Desde Japón y Escandinavia, la música afrocubana conquista nuevos públicos

Hot Salsa de Suecia es una banda fundada por un peruano con un nombre que suena sueco: Wilfredo Stevenson. En su primera visita exploratoria a Nueva York, la banda pasó su bautizo de fuego en una noche memorable en el club SOB's.

Orquesta de la Luz, formada hace más de cinco años, es una curiosidad: una docena de japoneses tocando y cantando música afrocubana con una calidad que tiene poco que envidiar a las bandas locales.

Ahora, ¡a analizar!

1. ¿Qué son *Orquesta de la Luz* y *Hot Salsa*? ¿Por qué son interesantes?
2. ¿Por qué se habla de la salsa como «música afrocubana»?
3. La música salsa es muy popular en todo el mundo latino. ¿Cuántos otros bailes latinos populares puedes nombrar?
4. Explica el título de este artículo.

¿Qué se dice...?

Al iniciar una conversación

¿Qué opina Andrés de la fiesta? _esta poco aburrido_

¿Qué opina Luisa? _fenomenal_.

Luisa sabe bailar _cha-cha-cha_

OFELIA	¿Conoces a mucha gente aquí?
PABLO	Conozco a varias personas. Y tú, ¿conoces a muchas?
OFELIA	No conozco a nadie. ¿Quiénes son ellas? ¿Y quién es el muchacho rubio y delgado? Es guapísimo.

FRANCISCO	¿Qué más hay para tomar?
GABRIEL	Hay refrescos en la cocina. ¿Quieres una bebida?
FRANCISCO	Sí, gracias. ¿Por qué no invitas a Luisa a bailar? Está muy bonita esta noche.

JUAN	¿Estudias aquí? ¿Cuál es tu especialización?
MARIO	Estudio ingeniería mecánica. Y tú, ¿estudias aquí también?
JUAN	Sí. Estudio inglés. ¿Qué clases tienes este semestre?

Ahora, ¡a hablar!

Atrend

A. ¡No te reconozco!   Con frecuencia, cuando asistimos a una fiesta, nuestra personalidad cambia. ¿Cómo son estas personas generalmente y cómo cambian cuando están en una fiesta?

> **Modelo**   Andrés: perezoso / activo
>
> **Andrés generalmente es perezoso pero en la fiesta está muy activo.**

1. Carmen: activa / tranquila
2. Javier: serio / loco
3. Alejandro: simpático / aburrido
4. Teresa y Olga: felices / tristes
5. tú y Juan: arrogantes / simpáticos
6. yo: ¿… ?

B. Mi mejor amigo(a).   Tú acabas de recibir una foto de tu mejor amigo(a) de la escuela secundaria. Describe la foto a tus compañeros(as) de cuarto.

> **Modelo**   **Mi amigo [Sebastían] es muy listo.**

mi amigo(a) [*nombre*]	es / está +	español(a)
		en Barcelona
		estudiando…
		tocando la guitarra
		guapo(a)
		simpático(a)
		un poco gordo(a) ahora
		contento(a) en esta foto

C. ¿Qué tenemos en común?   Estás en una fiesta, hablando con una persona muy interesante. ¿Qué le preguntas para saber si tienen algunos intereses en común?

> **Modelo**   bailar salsa
>
> Tú   **¿Sabes bailar salsa?**
>
> Amigo(a)   **Sí, sé bailar salsa.** o **No, no sé bailar salsa.**

1. cocinar comida mexicana
2. tocar la guitarra
3. cantar
4. jugar tenis
5. hablar español
6. ¿… ?

D. ¡Qué popular!   Carmen es una chica muy inteligente y popular. Ella tiene muchos talentos y conoce a mucha gente. ¿Por qué es Carmen tan popular?

> **Modelo**   **Carmen sabe tocar la guitarra.**

Carmen sabe / conoce +	Gloria Estefan
	hablar tres idiomas
	cantar muy bien
	bailar salsa
	Jon Secada
	tocar la guitarra
	todo el mundo en la fiesta

Y ahora, ¡a conversar!

A. Enlaces amorosos. Tú necesitas ayuda para encontrar a la persona ideal. Decides usar un servicio de computadora que se llama **«Enlaces amorosos»**. Para usar este servicio, primero tienes que describirte completamente. Escribe una descripción de ti, de tu apariencia física y de tu personalidad.

Vocabulario útil

aburrido(a)	feliz	modesto(a)
arrogante	frustrado(a)	simpático(a)
borracho(a)	furioso(a)	tímido(a)
contento(a)	inocente	tonto(a)
enamorado(a)	miserable	triste

B. ¡Qué cambiados están! Éstos son Daniel y Gloria antes de estudiar un año en la Universidad de Salamanca. En el Apéndice A, tu compañero(a) tiene un dibujo de Daniel y Gloria después de regresar de España. Describan a las personas en sus dibujos para saber cómo han cambiado. No se permite mirar el dibujo de tu compañero(a) hasta terminar esta actividad.

C. ¡Encuesta! Usa este cuadro para entrevistar a tres compañeros de clase. Escribe sus respuestas en los cuadrados apropiados.

Modelo

TÚ **¿Tocas el piano?**

AMIGO 1 **No, no toco el piano.**

YOU WRITE: **[*Name*] no toca el piano.**

	Amigo(a) 1	Amigo(a) 2	Amigo(a) 3
tocar el piano	Elizabeth tocar el piano	Sherilyn tocar el piano	
su bebida favorita ser agua mineral	Tanya bebida favorita ser agua mineral	Steve no su bebida favorita ser agua mineral	
conocer a una persona famosa	Teresa conocer a una persona famosa	Arlene no conocer a una persona famosa	
saber bailar salsa	El profesor bailar salsa	Teresa saber bailar salsa	
escuchar música latina en la radio	Kristin escuchar música		
¿... ?			

taller?

¡Luz! ¡Cámara! ¡Acción!

A.   ¡Está guapísima!   Imagínense que están en una fiesta en casa de su profesor(a) de español y que están hablando de los invitados. Trabajando en grupos de tres o cuatro, preparen su diálogo.

Modelo   —Nuestro(a) profesor(a) está muy elegante esta noche.

— Sí, pero, ¿quién es la persona que está bailando con… ?

— Creo que es su novio(a). Es guapísimo(a), ¿no?…

B.   No conozco a nadie.   Estás en una fiesta y no conoces a nadie. Decides presentarte a un grupo de tres personas que parecen ser interesantes. Ellos te aceptan cortésmente y mantienen una buena conversación contigo. Dramatiza esta situación con tres compañeros de clase.

¿Te gusta leer?

Antes de leer
Estrategias para leer: Dar un vistazo

A.   Dar un vistazo.   *To scan* (**dar un vistazo**) *is to look for and locate specific information by quickly reading a text. It is an especially useful strategy when reading reference texts such as indexes, road maps, dictionaries, classified ads, long lists, and interviews because their format allows the reader to concentrate on the information needed and to ignore extraneous material.*

Da un vistazo a la entrevista con Enrique Iglesias para contestar estas preguntas. No es necesario leer palabra por palabra; simplemente da un vistazo rápido hasta encontrar la información que necesitas.

1. ¿Tiene novia Enrique Iglesias?

2. ¿Es feliz?

3. ¿Hay mucha competencia entre Enrique y su padre Julio Iglesias?

B. **Prepárate para leer.** Expresa tu opinión al contestar estas preguntas sobre los hijos de personas famosas.

1. ¿Crees que es fácil ser hijo de una persona famosa? ¿Por qué?

2. ¿Sienten envidia (*envy*) los padres famosos por la juventud y éxitos de sus hijos? Explica tu respuesta.

3. ¿Quién crees que critica más a sus hijos, un padre famoso o una madre famosa? ¿Por qué?

Lectura

Enrique Iglesias

Es un ligón, un conquistador y todo lo consigue a través de una simpatía desbordante y unas melodías que nos suben hasta otras galaxias. En estos momentos ya se debe haber metido en el bolsillo a la italianas, pero antes de cruzar el Mediterráneo, se dió un paseo por Madrid y allí fue donde lo pillamos. Nos lo confesó: ¡¡aún no tiene novia y pronto se irá a vivir solo!!

Deseado por todas

22

—¿Ya se ha cruzado en tu camino la chica de tu vida?

—No. Bueno, he tenido novias, pero ahora estoy muy tranquilo, muy solo en esta parcela de la vida. Y no me preocupa estarlo. Tengo mucho tiempo por delante para alcanzar la felicidad sentimental.

—¿Alguna de tus admiradoras es más especial que otra?

—No quiero mezclar trabajo y amor. Lo que más protejo es a esas admiradoras tan fieles que se merecen mi respeto.

—¿Eres un chico feliz?

—Hago casi siempre lo que quiero, no me falta nada. Sería injusto que me quejara habiendo tantos chicos como hay con tantas necesidades. Paso mis pequeñas «depres», pero son eso, pequeñas.

—¿Sintió envidia sana tu padre al saber que llevas vendidos más de dos millones y medio de discos?

—Me dijo que está super contento con mi éxito y que ojalá que venda igual de bien mis siguientes elepés. Mi padre y yo somos muy felices porque nos va estupendamente a los dos como cantantes.

—¿De quién recibes más críticas, ¿de tu padre o de tu madre?

—A nivel musical mi padre es el que más me critica porque él es el entendiso y el que siente la música de un modo muy especial. Mi madre es mi fan número uno, todo le parece bien. Más que criticarme me da consejos familiares.

—¿Cuántas veces has soñado que Isabel Presley y Julio Iglesias se habían reconciliado?

—Lo de mi madre y mi padre está muerto. Y lo bueno es que siempre se llevaron bien después de divorciarse. Es mucho mejor ver a unos padres separados y en buena amistad, que unidos y peleándose todos los días. Los dos son muy sensatos e inteligentes.

—¿Te das cuenta de la cantidad de dinero que has ganado en poco tiempo?

—Yo no trabajo por dinero. El dinero, el poder y la fama no me importan, porque si me preocupara todo eso me convertiría en un imbécil, en un caprichoso y en un tonto. Psicológicamente sigo siendo un chico sencillo y normal.

—¿Eres ahorrador?

—Sí y por eso ahora me podré comprar una casa para vivir con mi perro y quien sabe, algún día… con alguien más, pero eso lo dirá el tiempo. De momento, nada de nada, sólo mi perro.

A ver si comprendiste

Ambos Enrique Iglesias y su padre Julio son cantantes de fama internacional. Después de leer este artículo, ¿cómo crees que son diferentes y cómo son similares padre e hijo? Usa este diagrama «mente abierta» para indicar lo que padre e hijo Iglesias opinan del amor, de la felicidad, de la música, del divorcio y del dinero. Escribe las opiniones de cada uno en el diagrama apropiado.

ENRIQUE   JULIO

Viajemos por el ciberespacio a... ESPAÑA

Expand your horizons! *Let's travel through cyberspace to España* and discover that . . .

- in Cadaqués, you can stroll through the **Museo Dalí**; in Madrid, the **Museo del Prado** and the **Museo Reina Sofía**; in Toledo, the **Museo del Greco**.

- in Madrid, you will also be able to browse through the exceptional **Biblioteca Nacional** and in Sevilla, the **Archivo de Indias.**

- through the Internet, you have immediate access to Spain's most prestigious newspapers: *El País, ABC,* and *Mundo.*

- you also have access to **Agencia EFE** (Spain's equivalent to the Associated Press), the most important news agency in the country.

If you are a cyberspace browser, join us in **Viajemos por el ciberespacio a... España** by trying the following important addresses.

Biblioteca nacional
http://www.bne.es/

Canal Sur
http://www.canalsur.es/ram/csur.ram

Cadena Cope
http://www.cope.es/

Onda Cero
http://ondacero.adam.es/index_0.htm.

El Museo Joan Miró
http://www.bcn.fjmiro.es/

Periódicos
http://www.abc.es/
http://www.elpais.es/
http://www.el-mundo.es/

Because addresses are likely to change without notice, the following key words will guarantee that **Viajemos por el ciberespacio a... España** will get us to our desired destination. Type any of these key words in your favorite search engine.

Palabras clave		**Radio en directo España**
Museo del Prado	Barcelona	Cadena Cope
Archivo de Indias	Sevilla	Canal Sur
El País	Segovia	Onda Cero
Diario ABC	Toledo	

http://www.hrwcollege.com

Vocabulario

Domicilio

alcoba	bedroom
cocina	kitchen
patio	patio
sala	living room

Diversiones

canción (*f.*)	song
casete (*m.*)	cassette
cerveza	beer
cine (*m.*)	movie theater
coche (*m.*)	car
cumpleaños	
(*m. sing.* or *pl.*)	birthday
¡Feliz cumpleaños!	Happy birthday!
disco	record
disco compacto	compact disc
fiesta	party
foto (*f.*)	photo
guitarra	guitar
llamada	phone call
música	music
novela	novel
pastel (*m.*)	cake, pie
piano	piano
salsa	type of Puerto Rican dance and music

Personas

gente (*f.*)	people
hombre (*m.*)	man
invitado(a)	guest
mujer (*f.*)	woman

pareja	pair, couple

Descripción

alto(a)	tall
antipático(a)	disagreeable
bajo(a)	short
borracho(a)	drunk
contento(a)	happy
delgado(a)	thin
enamorado(a)	in love
enfermo(a)	sick
fenomenal	phenomenal; great
frustrado(a)	frustrated
furioso(a)	furious
gordo(a)	fat
guapo(a)	good-looking
hermoso(a)	beautiful
importante	important
loco(a)	crazy
modesto(a)	modest
moreno(a)	dark-complexioned
nervioso(a)	nervous
pequeño(a)	small, little
preocupado(a)	preoccupied, worried
rico(a)	rich; delicious
rubio(a)	blond
tranquilo(a)	tranquil, peaceful
triste	sad

Palabras interrogativas

¿Cómo?	How? What?
¿Cuál(es)?	Which one(s)? What?
¿Cuándo?	When?

¿Dónde?	Where?
¿Adónde?	To where?
¿Por qué?	Why?
¿Cuánto?	How much?
¿Cuántos(as)?	How many?
¿Qué?	What? Which?
¿Quién(es)?	Who?

Verbos

cantar	to sing
conocer	to know (people); to be acquainted with
decorar	to decorate
descansar	to rest
esperar	to wait for; to expect
estar	to be
practicar	to practice
saber	to know (facts); know how
tocar	to play (an instrument)

Palabras y expresiones útiles

aquí	here
especialización (*f.*)	specialization, major
idioma (*m.*)	language
Lo siento.	I'm sorry.
nadie	no one, nobody
naturalmente	naturally
pregunta	question
todo el mundo	everyone, everybody

PASO 1

Giving location and indicating change

Estar

to be	
estoy	estamos
estás	estáis
está	están
está	están

Estar is used to tell where someone or something is located and to describe how one is feeling or one's condition. It is also used with the present participle to form the present progressive tense. (See **En preparación 3.3**).

A. Location

La comida está en el comedor.	*The food is in the dining room.*
¿Dónde están los nachos?	*Where are the nachos?*
Están en la cocina.	*They are in the kitchen.*
¿No está tu papá?	*Isn't your father here?*
No. Está en Nueva York.	*No. He's in New York.*

B. Conditions and feelings

La fiesta está muy aburrida.	*The party is very boring.*
Roberto está enfermo otra vez.	*Roberto is sick again.*
Está borracho.	*He's drunk.*
Natalia está muy preocupada	*Natalia is very worried (sad,*
(triste, nerviosa, contenta).	*nervous, happy).*

¡A practicar!

A.   ¿Dónde están?   Give the location of the following people and things.

Modelo   discos / sala
        Los discos están en la sala.

1.   refrescos / cocina
2.   Natalia / su casa

3. nosotros / fiesta

4. Patricia / patio

5. comida / cocina

6. Natalia y los invitados / sala

7. tú / sala

8. yo / mi habitación

B. ¿Cómo está…?   Describe Natalia's party.

Modelo   La música está fantástica.

	fenomenal
la señora Alarcón	muy contento y activo
Natalia y yo	excelente
Nicolás	fantástico
la comida y los refrescos	muy nervioso
la música	muy tranquilo
¿… ?	aburrido
	¿… ?

C. ¡Fiesta!   In order to find out what is happening at Roberto's house tonight, complete the following paragraph with the correct form of the verb **estar.**

Hay una fiesta en mi casa esta noche porque mis padres _____ en Europa.
Yo _____ muy contento porque todos mis amigos _____ aquí.
También _____ muy ocupado con los invitados. Mi amigo Gonzalo
_____ muy nervioso porque su ex novia _____ en la fiesta
también. Mi amiga Amalia _____ furiosa porque Juan Carlos, su novio,
no baila con ella. Los otros invitados _____ contentos porque hay mucha
comida y la música _____ buena.

3.2   Interrogative Words

Asking questions

¿Cómo?	*How? What?*	¿Cuánto(a)?	*How much?*
¿Cuál(es)?	*Which one(s)? What?*	¿Cuántos(as)?	*How many?*
¿Cuándo?	*When?*	¿Qué?	*What? Which?*
¿Dónde?	*Where?*	¿Quién(es)?	*Who?*
¿Por qué?	*Why?*	¿Adónde?	*Where to?*

A. *All* interrogative words require a written accent, even when used in a statement rather than a question.

No sabemos **dónde** vive.   *We don't know where she lives.*
Necesito saber **qué** es.   *I need to know what it is.*

B. When these words do not have a written accent, they lose their interrogative meaning.

Siempre escucho música **cuando** estudio.	*I always listen to music when I study.*
Yo creo **que** vive cerca.	*I believe that he lives nearby.*
Donde yo vivo hay más gente joven.	*Where I live there are more young people.*

C. **¿Cuál(es)?** meaning *what* is used instead of **qué** before the verb **ser** when the verb is followed by a noun, except when a definition of a word is being requested.

¿Cuál es tu dirección?	*What's your address?*
¿Cuál es tu especialización?	*What's your major?*
¿Qué es la enología?	*What's enology?*

D. When used before a noun, **¿qué?** usually requires an explanation or definition. **¿Cuál?** followed by a verb indicates a choice.

¿A **qué** restaurante vamos?	*What restaurant are we going to?*
¿Cuál prefieres tú, El Moro o La Toledana?	*What (Which one) do you prefer, El Moro or La Toledana?*

E. In English, when asking someone to repeat a question, one frequently says "What?" In Spanish, one would never say «**¿Qué?**» but rather «**¿Cómo?**» when making a one-word response. **¿Qué?** is used only in a complete-sentence response.

¿Cómo? No te oigo.	*What? I can't hear you.*
¿Qué dices?	*What are you saying?*
¿Qué me preguntas?	*What are you asking me?*

¡A practicar!

A. Preguntas.   Diego has just met a new classmate. Match the words in **A** with those in **B**, in order to know what he asks her.

A	B
	tal?
¿Con quién	te llamas?
¿Qué	estudias?
¿Cómo	clases tomas?
¿Dónde	son tus profesores?
¿Cuál	vives?
	es tu número de teléfono?

B. Acepto tu invitación.   Antonio has just accepted Victoria's invitation to a party, but needs to know the specifics. What does he ask her?

Antonio	Victoria
¿_____ es la fiesta?	Es el sábado.
¿_____ es?	A las 9:00.

¿_____ es?   En mi casa.

¿_____ es tu dirección?   La calle Bolívar, número 10.

¿_____ personas van?   Veinte, más o menos.   *more or less*

¿_____ son tus amigos?   Son de Ecuador.

¿_____ van a la fiesta?   Enriqueta, Víctor Mario, Luz María,

                               Enrique y muchos más.

3.3 Present Progressive Tense

Describing what is happening now

PASO 2

A. In English, the present participle is the verb + *-ing: talking, walking, buying.* In Spanish, the present participle is formed by dropping the infinitive ending and adding **-ando** to **-ar** verbs, and **-iendo** to **-er** and **-ir** verbs.

trabajar:	trabaj**ando**	*working*
bailar:	bail**ando**	*dancing*
poner:	pon**iendo**	*putting*
escribir:	escrib**iendo**	*writing*

NOTE: Present participles of stem-changing verbs are presented in **En preparación 6.3.**

B. Some present participles are irregular. For example, the **-iendo** ending becomes **-yendo** whenever the stem of the infinitive ends in a vowel.

leer:	le**yendo**	*reading*
traer:	tra**yendo**	*bringing*

C. In English, the present progressive is formed with the verb *to be* and an *-ing* verb form: *I am eating; He is driving.* In Spanish, the present progressive is formed with **estar** and a present participle.

¿Qué están haciendo?	*What are they doing?*
Todos están bailando.	*Everyone is dancing.*
Estamos comiendo.	*We're eating.*

D. In Spanish as in English, the present progressive tense is used *only* to describe or emphasize an action that is taking place *right at the moment.*

Estoy escribiendo una carta.	*I'm writing a letter.*
Pablo y Ana están leyendo el periódico.	*Pablo and Ana are reading the newspaper.*

¡A practicar!

A. ¿Qué están haciendo?   What is everyone doing just before the guests arrive?

Modelo   Yo (decorar) el pastel

              Yo estoy decorando el pastel.

1. Francisco (preparar) unas hamburguesas.

2. Ricardo y yo (abrir) unos refrescos.

3. Tú y Teresa (descansar) un poco.

4. Elisa y su novio (hablar) por teléfono.

5. Ahora yo (esperar) a mis amigos.

6. Natalia (recibir) a los invitados.

B. ¿Y ahora?   Everybody is having fun at Natalia's party. Form sentences using the following words to find out what they are doing now.

1. Gonzalo y Ramón / beber / refrescos

2. nosotros / comer / hamburguesas

3. yo / poner / música / favorita

4. Nicolás / abrir / puerta

5. Andrea / escribir / mi número de teléfono

6. Tomás / comprar / más refrescos

3.4   Superlatives

Stating exceptional qualities

A.   In English, the superlative is formed by adding *-est* to adjectives of one or two syllables or by using *the most* or *the least* with longer adjectives. To form the superlative in Spanish, place the definite article **el, la, los,** or **las** and **más** or **menos** before the adjective.

Sin duda, este libro es **el más** interesante.	*Without a doubt, this book is the most interesting.*
Esta casa es **la más** grande.	*This house is the biggest.*
Teresa e Isabel son **las más** populares.	*Teresa and Isabel are the most popular.*
Pascual y Felipe son **los menos** activos.	*Pascual and Felipe are the least active.*

1. Whenever the person, place, or thing being emphasized is stated, it always precedes **más** and **menos.**

Es la clase más difícil.	*It is the most difficult class.*
El apartamento más grande es el primero.	*The biggest apartment is the first one.*
Estudié la información menos importante.	*I studied the least important information.*

2. To express a superlative quality as a part of the total, the preposition **de** must be added after the adjective.

Roberto es la persona más simpática **de** la clase.	*Roberto is the nicest person in the class.*
Este apartamento es el más caro **de** la ciudad.	*This apartment is the most expensive in town.*

B. The superlative of nouns is expressed with the definite article + **mayor/menor** or **mejor/peor.**

Ernesto es **el mayor** y Yolanda
  es **la menor.**

Ernesto is the oldest and Yolanda
  is the youngest.

El mejor libro para aprender
  español es *¡Dímelo tú!*

The best book for learning Spanish
  is ¡Dímelo tú!

Ésta es **la peor** fiesta del año.

This is the worst party of the year.

C. The absolute superlative is used to express a high degree of a quality, or exceptional qualities. It is formed by adding **-ísimo(a, os, as)** to the singular form of an adjective. Final vowels are always dropped before adding the **-ísimo** endings. The English equivalents are *extremely, exceptionally,* or *very, very.*

El pastel está **buenísimo.**

The cake is exceptionally good.

Estoy **nerviosísimo.**

I'm extremely (very, very) nervous.

¡Ojo! Whenever the singular form of the adjective ends in **-co** or **-go**, a spelling change occurs in the absolute superlative form.

c	→	qu	g	→	gu
rico	→	**riquísimo**	largo	→	**larguísimo**

¡A practicar!

A. **¡Son los más populares!** Mónica is pointing out the most popular students at her school. Why does she say they are so popular?

Modelo Natalia / divertido / clase

  Natalia es la más divertida de la clase.

1. Jorge y Antonio / sociable / universidad
2. Tina / romántico / todas las muchachas
3. nosotros / inteligente / universidad
4. ustedes / sincero / todos mis amigos
5. tú / divertido / clase
6. Marta y Cristina / hermoso / universidad
7. Andrés / atlético / universidad
8. yo / normal / todos(as) mis amigos(as)

B. **¡Son excepcionales!** Name exceptional people who fit the following descriptions.

Modelo divertido

  Whoopi Goldberg es la mujer más divertida del mundo.

1. inteligente
2. alto
3. guapo / hermosa
4. generoso

5. atlético
6. difícil
7. interesante
8. divertido

C.   ¡Mi universidad es la mejor!   Gloria Morales is talking on the phone with her ex-boyfriend, Roberto. He is attending a new university and is determined to impress her. Fill in the blanks to see how far he goes to create a good impression.

> **Modelo**   Este campus es _____ (grande) de todos.
>
> **Este campus es el más grande de todos.**

ROBERTO	¡Aló! ¿Gloria?
GLORIA	Sí, soy yo, Roberto. ¿Cómo estás? ¿Y cómo es el campus allá?
ROBERTO	Estoy feliz. Este campus es _____ (popular) de todos.
GLORIA	¿Cómo es la gente?
ROBERTO	La gente es _____ (sociable) de todo el mundo.
GLORIA	¿Cómo son tus compañeros de cuarto?
ROBERTO	¿Mis compañeros de habitación? ¡Oh! Son ideales. Miguel y José son _____ (estudioso) de todos mis amigos. También son _____ (divertido) y son muy simpáticos.
GLORIA	¿Y tus profesores?
ROBERTO	Mis profesores son _____ (exigente) de la universidad, pero también son _____ (bueno). Todo es perfecto. Y lo más importante: ¡Esta universidad no es _____ (caro) de todas!

D.   ¡Qué exagerado eres!   Your friend always uses superlatives when talking about others. What does he say about the following people?

1. David es (guapo).
2. Amalia y María son (simpáticas).
3. Marcos es (rico).
4. Estela es (hermosa).
5. Pedro y Virginia son (listos).
6. Teresa es (interesante).

3.5   *Ser* and *estar* with Adjectives

Describing attributes and indicating changes

A.   Ser is used with adjectives to describe attributes such as

1. physical characteristics, essential traits, and qualities.

Nicolás es guapísimo.	*Nicolás is very handsome.*
Cecilia es delgada.	*Cecilia is thin.*
Los nachos son deliciosos.	*Nachos are delicious.*

PASO 3

2. personality.

Eva es simpatiquísima.	*Eva is very nice.*
Teresa es inteligente.	*Teresa is intelligent.*
Héctor es perezoso.	*Héctor is lazy.*

3. inherent characteristics.

La nieve es blanca.	*Snow is white.*
El cielo es azul.	*The sky is blue.*
El edificio es muy alto.	*The building is very tall.*

B. **Estar** is used with adjectives to indicate a more subjective, temporal evaluation of

1. appearance, taste, and physical state of being.

Estos nachos están deliciosos.	*These nachos are (taste) delicious.*
Carlos está delgado.	*Carlos is (looks) thin.* — nothing change - Es delgado - has always been thin
Teresa, ¡estás hermosa!	*Teresa, you are (look) lovely!*

2. behavior.

Estás muy antipático hoy.	*You are (being) very disagreeable today.*
Estela, estás perezosa.	*Estela, you are (being) lazy.*

3. conditions.

Victor está cansado.	*Victor is tired.*
Todos están contentos.	*Everyone is happy.*
La nieve está negra.	*The snow is black. (It's dirty.)*

¡A practicar!

A. **¡Son excelentes!** Pilar is describing her classmates to a new student. What does she say?

1. Elisa / romántica y muy estudiosa
2. Sara e Isabel / divertidas y muy simpáticas
3. Carlos / un poco perezoso
4. Marta y Javier / muy sociables
5. todos nosotros / muy sinceros
6. tú / honesta y muy guapa

B. **¡Están diferentes!** It's Pilar's first visit home since she went away to college. She finds that everybody has changed considerably. What does she say about the following people?

1. ¡Mamá, tú _____ muy diferente!
2. Victor _____ más grande.

3. Patricia y Lucía _____ más trabajadoras.

4. Eduardo y yo _____ muy activos.

5. Papá _____ más paciente.

6. Todos ustedes _____ muy bien.

C. En una boda. Carlos and Pepe are commenting on the guests at Carlos's sister's wedding. Complete the following dialogue with the appropriate form of **ser** or **estar** to find out what they are saying.

CARLOS	La señora Durán _____ hermosa hoy.
PEPE	Sí, y el señor Durán _____ muy delgado, ¿verdad?
CARLOS	Tienes razón. Creo que _____ enfermo.
PEPE	Pobre. Y en tu opinión, ¿cómo _____ el novio de tu hermana?
CARLOS	_____ muy simpático. También _____ muy inteligente y, ¡_____ rico!
PEPE	Sí, pero ahora _____ nervioso y _____ muy cansado.

D. ¡Rin-rin! Marta is having a wonderful time at her own birthday party when the phone rings. Complete the following paragraph with the appropriate form of **ser** or **estar** to see what she has to say about the party.

¿Bueno? ¡Hola, Elisa! ¿Dónde _____ ? Todo el mundo _____ aquí. Todos _____ bailando. En este momento, Carlos y yo _____ preparando más ponche. No, no _____ alcohólico. _____ de jugo de frutas y _____ delicioso. ¿Conoces a Jaime? Él _____ el amigo de Roberto. Él _____ muy guapo y muy rico . . . y no tiene novia. ¿Por qué no vienes? Todos aquí te _____ esperando.

3.6   Two Irregular Verbs: *saber* and *conocer*

Stating what you know and what you are familiar with

Conocer		Saber	
to know, to be acquainted with		**to know (how)**	
conozco	conocemos	sé	sabemos
conoces	conocéis	sabes	sabéis
conoce	conocen	sabe	saben
conoce	conocen	sabe	saben

Spanish has two verbs that mean *to know:* **saber** and **conocer.** Both have an irregular *yo* form but are regular in all other persons.

A. **Saber** is used when speaking of knowing specific, factual information. When followed by an infinitive, **saber** means *to know how to do something.*

No sé si es estudiante.	*I don't know if she's a student.*
Pero sabes dónde vive, ¿no?	*But you know where she lives, don't you?*
¿Sabes bailar?	*Do you know how to dance?*

B. **Conocer** is always used when speaking of knowing a person or being familiar with a place or thing. When speaking of knowing people, *conocer* is always followed by the personal «a».

¿Conoces a Guillermo?	*Do you know Guillermo?*
No lo conozco muy bien.	*I don't know him very well.*
¿Conocen ustedes este libro?	*Are you familiar with this book?*

¡A practicar!

A. ¡Sí, pero... !   You are talking with your friend about what you know and don't know. What do you say to her?

1. Yo _____ francés, pero no _____ Francia.

2. Yo _____ a tu amiga, pero no _____ su nombre.

3. Yo _____ su auto, pero no _____ si es un Mercedes o un Porsche.

4. Sí, yo _____ quién es Viviana, pero no la _____ bien.

5. No, yo no _____ su casa, pero _____ su dirección.

B. ¡Impresionante!   Julián Chacón y sus amigos tienen mucho talento artístico. Completa estas oraciones con la forma apropiada de **saber** o **conocer** para conocerlos.

1. Julián _____ bailar mejor que todos sus amigos.

2. Pepe y yo _____ tocar la guitarra.

3. María _____ a artistas famosos en París, Londres, Madrid y Roma. _____ hablar francés, español e italiano.

4. Ángela _____ cantar ópera. Ella _____ a Victoria de Los Ángeles, la famosa cantante de ópera española.

5. Armando _____ muy bien a Julio Iglesias. Él _____ dónde vive Julio en Miami.

6. Jorge _____ a Bill Clinton.

CAPÍTULO 4

Cultural Topics

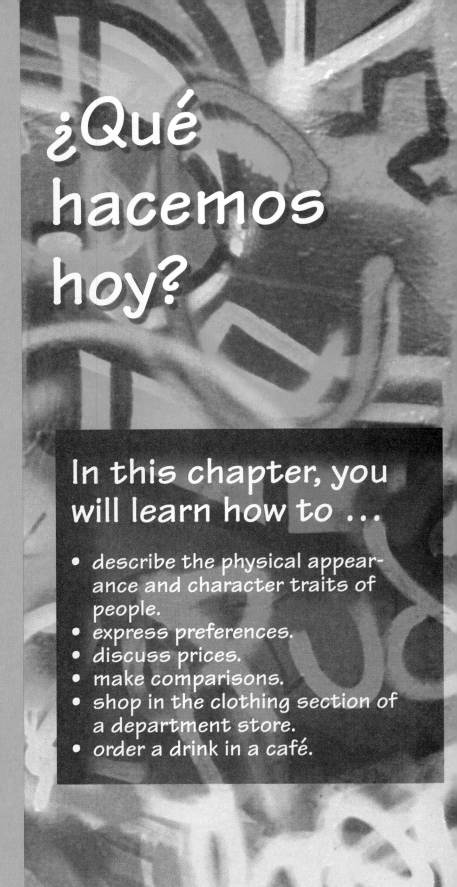

¿Qué hacemos hoy?

In this chapter, you will learn how to …

- describe the physical appearance and character traits of people.
- express preferences.
- discuss prices.
- make comparisons.
- shop in the clothing section of a department store.
- order a drink in a café.

La sección de damas en el Palacio de Hierro, un almacén del D.F.

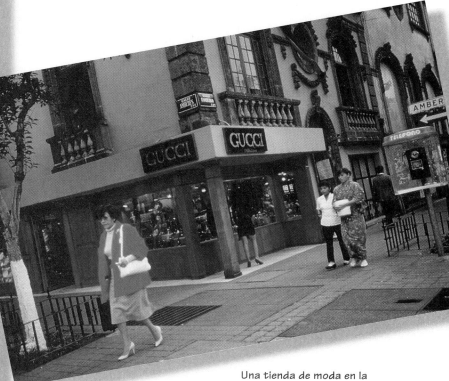
Una tienda de moda en la Zona Rosa, México, D.F.

De compras en el Mercado de San Ángel, México, D.F

Lo que ya sabes...

1. ¿Conoces la Zona Rosa? Basado en esta foto, ¿qué es la Zona Rosa? ¿Hay una zona similar en la ciudad donde tú vives?

2. En base a estas fotos, ¿cómo es el Palacio de Hierro comparado con las tiendas de la Zona Rosa? ¿Hay una tienda similar al Palacio de Hierro en tu ciudad? ¿Cómo se llama?

3. ¿Sabes qué es un mercado al aire libre? ¿En qué es diferente el Mercado de San Ángel de la Zona Rosa? ¿del Palacio de Hierro? ¿Quiénes van de compras a la Zona Rosa? ¿al Palacio de Hierro? ¿al Mercado de San Ángel?

MÉXICO

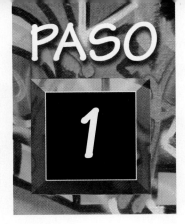

PASO 1

¡Al Museo de Antropología!

TAREA

Antes de empezar este **Paso**, estudia **En preparación** 4.1 y 4.2 y haz por escrito los ejercicios de **¡A practicar!** También escucha el **Paso 1 ¿Qué se dice...?** del Capítulo 4 en el CD del estudiante.

¿Eres buen observador?

El calendario azteca es un excelente ejemplo del conocimiento científico-astrológico de esta civilización precolombina. El calendario, llamado la Piedra del Sol, pesa más de 24 toneladas. Fue esculpido en el año 1479 y colocado en el Templo Mayor de Tenochtitlán, la capital de los aztecas. El calendario gregoriano, que es el calendario que todavía usamos, no fue creado hasta 103 años más tarde, en el año 1582.

Ahora, ¡a analizar!

1. El calendario azteca tiene 18 meses de 20 días cada uno más 5 días religiosos al final de cada año. ¿Cuántos días hay en un año? *365*

2. Los 20 días de un mes aparecen en el calendario en un círculo con 20 símbolos distintos. Encuéntralos.

3. Identifica a las dos personas que salen de la boca de dos serpientes. Se llaman los cuates *(twins)* y representan el día y la noche.

4. ¿Dónde crees que está el símbolo del sol que representa el centro del universo azteca y al que llaman «tonatiuh»?

¿Qué se dice...?

Al describir a personas y expresar preferencias

VISITAS CON GUÍA
español- 8:30 - 21:00
cada media hora
Inglés - 9:30 10:30 11:30
15:30 17:30 19:30
francés- 11:30 19:30
alemán- 9:30 15:30
Japonés- 10:30 18:30
próxima visita con guía: 10:30

¿En qué idiomas hay visitas?

_____español_____   _____inglés_____   _____francés_____

_____alemán_____   _____japonés_____

Hora de la próxima visita en   *10. 30*

francés: _____11:30_____

Frida Kahlo, *Frida & Diego Rivera*, 1931, Museo de Arte Moderno, San Francisco.

En este retrato de Frida Kahlo vemos al artista y su esposo Diego Rivera. Miren como esa camisa azul de Diego contraste bien con el traje gris y el reboso rojo de Frida con el vestido verde. ¡Qué elegantes están! El en ese traje oscuro y ella en ese vestido largo.

Diego Rivera, *Dos Mujeres y un niño*, 1926, Museos de Bellas Artes, San Francisco.

Este cuadro de dos mujeres y un niño es de Diego Rivera. Miren las figuras de esas dos mujeres. Son dos indígenas impresionantes. Una lleva un vestido rosado, la otra una blusa blanco y una falda azul claro. Son las figuras más importantes del cuadro.

¿Sabías que... ?

Cuando viajamos, una de las necesidades básicas es encontrar los servicios públicos. En inglés preguntamos por *the men's* o *ladies' room, the lavatory, the restroom, the bathroom,* etc. Así también en español hay diferentes maneras de referirse a los servicios. Algunas de las más comunes son: **el servicio o los servicios, el aseo o los aseos, el baño, el excusado, el retrete, el wáter o el WC** *(water closet),* **el inodoro o el tualé** *(toilet).*

A propósito...

En español, el nombre de una lengua casi siempre es idéntico a la forma masculina singular del adjetivo de nacionalidad: **alemán, árabe, español, francés, hebreo, inglés, italiano, japonés, ruso, …**

Ahora, ¡a hablar!

A. En el museo. Guadalupe y su amiga Victoria visitan el Palacio de Bellas Artes en México. Victoria está muy impresionada con todo lo que ve. ¿Qué dice?

> **Modelo** esta / señoras / ser / muy elegante
> **Estas señoras son muy elegantes.**

1. este / museo / ser / muy interesante
2. ese / cuadros / tener colores / muy violento
3. este / audífono / no funcionar
4. ese / guía / saber / mucho / de arte
5. esta / niñas / entender / francés
6. ese / señores / hablar / alemán

B. ¿Quién es? Identifica a las personas de la clase que tu profesor(a) va a describir.

> **Modelo** **Esta persona lleva una blusa amarilla.**
> **Esta persona lleva una camisa anaranjada.**

C. Preferencias. Cuando visitan la ciudad de México, estas personas tienen sus propias preferencias individuales. ¿Qué prefieren hacer estas personas?

> **Modelo** Victoria / visitar el Palacio de Bellas Artes
> **Victoria prefiere visitar el Palacio de Bellas Artes.**

1. los señores Martínez / comprar recuerdos *(souvenirs)* prefieren
2. Sandra / sacar fotos de la ciudad prefiere
3. yo / mirar a la gente prefiero
4. Sandra y Elena / caminar por la ciudad prefieren
5. Valentín y yo / visitar el Museo Nacional de Antropología preferimos
6. yo / ver los salones *(halls)* de cultura maya prefiero
7. Valentín / ver el calendario azteca prefiere

D. Primero quiero ver... En el Museo Nacional de Antropología en México, todo el mundo quiere ver ciertos objetos inmediatamente. ¿Qué quieren ver estas personas primero?

> **Modelo** yo / querer ver / calendario azteca
> **Yo quiero ver el calendario azteca.**

1. nosotros / querer ver / tocado *(headdress)* de Moctezuma Nosotros quieremos ver tocado de Moctezuma
2. yo / querer ver / piedra *(stone)* de los sacrificios quiere
3. perdón, mis amigas / no encontrar / a Tláloc, el dios de la lluvia *(rain god)* encuentran
4. mi familia / pensar ir / salones de cultura tolteca piensa a pensar
5. mi esposa y yo / preferir ir / salones de cultura maya preferimos
6. mi padre / querer pasar / todo el día / el salón de códices *(writings)* precolombinos quiere

Y ahora, ¡a conversar!

A. Una encuesta. Tú eres reportero(a) de la sección de modas *(fashion column)* de tu periódico escolar. Entrevista a cuatro compañeros(as) de clase para saber qué llevan *(wear)* en estas ocasiones.

> **Modelo** ¿... al teatro?
>
> TÚ **¿Qué llevas al teatro?**
>
> COMPAÑERA **Llevo una blusa blanca y una falda negra larga.**

sudadera y blue jeans

1. ¿... a clase?
2. ¿... a un partido de fútbol? ¿de béisbol?

Un vestido blanco

3. ¿... a un baile?
4. ¿... para jugar al tenis? ¿al fútbol?
5. ¿... a una fiesta? *Una camiseta y pantalones cortos*

B. ¿A quién describo? Sin decir a quién describes, describe en detalle a un(a) compañero(a) de clase. Tu pareja *(partner)* debe adivinar *(guess)* a quién describes. Luego, que tu pareja describa y tú puedes adivinar.

C. ¡Robo! *(There was a theft in the* Palacio de Bellas Artes *in Mexico City and you were the only witness.)* Usa el dibujo *(drawing)* en el Apéndice A para describir a los ladrones *(thieves).* Tu compañero(a), un(a) artista que trabaja para la policía, va a dibujar a las personas que tú describes.

D. Preferencias. Pregúntales a tus compañeros de clase si hacen las cosas indicadas en este cuadro. Si contestan afirmativamente, pídeles que firmen el cuadrado apropiado. Recuerda que no se permite que la misma persona firme más de un cuadrado.

entender dos idiomas	preferir tener pelo rubio	querer ir a otra universidad	no encontrar sus libros hoy
Firma	*Firma*	*Firma*	*Firma*
preferir estudiar en la biblioteca por la noche	pensar ir a España este verano	poder hablar tres idiomas	querer visitar el Museo de Antropología
Firma	*Firma*	*Firma*	*Firma*
volver a casa tres veces al día	dormir en una clase	entender español muy bien	empezar las clases a las ocho de la mañana
Firma	*Firma*	*Firma*	*Firma*
pensar estudiar español otro año	tener cuatro clases en un día	almorzar a las 11:30 todos los días	querer ir a bailar esta noche
Firma	*Firma*	*Firma*	*Firma*

¡Luz! ¡Cámara! ¡Acción!

A. ¡Una ciudad fascinante! Tú trabajas de recepcionista en un hotel o motel de tu ciudad. Un(a) turista quiere información sobre museos, excursiones, lugares interesantes para visitar, buenos restaurantes, etc. Dramatiza esta situación con un(a) compañero(a). Tu compañero(a) puede hacer el papel de turista.

B. Nuevos amigos. Estás en casa durante las vacaciones y tus padres tienen muchas preguntas acerca de la apariencia y la personalidad de tus nuevos amigos y tu nuevo(a) novio(a). Dramatiza esta situación con dos compañeros(as) de clase.

¿Comprendes lo que se dice?

Estrategias para escuchar. *In a previous chapter you learned that identifying cognates when reading helped you better understand what you read. Recognizing cognates can also help you to understand when listening. However, even cognates that are spelled similarly in Spanish and English are often not pronounced the same. This is often because accentuation (the emphasis or stress) in Spanish is different from that of English. For example, the word* total *in English is stressed on the first syllable (TO-tal) while in Spanish it is stressed on the last syllable (to-TAL).*

Now listen as your instructor plays the first three sentences of this narrative. Note how the following cognates are pronounced in Spanish, and draw a circle around the stressed syllable. Then go back and write the English equivalent and underline the syllable that is stressed in the English word. Note how the pronunciation varies.

Cognates

museo _____	**arquitecto** _____
nacional _____	**estilo** _____
antropología _____	**contemporáneo** _____

Museo Nacional de Antropología. *Listen now to a guide in a tour bus talking about the* Museo Nacional de Antropología *as the bus arrives at the museum. As you listen, check all the facts and places that are mentioned by the guide.*

- ❏ fecha de construcción
- ❏ nombre del director
- ❏ tesoro de arte
- ❏ salida del museo
- ❏ patio central
- ❏ tienda del museo
- ❏ popular con los turistas
- ❏ estilo contemporáneo
- ❏ Parque de Chapultepec
- ❏ entrada del museo
- ❏ dos pisos
- ❏ cafetería del museo

NOTICIERO
CULTURAL

México

Tijuana
Ciudad Juárez
Chihuahua
Monterrey
Mazatlán   Tampico
Guadalajara   México
Puebla
Veracruz
Coatzacoalcos

LUGAR... MÉXICO

Antes de empezar, dime...

Contesta estas preguntas para reflexionar un poco en las ciudades más históricas de tu estado.

1. ¿Qué determina la importancia de una ciudad? ¿su historia? ¿su población? ¿su tamaño *(size)*? Explica tu respuesta.

2. ¿Cuál es la ciudad más importante de tu estado o región? ¿Por qué es importante?

3. En tu ciudad, ¿dónde se junta *(get together)* la gente para festivales patrióticos, reuniones políticas o demostraciones?

El Zócalo, México, D.f.

El Zócalo

La Ciudad de México, con su población de treinta millones de habitantes, es ahora la ciudad más grande del mundo. Como los otros grandes centros urbanos (Tokio, Londres, Sao Paulo, Nueva York, Moscú y Shangai), la Ciudad de México ofrece de todo: hoteles elegantes, museos excelentes, cines y teatros innovadores, una tremenda variedad de restaurantes, centros de estudio, establecimientos industriales, tráfico y contaminación.

En el centro de la ciudad está el Zócalo, que es una plaza cuadrada. Todos los edificios que rodean esta plaza están en contacto con la rica historia mexicana: los templos sagrados del Tenochtitlán de los aztecas, recientemente descubiertos por arqueólogos, como también la Catedral y los edificios de gobierno de los tiempos coloniales en la Nueva España.

Antes de llegar los españoles en el siglo XV, Tenochtitlán ya era una gran ciudad muy poblada y el Zócalo era su centro ceremonial rodeado de pirámides, templos y palacios.

El Zócalo en tiempos precolombinos

Los españoles destruyeron las construcciones aztecas y en el mismo sitio construyeron su catedral y edificios de gobierno. Después de varias transformaciones, el Zócalo es ahora una plaza abierta que permite una vista directa de la catedral y de los hermosos edificios coloniales. Es también el sitio de festivales, reuniones políticas y manifestaciones (demostraciones).

Y ahora, dime...

Contrastes.   Compara Tenochtitlán con la Ciudad de México del siglo XXI y compara el Zócalo precolombino con el colonial y el del siglo XXI. En una hoja de papel, haz una copia de estos diagramas y complétalos.

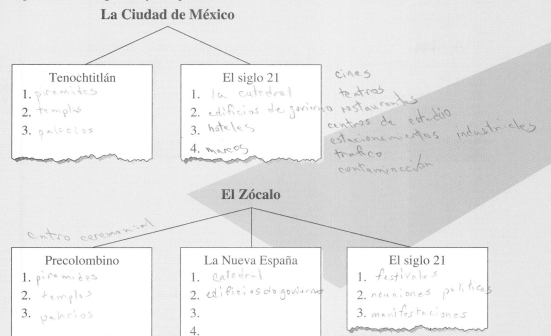

La Ciudad de México

Tenochtitlán
1. pirámides
2. templos
3. palacios

El siglo 21
1. la catedral
2. edificios de gobierno
3. hoteles
4. museos

cines
teatros
restaurantes
centros de estudio
estacionamientos industriales
tráfico
contaminación

El Zócalo

centro ceremonial

Precolombino
1. pirámides
2. templos
3. palacios

La Nueva España
1. catedral
2. edificios de gobierno
3.
4.

El siglo 21
1. festivales
2. reuniones políticas
3. manifestaciones

Anónimo, Cristóbal Colón al descubrir «Las Américas».

El descubrimiento.   El descubrimiento de las Américas por los españoles es uno de los períodos más interesantes y controversiales en la historia del mundo. Todavía continúa la polémica: ¿Fue el descubrimiento de nuevas culturas o la destrucción de antiguas culturas? ¿Fue un período de muchos héroes o de muchos villanos? ¿Cuáles son tus opiniones? En grupos de tres o cuatro, contesten estas dos preguntas e informen a la clase de sus conclusiones.

Proyecto: Prepara un informe por escrito en inglés o español sobre uno de estos personajes históricos. Explica la controversia que rodea a la persona que selecciones.

Cristóbal Colón	Hernán Cortez	Pedro de Alvarado
Malinche	Moctezuma	Atahualpa

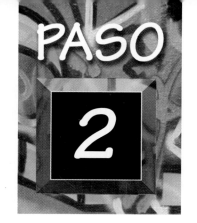

¡Vamos de compras!

TAREA

Antes de empezar este **Paso**, estudia **En preparación** 4.3 y 4.4 y haz por escrito los ejercicios de **¡A practicar!** También escucha el **Paso 2 ¿Qué se dice...?** del Capítulo 4 en el CD del estudiante.

¿Eres buen observador?

ÉL. Camisa **Guess** de manga larga y cuello camisero, con botones metálicos y bolsas de parche, 100% algodón, $229.00, y para encima un chaleco de mezclilla **Guess** con cuello sport, botones metálicos y bolsas de parche al frente, $279.00, y, por supuesto, con jeans **Guess** bootleg 094 de classic fit, $299.00. **ELLA.** Blusa **Guess** sin mangas, con cuello camisero, botones de presión metálicos, 100% rayón satinado con estampado de flores, $199.00, y con una prenda tan básica como los jeans **Guess** bootleg classic fit, en color contraste, $299.00.

Tip
El toque final de cualquiera de estas sugerencias son las botas Jiménez, que pueden ser en piel de pitón, anguila o con acabado de nuvock o cuello de toro, en diferentes colores para combinar con la ropa que elijas, $495.00.

Ahora, ¡a analizar!

1. ¿De qué color es la camisa que lleva él? ¿De qué material es su camisa? ¿De qué son su chaleco y sus pantalones?

2. ¿Cuánto cuesta la camisa? ¿el chaleco? ¿los pantalones?

3. La camisa de él es de mangas largas. ¿Es de mangas largas su chaleco? ¿De qué material son los botones del chaleco?

4. ¿Es de mangas largas la blusa de ella? ¿Es de algodón su blusa?

5. ¿Cuáles pantalones cuestan más, los de él o los de ella?

(handwritten answers)
1. Blanca, algodón
   jean material (algodón) (mezclilla)
2. $229, $279 $299
3. No metálicos
4. No No, es de rayón satinado
5. Cuestan igual $299   (que)

inequality
than

como = equality

Ü
I wouldn't either
– after all, I even
have to pick out his
clothes

¿Qué se dice…?

Al hablar de precios y hacer comparaciones

Ropa en oferta; _blusas, ~~faldas~~, zapatos,_
vestidos de lana

VENDEDORA	¿Qué se le ofrece, señorita?
MARTINA	Busco suéteres de lana. También necesito un impermeable, pero… ¡qué caros son!
VENDEDORA	Los impermeables van a estar en oferta en septiembre. Aquí están los suéteres. Son lindos, ¿no?
MARTINA	Sí, verdad. Pero, ¿podría decirme por qué cuestan los suéteres de algodón tanto como los de lana? Los de lana siempre son más caros, ¿no?
VENDEDORA	Es que los suéteres de lana están en rebaja esta semana.
MARTINA	Ah, ¡con razón!

¿Sabías que... ?

Unidades monetarias de los países de habla hispana

Argentina	**peso**	Honduras	**lempira**
Bolivia	**boliviano**	México	**peso**
Colombia	**peso**	Nicaragua	**córdoba**
Costa Rica	**colón**	Panamá	**balboa**
Cuba	**peso**	Paraguay	**guaraní**
Chile	**peso**	Perú	**nuevo sol**
Ecuador	**sucre**	Puerto Rico	**dólar**
El Salvador	**colón**	República Dominicana	**peso**
España	**peseta**	Uruguay	**peso nuevo**
Guatemala	**quetzal**	Venezuela	**bolívar**

Ahora, ¡a hablar!

A.   La sección de varones.   En el Palacio de Hierro, las rebajas están en efecto ahora. ¿Cuánto pagaría *(would pay)* usted por los siguientes artículos en la sección de varones?

> **Modelo**   un suéter de lana
> **Pagaría quinientos veintinueve pesos.**

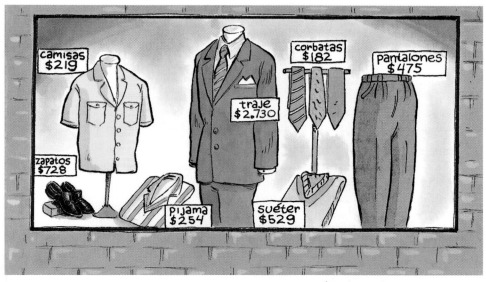

1.   un par de zapatos   *Pagaría sietcientos ttrente y ocho*
2.   tres corbatas   *cinto ochenta y dos*
3.   dos pantalones   *c*
4.   dos camisas
5.   un traje completo
6.   un pijama

B.   La sección de damas.   Alicia decide llevar de compras a su prima española Mari Carmen. Van al Palacio de Hierro porque hay rebajas hoy en la sección de damas. ¿Cuánto tendría que *(would have to)* pagar Alicia por esta ropa y cuánto es eso en pesetas, según Mari Carmen? (1 peso = 19 pts)

> **Modelo**   un suéter de lana (8.341 pts)
>
> ALICIA   **Tendría que pagar cuatrocientos treinta y cinco pesos.**
>
> MARI CARMEN   **En España yo tendría que pagar siete mil ochocientas pesetas.**

1.   una falda de lana (5.510 pts)
2.   una blusa de seda (8.265 pts)
3.   un impermeable (20.064 pts)
4.   un par de botas (17.955 pts)
5.   un traje (21.432)

C.   Comparaciones.   Tú estás comparando los precios en el Palacio de Hierro con los de una tienda de ropa de mujer muy popular, Vitros de México. ¿Cómo son los precios?

> **Modelo**   las medias
>
> **Las medias en Vitros son tan caras como en el Palacio de Hierro.** o
> **Las medias en Vitros son más baratas.** o
> **Las medias en Vitros son más caras.**

Vitros de México		Palacio de Hierro
$945	1. botas	$945
$1.099	2. impermeables	$1.056
$445	3. suéteres	$439
$475	4. pantalones	$475
$549	5. zapatos	$584
$289	6. faldas	$290
$439	7. blusas	$435
$1.569	8. trajes de noche	$1.128

D. ¡Es carísimo!   Tú trabajas para la Asociación de Estudiantes de tu universidad. Tu responsabilidad en el mes de agosto es servirles de guía a estudiantes nuevos. ¿Qué contestas cuando un(a) estudiante de México, representado(a) por tu compañero(a), te hace estas preguntas?

1. ¿Cuánto es el alquiler de un apartamento aquí? ¿de un cuarto en las residencias?

2. ¿Es tan cara la ropa aquí como en México? ¿Cuánto cuesta un par de jeans? ¿un vestido? ¿un par de zapatos?

3. Y la comida, ¿es cara? ¿Cuánto gastas *(do you spend)* tú en comida en una semana? ¿en un mes? ¿Gastas tanto en comida como en ropa?

4. ¿Cuánto pagas en el metro? ¿en el autobús? ¿en un taxi? ¿Son caros los coches? ¿Cuánto costaría un coche usado? ¿uno nuevo? ¿una bicicleta?

5. ¿Son tan baratos los libros aquí como en México? ¿Cuánto pagas por los libros cada semestre?

Y ahora, ¡a conversar!

A. ¿Tú? ¿Tan bueno(a) como...?   Compárate con compañeros de clase o con personas famosas. En una hoja de papel, escribe las comparaciones en estas categorías.

Modelo   **Luis Miguel es tan guapo como yo.**

1. alto
2. bueno
3. simpático
4. guapo
5. listo
6. elegante
7. interesante
8. ¿...?

B. ¡Fanáticos en el vestir!   ¿Eres un(a) fanático(a) en el vestir? Para contestar, primero prepara por escrito una lista de toda la ropa en tu ropero *(closet)*. Incluye la cantidad de cada prenda *(number of each item)*. Luego en grupos pequeños, pregúntales a tus compañeros cuántas prendas tienen en su ropero y compara sus respuestas con lo que tú tienes.

Modelo

TÚ	**¿Cuántos pares de zapatos tienes?**
COMPAÑERO(A)	**Tengo cuatro pares de zapatos.**
TÚ	**Ah, tienes tantos zapatos como yo.** o **Yo tengo más zapatos que tú.** o **Yo no tengo tantos zapatos como tú.**

C. En el escaparate.   Tú estás de compras en la Ciudad de México y quieres comprar todas las prendas de esta lista. Desafortunadamente, muchas prendas no tienen etiqueta *(price tag)*. Pídele a tu compañero(a) los precios que quieres saber y dale los precios que él o ella necesita basándote en el dibujo de la siguiente página. El escaparate *(store window)* de tu compañero(a) está en el Apéndice A. No se permite mirar el escaparate de tu compañero(a) hasta terminar esta actividad.

Tú quieres comprar:

1. una blusa para tu mamá
2. una corbata para tu papá
3. zapatos para ti
4. una camisa para tu hermano
5. un sombrero para tu hermana

¡Luz! ¡Cámara! ¡Acción!

A. Día de las Madres. El Día de las Madres es dentro de una semana y tú tienes que comprar un regalo para tu madre. Vas al almacén y hablas del precio de varias prendas de ropa para señoras con el (la) dependiente. Dramatiza esta situación con un(a) compañero(a).

B. ¡Es guapísimo(a)! Este fin de semana vas a salir a bailar con una persona muy especial. Decides comprar ropa nueva para esta ocasión. El (La) dependiente en el almacén es muy simpático(a) y te ayuda *(helps you)* a comparar varias prendas. Dramatiza la situación con un(a) compañero(a).

¿Comprendes lo que se dice?

Estrategias para ver y escuchar. *In the first* **Paso** *of this chapter you learned to recognize cognates by listening for changes in accentuation. Listen now as your instructor plays the first three sentences of this video advertisement. Note how the following cognates are pronounced in Spanish and draw a circle around the stressed syllable. Then go back and write the English equivalent and underline the syllable that is stressed in the English word. Note how the pronunciation varies.*

Cognates

introduce _____

precios _____

línea _____

femenina _____

democráticos _____

Ropa de Felena. Mira ahora el anuncio sobre una nueva línea de ropa para damas. Luego escribe el precio de cada prenda, según el anuncio.

1. zapatos _____ 3. vestidos _____ 5. blusas _____

2. suéteres _____ 4. trajes _____ 6. faldas _____

NOTICIERO CULTURAL

GENTE... DIEGO RIVERA

Antes de empezar, dime...

Contesta estas preguntas para ver cuánto sabes del arte mural.

1. Si un «muro» es una pared *(a wall)*, ¿qué es el «arte mural»?
2. ¿Hay ejemplos de arte mural en la ciudad donde vives ahora? Descríbelos.
3. ¿Cuál es la diferencia entre el arte mural y el grafiti?

Mural de Diego Rivera

Diego Rivera (1886–1957)

Diego Rivera es un famoso pintor muralista mexicano que empieza a pintar durante la época de la Revolución mexicana de 1910. Él, como otros artistas, usa el arte para comunicarse con su pueblo. En sus murales, Rivera representa la miseria, las malas condiciones de trabajo, los problemas de la reforma y sus víctimas directas: el hombre, la mujer y el niño campesino, el obrero, el indio.

Rivera pinta excelentes murales, la mayoría ejemplos del arte social revolucionario en edificios públicos de la Ciudad de México. En el Palacio Nacional de México, por ejemplo, hay una excelente colección de murales que representan el conflicto entre el indio y el español.

Pero es en el Museo Diego Rivera, o «Anahuacalli», al que Rivera donó más de 60.000 piezas de arte antes de morir, donde podemos ver la colección más grande de este artista. El museo fue diseñado *(designed)* por el artista mismo, y representa uno de los edificios más importantes de la Ciudad de México.

Y ahora, dime...

Compara al muralista mexicano Diego Rivera con el artista español Joan Miró según esta lectura y la lectura sobre Miró del Capítulo 3, página 118.

Diego Rivera	Rivera y Miró	Joan Miró
1.	1.	1.
2.	2.	2.
3.	3.	3.
4.	4.	4.
5.	5.	5.
- - -	- - -	- - -

¿Te gusta escribir?

Antes de escribir
Estrategias para escribir: Palabras y frases clave

When writing advertisements, it is necessary to have a list of key words and phrases (palabras y frases clave) that must be worked into the advertisement. These key words or phrases usually contain the essence of the message to be conveyed.

Mira el anuncio de la Secretaría de Turismo de México en la página 165. En este anuncio hay cinco palabras o frases clave que mencionan los aspectos más atractivos de México. ¿Puedes identificarlas? ¿Cuáles son? ¿Qué llama la atención a estas palabras en el diseño del anuncio?

Ahora, ¡a escribir!

A. Agrupar ideas. Prepara una lista de palabras y frases clave que puedes usar en un anuncio las atracciones de tu ciudad o estado. Tu anuncio va a ser para atraer a más turistas a tu estado. Debe llamar la atención a las atracciones más importantes de tu ciudad o estado.

B. El primer borrador. Usa la lista que preparaste en el grupo de ideas para escribir un primer borrador de tu anuncio sobre las atracciones de tu ciudad o estado. Tal vez decidas escribir una o dos oraciones para explicar cada palabra o frase clave de tu anuncio.

C. Ahora, a compartir. Comparte tu primer borrador con dos o tres compañeros. Comenta el contenido y el estilo del anuncio de tus compañeros y escucha los comentarios de ellos sobre tu anuncio. Si hay errores de ortografía o gramática, menciónalos.

D. Ahora, a revisar. Si necesitas hacer unos cambios, basados en los comentarios de tus compañeros, hazlos ahora.

E. La versión final. Prepara una versión final de tu anuncio y entrégala. Si quieres, puedes usar fotos o dibujos para hacer tu anuncio más atractivo.

F. Publicación. Tu profesor(a) va a poner todos los anuncios en la pared. Léelos y con dos o tres compañeros de clase decidan cuál va a atraer a más turistas. Informen a la clase de su decisión.

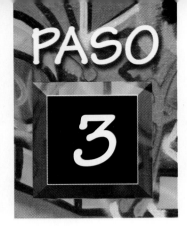

PASO 3

¿Dónde prefieres comer?

TAREA

Antes de empezar este **Paso**, estudia **En preparación** 4.5 y 4.6 y haz por escrito los ejercicios de **¡A practicar!** También escucha el **Paso 3 ¿Qué se dice...?** del Capítulo 4 en el CD del estudiante.

¿Eres buen observador?

Ahora, ¡a analizar!

1. ¿Para qué es esta propaganda? ¿Para una bebida alcohólica? ¿Para un refresco? ¿Para un jugo?
2. ¿Cuántas variedades de Jumex hay? ¿Cuáles son? ¿Cuál prefieres tú?
3. ¿Por qué dicen que Jumex es «light»?
4. ¿Cuántos preservantes tiene Jumex?
5. ¿Adónde puedes llamar para conseguir más información sobre Jumex?

TU FORMA
ABSOLUTAMENTE
NATURAL

Ya puedes disfrutar el **Nuevo Jumex Light**, el primer néctar bajo en calorías, absolutamente natural.

Nuevo Jumex Light viene en 4 deliciosas frutas:

Mango
Guayaba
Durazno
Manzana

JUMEX Light NÉCTAR DE MANGO BAJO EN CALORÍAS

Splenda

91(800)70547

¿Qué se dice…?

to order

Al pedir algo en un café

¿Cuánto tiempo hace que esperan? _3/4 hora   tres cuartos de hora_

¿Qué necesita tomar el niño? _una aspirin y agua mineral   tiene un dolor de cabeza_

¿Por qué no ordenan? _no tengo tiempo   por que tienen prisa_

MESERA   ¿Qué desean tomar?

RAMÓN   Yo no tengo hambre. Sólo quiero algo para beber.

ANTONIO   Pues yo tengo mucha sed. ¿Qué me recomienda para beber?

MESERA   Tenemos limonada, cerveza, vino, café, té, chocolate y leche.

ANTONIO   Una cerveza, por favor.

RAMÓN   Y un café para mí. Tengo sueño ahora.

¿Sabías que... ?

En los países hispanos, como en la mayoría de los países europeos, los restaurantes, por lo general, no sirven agua del grifo *(tap water)*. Si deseas agua para beber, usualmente hay que pedir agua mineral embotellada. Casi siempre, el mesero pregunta: **¿Agua con gas o sin gas?** Algunos meseros simplemente dicen: **¿Gaseosa?**

Ahora, ¡a hablar!

A. Tengo sed. Quiero un...   En un café al aire libre tú y unos jóvenes universitarios dicen que tienen mucha sed. ¿Qué quieren tomar?

> **Modelo**   mi amigo / tener prisa / limonada
> **Mi amigo tiene mucha prisa; sólo quiere una limonada.**

		agua sin gas
tú	tener sueño	café negro
mi amigo(a)	tener sed	agua mineral
ellas	tener prisa	café con leche
yo	tener calor	tomarme una pastilla
nosotros	tener que	limonada
		cerveza grande

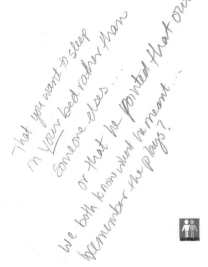

B. ¿Cuándo?   ¿Cuándo tomas estas bebidas o comidas en un café?

> **Modelo**   Tomo cerveza cuando tengo sed.

1. refresco bien frío
2. café
3. té caliente
4. cerveza
5. sandwich
6. agua mineral
7. chocolate
8. hamburguesa

a. tener sed
b. tener hambre
c. tener calor
d. tener frío
e. tener prisa
f. tener que tomar una aspirina
g. tener sueño

C. ¡Mozo, por favor!   Son las nueve de la noche y hay muchos clientes en el Café Malinche, un café al aire libre. Muchos están cansados de esperar. ¿Qué dicen?

> **Modelo**   nosotros / hambre / una hora
> **¡Mozo, por favor! Tenemos mucha hambre. Hace una hora que esperamos.**

1. yo / examen en 15 minutos / una hora
2. mis hijos / sed / mucho tiempo
3. mi esposa(o) y yo / hambre / media hora
4. el señor / prisa / veinte minutos

5. nosotros / hambre y sed / un cuarto de hora

6. yo / una cita / una hora

D. ¿Cuánto tiempo hace? Pregúntale a tu compañero(a) cuánto tiempo hace que (no) hace estas cosas.

> **Modelo** tocar el piano
>
> TÚ **¿Cuánto tiempo hace que tocas el piano?**
>
> COMPAÑERO(A) **Hace cinco años que toco el piano.** o
> **No toco el piano.**

1. vivir donde vives ahora *1yr.* 5. no visitar a tus padres *vive con tus padres dos horas*
2. asistir a la universidad *no* 6. no hablar por teléfono *catorce horas*
3. estudiar español *un semestre* 7. no comer en un restaurante *una semana*
4. tener un coche *tres meses* 8. no ver a tus maestros de la secundaria

Y ahora, ¡a conversar!

A. ¡Tantas cosas que hacer! Prepara dos listas: una de responsabilidades y obligaciones que tienes para el fin de semana y otra con lo que te gustaría *(you would like)* hacer con tu tiempo libre. En grupos pequeños, compara tu lista con la de tus compañeros.

> **Modelo** **Tengo que estudiar para un examen de inglés.**
> **Quiero ir a la playa el domingo.**

B. En un café. En grupos pequeños, escriban una descripción de esta escena. Mencionen lo que todo el mundo está pensando, cómo se siente cada persona y lo que probablemente van a decirle al mesero.

C. Obligaciones y... Pregúntales a tus compañeros de clase si tienen las obligaciones o sienten lo indicado en este cuadro. Cada vez que respondan afirmativamente, pídeles que firmen en el cuadrado apropiado. Recuerda que no se permite que una persona firme más de un cuadrado.

siempre tener hambre en la clase de español	tener mucha sed ahora	tener que tomar pastillas todos los días	tener mucha prisa después de esta clase
Amanda T. ___ *Firma*	*Wyndi* ___ *Firma*	*Elizabeth* ___ *Firma*	*Kristin* ___ *Firma*
hacer tres horas que no comer	tener ganas de tomar una cerveza	siempre tomar agua mineral	tener sueño ahora
Serena ___ *Firma*	*Steve* ___ *Firma*	*SheriLynn* ___ *Firma*	*Joanna* ___ *Firma*
tener frío ahora	tener miedo de los exámenes de español	simpre tener razón	tener calor ahora
Marci ___ *Firma*	*Maria* ___ *Firma*	*Teresa* ___ *Firma*	*Profesor* ___ *Firma*
tener más años que el profesor (la profesora)	hace tres años que asiste a la universidad	tener ganas de dormir ahora	tener que hacer mucha tarea
___ *Firma*	___ *Firma*	*Tanya* ___ *Firma*	*Amanda* ___ *Firma*

¡Luz! ¡Cámara! ¡Acción!

A. ¡Estoy muerto!   Tú y dos amigos(as) andan de compras y deciden entrar a un café porque tienen sed, calor y mucha hambre. Cuando el mesero viene, cada uno pide algo de beber y comer. Uno también pide un vaso de agua para tomarse una pastilla. En grupos de cuatro, dramaticen esta situación.

B. ¿Un refresco?   Tú y dos amigos(as) van a la cafetería de la universidad. Primero piden algo para tomar y luego hablan un poco de sus compañeros de la clase de español. Dramatiza esta situación con tres compañeros(as) de clase.

¿Te gusta leer?

Antes de leer
Estrategias para leer: Examinar ligeramente

A. ¡Rápidamente!   *Often, before deciding to read an article or short passage, we skim it, that is, we glance through it quickly, focusing only on clues that will give us a general idea of its content.*

When you skim (examinar ligeramente), read only selected sentences or phrases that may give you the main idea. Focus on textual clues such as highlighted words, headlines, photos, and subtitles, and special spacing and formatting. Do not read every word or sentence.

Ahora examina ligeramente el anuncio y escribe una o dos oraciones sobre lo que crees que va a ser el tema principal de este anuncio.

B. Prepárate para leer.   Miles y miles de turistas de otros países visitan los Estados Unidos cada año. Una cosa que motiva este turismo es la propaganda que hace la Oficina de Turismo del gobierno estadounidense. Imagínate que tú trabajas para la Oficina de Turismo y tienes que preparar un anuncio para atraer *(attract)* más turismo a los Estados Unidos.

1. En tu opinión, ¿cuáles son las atracciones más grandes de los Estados Unidos?
2. Escribe una o dos oraciones para describir cada una de esas atracciones.
3. Escribe una o dos palabras clave *(key words)* como subtítulo para cada una de las descripciones.

Ahora, vas a examinar un anuncio sobre el turismo en México. Ten en cuenta *(keep in mind)* las tres preguntas de arriba.

Lectura

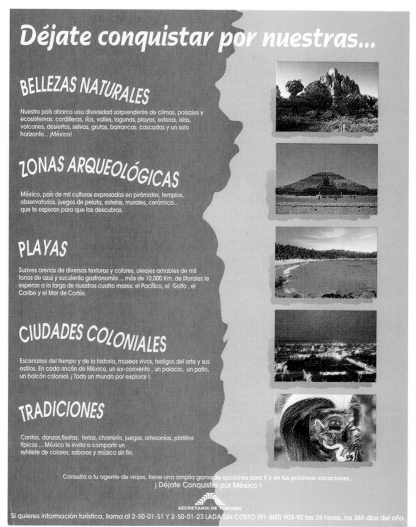

A ver si comprendiste

Prepara un grupo de ideas para cada una de las cinco atracciones principales de México. Mira cómo parte de la primera ya está completada.

Viajemos por el ciberespacio a... MÉXICO

Expand your horizons! *Let's travel through cyberspace to México* where, through the Internet, you can . . .

- plan a weekend in **México, D.F.,** by checking magazines like ***Tiempo Libre*** that provide detailed information about the events taking place in the city.

- visit the **Museo Nacional de Antropología** and others displaying the works of **Diego Rivera, Frida Kahlo,** and many other great Mexican artists.

- have immediate access to Mexico's most prestigious newspapers: ***Excelsior, Jornada, El Norte, El Imparcial,*** and ***Mundo.***

If you are a cyberspace browser, join us in **Viajemos por el ciberespacio a… México** by trying the following important addresses.

Museos del INBA
http://www.internet.com.mx/bartes/

Universidad Nacional Autónoma de México
http://serpiente.dgsca.unam.mx/

Periódicos
http://www.imparcial.com.mx/
http://worldnews.net/excelsior/
http://www.infosel.com.mx/reforma
http://serpiente.dgsca.unam.mx/jornada/
http://148.246.247.123:80/elnorte/
http://www.planet.com.mx/tiempolibre/

Because addresses are likely to change without notice, the following key words will guarantee that **Viajemos por el ciberespacio a . . . México** will get you to your desired destination.

Palabras clave

Museo del Palacio de Bellas Artes
Museo de Arte Moderno
Museo Nacional de Antropología
Museo Nacional de Arte
Museo Mural Diego Rivera

Museo Estudio Diego Rivera
Periódicos de México
Revista Tiempo Libre
Radio en vivo, México

http://www.hrwcollege.com

Bebidas

agua	*water*
gaseosa	*carbonated drink*
leche (*f.*)	*milk*
limonada	*lemonade*
té (*m.*)	*tea*
vino	*wine*

Nacionalidades

alemán, alemana	*German*
francés, francesa	*French*
japonés, japonesa	*Japanese*

Excursiones

audífono	*headphone*
cámara	*camera*
cuadro	*painting*
excursión (*f.*)	*tour*
fotografía	*photograph*
película	*film*
servicios	*bathroom*
visita	*tour*

Liquidación

en oferta	*on special*
en rebaja	*reduced*
ganga	*bargain*
liquidación (*f.*)	*sale*

Colores

amarillo(a)	*yellow*
anaranjado(a)	*orange*
azul	*blue*
blanco(a)	*white*
gris	*gray*
negro(a)	*black*
rojo(a)	*red*
verde	*green*

Ropa

algodón (*m.*)	*cotton*
blusa	*blouse*
botas	*boots*
camisa	*shirt*
camiseta	*tee shirt*
chaqueta	*jacket*
corbata	*necktie*
falda	*skirt*
impermeable (*m.*)	*raincoat*
lana	*wool*
medias	*stockings*
pantalones (*m.*)	*pants, trousers*
pantalones cortos / shorts	*shorts, short pants*
par (*m.*)	*pair*
pijama (*m.*)	*pajamas*
seda	*silk*
suéter (*m.*)	*sweater*
traje (*m.*)	*suit*
vestido	*dress*
zapatos	*shoes*

Personas

dama	*lady*
esposa	*wife*
esposo	*husband*
guía (*m. / f*)	*guide*
joven (*m. / f*)	*young man / woman*
niño(a)	*child*
señora	*lady, Mrs.*
varón (*m.*)	*male, man*

Demostrativos y comparaciones

ese(a)	*that*
eso	*that*
esos(as)	*those*
este(a)	*this*
esto	*this*
estos(as)	*these*
tan... como	*as ... as*
tanto como	*as much as*
tantos como	*as many as*

Adjetivos

corto(a)	*short (length)*
largo(a)	*long*
lindo(a)	*pretty*

Modismos

tener... años	*to be ... years old*
tener calor	*to be hot*
tener éxito	*to succeed*
tener frío	*to be cold*
tener ganas de	*to feel like*
tener hambre	*to be hungry*
tener miedo de	*to be afraid of*
tener prisa	*to be in a hurry*
tener que	*to have to*
tener razón	*to be right*
tener sed	*to be thirsty*
tener sueño	*to be sleepy*
tener suerte	*to be lucky*

Verbos

almorzar (ue)	*to have lunch*
asistir	*to attend*
beber	*to drink*
cerrar (ie)	*to close*
costar (ue)	*to cost*
desear	*to desire*
dormir (ue)	*to sleep*
encontrar (ue)	*to find*
entender (ie)	*to understand*
ir de compras	*to go shopping*
pensar (ie)	*to plan; to think*
poder (ue)	*to be able, can*
preferir (ie)	*to prefer*
querer (ie)	*to want*
recomendar (ie)	*to recommend*
sacar fotografías	*to take pictures*
usar	*to use*
ver	*to see*
volar (ue)	*to fly*
volver (ue)	*to return*

Palabras y expresiones útiles

año	*year*
aspirina	*aspirin*
botella	*bottle*
casi	*almost*
pagaría	*I would pay*
recuerdos	*souvenirs*
sandwich (*m.*)	*sandwich*
tarea	*homework*
tendría	*I would have*
¡Apúrese!	*Hurry up!*
¡Con razón!	*No wonder!*

En preparación 4

4.1 Demonstrative Adjectives*

Pointing out specific people, places, events, or things

A. Demonstrative adjectives in English and Spanish are used to point out a specific person, place, or thing. The Spanish equivalents are:

este niño	*this*	**esta** niña	
estos señores	*these*	**estas** señoras	
ese hombre	*that*	**esa** mujer	
esos chicos	*those*	**esas** chicas	

B. In Spanish, demonstrative adjectives must agree in NUMBER and GENDER with the nouns they modify.

Esas niñas son altas y delgadas.	*Those girls are tall and slim.*
Este señor es mi papá.	*This man is my father.*
Esta joven baja y hermosa es mi hermana.	*This short and beautiful young woman is my sister.*

C. In Spanish, when the person, place, event, or thing being pointed out is perceived to be physically a far distance from the speaker and the listener, the following demonstratives are used.

aquel hombre	*that*	**aquella** mujer	
aquellos chicos	*those*	**aquellas** chicas	

_____

*Note: Demonstrative pronouns are explained in Appendix F.

¡A practicar!

A. **¡Nunca satisfecho!** You are at a restaurant with a friend who is a constant complainer. What does your friend say?

Modelo **Estos niños son terribles.**

	refrescos son muy caros.
Este	sillas no son cómodas.
Esta	restaurante es muy caro.
Estos	comida está muy fría.
Estas	mesero es antipático.
	señoras hablan constantemente.

B. ¡Mira!   You are giving your parents a guided tour of the campus. What do you say as you point to various people and buildings?

Modelo   _____ edificio es la biblioteca.
Ese edificio es la biblioteca.

1. _____ señor es el profesor de italiano.
2. _____ estudiantes son mis compañeras de cuarto.
3. _____ casa es la Casa Internacional.
4. _____ personas trabajan en el Club Social.
5. _____ lugar es la administración.
6. Y _____ autobús va a mi casa.

C. ¡Qué guapos somos!   A ten-year-old is showing pictures and talking during her first show-and-tell report at school. Replace the underlined word with the word in parentheses and make all other necessary changes.

1. Este señor es mi papá. Él es alto y simpático. (mamá)
2. Esa chica es mi amiga. Es baja y delgada. (chicos)
3. Estas muchachas muy guapas son mis hermanas. (amiga)
4. Esos edificios son muy modernos y originales. (casa)
5. Esta perra es mi amiga. (perros)
6. Ese auto rojo es de mi profesora de español. (bicicleta)

4.2   Present Tense of *e → ie* and *o → ue* Stem-changing Verbs

Describing activities

Certain Spanish verbs undergo an **e → ie** or **o → ue** vowel change in all persons, except the **nosotros** and **vosotros** forms, whenever the stem vowel is stressed.

e → ie Cerrar		o → ue Poder	
to close		*to be able; can*	
cierro	cerramos	puedo	podemos
cierras	cerráis	puedes	podéis
cierra	cierran	puede	pueden
cierra	cierran	puede	pueden

Other frequently used stem-changing verbs:

empezar (ie)	to begin	almorzar (ue)	to have lunch
entender (ie)	to understand	contar (ue)	to count
pensar (ie)	to think; to plan	dormir (ue)*	to sleep
perder (ie)	to lose	encontrar (ue)	to find
preferir (ie)*	to prefer	volar (ue)	to fly
querer (ie)	to want	volver (ue)	to return

Note that in this text stem changes will always appear in parentheses after the verb when listed in the vocabulary section and in the appendix.

_____

*All-**ir** stem-changing verbs also undergo a one-vowel change **e → i** or **o → u** in the present participle form of the verb: **prefiriendo, durmiendo.**

¡A practicar!

A. ¡Qué diferente!   Has your life changed as much as this student's since you came to the university?

Modelo   Yo _____ (preferir) mi vida en casa.
          Yo prefiero mi vida en casa.

1. Mis clases _____ (empezar) a las ocho de la mañana.
2. Yo _____ (dormir) tres o cuatro horas al día.
3. Yo _____ (almorzar) sólo un sandwich.
4. En la mañana yo no _____ (encontrar) estacionamiento *(parking)*. Es muy difícil.
5. Por eso, yo _____ (preferir) usar mi bicicleta.
6. Mis profesores _____ (pensar) que soy un buen estudiante.

B. De vacaciones en México.   Mr. and Mrs. Acuña are on vacation in Mexico City. Find out what they have planned for the day by completing the paragraph with the correct form of the verbs in parentheses.

Hoy nosotros _____ (pensar) ir al Museo Nacional de Antropología. Yo _____ (querer) aprender algo de la cultura azteca. Mi esposo _____ (preferir) estudiar la cultura de Oaxaca. Él _____ (pensar) que si nosotros _____ (empezar) muy temprano _____ (poder) ver todo lo que deseamos. Él no _____ (entender) que es imposible ver todo en un día. Pero no importa, mañana él _____ (volver) a pasar todo el día aquí en el museo y yo _____ (poder) ir de compras.

C. Somos guías.   Get to know Felipe and David, guides in a museum in Mexico City, by completing the paragraph with the correct form of the verbs in parentheses.

Me llamo Felipe y mi amigo es David; somos guías aquí en el museo. David y yo hablamos inglés, francés y, por supuesto, español. Muchas personas no _____ (entender) el español y _____ (preferir) una excursión en otro idioma. Nosotros _____ (empezar) a trabajar a las diez de la mañana. Las visitas _____ (empezar) a las diez y media de la mañana. A las dos de la tarde yo _____ (almorzar) en la cafetería del museo. David no _____ (almorzar) hasta las tres. Nosotros _____ (volver) al trabajo una hora y media después de almorzar. El museo _____ (cerrar) a las seis y media.

PASO 2

4.3   Numbers above 200

Counting and writing checks

200	doscientos
225	doscientos veinticinco
300	trescientos
400	cuatrocientos
500	quinientos
600	seiscientos
700	setecientos
800	ochocientos
900	novecientos
1.000	mil
1.005	mil cinco
2.000	dos mil
7.000	siete mil
12.045	doce mil cuarenta y cinco
99.999	noventa y nueve mil novecientos noventa y nueve
154.503	ciento cincuenta y cuatro mil quinientos tres
1.000.000	un millón
25.100.900	veinticinco millones cien mil novecientos

A. When the numbers between 200 and 900 precede a feminine noun, they must end in **-as**.

300 camisas   trescient**as** camisas
450 blusas   cuatrocient**as** cincuenta blusas

Remember that the numbers between 30 and 90 *always* end in **-a.**

ciento treinta hombres
cuatrocientos cincuenta libros

B. **Mil** means *one thousand* or *thousand.* It is <u>never</u> preceded by **un.** Its plural, **miles,** meaning *thousands,* is never used when counting.

1994	mil novecientos noventa y cuatro
100.000	cien mil

C. An even million is expressed as **un millón.** Two or more million are expressed with the plural form **millones.** When a number in the millions precedes a noun, it is always followed by **de.**

1.000.000	un millón
2.000.000	dos millones
4.000.000 habitantes	cuatro millones **de** habitantes

¡A practicar!

A. ¡A pagar cuentas!   Imagine that you are spending your junior year abroad at the **Universidad de las Américas** in Puebla, Mexico. Today you are writing checks to pay your bills. Write out the following amounts.

1. alquiler: 630,00
2. comida con la Sra. Rocha: 269,00
3. matrícula *(registration):* 4.579,00
4. libros: 315,00
5. lavandería / tintorería: 119,00
6. préstamo *(loan)* del Banco Nacional: 7.753,00

B. ¡Presupuesto!   How much do you (or your parents) spend on your education? Work out a budget for an academic school year by indicating how much you spend in each of the following categories. Then write out each number as if you were writing a check to cover that amount. (**¡En español, por supuesto!**)

1. habitación
2. comida
3. auto
4. libros
5. ropa
6. matrícula
7. diversión

4.4   Comparisons of Equality

Stating equivalence

Comparisons of equality fall into two categories: comparisons of nouns and comparisons of adverbs or adjectives.

A. **Tanto(a, os, as)... como** *(as much / many . . . as)* is used to compare nouns. In these expressions, **tanto** is an adjective and always agrees with the noun being compared. The noun itself may be expressed or implied.

Pago **tantas** cuentas **como** tú.	*I pay as many bills as you do.*
Pero no pagas **tantas** (cuentas) **como** tu hermano.	*But you don't pay as many (bills) as your brother does.*

B. **Tan... como** *(as . . . as)* is used to compare adjectives or adverbs. **Tan** precedes the adjective or adverb, and **como** follows it.

Esta falda es **tan cara como** la de seda.	*This skirt is as expensive as the silk one.*
Pero en ésta no te ves **tan bien como** en la de seda.	*But in this one you don't look as good as in the silk one.*

¡A practicar!

A. ¡Son iguales!   Tomás selects friends that are very much like him. Tell him what he has in common with the following people.

> **Modelo**   tú / activo /Juan
> **Tú eres tan activo como Juan.**

1. María / atlético / tú
2. tus amigos / popular / tú
3. tú / divertido / tus amigos
4. tu papá / rico / el papá de Isabel
5. tu mamá / guapo / la mamá de Juana
6. tú / conservador / Antonio

B. ¡Tanto como tú!   María always wants to keep up with her friends. What does she do to be exactly like her friends?

> **Modelo**   María / comprar / zapatos / Carmen
> **María compra tantos zapatos como Carmen.**

1. María / comprar / ropa / Beatriz
2. María / leer / libros / Isabel
3. María / tener / amigos / José
4. María / trabajar / horas / Miguel
5. María / ganar / dinero / Samuel
6. María / organizar / fiestas / Paco

C. Son gemelas.   Tere and Pepa are identical twins. Their parents have been very careful not to favor one over the other. Compare the two of them.

> **Modelo**   ropa
> **Tere tiene tanta ropa como Pepa.**
>
> simpático
> **Tere es tan simpática como Pepa.**

1. zapatos
2. inteligente
3. rubio
4. alto
5. blusas y faldas
6. libros

4.5   *Tener* Idioms

Expressing feelings, obligations, and age

An idiom is a group of words with a clear meaning in one language that, when translated word for word, does not make any sense or sounds strange in another language. For example, in English the expression *to be tied up at the office* means "to be busy" and not "to be tied up with ropes." Many ideas, both in English and in Spanish, are expressed with idioms and simply must be learned. Literal translation does not work with idioms.

Following is a list of idioms with the verb **tener** that are frequently expressed with the verb *to be* in English.

tener calor	*to be hot*
tener éxito	*to succeed; to be successful*
tener frío	*to be cold*
tener hambre	*to be hungry*
tener miedo de	*to be afraid of*
tener prisa	*to be in a hurry*
tener razón	*to be right*
no tener razón	*to be wrong*
tener sed	*to be thirsty*
tener sueño	*to be sleepy*
tener suerte	*to be lucky*
tener... años	*to be ... years old*

Tengo mucha prisa ahora.   *I'm in a big hurry right now.*
Tenemos mucho calor y los niños   *We're very hot, and the children are*
  tienen mucha sed.   *very thirsty.*

Other frequently used **tener** idioms are:

tener que + *infinitive*	*to have to do (something)*
tener ganas de + *infinitive*	*to feel like (doing something)*

Tengo que estudiar ahora.   *I have to study now.*
No tengo ganas de comer.   *I don't feel like eating.*

¡A practicar!

A.   Asociaciones.   Write the **tener** idioms you associate with each of the following.

> Modelo   1 + 4 = 7
>   **No tiene razón.**

1. Frankenstein
2. Alaska
3. hamburguesa
4. 115°F
5. 5 − 5 = 0
6. Las Vegas o Atlantic City
7. 2:30 de la mañana

B. **¿Qué les pasa?** Select the response that best explains each description.

1. La señora Rivera dice que necesita su suéter inmediatamente.
   a. Tiene frío.　　　　b. Tiene miedo.　　　　c. Tiene suerte.

2. El señor González necesita agua bien fría, ¡pronto!
   a. Tiene hambre.　　　　b. Tiene razón.　　　　c. Tiene sed.

3. Hace tres días que los niños no comen nada.
   a. Tienen prisa.　　　　b. Tienen hambre.　　　　c. Tienen éxito.

4. ¡Mi autobús sale en un minuto!
   a. Tengo que dormir.　　　　b. Tengo que leer.　　　　c. Tengo prisa.

5. Mi profesora insiste en que América se descubrió en 1492.
   a. Tiene prisa.　　　　b. Tiene razón.　　　　c. Tiene miedo.

6. ¡El señor Peña regresa de Las Vegas con cinco mil dólares!
   a. Tiene sueño.　　　　b. Tiene suerte.　　　　c. No tiene ganas.

4.6　*Hacer* in Time Expressions

Describing what has been happening

To describe an action that began sometime in the past and is still going on, Spanish uses the formula that follows.

Hace + (length of time) + **que** + (present tense verb)

Hace dos horas **que** esperamos.	*We have been waiting for two hours.*
Hace mucho tiempo **que** viven aquí.	*They have been living here for a long time.*

Note that the English equivalent is: *to have been* + (-ing verb) + (length of time).

¡A practicar!

A. **¡Tenemos prisa!** The hostess at a very popular restaurant is explaining to her boss how long people have been waiting for a table. What does she say?

Modelo　la señora Cárdenas: 35 minutos
　　　　　　　Hace treinta y cinco minutos que ella espera.

1. el señor Santiago Domínguez y su familia: una hora
2. Miguel y Teresita Alarcón: 25 minutos
3. el señor Téllez y sus dos hijos: media hora
4. los señores Apodaca: 45 minutos
5. los jóvenes del Club de Exploradores: 15 minutos

B. ¿Cuánto tiempo hace?   How long has it been that you have been doing or not doing the following?

Modelo   no llamar a tu novio(a)
Hace ocho horas que no llamo a mi novio(a).

1. conocer a tus amigos
2. estudiar español
3. hablar inglés
4. no hablar con tus padres
5. no recibir dinero de tus padres
6. no visitar a tus padres

CAPÍTULO 5

Cultural Topics

- **¿Sabías que… ?**
  Hispanic last names
- **Noticiero cultural**
  Lugar: *Argentina*
  Gente: *«Evita»*
- **Lectura:** *La Nación*

Writing Strategies

- *Precisos*

Reading Strategies

- *Dar un vistazo*

En preparación

- 5.1 Adverbs of Time
- 5.2 Prepositions
- 5.3 **Ir a +** *Infinitive* to Express Future Time
- 5.4 **Ser** and **estar:** A Second Look
- 5.5 Comparisons of Inequality
- 5.6 **Por** and **para:** A First Look

¡Hogar, dulce hogar!

In this chapter, you will learn how to …

- describe your family.
- inquire about renting an apartment.
- describe an apartment and its furnishings.
- describe how you and people you know have changed.

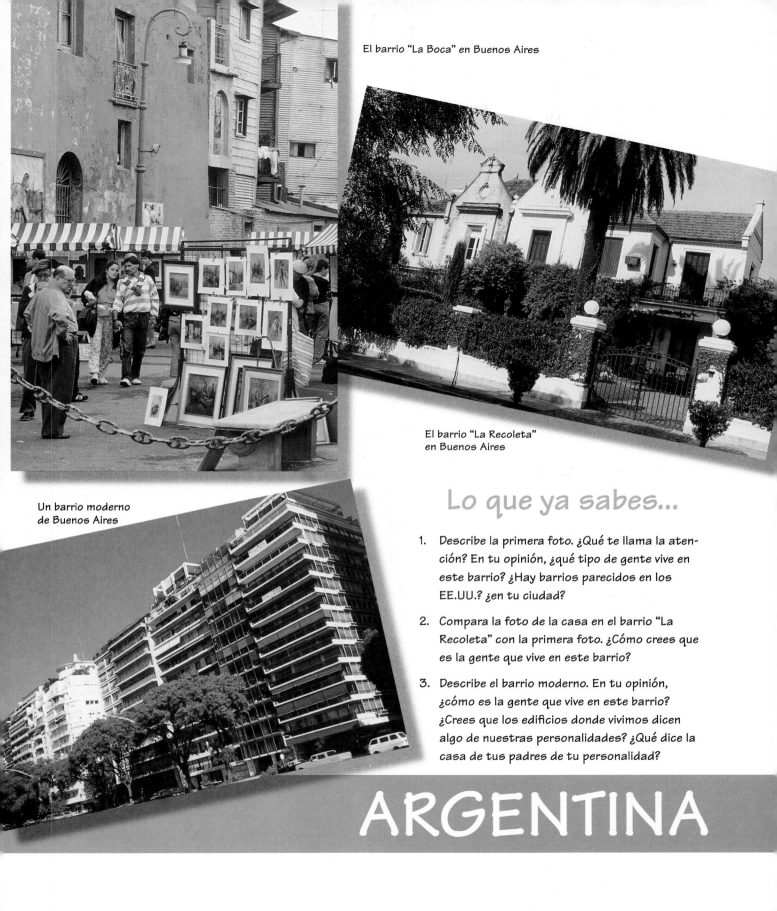

El barrio "La Boca" en Buenos Aires

El barrio "La Recoleta"
en Buenos Aires

Un barrio moderno
de Buenos Aires

Lo que ya sabes...

1. Describe la primera foto. ¿Qué te llama la atención? En tu opinión, ¿qué tipo de gente vive en este barrio? ¿Hay barrios parecidos en los EE.UU.? ¿en tu ciudad?

2. Compara la foto de la casa en el barrio "La Recoleta" con la primera foto. ¿Cómo crees que es la gente que vive en este barrio?

3. Describe el barrio moderno. En tu opinión, ¿cómo es la gente que vive en este barrio? ¿Crees que los edificios donde vivimos dicen algo de nuestras personalidades? ¿Qué dice la casa de tus padres de tu personalidad?

ARGENTINA

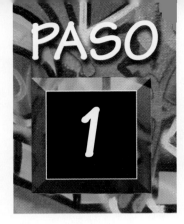

PASO 1

¡Por fin en la «U»!

TAREA

Antes de empezar este **Paso**, estudia **En preparación** 5.1 y 5.2 y haz por escrito los ejercicios de **¡A practicar!** También escucha el **Paso 1 ¿Qué se dice...?** del Capítulo 5 en el CD del estudiante.

¿Eres buen observador?

Ahora, ¡a analizar!

1. ¿Para qué producto es esta propaganda?
2. ¿Qué es una bombilla? ¿Por qué son especiales las DULUX EL?
3. Explica cómo es posible ahorrar 29.400 ptas. en el dormitorio principal con la DULUX EL. ¿Cuánto puedes ahorrar en el otro dormitorio? ¿en el salón? ¿en la cocina? ¿en la entrada?
4. Explica la garantía que acompaña la DULUX EL.

🎧 ¿Qué se dice...?

Al buscar un apartamento

rojo

iglesias
Santa Rosa

al lado de iglesia

el edificio
rojo

Dibuja *(Draw)* el edificio rojo y la iglesia. También escribe el nombre de la calle del edificio de apartamentos.

Lejos

amoblado - furnished
disponible - available

alquiler

DOLORES	¿Cuántas habitaciones tiene?
SEÑOR P.	Cuatro: un dormitorio, sala, comedor y cocina... y un baño, por supuesto.
DOLORES	¿Está amueblado?
SEÑOR P.	No, no incluye muebles.
DOLORES	¿Cuánto es el alquiler?
SEÑOR P.	Es barato, sólo $495,00 dólares al mes. Eso incluye garaje.
DOLORES	¿Está desocupado y disponible ahora?
SEÑOR P.	Está desocupado y puede mudarse a fines de este mes.
DOLORES	¡Ah! Una pregunta más. ¿Permite animales domésticos? Tengo una linda gatita.
SEÑOR P.	Lo siento, pero no permito ni gatos ni perros.
DOLORES	¿No? Entonces, no me interesa. ¡Adiós!

Ahora Dolores está con sus amigas Claudia y Beatriz, la hermanastra de Claudia. Dolores está contándoles los problemas que tiene para encontrar un apartamento.

DOLORES   ¡Es terrible! Busco y busco y no encuentro nada. Nadie permite tener animales domésticos... y yo no puedo vivir sin mi gatita.

CLAUDIA   Tranquila, tranquila, Dolores. No te preocupes. Vas a encontrar algo.

BEATRIZ   Claudia, papá tiene un edificio de apartamentos y...

CLAUDIA   ¡Tienes razón, Beatriz! Dolores, mi padrastro siempre tiene apartamentos disponibles, y él sí acepta animales domésticos pequeños.

DOLORES   ¿De veras? ¡Pues, vamos a llamarlo en seguida!

A propósito...

Hay varias maneras de decir **apartamento** en español. Algunas son el **departamento**, el **domicilio**, la **residencia**, la **habitación** o el **piso**. El cuarto donde se duerme es el **dormitorio**, la **habitación**, la **recámara**, la **alcoba**, la **pieza** o simplemente el **cuarto**.

¿Sabías que... ?

En los países hispanos es común usar dos apellidos *(last names)*, por ejemplo, **Castillo Torres**. El primer apellido, en este caso **Castillo**, siempre es el apellido del padre; el segundo, **Torres**, es el apellido de la madre.

Ahora, ¡a hablar!

A.   ¿Quién es quién?   En la familia de Dolores, ¿cómo están relacionadas las siguientes personas? (La relación indicada entre paréntesis es la de cada persona con Dolores.)

Modelo   Andrés con Dolores, Elodia y Antonio

Andrés es el primo de Dolores, el hermano de Elodia y el primo de Antonio.

Atilano Álvarez Silva (abuelo)

Lorenza Chacón Suárez (abuela)

Josefa (tía)

Pablo Ledesma Salazar (tío)

Angelita (tía)

Arturo (tío)

Virginia (mamá)

Martín Díaz Luna (papá)

Elodia (prima)

Andrés (primo)

Lorenza (hermana)

Antonio (hermano)

Dolores (Yo)

1. Pablo con Elodia, Andrés y la joven Lorenza
2. Josefa con Angelita, Virginia y Atilano
3. Lorenza la mayor con Arturo, Andrés y Lorenza la joven
4. Virginia con Josefa, Elodia y Dolores
5. Atilano con Arturo, Andrés y Antonio
6. Angelita con Arturo, Atilano y Elodia

B. ¿Mi habitación? Te interesa mucho alquilar un apartamento en el edificio donde vive tu compañero(a). Hazle preguntas para conseguir toda la información que necesitas sobre el apartamento.

1. ¿Dónde está el apartamento? ¿Cuál es la dirección exacta?
2. ¿Está lejos / cerca de la universidad? ¿del centro?
3. ¿Está cerca de una parada de autobús?
4. ¿Cuántas habitaciones tiene?
5. ¿Está amueblado? ¿Qué muebles hay?
6. ¿Son nuevos o viejos los muebles?
7. ¿Es caro? ¿Cuánto es el alquiler?
8. ¿Está desocupado ahora?
9. ¿Permiten animales domésticos?

C.   ¿Con qué frecuencia?   Pregúntale a un(a) compañero(a) con qué frecuencia hace estas cosas.

> **Modelo**   ir al banco
>
> TÚ   **¿Con qué frecuencia vas al banco?**
> COMPAÑERO(A)   **Voy al banco una vez a la semana.**

todos los días   nunca

siempre   a veces

1.   organizar fiestas en su casa   4.   dormir
2.   ir a clase   5.   estudiar
3.   hacer fiestas   6.   ir a la biblioteca

 D.   ¿Dónde está la gatita?   Perla es una gatita muy activa. ¿Puedes decir dónde está ahora?

Modelo

La gatita está encima de la nevera.

1. ___debajo de___   3. ___cerca de___

2. ___sobre la cama___   4. ___delante___
___encima___

5. _____debajo del cuadro_____ 7. _____sobre el borde de la ventana_____

6. _____enfrente del espejo_____ 8. _____detrás de la sofá_____
                                        (sillón)

Y ahora, ¡a conversar!

A. ¿Mi familia? Dibuja el árbol genealógico de tu familia siguiendo el modelo del árbol en el ejercicio **A** de la sección anterior. Luego, sin permitir que nadie lo vea, describe tu árbol a un(a) compañero(a) mientras él (ella) lo dibuja. Cuando termines de describir, compara tu dibujo con el dibujo de tu compañero(a) para ver si lo explicaste bien. Finalmente, repite el proceso pero esta vez tú debes dibujar mientras tu compañero(a) describe.

B. La casa de tus padres. Describe la casa / el apartamento de tus padres. Di dónde está cada cuarto en relación con los otros.

> **Modelo**   cocina / baño
>
> **La cocina está lejos del baño.**

1. cocina / sala   4. recámara / sala
2. comedor / cocina   5. entrada / cocina
3. sala / baño   6. garaje / comedor

C. Mi habitación. Dibuja tu habitación. Incluye todos los muebles, ventanas, closet, televisor, etc. Luego, en una segunda hoja de papel dibuja un esquema (*outline*) de tu habitación e indica el sitio de la cama, nada más. Dale el esquema a tu compañero(a) y mientras tú describes tu habitación, mencionando el sitio de cada objeto, tu compañero(a) va a dibujarla, poniendo todos los muebles en su lugar. Al terminar, compara tu dibujo original con el de tu compañero(a) para ver si explicaste bien. Repitan el proceso, pero esta vez tu compañero(a) describe y tú dibujas.

¡Luz! ¡Cámara! ¡Acción!

A. ¡Es demasiado caro! Tú y un(a) amigo(a) necesitan un apartamento para el próximo semestre. Van a hablar con el dueño de unos apartamentos. Hacen muchas preguntas para conseguir toda la información que necesitan. En grupos de tres, dramaticen la situación.

B. Un perrito encantador. Un matrimonio *(married couple)* joven necesita un apartamento para tres: ellos dos y Chuchi, un perrito encantador. En grupos de tres, el matrimonio y el (la) dueño(a), dramaticen esta situación.

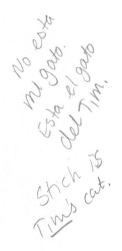

[handwritten notes in left margin: No esta mi gato. Esta el gato del Tim. Stich is This cat. Sorry]

¿Comprendes lo que se dice?

Estrategias para escuchar. *In Chapter 4 you learned to listen for stress variations (accents) in English and Spanish cognates. You will recognize many more cognates if you learn to listen for corresponding suffixes or word endings. For example, -mente in Spanish corresponds to -ly in English. Following is a list of three corresponding suffixes in Spanish and English. Recognizing these suffixes makes many more cognates easier to understand.*

Español	Inglés	Español	Inglés
perfecta**mente**	*perfectly*	**-mente** =	*-ly*
generosi**dad**	*generosity*	**-dad** =	*-ty*
urg**ente**	*urgent*	**-ente** =	*-ent*

Escucha la conversación de Guillermo, un estudiante universitario, con el dueño de un apartamento. *(With a partner, see how many* **-mente, -dad,** *and* **-ente** *cognates you can recognize. Write them down and share your list with the rest of the class.)*

¿Está disponible? Vuelve a escuchar la conversación de Guillermo con el dueño del apartamento. Luego compara el lugar donde tú vives ahora con el nuevo apartamento de Guillermo. Describe tu alojamiento en la columna de la izquierda, el de Guillermo en la columna de la derecha y lo que tienen en común en la columna del medio.

[handwritten: exactamente inmediamente totalmente]

Lugar donde yo vivo	Ambos lugares	Apartamento de Guillermo
1.	1.	1. *Cerca del porta de altobus*
2.	2.	2. *calmado*
3.	3.	3. *permitan gatos*
4.	4.	4.
5.	5.	5.
. . .	. . .	. . .

Argentina

NOTICIERO
CULTURAL

LUGAR... ARGENTINA

Antes de empezar, dime...

Contesta estas preguntas para reflexionar un poco sobre las ciudades más históricas de tu estado.

1. ¿Cuál es la población de los EE.UU.? ¿Qué porcentaje de sus habitantes son de origen europeo? ¿de origen indígena?   *250 millon   300*

2. ¿Ha tenido los EE.UU. un dictador en control del gobierno alguna vez en su historia? Explica tu respuesta.

3. ¿Qué papel *(role)* o control tienen los militares en los EE.UU.? ¿Imponen su voluntad o fuerza en el gobierno estadounidense? Explica tu respuesta.

4. ¿Qué papel tienen las mujeres en la política estadounidense? ¿Ha tenido los EE.UU. una mujer como presidenta? ¿una mujer como vicepresidenta?

5. ¿Qué probabilidades hay que una mujer llegue a ser presidenta de los EE.UU. en el futuro cercano? Explica tu respuesta.

Las madres de la Plaza de Mayo, Buenos Aires

Argentina

Argentina es un país con una superficie de 2.808.602 kilómetros cuadrados, cuatro veces más grande que el estado de Texas, y con una población que sobrepasa los 30.000.000 de habitantes.

El 97 por ciento de la población argentina es descendiente de italianos, españoles u otros grupos europeos. Se considera uno de los países más avanzados de Latinoamérica.

La Casa Rosada, Buenos Aires

Políticamente, como la mayoría de los países del continente, sufrió las consecuencias de una dictadura militar por muchos años. Una junta militar suspendió las elecciones generales y tomó el control del gobierno desde 1976 hasta 1983. En octubre de este último año, Argentina volvió a la democracia con el presidente Raúl Alfonsín en «La Casa Rosada» (que es «La Casa Blanca» de Argentina).

Las mujeres argentinas son una fuerza importante en el país y así, todos los jueves, todavía se reúnen Las Madres de la Plaza de Mayo, exactamente en ese lugar para reclamar y recordar a sus hijos y familiares desaparecidos durante el período militar.

Argentina se destaca también por tener en su historia a una de las primeras mujeres al mando del gobierno, la presidenta María Estela (Isabel) Perón que, como vicepresidenta del país, asumió el cargo al morir su esposo, el presidente Juan Domingo Perón, en 1975.

Y ahora, dime...

Contesta estas preguntas con un(a) compañero(a) de clase.

1. Prepara un esquema como el siguiente y complétalo con información de la lectura.

ARGENTINA

Geografía	Población	Gobierno
1.	1.	1.
2.	2.	2.
3.	3.	3.

2. ¿Conoces otros países que tengan una mujer como presidenta o vicepresidenta en su historia?

El español en otras disciplinas: Matemáticas

El sistema métrico.   Hay dos sistemas que usamos para hablar de longitud, peso y volumen: el sistema inglés y el sistema métrico. A continuación presentamos algunas medidas *(measures)* de ambos sistemas.

Longitud

Sistema inglés	Sistema métrico
1 pulgada	2,54* centímetros
1 pie	30,48 centímetros
1 yarda	91,44 centímetros
	1 metro = 100 centímetros ó†
	1000 milímetros
0,62 milla	1 kilómetro
1 milla	1,609 kilómetros

Peso

Sistema inglés	Sistema métrico
0,035 onza	1 gramo
1 libra	453,59 gramos
2,2046 libras	1 kilogramo

Volumen

Sistema inglés	Sistema métrico
1 onza	0,02957 litro
0,2642 galón	1 litro
1 galón	3,785 litros

Conversiones.   Contesta las siguientes preguntas usando medidas del sistema inglés primero y luego conviértelas a medidas del sistema métrico.

1.   ¿Cuál es la velocidad máxima permitida en las carreteras de los EE.UU.?

2.   ¿Cuánto mides tú? ¿Y tu compañero(a)? ¿Cuánto pesan?

3.   ¿Cuántos galones de gasolina necesitas para llenar el tanque de tu auto? ¿Cuántos litros?

Proyecto: Pregúntales a tus padres, a dos hermanos o a dos amigos cuánto miden y cuánto pesan y anótalo. Convierte la información al sistema métrico. En grupos de tres, comparte tus medidas métricas para ver si tus compañeros pueden adivinar las medidas exactas en el sistema inglés.

*In most Spanish-speaking countries the use of the comma and period in numbers is reversed. Thus, **2,54 centímetros** is expressed in English as 2.54 centimeters, and a number like 3,000,000 (three million) is written as **3.000.000** in Spanish.

† When the Spanish word **o** (*or*) is used between or next to numerals, it is written with an accent to distinguish it from a zero: **5 ó 6 alumnos** as opposed to 506 alumnos.

PASO

2

¡Tu cuarto es un desastre!

TAREA

Antes de empezar este **Paso**, estudia **En preparación** 5.3 y 5.4 y haz por escrito los ejercicios de **¡A practicar!** También escucha el **Paso 2 ¿Qué se dice...?** del Capítulo 5 en el CD del estudiante.

¿Eres buen observador?

Ahora, ¡a analizar!

1. ¿Para qué crees que es esta propaganda? ¿para una fábrica de muebles? ¿para una tienda de muebles? ¿para una revista de muebles? ¿para otra cosa? Explica tu respuesta.

2. ¿A qué se refiere el «ESPECIAL BAÑOS»? ¿a ideas para decorar baños? ¿a precios especiales? ¿a otras cosas? Explica.

3. ¿Cuáles de los muebles mencionados en «MOBILIARIO DE DORMITORIO» tienes en tu dormitorio en casa? ¿Necesita tu dormitorio un toque final? ¿Por qué?

4. ¿Cómo se comparan estas sillas de comedor con las sillas de comedor en la casa de tus padres? ¿Son más o menos elegantes?

5. ¿Qué es una chimenea falsa? ¿Tiene chimenea la casa de tus padres? ¿Es una chimenea falsa o una que funciona?

Y en nuestro próximo número...

ESPECIAL BAÑOS
Baños bien zonificados, con revestimientos de mármol y madera, de colores luminosos y con soluciones modernas y elegantes.

MOBILIARIO DE DORMITORIO
Mesitas, cabezales, cómodas, galanes, baúles, etc. Todo lo necesario para darle el toque final al dormitorio.

SILLAS DE COMEDOR
Las mejores reproducciones de modelos clásicos, cómodas y con un toque de calidad que ennoble el espacio.

RINCONES DE LECTURA
Ocho propuestas diferentes, con sus presupuestos, de butacas, librerías y complementos.

TODO SOBRE CHIMENEAS
Explicamos todas las posibilidades, desde frontales para chimeneas hechas, hasta chimeneas falsas, con todos los complementos necesarios para crear un espacio muy personal y cálido.

Y ADEMÁS

MUEBLES TAPIZADOS
Cabezales, banquetas, cómodas, butacas... Muebles tapizados que ofrecen más calidad y confort.

MESAS Y SILLITAS PARA NIÑOS
Llenas de color y con motivos y dibujos que introducen notas de alegría en las habitaciones de los niños.

CÓMO COMBINAR EL AZUL Y EL VERDE
Dos colores que ofrecen muchas posibilidades decorativas.

¿Qué se dice…?

Al describir la habitación

Indica con una **M** si la madre dice lo siguiente y con una **H** si la hija lo dice.

1. ___M___ ¡Es un desastre!
2. ___M___ Está sucio.
3. ___H___ Son de bonitos colores.
4. ___H___ Son muy cómodos. (comfortable)
5. ___M___ Están en malas condiciones.
6. ___M___ ¡Son de plástico!

MADRE   Por Dios, Dolores. La habitación es tan pequeña y tan oscura. ¡No hay ni una ventana!

DOLORES   Así duermo mejor, mamá.

MADRE   ¡Ay, hija! El baño está muy sucio.

DOLORES   ¡Pero qué difícil estás hoy, mamá! No está sucio. Simplemente es tan viejo que es imposible limpiarlo.

MADRE   Es que no comprendo cómo puedes vivir aquí, hija.

DOLORES   Estoy muy cómoda aquí. El apartamento está en el centro, cerca de todo. Y mamá, con el dinero que tú y papá me dan, es imposible alquilar uno mejor.

Ahora, ¡a hablar!

A. ¡Fiesta de despedida!   Mañana por la mañana Dolores Chacón sale para la universidad. Hoy es su fiesta de despedida y todos sus parientes van a ayudar en los preparativos. ¿Qué dice Dolores que van a hacer?

Modelo   **Mis tías Josefa y Angelita van a hacer un pastel para mí.**

mi hermano Gilberto		preparar el ponche
mis tías Josefa y Angelita		hacer mis maletas
mamá y yo		comprar unos zapatos
papá	+ ir a +	hacer un pastel
mis primos		ir al banco
mi hermano Antonio		lavar mi auto
mi abuela		traer los discos compactos

 B. ¿Recuerdas?   ¿Recuerdas cuando decidiste asistir a la universidad? ¿Recuerdas todas las buenas intenciones que tenías? En parejas, imagínense que es el día antes de ir a la universidad por primera vez. Digan qué piensan hacer y no hacer para ser excelentes estudiantes universitarios.

Modelo   **Voy a estudiar cuatro horas todos los días. No voy a ir a fiestas durante la semana. Voy a…**

C. **¡No soporto ni un día más aquí!** Tú acabas de alquilar *(just rented)* un apartamento, pero después de una semana, quieres dejarlo porque encuentras muchos inconvenientes. ¿Cuáles son algunos de los problemas?

Modelos cocina / sucia
La cocina está muy sucia.

alquiler / demasiado caro
El alquiler es demasiado caro.

1. apartamento / muy oscuro *El apartamento está muy oscuro*
2. muebles / malas condiciones *Los muebles están malas condiciones*
3. apartamento / lejos de todo *El apartamento está lejos de todo*
4. cama / no cómoda *La cama está no cómoda*
5. cocina / demasiado pequeña *La cocina está demasiado pequeña.*
6. alfombras / muy viejas *Las alfombras son muy viejas.*

D. **¡Pero fíjese que…!** El dueño del apartamento no quiere cancelar el contrato y habla de las ventajas que el apartamento ofrece. ¿Cuáles son?

Modelos apartamento / limpio
El apartamento está limpio.

edificio / moderno
El edificio es moderno.

1. apartamento / cerca / supermercado *El apartamento está cerca de el supermercado*
2. alquiler / barato *El alquiler son barato*
3. habitaciones / grandes *Los habitaciones son grandes*
4. sala y habitaciones / muy limpias *La sala y los habitaciones están muy limpias*
5. cama / nueva *La cama es nueva*
6. edificio / cerca / parada de autobús *El edificio está cerca de la parada de autobús.*

E. **¿Y tu apartamento?** Entrevista a un(a) compañero(a), luego que él (ella) te entreviste a ti.

Pregúntale…

1. cómo es su apartamento / habitación / casa. *Su habitación está bien.*
2. en qué condición está hoy. *Está limpio mi habitación ayer*
3. qué muebles hay en su cuarto. *Una cama, dos escritorios, una computadora, un ratón, dos libreros, un tocador, y dos sillas*
4. en qué condición están los muebles. *bien condición*
5. dónde está el apartamento / habitación / casa. *Es en el noreste*
6. qué es lo mejor de su apartamento / habitación / casa. *Es grande*
7. qué no soporta. *Está corta del trens.*

Y ahora, ¡a conversar!

A. **¡Mi futuro!** ¿Cómo ves tu futuro? ¿Qué vas a hacer en los próximos cinco años? Escribe una lista de tus planes futuros. Después, comparte tus planes con el resto de la clase para ver si tienen metas en común.

B. **¡Una casa ideal!** Trabajas para una agencia de bienes raíces *(real estate)*. Tu compañero(a) está buscando una casa para comprar. Tú quieres encontrar la casa ideal para tu cliente. Para eso, vas a tener que conocer a tu cliente muy bien. Pregúntale sobre su profesión, sus pasatiempos, su personalidad y el tipo de casa que prefiere.

C. Encuesta. Usa este formulario para entrevistar a cinco compañeros acerca de sus habitaciones. Anota toda la información que te den. Al completar el formulario, formen grupos de cuatro o cinco y comparen sus resultados. Traten de decidir el promedio *(average)* de su grupo en cada categoría e informen a la clase.

Modelo   **¿Dónde vives, en un apartamento, en una casa o en las residencias?**

Nombre	Habitación	Número de cuartos	Número de baños	Condición general	Alquiler por mes	Ventajas y desventajas
1. Carrie	casa	5	1	así así	nada	cerca de la escuela muy pequeña
2. Terra	casa	8	2	bueno	500	piscina tiene que mover
3.						
4.						
5.						

¡Luz! ¡Cámara! ¡Acción!

A. ¡Ay, mis padres! ¿Recuerdas cuando tus padres te visitaron por primera vez en la universidad? Dramatiza esta situación con dos compañeros(as).

B. El nuevo apartamento. Suena el teléfono. Tú contestas. Es tu mejor amigo(a) que ahora asiste a otra universidad. Él (Ella) quiere saber, con detalle, cómo es tu apartamento y qué planes tienes para el verano. Dramatiza la conversación con un(a) compañero(a).

¿Comprendes lo que se dice?

Estrategias para ver y escuchar. *In the previous* **Paso** *you learned a number of simple and compound prepositions. As you listen to this commercial the first time, mark an* **X** *by every preposition you hear.*

- ❏ debajo de
- ❏ enfrente
- ❏ a la derecha

- ❏ a
- ❏ detrás de
- ❏ a la izquierda

- ❏ de
- ❏ al lado de
- ❏ después de

El Churrasco del Gaucho. Este anuncio comercial usa los sentidos de olfato y sabor *(smell and taste)* para llamar la atención del público. Aunque no sabes algunas de estas palabras, mira el anuncio y marca las palabras que se refieren al olfato con **O** y las que se refieren al sabor con **S**.

_____ huele	_____ hambre	_____ Hmmm...
_____ rico	_____ olor	_____ Ahhh...
_____ churrasco	_____ sabroso	_____ delicioso

Argentina

NOTICIERO CULTURAL

GENTE... EVA PERÓN

Antes de empezar, dime...

*El "che Guevara" – leader of this group, for people.
revolution in Cuba (1959). Killed in Bolivia.*

1. ¿Sabes quiénes son los actores principales de la película *Evita*? ¿Quién hace el papel de «Che» Guevara, el revolucionario argentino? *(Cuba w/ Fidel)*
   Antonio Banderas, Madonna

2. ¿Dónde conoce Perón a Evita?

3. ¿Cómo reacciona el pueblo argentino a la esposa del presidente Perón?

4. ¿Por qué hay oposición a Madonna en el papel de Evita?

Eva Perón

«Evita»

Eva Perón es una figura de mucha controversia en la historia de Argentina. La gente la re- *reject* chaza con pasión extrema o la adora con fervor casi religioso. Era una ex actriz, con un anterior estilo de vida algo escandaloso, que acabó por enamorarse de y casarse con Juan Domingo Perón, el presidente de la República. Muchos, en particular los de alta sociedad, no la aceptaron como esposa del presidente de la República. Pero ella nunca olvidó *(forgot)* su origen, ni al pueblo de trabajadores quienes sí la aceptaron. Éstos la querían mucho y fueron quienes le dieron el nombre de «Evita» para mostrar el cariño *(affection)* que le tenían.

«Evita» fue responsable de grandes cambios sociales en Argentina. Con ella como aliada, las mujeres argentinas obtuvieron el derecho al voto en 1947. Dos años después, por primera vez en la historia de Argentina, se nombró a siete mujeres al senado y a veinticuatro mujeres a la cámara de diputados. Desde la era de «Evita» la mujer argentina continúa teniendo gran fuerza política en el país.

Su vida es objeto de la ópera-rock que lleva el nombre de Evita. La película de Evita, como el personaje que representa, también ha sido objeto de muchas controversias. Entre otras cosas, hubo *(there was)* mucha oposición a la actriz americana Madonna en el papel de la venerada Eva Perón. Los argentinos que todavía la adoran con fervor decían *(said)* que una actriz con la personalidad, historia y fama de Madonna no debía *(should)* representar a su «Evita». También decían que un actor hispano y no inglés, debía hacer el papel del ex presidente Juan Domingo Perón.

Madonna en la película "Evita"

Y ahora, dime...

 Usa estos cuadros para resumir los eventos más importantes en la vida de Eva Duarte de Perón.

Eva Duarte de Perón

Antes de escribir
Estrategias para escribir: Precisar

In the previous chapter you learned that when writing advertisements, it is necessary to have a list of key words and phrases that must be worked into the advertisement. These key words or phrases usually contain the essence of the message to be conveyed. When writing advertisements, especially when writing classified ads, it is very important to be precise. Since space is limited and very costly in newspapers, classified ads must be expressed in very few words.

Estudia estos modelos y luego contesta las preguntas a continuación.

RECOLETA-S-piso   Parisino elegante L y C bcón corr 3 dorm 2 bños coc com-drio dep TE categoría U$$ 175.00 Montevideo 1722 2°A ver hoy y mañana 15–18 hrs 801-1823/7797

AV SANTA-FE 1179 piso 11° tel amplio 170m 3 dom (1 suite) ampl recep balc corr palier priv entr serv 2 bñ dep serv ap prof U$$ 195.00 v 15–18 476–1384

---

1. ¿Cuál departamento está en el segundo piso? ¿En qué piso está el otro?
2. ¿Cuál no tiene comedor?
3. ¿Cuál tiene más dormitorios? ¿más baños?
4. ¿Tienen chimeneas los dos? ¿Tienen balcón?
5. ¿A qué hora se pueden ver estos departamentos?

Ahora, ¡a escribir!

A. Para precisar.   Prepara una lista de toda la información esencial que debes incluir en un anuncio clasificado para alquilar el apartamento donde vives ahora. Prepara una segunda lista de toda la información esencial que incluirías en un anuncio para alquilar la casa o el apartamento de tus padres.

B. El primer borrador.   Ahora prepara un primer borrador de dos anuncios clasificados: uno para alquilar tu apartamento y otro para alquilar la casa o apartamento de tus padres. Compara tus anuncios con las listas originales para asegurarte que incluiste toda la información esencial. Para precisar, usa abreviaturas como en los dos modelos.

C. Ahora, ¡a compartir!   Comparte tu primer borrador con dos o tres compañeros. Comenta sobre el contenido y el estilo de los anuncios de tus compañeros y escucha los comentarios de ellos sobre tu anuncio. Si hay errores de ortografía o gramática, menciónalos.

D. Ahora, ¡a revisar! Si necesitas hacer unos cambios basados en los comentarios de tus compañeros, hazlos ahora.

E. La versión final. Prepara la versión final de tus anuncios en limpio y entrégala. Escribe la versión final a máquina o en la computadora con un estilo periodístico, usando columnas de seis centímetros.

F. ¡A publicar! Cuando ya esté calificado, pon tus anuncios en la página de anuncios clasificados que tu profesor(a) va a proveer.

¡Qué delgada estás, hija!

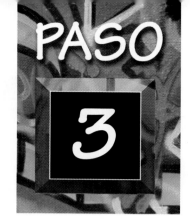

TAREA

Antes de empezar este **Paso,** estudia **En preparación** 5.5 y 5.6 y haz por escrito los ejercicios de **¡A practicar!** También escucha el **Paso 3 ¿Qué se dice... ?** del Capítulo 5 en el CD del estudiante.

¿Eres buen observador?

Ahora, ¡a analizar!

1. ¿Para qué es esta propaganda? ¿para suscribirse a una revista de viajeros? ¿para vender espacio comercial en una revista? ¿para invitar a escritores a publicar con MANZI Editores?

2. ¿Qué es *Ronda*? ¿Qué es *Austral*?

3. ¿Cuántas personas leen la revista de Aerolíneas Argentinas y Austral cada mes? ¿cada año?

4. Explica el lema: «Ningún otro medio llega tan alto ni tan lejos».

¿Qué se dice...?

Al hablar de cambios físicos o de personalidad

Indica con una **M** si lo siguiente se refiere a Marta o con una **I** si se refiere a Irene.

1. _M_ Está más delgada que su hermana.

2. _I_ Es la hermana mayor.

3. _M_ Necesita comer en casa.

4. _I_ Es más gordita.

5. _M_ Está más alta que su hermana.

6. _I_ No está en el aeropuerto.

MADRE Ya conoces a tu hermana. Siempre está con su novio. Cuando no están juntos, se pasan la vida hablando por teléfono.

MARTA ¿Así que tiene novio ahora? ¿Quién es?

MADRE Es el primo de tu amigo Marco. No recuerdo cómo se llama.

MARTA ¡Javier! ¿El hijo menor de don Anselmo que siempre pasa por la casa para ayudar a papá?

MARTA No lo puedo creer. ¡Javier! Pero es más feo que una rana, ¡qué horror!

MADRE ¡No seas mala y exagerada! Para mí, Javier es bastante bien parecido. ¿Y tú? ¿Ya tienes novio?

MARTA No, pero tengo muchos amigos.

Ahora, ¡a hablar!

A. Datos personales.   Usa estos datos personales para comparar a Marta con su hermana Irene.

Modelo   pasatiempos: Marta / Irene

Marta es más activa que Irene.

Datos personales

	Marta	Irene
Fecha de nacimiento:	10.11.77	29.8.75
Estatura:	1 metro 65	1 metro 60
Peso:	54 kilos	57 kilos
Pelo:	castaño	rubio
Ojos:	verdes	negros
Pasatiempos:	tenis	leer
	fútbol	escuchar música
	béisbol	pasear – walking
Películas favoritas:	películas	películas
	de aventuras	de amor

1. peso: Marta / Irene
2. estatura: Marta / Irene
3. edad: Marta / Irene
4. peso: Irene / Marta
5. estatura: Irene / Marta
6. edad: Irene / Marta
7. pasatiempos: Marta / Irene
8. películas: Marta / Irene

B. ¿Y tú?   Compárate con tu hermano(a) en las siguientes categorías. [Si eres hijo(a) único(a) *(only child),* compárate con tu mejor amigo(a).]

1. edad
2. estatura
3. número de amigos
4. pasatiempos favoritos
5. peso
6. paciencia
7. organización
8. personalidad

C. Vamos de compras.   Dos amigas están hablando de sus planes para el fin de semana. Para saber qué dicen, completa el diálogo con **por** o **para**.

TINA   ¿(Por / Para) qué no vamos de compras esta tarde?

LISA   ¡Qué buena idea! Si quieres, paso (por / para) tu casa a la una y media. ¿Adónde vamos?

TINA   Al centro comercial San Martín. ¿Sabes cómo llegar?

LISA   Bueno, siempre voy allí (por / para) autobús. Hay tanto tráfico. Pero, a ver,… (por / para) llegar a San Martín, primero tenemos que pasar (por / para) el parque central en la calle Gertel. Luego si vamos (por / para) la calle Rayuela una buena distancia, llegamos, ¿no?

TINA   No me preguntes a mí. (Por / Para) mí, es siempre un misterio cómo llegar allí.

LISA   Mira, Tina, ¿(por / para) qué no vamos (por / para) autobús? Es más fácil.

D. **¿Vienes a estudiar?** Tú vas a estudiar en casa de un amigo esta noche pero no sabes cómo llegar a su casa. Ahora tu amigo te explica cómo llegar. Completa el párrafo con **por** o **para** si quieres saber lo que dice.

_____*Para*_____ venir a mi casa debes caminar _____*Por*_____ la calle Solano hasta el parque. Luego pasa _____*por*_____ el parque y camina al hospital. Ya sabes cómo llegar de allí. Si prefieres, puedes venir _____*por*_____ autobús. No es nada caro. El autobús pasa _____*por*_____ todo el parque y va directamente al hospital. _____*Para*_____ mí, es más práctico venir en bus.

Y ahora, ¡a conversar!

A. **¡Qué cambios!** ¿Has cambiado mucho desde hace diez años? Explica cómo has cambiado.

> **Modelo** **Ahora estoy más delgado(a). También estoy más alto(a) y menos...**

B. **¿Quién es?** Compárate con otro(a) estudiante de la clase sin mencionar el nombre de esa persona. Continúa la comparación hasta que tu compañero(a) adivine con quién te estás comparando. Repitan el proceso al revés, tu compañero(a) hace la comparación y tú adivinas.

> **Modelo** **Es más alta y más rubia que yo. Pero yo soy más...**

C. **¡Más que yo!** Usa este formulario para compararte en detalle con dos compañeros de la clase. Primero completa la primera columna y luego entrevista a dos compañeros para completar las otras dos. Informa a la clase de los resultados.

	Yo	Amigo(a) 1	Amigo(a) 2
edad	20		
estatura	5'4		
personalidad			
pasatiempos	leer		
clases	computo		
trabajo			

¡Luz! ¡Cámara! ¡Acción!

A. **¡Qué cambiado(a) estás!** Tú regresas a la casa de tus padres para las vacaciones de Navidad. Ellos reaccionan frente a tus cambios físicos y de personalidad. Tú también reaccionas frente a ciertos cambios en la casa y en la familia. En grupos de tres, dramaticen esta situación.

B. **Vacaciones de verano.** Tú estás hablando con dos amigos que no ves desde hace más de un año. Primero, ellos comentan cómo has cambiado en un año y tú comentas los cambios físicos que notas en ellos. Luego tú invitas a tus dos amigos a cenar en un restaurante nuevo. Ellos no saben dónde está y tienes que darles instrucciones para llegar allí.

¿Te gusta leer?

Antes de leer
Estrategias para leer: Dar un vistazo

In Chapter 3 you learned that "to scan" is to look for and locate specific information by quickly reading a text. In this reading you will practice scanning the table of contents of an Argentine newspaper.

Da un vistazo al contenido de *La Nación,* uno de los periódicos más respetados de Buenos Aires, para luego contestar estas preguntas. No es necesario leer palabra por palabra; simplemente dale un vistazo rápido hasta encontrar la información que necesitas.

1. ¿En qué página puedes leer algunas noticias sobre los EE.UU.? ¿Sobre Brasil? ¿Sobre el IRA?
2. ¿De qué vas a informarte si lees la primera sección?
3. ¿En qué sección y en qué página puedes encontrar información sobre el fútbol?

Lectura

En esta sección

EE. UU.: el candidato republicano Bob Dole repunta en las encuestas, pero aún está a considerable distancia de Clinton. **Pág. 5**

Manchester: una bomba del IRA en las proximidades de un centro comercial dejó doscientos heridos. **Pág. 5**

Brasil: la situación de los campesinos nordestinos amenaza la gestión del presidente Cardoso. **Pág. 7**

Amira Yoma: la cuñada del Presidente volvió a la función pública como asesora de Octavio Frigerio para los cascos blancos. **Pág. 16**

Caso Carrasco: la Justicia sospecha que el ocultamiento del crimen no termina en la brigada de Neuquén y puede involucrar a esferas superiores. **Pág. 17**

Discotecas: la comuna porteña clausuró ayer cinco locales que no cumplían con las normas de habilitación. **Pág. 20**

Facundo Suárez: el ex titular de la SIDE dijo que los autores del robo de las manos de Perón estaban vinculados con la extrema derecha. **Pág. 23**

Otras secciones

Dole

Amira

Suárez

Clasificados

Empleos

Espectáculos

a la vista

Cultura

Turismo

Las dos ciudades de BORGES

Clasificados   Circulación nacional.

Deportiva

LA NACION Revista CUATRO POR UNA

Indice

LA NACION

Bouchard 557, C.P. 1106
Tel. 319-1600   Fax 319-1611/12/13
E-mail: lanacion@starnet.net.ar
LA NACION On Line:
Argentina: www.lanacion.com.ar
EE.UU.: www.lanacion.com

Precio del ejemplar
Domingo	$	2,50
En Uruguay	$U	20,00
En Paraguay	G	5000
En Brasil	R$	3,50
En Chile	$	1200
Recargo envío al interior	$	0,20

"(c) Año 1996, S.A. LA NACION. Dirección Nacional del Derecho de Autor, expediente N° 661893. Queda prohibida la reproducción total o parcial del contenido del presente diario."

A ver si comprendiste

Practica el «dar un vistazo» al contestar las siguientes preguntas.

1. Según esta edición, ¿en qué noticias de los EE.UU. está interesado el público argentino?

2. ¿De qué vas a informarte si lees la tercera sección? ¿la cuarta? ¿la quinta? ¿la sexta?

3. ¿En qué sección y en qué página puedes encontrar información sobre asuntos religiosos? ¿sobre las olimpiadas? ¿sobre programación en la tele? ¿sobre una película que quieres ver? ¿sobre una persona que acaba de morir?

4. ¿Cómo se llaman las dos secciones especiales en esta edición de domingo?

Viajemos por el ciberespacio a... ARGENTINA

Expand your horizons! *Let's travel through cyberspace to* **Argentina** where, through the Internet, you can . . .

- visit **Buenos Aires** and go sightseeing in this elegant, cosmopolitan city of irresistible European charm and hospitality.

- access Argentina's extremely varied landscapes and climates: the extensive **pampa**, the cold turquoise waters of the southern lakes area, the breathtaking beauty of **Iguazú** Falls, and the awe-inspiring glaciers of **Patagonia** and **Tierra del Fuego**.

- visit **Punta Tombo**, the world's most important breeding colony of Magellanic penguins.

- view the **Perito Moreno** glacier, one of the few advancing glaciers in the world.

If you are a cyberspace browser, join us in **Viajemos por el ciberespacio a... Argentina** by trying the following important addresses

Universidad de Buenos Aires
http://www.uba.ar/

Secretaría de turismo
http:www.pccp.com.ar/

Periódicos
http://www.clarin.com.ar/
http://www.lanacion.com.ar/
http://us.pinos.com/Los
Andes/LosAndes.Html

Museo Nacional de Bellas Artes
http://www.startel.com.ar/bellas
artes/mnba.htm

106.3FM-Buenos Aires
http://www.rockpop.com/

93.1-Rosario
http://www.allcomm.com/oasis/

93.3FM-Mar del Plata
http://www.argenet.com.ar/atlantica/.

(Ver página siguiente)

Because addresses are likely to change without notice, the following key words will guarantee that **Viajemos por el ciberespacio a... Argentina** will get you to your desired destination.

Palabras clave

Aerolíneas Argentinas	Iguazú
Bariloche	Paisajes Pampa
Buenos Aires	Palermo Viejo
Calle Caminito	Postales de Argentina
Glacial Perito Moreno	Punta Tombo

Radio en vivo Argentina
106.3FM-Buenos Aires
93.1-Rosario
93.3FM-Mar del Plata

http://www.hrwcollege.com

Vocabulario

Apartamento

alfombra	carpet
amueblado(a)	furnished
cama	bed
chimenea	fireplace
comedor *(m.)*	dining room
condición	condition
cuarto de baño	bathroom
disponible	available
dormitorio	bedroom
dueño(a)	landlord / lady
entrada	entrance
garaje *(m.)*	garage
lámpara	lamp
mueble *(m.)*	(piece of) furniture
nevera	refrigerator
piscina	swimming pool
recámara	bedroom
sofá *(m.)*	sofa
televisor *(m.)*	T.V. set
ventana	window

Ciudad

avenida	avenue
calle *(f.)*	street
centro	downtown
centro comercial	shopping center
cuadra	city block
iglesia	church
parada de autobús	bus stop
parque *(m.)*	park
supermercado	supermarket
tráfico	traffic

Datos personales

apellido	last name
dirección	address
edad *(f.)*	age
estatura	height
ojos	eyes
pelo	hair
peso	weight

La familia

abuela	grandmother
abuelo	grandfather
abuelos	grandparents
hermana	sister
hermano	brother
hermanos	siblings
hija	daughter
hijo	son
hijos	children
madre *(f.)*	mother
padre *(m.)*	father
padres	parents
hermanastra	stepsister
hermanastro	stepbrother
madrastra	stepmother
padrastro	stepfather
pariente *(m.)*	relative
primo(a)	cousin
tía	aunt
tío	uncle

Descripción

cómodo(a)	comfortable
desocupado(a)	unoccupied
fuerte	strong, loud
malo(a)	bad
mayor	older
mejor	better
menor	younger
oscuro(a)	dark
sucio(a)	dirty
viejo(a)	old

Animales

gatito(a)	small cat
gato(a)	cat
perro(a)	dog
rana	frog

Preposiciones: sitio

a la derecha	to the right
a la izquierda	to the left
al lado	beside
cerca de	near
debajo de	under
delante de	in front of
después de	after
detrás de	behind
en	on
encima de	on top of
enfrente de	in front of
entre	between
lejos de	far from
sobre	over, on top of

Otras preposiciones

a	to
para	for, (in order) to
por	for, by, through
sin	without

Verbos

permitir	to permit
poner	to put
prometer	to promise
recordar (ue)	to remember

Adverbios

ahora	now
con frecuencia	frequently
entonces	then
hoy	today
junto	next to, by
mensual	monthly
sólo	only
tan	so
tarde	late
temprano	early

Palabras y expresiones útiles

cosa	thing
dólar *(m.)*	dollar
fecha	date
paciencia	patience
plástico	plastic
¡Ay!	Oh!
por supuesto	of course
¡Qué desastre!	What a mess!

5.1   Adverbs of Time

Expressing time and frequency

Adverbs are words that qualify or modify an adjective, a verb, or another adverb. There are many types of adverbs. Some common adverbs of time are:

ahora	anoche/de noche	todos los días	tarde
temprano	nunca	siempre	a veces

Ahora necesito ver la casa. *I need to see the house now.*
Siempre pedimos el alquiler con un *We always ask for the rent one month in*
   mes de adelanto.   *advance.*

¡A practicar!

A.   ¿Cuándo?   Answer the following questions telling when you do these things.

nunca   a veces   siempre
                  una vez
       tarde   ahora   temprano

1. ¿Vas al cine?
2. ¿Estudias en la biblioteca?
3. ¿Almuerzas en la universidad?
4. ¿Preparas tu comida?
5. ¿Llamas a tus padres?
6. ¿Preparas tu lección de español?
7. ¿Regresas a casa después de una fiesta?

(handwritten notes)
if one is either before verb or attached to infinitive.
it is pronoun direct object same as personal pronoun to direct object.
¿Cuándo puedo verlo?
— a verla(s)
Lo no ve – I saw him
Sí, lo tengo
— Yes, I have it.

lo	la
los	las

B.   ¿Cuándo puedo verlo?   You are interested in seeing some apartments. When can you see them?

1. today at 10:30 AM
2. Saturday, early in the morning
3. tonight at 8:30 PM
4. today early, at 2:00 PM
5. today late, at 8:00 PM

5.2   Prepositions

Describing the position of things

Prepositions express relationships with respect to time, place, material, possession, among others. The relationships may be between things or between nouns or pronouns and the adjectives or verbs that refer to them. Following are some of the most commonly used prepositions. Note that compound prepositions are always two or more words while simple prepositions always consist of one word.

Compound Prepositions	
a la izquierda de (derecha)	to the left (right)
al lado de	next to, beside
antes de	before
cerca de	near
debajo de	under
delante de	in front of
después de	after
detrás de	behind
encima de	on top of
enfrente de	facing, opposite
lejos de	far from

Simple Prepositions	
a	to, at
con	with
de	of, from
en	in, at
entre	between
para	for, in order to
por	for, by
sobre	on, above

sobre

a través

(through)

El apartamento está **detrás del** supermercado.	*The apartment is behind the supermarket.*
También está **cerca de** la universidad.	*It's also near the university.*

¡A practicar!

A.   A estudiar.   Julia is walking out of her apartment. To find out what she plans to do, complete this paragraph with appropriate prepositions.

Ahora voy _____ la biblioteca. Voy _____ estudiar

_____ Inés. Necesito el libro _____ física que está

_____ mi mochila. Por la tarde tengo una hora libre *(free)*

_____ la clase de química y la de física. La cafetería está

_____ el gimnasio pero _____ del laboratorio de química.

Pero, ¿dónde está la clase de español? ¡Ah! Está _____ la clase de inglés.

B.   ¿Dónde está?   Jorge is looking for an apartment. Right now he is calling three apartment owners to find out where their buildings are located. What do they tell him?

1. El edificio está *(at 162 Alvarado Street, behind the library and to the right of the supermarket)*.

2. El apartamento está *(in front of the tall building at 1449 Velázquez Avenue, not far from downtown)*.

3. La residencia está *(at 927 Trujillo Street, to the left of the new supermarket)*.

4. La oficina está *(to the right, near the park)*.

5. El hospital está *(next to the office)*.

5.3 *Ir a + Infinitive* to Express Future Time

Describing future plans

In **Capítulo 1**, you learned that when a destination is mentioned, a form of the verb **ir + a** is always used. The combination **ir a** + *infinitive* is used to express future actions.

Voy a estudiar en la Universidad de San Marcos.	*I'm going to study at the University of San Marcos.*
Vamos a regresar en un mes.	*We will return in a month.*
¿Van a ir contigo?	*Will they go with you?*

¡A practicar!

A. Futuros profesionales. What professional plans for the future do these students have?

Modelo Iván: estudiar genética.
 Iván va a estudiar genética.

1. Matilde: trabajar en la Organización de los Estados Americanos
2. Cecilia y Alfredo: estudiar en Argentina
3. tú: trabajar en la compañía de tu papá
4. Rubén y tú: continuar los estudios
5. yo: ser profesor(a) de francés
6. nosotros: ser excelentes profesionales

B. Proyectos. Three friends are getting ready to leave for the university. They are discussing what they will do to have a successful first semester. What do they say?

Modelo Luis (estudiar) alemán, francés y español.
 Luis va a estudiar alemán, francés y español.

1. Yo (estudiar) cuatro horas cada día.
2. Anita y yo (hacer) la tarea juntos cada día.
3. Luis (trabajar) mucho para sacar buenas notas *(grades)*.
4. Ramón y Luis (vivir) en la residencia.
5. Anita (hacer) los ejercicios de español conmigo todos los días.
6. Ramón y yo (leer) las lecciones en la biblioteca los fines de semana.

5.4 *Ser* and *estar:* A Second Look

Describing people and things and telling time

A. **Ser** is used

■ with adjectives to describe physical traits, personality, and inherent characteristics.
   Tu habitación es grande.
   Mamá es muy particular.
   Los muebles viejos son más cómodos.

■ to identify people or things.
   Yo soy estudiante de química y éstos son mis libros de texto.

■ to express origin and nationality.
   Somos de Bariloche; somos argentinos.

■ to tell of what material things are made.
   ¡Los muebles son de plástico!

■ to tell time.
   ¡Ya son las nueve!

■ with impersonal expressions.
   ¿Es necesario vivir aquí?

B. **Estar** is used

■ with adjectives to describe temporal evaluation of states of being, behavior, and conditions.
   Hijo, estás imposible hoy. *(behavior)*
   El baño está sucio. *(condition)*

■ to indicate location.
   El apartamento está cerca del centro.

■ to form the progressive tense.
   Carlos está limpiando el apartamento.

¡A practicar!

A. ¡Pobre Eva!   Complete the following paragraph with the appropriate form of **ser** or **estar** to see why Eva is so miserable today.

Eva y Ramón _____ en la cafetería. _____ hablando de su vida en Albuquerque. Ellos _____ de Argentina pero ahora _____ en Nuevo México. Ellos _____ estudiantes en la universidad. Eva _____ inteligente y generalmente ella _____ muy simpática pero hoy _____ antipática. Eva _____ furiosa porque Ramón _____ muy ocupado y no puede salir con ella esta noche. Ramón tiene un examen importante mañana y él _____ muy nervioso. ¡Pobre Eva!

B. ¡Qué desastre!   Complete the following paragraph with the appropriate form of **ser** or **estar** to see why Mario is so nervous.

Mario _____ un estudiante de filosofía. Él _____ de Buenos Aires; _____ argentino. Hoy _____ muy nervioso porque sus padres vienen a visitarlo en media hora. Ahora _____ las diez de la mañana y Mario y sus compañeros de cuarto _____ muy ocupados. Todos _____ limpiando la casa porque _____ muy sucia. _____ difícil porque la casa _____ bastante grande. Ahora Mario _____ en la cocina y sus dos compañeros _____ limpiando los baños.

5.5   Comparisons of Inequality

Comparing and contrasting

A.   With the exception of four irregular forms, comparisons are made with **más** and **menos** in Spanish. **Más** is the comparative of superiority, and **menos** is the comparative of inferiority.

más / menos + (adjective / noun / adverb) + **que**

Mi hermana es **más alta que** yo.	*My sister is taller than I.*
Tú pagas **menos alquiler que** nosotros.	*You pay less rent than we do.*
Sí, pero tu apartamento está **más cerca** de todo.	*Yes, but your apartment is closer to everything.*

Note that **más** and **menos** always precede the adjective, noun, or adverb being compared.

B.   There are four adjectives with irregular comparatives.

mayor *older*	mejor *better*
menor *younger*	peor *worse*

¿Conoces a mi hermano **menor?**	*Do you know my younger brother?*
Este apartamento es **peor** que el otro.	*This apartment is worse than the other one.*
¿Quién es **mayor,** tú o yo?	*Who's older, you or I?*

¡A practicar!

A.   Los Estados Unidos.   Complete the following comparisons of cities and states in the United States.

1.   California es _____ grande _____ Texas.
2.   Chicago es _____ interesante _____ Nueva York.

3. Hay _____ tráfico en Los Ángeles _____ en Denver.

4. La población de Wyoming es _____ numerosa _____ la población de Illinois.

5. El número de méxicoamericanos en California es _____ grande _____ el número de méxicoamericanos en Delaware.

6. Hay _____ puertorriqueños en Nueva York _____ en la Florida.

B. Mi apartamento. Compara tu apartamento o habitación de ahora con la casa o apartamento de tus padres.

> **Modelo**   ¿Cuál es más pequeño?
>
> **Mi apartamento es más pequeño que la casa de mis padres.**

1. ¿Cuál es más grande?
2. ¿Cuál está menos desordenado?
3. ¿Cuál es más cómodo?
4. ¿Cuál es más moderno?
5. ¿Cuál es más limpio?

5.6   *Por* and *para:* A First Look

Expressing direction and means

The prepositions **por** and **para** have many English equivalents, including *for.* **Por** and **para** are *not* synonymous, however. Study the following English equivalents of **por** and **para.**

Por

■ *By, by means of*
> ¿Es preferible viajar **por** tren?
> Siempre se comunican **por** teléfono.

■ *Through, along, on*
> Tengo que pasar **por** el parque.
> ¿Sigo **por** la avenida Godoy?
> Voy **por** esta calle.

Para

■ *In order to*
> **Para** llegar allí, ¿necesito tomar el bus?
> Voy a tomar café **para** no dormirme.

■ *For,* as in *compared with* or *in relation to others*
> **Para** mí, es mejor ir caminando.
> **Para** ellos no es bueno.

¡A practicar!

A. ¡Viajes! Fernando has family spread all over the country. How does he keep in touch with everyone? To find out, complete his ideas with **por** or **para.**

1. _____ ir a visitar a mis primos, _____ mí, es mejor ir _____ tren.

2. Tengo primas que viven cerca de la universidad. _____ ir a su casa el camino es más corto si paso _____ el parque.

3. Tengo que comunicarme _____ teléfono con mis padres. Ellos viven muy lejos.

4. Cuando mis padres me visitan, _____ ellos es más fácil viajar _____ avión *(airplane)*.

5. _____ mis tíos el viaje es más fácil. Ellos sólo necesitan tomar el autobús _____ llegar a mi apartamento.

B. Paso por ahí. ¿Cómo va Guadalupe a la universidad? Para saberlo, completa el párrafo con **por** o **para.**

_____ llegar a la universidad tomo el autobús que pasa _____ la avenida San Pedro. Siempre viajo _____ autobús porque es más barato que manejar *(driving)*. Después de bajar del autobús tengo que pasar _____ el parque. Tomo la calle Sucre y continúo _____ la calle San Simón.

CAPÍTULO 6

Cultural Topics

- **¿Sabías que…?**
  El paseo
- **Noticiero cultural**
  Lugar: *Colombia: la esmeralda de Sudamérica*
  Gente: *Gabriel García Márquez*
- **Lectura:** *Consultorio sentimental de la doctora Dolores del Corazón*

Writing Strategies

- *Dar consejos*

Reading Strategies

- *Pistas de contexto*

En preparación

¡Te invito a cenar!

In this chapter, you will learn how to . . .

- ask for a date.
- accept or refuse a date.
- express preferences.
- express emotions.

Dos jóvenes de Bogotá, Colombia

Dos enamorados en crisis

Dos enamorados
en el paraíso

Lo que ya sabes...

1. ¿Cómo están relacionados los dos jóvenes de Bogotá? ¿Son hermanos? ¿primos? ¿otra cosa? Explica tu respuesta.

2. ¿Qué emociones se comunican los dos jóvenes de Bogotá? ¿Cómo se comunican si no están hablando?

3. ¿Qué opinas de las personas en las otras dos fotos? ¿Crees que sólo son amigos? ¿Por qué?

4. ¿Qué opinas de personas que muestran sus emociones abiertamente en la calle? ¿Cuáles de las emociones que ves en estas fotos son más aceptable mostrar públicamente? ¿Por qué?

COLOMBIA

PASO 1

¿A qué hora te paso a buscar?

¿Eres buen observador?

Ahora, ¡a analizar!

1. ¿Dónde y cuándo puedes conseguir estas dos películas?
2. ¿Qué tienen en común estas dos películas?
3. ¿Por qué cree la protagonista de *Nadie me quiere* que nadie la quiere? ¿Qué edad tiene? ¿Es casada? ¿Busca esposo?
4. ¿Crees tú que «Cuando pasas los 30, es más fácil que te caiga encima una bomba que un hombre»? ¿Por qué?
5. ¿Entre quiénes es la amistad en *Nanuk el esquimal*? ¿en *Nadie me quiere*?

LAS DOS PELICULAS QUE MEJOR DESCRIBEN EL VERDADERO VALOR DE LA AMISTAD...

nadie me quiere

Cuando pasas de los 30, es más fácil que te caiga encima una bomba que un hombre

Hola, soy Fanny Fink, 29 años, soltera, de aspecto agradable... y busco un hombre. ref.02
Soy, Melis   42 años

DE LA REALIZADORA DE "HOMBRES, HOMBRES"

Mis aventuras con **Nanuk** el esquimal

Una historia de aventura y amistad entre dos hombres, en uno de los entornos naturales más bellos del planeta.

disponibles en vídeo a partir de julio

Cine MUSSY

¿Qué se dice...?

Al pedir una cita

Horacio quiere _____ .

Judas quiere _____ .

En mi opinión, Angélica va a _____ .

JUDAS	Oye, guapa. Me vas a acompañar al baile el sábado, ¿verdad? Mira, aquí traigo dos boletos de entrada. ¿Qué me dices? ¿Vas conmigo?
ANGÉLICA	Muchas gracias, pero no puedo. Tengo otros planes. Además, este sábado salgo de la ciudad.
JUDAS	No importa, preciosa. En ese caso puedes acompañarme al cine el viernes. ¿Qué te parece?
ANGÉLICA	No, gracias.

HORACIO	Hola, Angélica. ¿Puedo ayudarte con los libros?
ANGÉLICA	Gracias, Horacio.
HORACIO	Angélica, si estás libre el viernes me gustaría invitarte al teatro. Y después, tal vez podamos ir a cenar.
ANGÉLICA	¡Cómo no! Me encantaría acompañarte. ¿A qué hora me pasas a buscar?
HORACIO	Después te digo. Necesito revisar mi horario. ¿Te puedo llamar esta noche?
ANGÉLICA	Claro que sí. Puedes llamarme después de las 9:00. Te espero entonces.

Ahora, ¡a hablar!

A. ¿Y tú? Pregúntale a tu compañero(a) si hace lo siguiente cuando sale en una cita.

Modelo

TÚ **¿Compras flores para la otra persona?**

COMPAÑERO(A) **Sí, las compro. o No, no las compro.**

1. ¿Alquilas películas?
2. ¿Miras la televisión?
3. ¿Escuchas música romántica?

4. ¿Compras boletos para el cine?
5. ¿Invitas a amigos?
6. ¿Preparas una cena especial?

B. ¡Te invito! Alguien te invita para una primera cita. No sabe dónde llevarte ni qué hacer. ¿Qué le recomiendas tú?

Modelo

AMIGO(A) **¿Deseas ver la nueva película?**

TÚ **Bien, vamos a verla. o No, no la quiero ver.**

1. ¿Quieres ver la nueva obra de teatro?
2. ¿Deseas escuchar música clásica?

3. ¿Quieres visitar la exposición de arte?

4. ¿Deseas ver la exhibición de fotos?

5. ¿Me acompañas al cine?

6. ¿Te llamo por la mañana?

C. Buenos modales.   Horacio es un chico muy educado que sabe impresionar a todos. ¿Haces tú como él? ¿Qué haces para impresionar a otras personas?

> **Modelo**   Horacio hace muchas cosas para su novia.
>
> > **Yo también hago muchas cosas para mi novia(o).** o
> >
> > **Yo no hago nada para mi novia(o).**

1. Horacio siempre trae bebidas a las fiestas.

2. Él siempre dice la verdad.

3. Él hace todo con sus amigos.

4. Él no pone los pies (*feet*) en la mesita.

5. Horacio nunca viene tarde a cenar.

6. Horacio nunca sale demasiado tarde de la casa de su novia.

D. ¡Qué afán!   Esta noche el jefe de tu padre viene a cenar a tu casa. ¿Qué hacen todos para impresionarlo?

> **Modelo**   mamá / hacer / cena especial
>
> > **Mamá hace una cena especial.**

1. mamá / poner / flores / la mesa

2. papá / traer / vino especial

3. yo / hacer / pastel de chocolate

4. mis hermanos / poner / la mesa

5. mi hermana y yo / decir / que vamos a lavar / platos

6. yo / hacer / café

Y ahora, ¡a conversar!

A. ¡Paso a paso!   Trabajando en parejas, supongan que no se conocen (*don't know each other*) y están hablando por primera vez. Conversen un poco para llegar a conocerse.

Pregúntense...

1. cuáles son sus deportes favoritos. ¿Con qué frecuencia los practican?

2. cómo pasan el tiempo libre. ¿Qué hacen?

3. si miran la tele con frecuencia. ¿Cuáles son sus programas favoritos? ¿Con qué frecuencia los miran?

4. quiénes son sus profesores favoritos. ¿Los ven los fines de semana?

5. si visitan a sus padres con frecuencia. ¿Los visitan cada fin de semana? ¿una vez al mes?

6. si conocen a... (*nombre de un amigo*). ¿Lo conocen muy bien?

B. Citas. ¿Qué hacen tus compañeros de clase cuando salen a una cita? Para saberlo, entrevístalos usando este cuadro. Encuentra a compañeros que puedan contestar afirmativamente a cada pregunta y pídeles que firmen en el cuadrado apropiado. No olvides que una persona no debe firmar más de un cuadrado.

Antes de salir	Durante la cita	Después de la cita
no espera, invita a la otra persona	lo paga todo	invita a su amiga(o) a tomar un café en casa
Firma	_Firma_	_Firma_
siempre acepta invitaciones para salir	controla la conversación	inmediatamente planea otra cita
Firma	_Firma_	_Firma_
prefiere salir en grupo	siempre lleva su auto	siempre promete llamar a su amiga(o) por teléfono
Firma	_Firma_	_Firma_
decide qué actividades hacer	bebe bebidas alcohólicas	siempre se despide con un beso
Firma	_Firma_	_Firma_

C. Y tú, ¿qué dices? ¿Quiénes son los estudiantes más corteses (*polite*) de la clase? Para saberlo, haz dos listas: una de lo que dices para impresionar a tus novios(as) y una de lo que dices para impresionar a la familia de tu novio(a).

D. ¿Cuáles son las diferencias? Tú debes usar este dibujo y tu compañero(a) el dibujo en el Apéndice A. Ambos son similares, pero no son idénticos. Describan sus dibujos para descubrir las diferencias. No mires el dibujo de tu compañero(a) hasta descubrir todas las diferencias.

¡Luz! ¡Cámara! ¡Acción!

A. En una discoteca.   Estás en una discoteca con unos amigos cuando ves a una persona que quieres conocer.

- Preséntate.

- Pregúntale si es estudiante y habla un poco de tus clases.

- Invítalo(la) a salir este fin de semana.

- Si te dice que no puede, sugiere otra alternativa.

B. ¿Qué les digo?   Tú, tu novio(a) y dos amigos están imaginando la primera visita de tu novio(a) a casa de tus padres. Dramatiza esta situación con tres compañeros. Díganle a tu novio(a) qué puede hacer para impresionar a tus padres. También hablen de temas de conversación apropiados y no apropiados para tu novio(a) y tus padres.

¿Comprendes lo que se dice?

Estrategias para escuchar.   *In previous chapters you learned to listen for stress variations in English and Spanish cognates. Listening to intonation, that is, the rise and fall of a speaker's voice, can be very helpful when distinguishing between questions and statements in Spanish. Questions in Spanish usually have one of the following two intonation patterns.*

1. In questions requiring yes/no answers, the voice rises on the last word of the question.

    ¿Te gustaría ir conmigo?   **¿Viven cerca de aquí?**

2. In questions requesting information, the speaker's voice usually drops on the last word of the question.

    ¿Qué vas a hacer el sábado?   **¿A qué hora vienes por mí?**

Being aware of these intonation patterns for questions will help you better understand a conversation.

Escucha la conversación entre Manolo, un joven muy tímido, y Carmen, una chica muy atractiva. (*As you listen the first time, indicate how many yes/no questions you hear and how many information questions are asked.*)

_____ **Sí / No**   _____ **Que piden información**

¿Está disponible?   Vuelve a escuchar la conversación de Manolo y Carmen e indica con un círculo las palabras que mejor completen cada frase.

El sábado por la noche

1. Carmen piensa...	estudiar.	mirar la tele.	visitar a una amiga.
2. Manolo piensa...	estudiar.	mirar la tele.	ir al cine.
3. Manolo...	la invita.	la acepta.	no la acepta.
4. Carmen...	lo invita.	lo acepta.	no lo acepta.
5. Manolo va por Carmen...	a las 6:00.	a las 7:00.	a las 7:10.

NOTICIERO
CULTURAL

Colombia

LUGAR... COLOMBIA

Antes de empezar, dime...

Contesta estas preguntas para reflexionar un poco sobre algunas de las características más sobresalientes *(outstanding)* de tu país.

1. ¿A cuántos océanos tiene salida los EE.UU.? ¿Cuáles son?
2. ¿Cuántas cordilleras de montañas que cruzan los EE.UU. puedes nombrar?
3. En tú opinión, ¿cuáles son los productos más importantes de los EE.UU.? ¿Por qué? Explica tu respuesta.
4. ¿Cuáles son algunas de las atracciones más grandes de la capital de los EE.UU.?
5. ¿Por qué crees que tantos turistas visitan los EE.UU. cada año? ¿Qué los atrae?

Un collar con una esmeralda colombiana en el centro

Colombia: la esmeralda de Sudamérica

Colombia es el único país del continente que tiene salida al Pacífico y al Atlántico (Caribe). Además, tres cordilleras montañosas de los Andes cruzan el país de norte a sur. Desafortunadamente este país ha sufrido la violencia producida por el narcotráfico, problema conocido internacionalmente, pero Colombia es mucho, mucho más que eso.

Gracias a un clima generalmente tropical los principales productos del país son su sabrosísimo café, una gran variedad de flores —entre ellas, hermosas orquídeas—, bananas y caña de azúcar. De fama mundial son también las esmeraldas que se producen en el país —de allí el nombre de «Colombia, la esmeralda de Sudamérica».

La capital, Bogotá, tiene todo lo que se espera de una ciudad moderna: rascacielos, hoteles lujosos, oficinas elegantísimas, tiendas fascinantes, excelentes restaurantes y una gran diversidad de actividades culturales. Allí puedes visitar, entre otras maravillas, la Catedral de Sal y el famoso Museo de Oro, que es un verdadero tesoro de colecciones de oro prehispánico.

En tu próxima visita a Sudamérica... ¡Colombia te espera!

Artefacto precolombino en el Museo de Oro, Bogotá

Y ahora, dime...

Contesta estas preguntas con un(a) compañero(a) de clase.

1. Explica el título de esta lectura.
2. Prepara un esquema como el siguiente y complétalo con información de la lectura.

COLOMBIA

Geografía	Economía	Capital
1.	1.	1.
2.	2.	2.
3.	3.	3.

El español en otras disciplinas: Literatura y cine

Literatura y cine. Los libros y el cine son medios de comunicación importantísimos en el mundo ahora. A continuación vas a encontrar los títulos de obras escritas por autores latinoamericanos que han inspirado una versión cinematográfica. En grupos de tres, identifiquen al autor de cada obra y, si pueden, digan de qué país es cada autor. También preparen un resumen oral de las películas que conocen.

___ 1. Laura Esquivel

___ 2. Carlos Fuentes

___ 3. Gabriel García Márquez

___ 4. Isabel Allende

___ 5. Manual Puig

a. *Gringo viejo*

b. *La casa de los espíritus*

c. *El beso de la mujer araña*

d. *Como agua para chocolate*

e. *Cien años de soledad*

Proyecto: Busca más información sobre uno de estos escritores y escribe un breve resumen sobre el (la) autor(a) y su obra.

¿Qué quieres hacer, mi amor?

TAREA

Antes de empezar este **Paso**, estudia **En preparación** 6.3 y haz por escrito los ejercicios de **¡A practicar!** También escucha el **Paso 2 ¿Qué se dice...?** del Capítulo 6 en el CD del estudiante.

¿Eres buen observador?

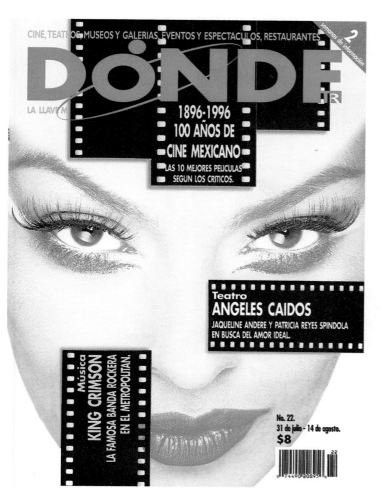

CINE, TEATRO, MUSEOS Y GALERIAS, EVENTOS Y ESPECTACULOS, RESTAURANTES

DÓNDE IR

2 semanas de información

LA LLAVE M

1896-1996
100 AÑOS DE
CINE MEXICANO

LAS 10 MEJORES PELICULAS
SEGUN LOS CRITICOS.

Teatro
ANGELES CAIDOS
JAQUELINE ANDERE Y PATRICIA REYES SPINDOLA
EN BUSCA DEL AMOR IDEAL.

Música
KING CRIMSON
LA FAMOSA BANDA ROCKERA
EN EL METROPOLITAN.

No. 22.
31 de julio - 14 de agosto.
$8

1. Ésta es la portada de una revista. ¿Qué tipo de revista es *Dónde*? ¿Qué tipo de información hay en *Dónde*?

2. ¿Con qué frecuencia se publica *Dónde*? ¿Cómo lo sabes?

3. ¿Cuáles son los tres artículos principales de esta edición? ¿A qué pasatiempos están relacionados estos artículos?

4. ¿Incluye esta revista información de varios países o sólo de uno? Explica.

5. ¿Es *Dónde* una revista que tú podrías (*you could*) usar? ¿Cuándo? ¿Dónde?

Al decidir qué hacer en una cita

Horacio recomienda _____ o _____ .

Angélica sugiere _____ .

HORACIO	Aquí viene el mesero. ¿Deseas tomar algo, vida mía?
ANGÉLICA	¿Sirven buen helado aquí?
HORACIO	Sí, cómo no, es muy bueno.
ANGÉLICA	Entonces quiero un helado de chocolate y es todo.
HORACIO	¿No pides un café?
ANGÉLICA	Sí, claro. ¿Y tú? ¿Qué vas a pedir?
HORACIO	Un coñac, nada más.

Ahora, ¡a hablar!

A. ¿Qué preferimos? Unos amigos están tratando de decidir qué van a hacer esta tarde. ¿Qué dice cada uno que prefiere hacer?

Modelo Fernando: ir al cine
Fernando dice que prefiere ir al cine.

1. Víctor Mario y yo: ir a un café
2. yo: cenar en un restaurante
3. Elvira: ir a bailar
4. Angélica: ver una obra de teatro
5. Ana María: escuchar discos
6. Fernando y Alicia: jugar béisbol

B. ¡Aquí sirven bebidas riquísimas! Tú y unos amigos celebran tu cumpleaños en tu restaurante favorito. ¿Qué hacen todos?

Modelo **Gerardo pide las bebidas.**

Vocabulario útil

pedir	servir	traer	preferir
traer	decir	conseguir	¿... ?

1. Jesús
2. Antonio y Alicia
3. el mesero
4. tú y yo
5. yo

C. Somos diferentes. Eduardo y Margarita salen juntos frecuentemente. Cuando tú sales con alguien, ¿haces lo mismo que él (ella) o haces algo diferente?

Modelo Eduardo y Margarita prefieren ir a un restaurante.
Nosotros preferimos ir a un café. o
Nosotros también preferimos ir a un restaurante.

1. Ellos siempre salen los sábados por la noche.
2. Ellos siempre dicen «Buenas tardes, señores».
3. Ellos consiguen boletos para el teatro y el ballet.
4. Ellos piden cerveza en un restaurante.
5. Ellos siguen una rutina.
6. Ellos nunca repiten la misma actividad.

Y ahora, ¡a conversar!

A. Entrevístense. Entrevista a un(a) compañero(a) y luego que él (ella) te entreviste a ti.

1. ¿Con qué frecuencia tienes citas?
2. ¿A qué hora sales para una cita generalmente?
3. ¿Qué días prefieres salir usualmente?

4. ¿Prefieres salir con la misma persona o con diferentes personas?

5. ¿Qué prefieres hacer cuando sales para una cita? Nombra tres actividades favoritas.

6. Por lo general, ¿quién paga?

7. ¿A qué hora crees que debe terminar una cita?

B. ¿Eres buen(a) amigo(a)? ¿Cómo actúas con tus amigos? ¿Eres egoísta? ¿generoso(a)? ¿demasiado bueno(a)? Toma este examen primero. Luego tu profesor(a) te va a decir cómo sumar (*add up*) los puntos para que puedas determinar qué tipo de amigo(a) eres.

1. Cuando un(a) amigo(a) tiene problemas con su tarea, tú...
   a. le das (*give him or her*) las soluciones.
   b. le explicas cómo llegar a la solución.
   c. no le dices nada. Es su problema, no tu problema.

2. Cuando dos de tus amigos se pelean (*fight*), tú...
   a. tratas de separarlos.
   b. ayudas al más débil (*weak*).
   c. no haces nada.

3. Cuando alguien te acusa de algo que tú no hiciste (*did*) pero que uno de tus amigos hizo (*did*), tú...
   a. aceptas la acusación sin decir nada.
   b. hablas con la persona responsable y le dices que tiene que decir la verdad.
   c. dices que no eres la persona responsable y nombras a tu amigo(a).

4. Cuando un(a) amigo(a) te dice un secreto, tú...
   a. no repites el secreto.
   b. repites el secreto solamente a tu mejor amigo(a).
   c. repites el secreto a tus compañeros.

5. Cuando tu amigo(a) quiere comprar un libro pero no tiene bastante dinero, tú...
   a. le das el dinero que necesita.
   b. le prestas (*lend*) el dinero.
   c. no le das ni le prestas nada.

6. Cuando un(a) amigo(a) te dice sus problemas, tú...
   a. haces todo lo posible para ayudarle.
   b. lo escuchas y lo consuelas.
   c. le hablas de tus problemas.

10 ó más puntos	Tú eres un(a) amigo(a) excelente. Siempre ayudas a tus amigos. **¡Ojo!** Alguien puede abusar de tu gentileza.
5–9 puntos	Usualmente tú piensas primero en ti, después en los otros, pero ayudas a tus amigos a veces.
0–4 puntos	Tú das la impresión que los amigos no son importantes. **¡Ojo!** Tú puedes perder a tus amigos.

C. ¡No es fácil decidir! Tú y tres amigos deciden que pueden divertirse más si juntan *(gather)* todo su dinero. Ahora tienen que decidir qué van a hacer el sábado por la noche. Tienen sólo un total de $35,00 para gastar.

D. Sílabas. Combina las sílabas en la primera columna con las de la segunda columna para formar palabras relacionadas con pasatiempos apropiados para citas.

Modelo   r e s t a u - r a n t e

ca-	ran-te
te-a-	si-ca
dis-co-	cier-to
res-tau-	ne
de-	tro
mú-	te-ca
ci-	fé
con-	por-tes

¡Luz! ¡Cámara! ¡Acción!

A. La primera cita. Con un(a) compañero(a) de clase, dramatiza tu primera cita. Decidan quién invita a quién, cuándo van a salir, adónde van a ir, qué van a hacer, cómo van a viajar, quién va a buscar a quién, cuánto dinero van a necesitar y a qué hora piensan regresar.

B. ¡Esta noche! Tienes una cita esta noche con una persona muy especial. Ahora estás hablando con tus dos compañeros(as) de cuarto. Ellos(as) quieren saber con quién vas a salir y qué planes tienes. Contesta sus preguntas con muchos detalles.

¿Comprendes lo que se dice?

Estrategias para ver y escuchar. *In the previous* **Paso** *you learned that by listening to intonation you can easily distinguish between statements and questions in Spanish. You also learned that questions in Spanish usually have different intonation patterns depending on whether they are yes/no questions or information questions. As you view this commercial for* **Casa de Novias Elizabet,** *you will find that all of the questions asked are of the same type. What type are they? What intonation pattern do they use?*

¡Una boda poco tradicional! Esta boda es poco tradicional. No incluye ciertas prácticas que siempre se incluyen e incluye otras no muy comunes. Vuelve a ver el video y con un(a) compañero(a), preparen dos listas de lo tradicional y lo no tradicional en esta boda.

UNA BODA POCO TRADICIONAL

Tradicional	No tradicional
1.	1.
2.	2.
3.	3.
- - -	- - -

NOTICIERO CULTURAL

GENTE... GABRIEL GARCÍA MÁRQUEZ

Antes de empezar, dime...

Contesta estas preguntas sobre tus gustos literarios.

1. ¿Qué tipo de literatura te gusta leer?
2. ¿Quién es tu autor(a) favorito(a)? ¿Sabes cuándo y dónde nació?
3. ¿Cuál es la obra principal de tu autor(a) favorito(a)? ¿De dónde crees que viene la idea original de tu obra favorita? ¿de una experiencia personal? ¿de un viaje que hace? ¿de su imaginación?
4. ¿Ha recibido algunos premios tu autor(a) favorito(a)? ¿Cuáles?

Gabriel García Márquez

Nació en Colombia en el año 1928. Estudió leyes en Bogotá y Cartagena. Trabajó como periodista para diferentes periódicos de Colombia, Cuba y otros países latinos. En 1961 se fue a vivir a México donde, según dijo él mismo, en un viaje que hizo con su familia a

Acapulco, tuvo la idea para una de sus novelas más famosas: *Cien años de soledad*. Publicó esta novela en el año 1967, dos años después de su viaje a Acapulco. *Cien años de soledad*, según dicen la mayoría de los críticos, se considera la novela más importante de Hispanoamérica por su temática y técnica creativa.

García Márquez recibió el Premio Nóbel de Literatura en el año 1982. Entre sus obras más conocidas podemos nombrar: *El otoño del patriarca, Crónica de una muerte anunciada, El amor en los tiempos del cólera, La increíble y triste historia de la cándida Eréndira y de su abuela desalmada* (cuentos).

Y ahora, dime...

Siempre es interesante saber algo de la vida de los grandes escritores del mundo. Usa estos cuadros para resumir los datos (*facts*) más importantes en la vida de Gabriel García Márquez.

DATOS MÁS IMPORTANTES

Datos personales	Datos profesionales
1.	1.
2.	2.
3.	3.
- - -	- - -

¿Te gusta escribir?

Antes de escribir
Estrategias para escribir: Dar consejos

Cartas de consejo. Cuando escribimos cartas de consejo *(advice)*, hay que usar ciertas estructuras. La más sencilla es usar ciertos verbos que ya conoces con el infinitivo.

necesitar + *infinitivo*	**Necesitas ser** más activa.
deber *(should)* + *infinitivo*	**Debes hablar** con tu novia.
tener que + *infinitivo*	**Tienes que decidir** qué quieres.

Otra forma de dar consejos es usar mandatos *(commands)* directos. Se pueden dar mandatos directos familiares (**tú**) simplemente usando el presente indicativo de la forma **Ud. / él / ella** de la mayoría de los verbos.

Practica un deporte como el fútbol.	*Practice a sport, like football.*
Habla con tu novia.	*Talk to your girlfriend.*
Decide qué quieres hacer.	*Decide what you want to do.*

Ahora piensa en un(a) amigo(a) que está teniendo problemas de amor y prepara una lista de sus problemas. Incluye lo que dice tu amigo(a) y lo que dice su novia(o). Si no tienes un amigo con problemas, invéntalo.

Ahora, ¡a escribir!

A. Ahora, a organizar. Prepárate para escribirle una carta a tu amigo(a) con problemas amorosos. Empieza por crear un grupo de ideas para aconsejar *(advise)*. Escribe todas tus ideas en las dos formas de dar consejos: ciertos verbos más el infinitivo y mandatos familiares (tercera persona singular del presente indicativo). Organiza tus ideas en grupos que puedan elaborarse en párrafos.

B. El primer borrador. Ahora prepara un primer borrador de tu carta de consejo. Incluye la información de la lista de ideas que preparaste en la sección previa.

C. Ahora a compartir. Comparte tu primer borrador con dos o tres compañeros. Comenta sobre el contenido y el estilo de las cartas de consejo de tus compañeros y escucha los comentarios de ellos sobre tu carta. ¿Comunican bien los consejos? ¿Hay bastantes consejos o necesitan más? ¿Es lógica la organización de la carta?

D. El segundo borrador. Haz los cambios necesarios basándote en los comentarios de tus compañeros de clase. Luego prepara un segundo borrador.

E. A compartir, una vez más. Comparte tu segundo borrador con dos o tres compañeros. Esta vez comenta sobre los errores de estructura, ortografía o puntuación. Concéntrate específicamente en cómo da los consejos. ¿Usa los mandatos correctamente? ¿Da consejos usando **necesitar, deber** y **tener que** correctamente? Indica todos los errores de las cartas de tus compañeros y luego decide si necesitas hacer cambios en tu carta en base a los errores que ellos te indiquen a ti.

F. La versión final. Prepara la versión final de tu carta de consejo y entrégala. Escribe la versión final a máquina o en la computadora siguiendo el formato recomendado.

G. Ahora, a publicar. En grupos de cuatro o cinco, lean sus cartas y decidan cuál da los mejores consejos. Léanle esa carta a la clase.

PASO 3

¡Estoy loco por ti!

 TAREA — Antes de empezar este **Paso**, estudia **En preparación** 6.4 y 6.5 y haz por escrito los ejercicios de **¡A practicar!** También escucha el **Paso 3** ¿Qué se **dice... ?** del Capítulo 6 en el CD del estudiante.

¿Eres buen observador?

Ahora, ¡a analizar!

1. Ésta es la portada de una revista. ¿Qué tipo de revista es? Explica.

2. ¿Quién crees que es Lety Calderón? ¿Por qué hay tanto interés en su boda?

3. Explica el escándalo de Roberto Cantoral. ¿Quién crees que es él?

4. ¿Conoces al boxeador Julio César Chávez? Es un boxeador de los EE.UU. ¿Por qué crees que hay tanto interés en ver su casa—hasta su recámara? ¿De qué te imaginas consiste su colección de autos?

5. ¿Podrías usar esta revista para seleccionar programas de televisión en tu ciudad? Explica tu respuesta.

🎧 **¿Qué se dice...?**

Al expresar emociones

<hr />
<hr />

ANGÉLICA	¿Conoces a mi amiga Margarita?
HORACIO	La conozco muy bien y la admiro aún más. Es hermosísima.
ANGÉLICA	¡A veces te odio, Horacio!
HORACIO	Querida, digo que la conozco y la admiro; no digo que la amo. ¡Tú sabes cuánto te amo a ti!

HORACIO	¿Quién es ese muchacho que está contigo en la foto?
ANGÉLICA	¿Cuál? Ah, ése. Es Judas Maleza, tu amigo.
HORACIO	Ah, ¿sí? ¡Es obvio que no es buen amigo!
ANGÉLICA	Ay, Horacio. Tú sabes que te amo.
HORACIO	Sí, sí. Y yo te adoro.

¿Sabías que... ?

Ya sabes que hay muchos «cognados» en español y que el reconocerlos aumenta mucho tu vocabulario. Pero **¡ojo!**, porque también hay «cognados falsos» que como los amigos falsos te pueden crear problemas serios. Un «cognado falso» es una palabra que se escribe casi idénticamente en dos lenguas pero que tiene un significado totalmente diferente en las dos lenguas. Algunos «cognados falsos» en inglés y español son:

«COGNADOS FALSOS»

español	inglés	inglés	español
molestar	*to bother*	*molest*	violar
embarazada	*pregnant*	*embarrassed*	avergonzado(a)
parientes	*relatives*	*parents*	padres
colegio	*school*	*college*	universidad
lectura	*reading*	*lecture*	conferencia
nota	*grade*	*notes*	apuntes

Ahora, ¡a hablar!

A. Sentimientos.   ¿Qué sentimientos sientes tú hacia estas personas y cosas?

Modelo   mamá

Yo la admiro, la respeto y la amo mucho.

Vocabulario útil

amar	respetar	admirar	odiar
detestar	fascinar	querer	adorar

1. mejor amigo(a)
2. compañeros(as) de cuarto
3. novio(a)
4. universidad
5. tarea
6. políticos
7. policías
8. profesores

B. Somos muy unidos.   La unidad familiar es muy fuerte en la familia de Mari Carmen. ¿Qué dice ella de su familia?

Modelo   yo / saber que mamá / querer muchísimo (a mí)

Yo sé que mamá me quiere muchísimo.

1. papá / saber que mamá / adorar (a él)
2. mis abuelos / saber que papá / respetar mucho (a ellos)
3. mis hermanos / decir que mis abuelos / adorar (a ellos)
4. nosotros / saber que mi tío / querer mucho (a nosotros)
5. yo / saber que mis hermanos / respetar (a mí)
6. mamá / saber que papá / adorar (a ella)

C.   Amar, querer, respetar, odiar...   Di algo sobre las relaciones entre las siguientes personas o animales.

Modelo   tus amigas: tu novio

Mis amigas lo admiran y lo respetan.

1. tú: los animales domésticos
2. los gatos: los perros
3. los republicanos: los demócratas
4. los estudiantes: los profesores
5. tu hermano(a): tú
6. tu profesor(a) de español: tú y tus compañeros de clase

Y ahora, ¡a conversar!

A.   Datos personales.   Entrevista a un(a) compañero(a) para obtener algunos datos personales.

1. ¿Es fácil o difícil para ti expresar tus sentimientos? ¿Por qué?
2. ¿Quién es la persona que más admiras? ¿que más amas? ¿Por qué?
3. ¿Odias a alguna persona? ¿Por qué?
4. ¿Te odia alguien a ti? ¿Por qué?
5. ¿Eres una persona básicamente sociable o no? ¿Por qué?
6. ¿Cuáles son los ingredientes necesarios para tener una relación ideal?

B.   Compañeros(as) de cuarto.   Tú y tu compañero(a) de cuarto están hablando de sus novias(os). Tu compañero(a) dice que tiene un problema: no sabe si su novia(o) lo (la) ama. ¿Qué preguntas puedes hacerle para ayudarle a solucionar su problema?

Modelo   **¿Te invita a su apartamento?**

¿Acepta tus invitaciones?

C. **¿Tienes una buena personalidad?** Para saberlo, contesta a estas preguntas y sigue el orden de las flechas → hasta llegar al final.

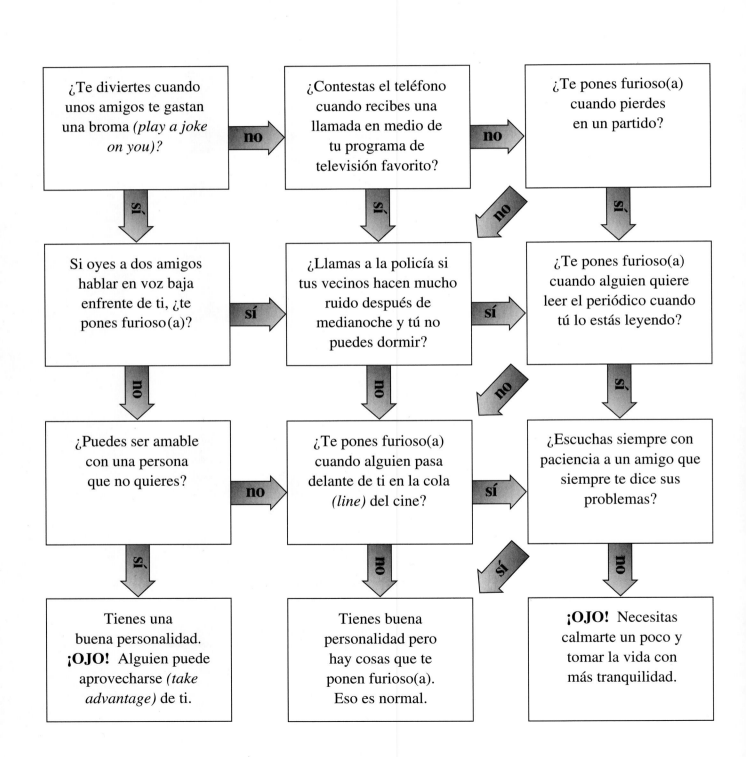

¿Te diviertes cuando unos amigos te gastan una broma *(play a joke on you)?*

no →

¿Contestas el teléfono cuando recibes una llamada en medio de tu programa de televisión favorito?

no →

¿Te pones furioso(a) cuando pierdes en un partido?

sí ↓

Si oyes a dos amigos hablar en voz baja enfrente de ti, ¿te pones furioso(a)?

sí ↓

¿Llamas a la policía si tus vecinos hacen mucho ruido después de medianoche y tú no puedes dormir?

sí ↓

¿Te pones furioso(a) cuando alguien quiere leer el periódico cuando tú lo estás leyendo?

no ↘

no ↓

¿Puedes ser amable con una persona que no quieres?

sí →

¿Te pones furioso(a) cuando alguien pasa delante de ti en la cola *(line)* del cine?

no ↓

¿Escuchas siempre con paciencia a un amigo que siempre te dice sus problemas?

sí →

sí ↓

no ↘

sí ↓

no ↓

Tienes una buena personalidad. **¡OJO!** Alguien puede aprovecharse *(take advantage)* de ti.

Tienes buena personalidad pero hay cosas que te ponen furioso(a). Eso es normal.

¡OJO! Necesitas calmarte un poco y tomar la vida con más tranquilidad.

¡Luz! ¡Cámara! ¡Acción!

A. ¡Ay, amor! Tú estás completamente enamorado(a) de tu novia(o) pero no sabes si ella (él) todavía te ama a ti. Acabas de saber que sale con otra persona. Decides pedir consejos a tu mejor amigo(a). Dramatiza esta situación con un(a) compañero(a).

B. Telenovela. En grupos de tres o cuatro, dramaticen una escena de su telenovela favorita. Puede ser un triángulo amoroso o dos parejas que tienen una relación que vacila entre el amor y el odio.

¿Te gusta leer?

Antes de leer
Estrategias para leer: Pistas de contexto

A. Pistas de contexto. *A good reader uses a variety of problem-solving techniques. Using context clues when you do not know the meaning of a specific word is one such strategy. The context referred to here is the sentence in which the unknown word occurs. Although there is no easy formula to help you always guess the correct meaning of unknown words, the following suggestions can be very helpful:*

1. *Use the meaning of the rest of the sentence to reduce the number of meanings the unknown word may have.*
2. *Be satisfied with getting at the general meaning of unfamiliar words. More often than not, the exact meaning is not necessary in order to get the gist of what you are reading.*
3. *Look for help in punctuation and grammar. Knowing the relationship between various parts of a sentence can help you understand the sentence.*
4. *Don't feel you have to know the meaning of every unfamiliar word. Learn to recognize key words needed to understand the sentence, and don't worry about other unfamiliar words.*

B. Prepárate para leer. Busca las palabras de la columna **A** en la lectura y estudia el contexto de las oraciones donde las encuentres. Luego selecciona según el contexto, la palabra o palabras de la columna **B** que mejor completen las oraciones. No olvides que la gramática y la puntuación también ayudan a entender el contexto de la oración.

A		**B**
1. se queja	a.	es muy pequeña para mí
2. me deja solo	b.	darme
3. prestarme	c.	enamorar
4. vacío	d.	me abandona
5. no me queda	e.	objeta
6. conquistar	f.	sin nada

Lectura
Consultorio sentimental de la doctora Dolores del Corazón

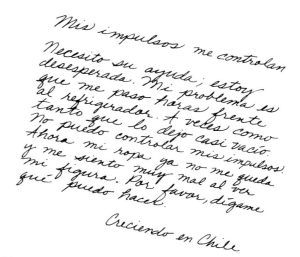

La tengo prisionera

Cuando vamos a fiestas, mi novia se queja de que la tengo prisionera. Tan pronto como llegamos, ella corre a conversar con sus amigas y me deja solo, plantado en la puerta. Yo no la quiero tener prisionera pero creo que debe prestarme más atención. La amo mucho pero ya no tolero esta situación. ¿Qué hago?

Plantado en México

Entre dos hermanas

Estoy bastante confundido. Mi novia es dulce, simpática, tranquila y, si voy a ser honesto, un poco aburrida. Yo siempre sé todo lo que está pensando o lo que va a hacer y decir. Ella tiene una hermana que es todo lo opuesto: es agresiva, interesante, impredecible. Yo la encuentro fascinante. Pero ahora no sé qué hacer. ¿Debo abandonar a mi novia y tratar de conquistar a su hermana?

Confundido en Perú

Mis impulsos me controlan

Necesito su ayuda; estoy desesperada. Mi problema es que me paso horas frente al refrigerador. A veces como tanto que lo dejo casi vacío. No puedo controlar mis impulsos. Ahora mi ropa ya no me queda y me siento muy mal al ver mi figura. Por favor, dígame qué puedo hacer.

Creciendo en Chile

A ver si comprendiste

Identifica a las personas que se describen aquí.

1. Plantado
2. novia de Plantado
3. Creciendo
4. Confundido
5. novia de Confundido
6. hermana de la novia de Confundido

a. Prefiere a la hermana de su novia.
b. Quiere más atención de su novia.
c. Abandona a su novio para visitar a sus amigas.
d. Le gusta comer.
e. Le gustan las mujeres independientes.
f. Cree que su novio es muy posesivo con ella.
g. Necesita ropa nueva.
h. Es fácil saber cómo piensa.
i. Es fascinante.

Viajemos por el ciberespacio a... COLOMBIA

Expand your horizons! Let's travel through cyberspace to *Colombia* where . . .

- through the Internet, you can discover the exuberance and rich contrast between the three main areas in Colombia: the **Andes,** the **Caribbean,** and **Amazon** regions.

- you can visit the magnificent **Nueva Catedral de Sal** in Zipaquirá.

- you can admire some of the 33,000 pieces found at the **Museo del Oro,** displayed in Bogotá and other Colombian cities.

- you will become familiar with the work of prestigious author **Gabriel García Márquez** and the humorous art of **Fernando Botero.**

If you are a cyberspace browser, join us in **Viajemos por el ciberespacio a... Colombia** by trying the following important addresses.

Universidad de los Andes
http://www.uniandes.edu.co

Radio Caracol
http://latina.latino.net.co/
empresa/caracol/caracol.htm

Periódicos y revistas
http://www.elespectador.com/
http://www.semana.com.co/
http://www.sinycia.com.co/
Clientes/dgrafic

Because addresses are likely to change without notice, the following key words will guarantee that **Viajemos por el ciberespacio a... Colombia** will get you to your desired destination.

Palabras clave

Bogotá	Nueva Catedral de Sal
Fernando Botero	Turismo Colombia
Gabriel García Márquez	Radio en vivo Colombia
Museo de Oro	Radio Caracol

h t t p : / / w w w . h r w c o l l e g e . c o m

Vocabulario

El amor

admirar	*to admire*
adorar	*to adore*
amar	*to love*
corazón *(m.)*	*heart*
detestar	*to detest*
estar enamorado(a)	
de	*to be in love with*
estar loco(a) por	*to be crazy about*
expresar	*to express*
fascinar	*to fascinate*
impresionar	*to impress*
odiar	*to hate*
respetar	*to respect*
sentimientos	*feelings, sentiments*

Citas

aceptar	*to accept*
acompañar	*to accompany*
cita	*date*
cenar	*to eat dinner*
conducir	*to drive*
explicar	*to explain*
flores *(f.) (pl.)*	*flowers*
planes *(m.) (pl.)*	*plans*

Lugares y diversiones

baile *(m.)*	*dance*
bebida	*drink*
boleto	*ticket*
concierto	*concert*
evento	*event*
exhibición *(f.)*	*exhibition*
obra de teatro	*play (as in theater)*
programa *(m.)*	*program*

Verbos

conseguir (i)	*to get, obtain*
deber	*to ought to, should*
decir (i)	*to say*
firmar	*to sign*
imaginar	*to imagine*
llevar	*to take*
oír	*to hear*
parecer	*to seem,*
	to appear like
pedir (i)	*to ask for*
poner la mesa	*to set the table*
querer (ie)	*to love; to want*
rechazar	*to reject*
servir (i)	*to serve*
traer	*to bring*

Adjetivos

aficionado(a)	*fan (of sporting events)*
clásico(a)	*classical*
demasiado(a)	*too much*
libre	*free*
primero(a)	*first*
todo(a)	*all*

Otras palabras y expresiones

algo	*something*
gasto	*expense*
mesa	*table*
momento	*moment*
ocasión *(f.)*	*occasion*
plato	*plate*
pero	*but*

¡Claro que sí!	*Of course!*
¡Cómo no!	*Why not!*
Me encantaría.	*I would love to.*
¡Oye!	*Listen!*

En preparación 6

6.1   Direct Object Nouns and Pronouns

Agreeing and disagreeing, accepting and refusing

A.   Direct object nouns and pronouns answer the questions *Whom?* or *What?* in relation to the verb of the sentence.

I'll see her tonight   (*Whom* will I see? Her.)
They have my tickets.   (*What* do they have? My tickets.)

Identify the subjects and direct objects in the following sentences and check your answers.[*]

1.   She doesn't know my address.
2.   Can you hear them now?
3.   Shall I put flowers on this table?
4.   Bring it tomorrow.   *you*

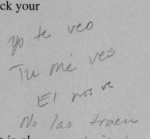

yo te veo
Tu me ves
El nos ve
No las traen
yo don't bring them

B.   In Spanish, whenever the direct object is a specific person or persons, an **a** is *always* placed before it. This "personal **a**" is never translated into English.

No conozco **a** tus padres.   *I don't know your parents.*
Pero sí conozco Nueva York.   *But I do know New York.*
Siempre traen **a** Gloria.   *They always bring Gloria.*

C.   Direct object pronouns replace direct object nouns. The direct object pronouns in Spanish are as follows.

Singular		Plural	
me	**me**	**nos**	us
you (*fam.*)	**te**	**os**	you (*fam.*)
you (*formal, m./f.*)	**lo/la**	**los/las**	you (*formal, m./f.*)
him, it (*m.*)	**lo**	**los**	them (*m.*)
her, it (*f.*)	**la**	**las**	them (*f.*)

---

[*]**Answers: 1.** She / address **2.** you / them **3.** I / flowers **4.** you / it

D. Direct object pronouns must be placed *directly* in front of a conjugated verb.

Te amo.   *I love you.*
¿Sabes cuánto **me** quiere?   *Do you know how much she loves me?*
Yo ni **la** conozco.   *I don't even know her.*

E. The direct object pronoun *may* follow and be attached to an infinitive or a present participle.

Voy a traer**los** mañana.   }
Los voy a traer mañana.   }   *I'm going to bring them tomorrow.*

Está esperándo**me** ahora.   }
Me está esperando ahora.   }   *He's waiting for me now.*

Note that when a direct object pronoun is attached to a present participle, a written accent is required to maintain the original stress: **esperando → esperándome.**

¡A practicar!

A. Examen. Juanita is taking the foreign language placement exam. How does she answer the examiner's questions?

PROFESOR	¿Me ves bien de allí?
JUANITA	Sí, profesor. ____lo____ veo bien.
PROFESOR	¿Tienes un lápiz No. 2?
JUANITA	Sí, ____me____ tengo.
PROFESOR	¿Escuchas bien la cinta *(tape)*?
JUANITA	Sí, ____me____ escucho muy bien.
PROFESOR	¿Me escuchas bien a mí y a la profesora Salas?
JUANITA	Sí, _____ escucho muy bien a los dos.
PROFESOR	¿Entiendes bien las instrucciones?
JUANITA	Sí, sí, _____ entiendo.
PROFESOR	Bien, entonces empecemos.

B. ¡Qué casualidad! Two people have just met at a party and realize that they both come from the same town. What do they ask each other? How do they respond?

Modelo   Gloria Gutiérrez

         — **¿Conoces a Gloria Gutiérrez?**

         — **Sí, la conozco muy bien. o No, no la conozco.**

1. Lucas Trujillo
2. Josefa y Elodia Ledesma
3. el padre Francisco
4. los señores Villegas
5. mi hermana Delia Cortez
6. los Díaz

C.   ¿Qué hacen ustedes?   Do you and your date do any of the following things together? Answer using direct object pronouns.

> **Modelo**   ¿Ven videos juntos (together)? ¿Dónde?
>
> **Sí, los vemos en mi apartamento.**

1. ¿Ven la televisión juntos? ¿Dónde?
2. ¿Escuchan discos juntos? ¿Dónde?
3. ¿Leen novelas juntos? ¿Leen periódicos juntos? ¿Dónde?
4. ¿Preparan comidas juntos? ¿Dónde?
5. ¿Hacen sus tareas juntos? ¿Dónde?
6. ¿Lavan el auto juntos? ¿Dónde?

6.2   Irregular -go Verbs

Telling what people do, say, or hear

In **Capítulo 2,** you learned the irregular verbs **tener, salir,** and **venir**. Following are several other Spanish verbs that have the same irregular ending in the **yo** form: **-go.** Note that some of these verbs also have stem changes.

Hacer	Traer	Poner	Decir	Oír
to do, make	to bring	to put	to say, tell	to hear
hago	traigo	pongo	digo	oigo
haces	traes	pones	dices	oyes
hace	trae	pone	dice	oye
hacemos	traemos	ponemos	decimos	oímos
hacéis	traéis	ponéis	decís	oís
hacen	traen	ponen	dicen	oyen

¡A practicar!

A.   ¡Ay, los postres!   What does this person do when he is feeling a little depressed? To find out, complete the following paragraph with the appropriate form of the verb in parentheses.

Cuando yo estoy deprimido, siempre _____tengo_____ (tener) mucha hambre y generalmente _____hago_____ (hacer) un postre (dessert). Todo el mundo _____dicen_____ (decir) que los postres no son buenos para la salud (health) pero yo _____digo_____ (decir) que son ideales para la depresión. Nunca _____pongo_____ (poner) demasiado azúcar (sugar) en mis postres. Cuando yo _____traigo_____ (traer) un pastel de chocolate a las fiestas, siempre _____oyo_____ (oír) lo que dicen todos: —¡Mmm! ¡Está delicioso!

B. Buena impresión. María is dating Raúl. To find out what she and her family do to impress him, complete the following paragraph with the appropriate form of the verb in parentheses.

Cuando Raúl _viene_ (venir) a nuestra casa, siempre _trae_ (traer) unas rosas para mi mamá. Ella siempre _dice_ (decir) que las rosas son lindísimas. Yo _pongo_ (poner) la mesa y _hago_ (hacer) una torta especial para Raúl. Mi mamá y mi abuelo _hacen_ (hacer) su refresco preferido, ponche. Mi papá _dice_ (decir) que nosotros queremos impresionarlo.

C. ¡Qué caballero! Raúl also tries to impress María's family. Complete the following paragraph with the appropriate form of the verb in parentheses to see his point of view.

Cuando yo _vengo_ (venir) a tu casa siempre _hago_ (hacer) todo lo posible para impresionar a tu familia. A veces _traigo_ (traer) flores para tu mamá. Otras veces _traigo_ (traer) algo para tu papá. Yo _sé_ (saber) que ellos lo agradecen (*appreciate*) porque _oyen_ (oír) sus comentarios. Yo siempre _digo_ (decir) que la cortesía es muy importante.

6.3   Present Tense of *e* → *i* Stem-Changing Verbs

Stating what people do

In **Capítulo 4**, you learned that some Spanish verbs have an **e → ie** or an **o → ue** vowel change whenever the stem vowel is stressed. Other verbs have an **e → i** vowel change.

Pedir		Seguir	
to ask for		**to follow**	
pido	pedimos	**sigo**	seguimos
pides	pedís	**sigues**	seguís
pide	**piden**	**sigue**	**siguen**
pide	**piden**	**sigue**	**siguen**

Other frequently used **e → i** stem-changing verbs are: **decir** *(to say, tell)*, **repetir** *(to repeat)*, **vestir** *(to dress)*, and **servir** *(to serve)*. Note that derivatives of these verbs will also be stem-changing: **conseguir** *(to get, obtain)*, **despedir** *(to fire, dismiss)*. Remember that all **-ir** stem-changing verbs undergo a one-vowel change in the present participle: **p<u>i</u>diendo, s<u>i</u>guiendo, d<u>i</u>ciendo.**

¡A practicar!

A. Dietas. What do these people think about dieting?

1. Yo siempre (pedir) fruta, nunca (pedir) postres.
2. Yo (seguir) una dieta que me permite comer de todo.
3. Mi médico (repetir) constantemente: «No es necesario estar a dieta, pero sí es

necesario hacer ejercicio».

4. Pues yo sólo voy a restaurantes donde (servir) comida vegetariana.

5. Yo no (seguir) los consejos de nadie. ¡Yo como lo que quiero, cuando quiero!

B.   En un bar.   Miguel has invited several of his friends to have a drink with him to celebrate the end of the semester. Complete the following paragraph with the appropriate form of the verb in parentheses to find out what they do when they get to the local pub.

Nosotros _____ (seguir) a Miguel a una mesa grande. Él

_____ (conseguir) sillas para todos y _____ (pedir) las

cervezas. Pedro y María _____ (decir) que prefieren margaritas. Cuando

la mesera _____ (servir) las bebidas, todos _____ (decir):

—¡Salud!

C.   Una cita con Miguel.   Virginia Salazar always enjoys going out with Miguel. Complete the following paragraph with the appropriate form of the verb in parentheses to find out why.

Cuando Miguel y yo _____ (salir), siempre es divertido. Él siempre

_____ (vestir) elegantemente. Nosotros nunca _____ (repetir)

las mismas actividades; siempre _____ (hacer) algo diferente. Por ejem-

plo, vamos a un restaurante donde _____ (servir) comida exótica y él

_____ (pedir) comidas que yo no conozco. Todos los meseros conocen a

Miguel y _____ (servir) la comida inmediatamente. Yo _____

(repetir): salir con Miguel es muy divertido.

6.4   Review of Direct Object Nouns and Pronouns

Referring to people and things indirectly

A.   Direct object nouns answer the question *Whom?* or *What?* in relation to the verb. Identify the subjects and direct objects in the following sentences.[*]

1. Te adoro, Rodolfo. Y tú, ¿me amas?

2. Yo no lo puedo creer. Dice que ya no me quiere.

B.   Direct object pronouns are always placed directly in front of a conjugated verb, but may be attached to the end of an infinitive or a present participle. They are always attached to an affirmative command. Identify the direct object pronouns in the following sentences.[†]

1. ¿Bebidas alcohólicas? ¡Las detesto!

2. Mis abuelos me quieren mucho pero no me permiten salir de noche.

3. — Llámanos al llegar, por favor.
   — Sí, los llamo. Lo prometo.

Note that, as with the case of present participles, when a direct object pronoun is attached to an affirmative command a written accent is required to maintain the original stress: **Llama → Llámanos.**

---

[*] **Answers:** 1. subjects **Yo / tú;** direct objects **Te / me** 2. subjects **yo / Él** (or **Ella**); direct objects **lo / me**

[†] **Answers:** 1. **Las** 2. **me / me** 3. **nos / los / Lo**

¡A practicar!

A.   ¿Quién va a traerlos?   Your Spanish teacher is throwing a party this weekend for everyone in your class. Of course, all of you volunteered to help out! Answer these questions by telling who in your class is doing these things.

> **Modelo**   ¿Quién va a traer los discos? (Francisco)
>
> **Francisco va a traerlos.** o
> **Francisco los va a traer.**

1.   ¿Quién va a traer la torta?
2.   ¿Quién va a hacer los nachos?
3.   ¿Quiénes van a preparar la comida?
4.   ¿Quién va a tocar la guitarra?
5.   ¿Quiénes van a comprar las cervezas?
6.   ¿Quién va a limpiar la casa después de la fiesta?

B.   ¿Qué piensan de ti?   How do the following people feel about you?

Vocabulario útil

amar	odiar	respetar	admirar	fascinar
querer	detestar	adorar	molestar	no querer

1.   tus padres
2.   tus hermanos
3.   tu perro o gato
4.   tu profesor(a) de español
5.   tu novio(a)
6.   tu abuelo(a)

6.5   Review of *saber* and *conocer*

Stating what you know and what you are acquainted with

A.   **Saber** is used when speaking of knowing specific, factual information.
B.   **Conocer** is used when talking about knowing a person or being familiar with a place or a thing.

¡A practicar!

A.   ¿Quién es?   Enrique is trying to find out as much as he can about the new girl at the party. Complete the following sentences with the appropriate form of **saber** or **conocer** to find out what his friends say.

NATALIA   Yo no la _____ pero _____ que vive en la residencia.

VÍCTOR   Mi novia _____ a su hermana.

ROSA   Julio y Roberto _____ su número de teléfono.

GLORIA   Mis padres _____ a sus padres.

ROBERTO   Yo no _____ quién es pero ella _____ bailar el tango muy bien.

ANTONIO   Si la quieres _____, te puedo presentar.

B. ¡No conozco a nadie! It's not easy when you are the new person in town. What would you say if you wanted to know who the following people are?

Modelo   Pablo y Antonio

   ¿Quiénes son esos chicos? No los conozco.

1. Jacobo
2. Ángela y Matilde
3. tú

4. Esteban y Luisa
5. Víctor Mario y tú
6. Luz María

C. ¡Lo siento, pero… ! What do these people say when asked for specific information?

Modelo   **Sí, yo <u>conozco</u> a su hermana, pero no <u>sé</u> su nombre.**

1. Yo la _____ muy bien, pero no _____ su número de teléfono.
2. Yo _____ la casa de Andrés, pero desafortunadamente, no _____ su dirección.
3. Lo siento, yo _____ francés, pero no _____ Francia.
4. Nosotros no _____ San Francisco muy bien, pero _____ dónde está ese restaurante.
5. Mamá no _____ cómo se llama ese libro.
6. Ustedes _____ México, ¿verdad? ¿ _____ cuáles son las playas más bonitas?

CAPÍTULO 7

Cultural Topics

- **¿Sabías que?**
  El *Popol Vuh*
- **Noticiero cultural**
  Lugar: *Guatemala*
  Gente: *Rigoberta Menchú*
- **Lectura:** *Avisos limitados*

Writing Strategies

- *Orden cronológico*

Reading Strategies

- *Adelantarse al tema*

En preparación

- 7.1 Preterite of Regular Verbs
- 7.2 Preterite of Verbs with Spelling Changes
- 7.3 Preterite of **ir, ser, decir,** and **hacer**
- 7.4 The Pronoun **se:** Special Use

Un comunicado especial

In this chapter, you will learn how to ...

- talk about the news.
- discuss what you read in the newspaper.
- tell what happened in your favorite TV program.
- prepare want ads.

María Elena Salinas y Jorge Ramos, locutores de Univisión

Pasatiempo internacional: leer las noticias del día

Lo que ya sabes...

1. ¿Con qué frecuencia miras las noticias en la tele?

2. ¿Cuál sección de las noticias prefieres? ¿las noticias nacionales e internacionales? ¿las noticias regionales? ¿las noticias del tiempo? ¿las de deportes?

3. ¿Conoces a los locutores en las fotos de arriba? ¿Quiénes son? ¿Quiénes son tus locutores favoritos? ¿Por qué te gustan?

4. ¿Con qué frecuencia lees el periódico? ¿Lo lees de cabo a rabo o sólo lees ciertas secciones? ¿Cuáles? ¿Por qué?

GUATEMALA

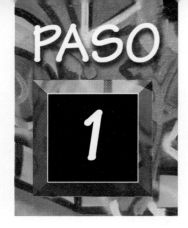

PASO

1

Aquí en su Tele * Guía

TAREA

Antes de empezar este **Paso**, estudia **En preparación** 7.1 y haz por escrito los ejercicios de **¡A practicar!** También escucha **Paso 1 ¿Qué se dice...?** del Capítulo 7 en el CD del estudiante.

¿Eres buen observador?

Domingo
AGO. 4 — MAÑANA

EL PERSONAJE DE NORA SALINAS PIERDE LA VIRGINIDAD EN CONFIDENTE DE SECUNDARIA.

CHARLIE ES ENGAÑADO POR SU NOVIA, QUIEN LE PINTA EL CUERNO EN "CONFIDENTE".

Domingo
AGO. 4 — MAÑANA/TARDE

Domingo
4 San Eleuterio

XXVI JUEGOS OLIMPICOS. ATLANTA 96. CARTEL DE EVENTOS. Decimosexto y último día de Actividades. ATLETISMO, a las18:05 horas: Prueba de la Maratón, Varonil, desde la salida, recorrido y llegada a la Meta. BASQUETBOL, 09:30: Encuentros por las Medallas, Femenil. BOX,13:30: Encuentros por las Medallas en todos los pesos. CANOTAJE, KAYAK, 09:00: Pruebas Finales en distintas especialidades, Varonil y Femenil. EQUITACION, 10:00: Salto de Obstáculos, Prueba Semifinal y Final, Individual, Abierto. GIMNASIA RITMICA,13:00: Prueba Final, individual, Femenil. HANDBOL (Balón Mano), 15:00: Encuentros por las Medallas, Varonil. VOLIBOL, 12:00: Encuentros por las Medallas, Varonil.

LO MEJOR DEL DIA

Atletismo, a las: 18:05 horas. prueba de la maratón, varonil (se espera la excelente participación de los mexicanos Dionocio Cerón, Benjamín Paredes y de Germán Silva).
10:00 horas. Equitación, salto de obstáculos (es posible que participe por la presea de oro el alemán Ludyer Beerbaum), prueba semifinal y final, individual y abierto.
13:00 Gimnasia rítmica femenil, prueba final, individual. (La candidata para el oro es María Petrova de Bulgaria).
12:00 Volibol varonil, encuentros por las medallas. (Estarán presentes los italianos y los holandeses).
Ceremonia de clausura a las 20:00 horas.

7:00 ② EN FAMILIA. Tres horas de concursos y diversión infantil, con: Javier López "Chabelo".
MAÑANA ④ XXVI JUEGOS OLIMPICOS. ATLANTA 96. Transmisión, comentarios y reseña, en forma "Local" (México, Distrito Federal), hasta las 09:00 horas.
⑤ RAYITO EL MAGO DE LOS SUEÑOS. Dibujos animados.
⑦ CAPSULAS C.V.G. Ventas por televisión.
⑨ ODISEA BURBUJAS. Fantasía infantil. Tema: "Operación Teledesastre II".
⑬ APOLON EL REY. Dibujos animados.
㉒ A, B, C. DEL DEPORTE. Reportajes. Judo.
7:30 ⑤ MR. BOGUS. Dibujos animados.
⑪ VENTANA DE COLORES. Dibujos animados. Bolek y Lolek, Juega Otra Vez, Pacha y los Gatos, Las Aventuras de Ric, El Cocodrilo Christopher, El Bosque Mágico, Capitán Oso Azul, Penny Crayon, Inspector Truquini.
⑬ AVENTURAS EN EL MISSISIPI. Dibujos animados.
㉒ LA BELLA Y LA BESTIA. Teatro Infantil.
8:00 ⑤ LA VUELTA AL MUNDO EN 80 DIAS. Dibujos animados.
⑦ XXVI JUEGOS OLIMPICOS, ATLANTA 96. Actividades Matutinas. Desde los escenarios de los Juegos del Centenario. Comentarios y análisis del Ultimo día de Actividades.
⑨ EL TESORO DEL SABER. Fantasía infantil.
⑬ PARTIDOS POLITICOS. P. C.
㉒ HISTORIETA DE LA CIENCIA. Reportaje. Vida y Muerte de una Estrella.
8:30 ⑤ FLASH GORDON. Aventuras.
⑨ CHIQUILLADAS. Comedia.
⑬ KISSYFUR. Dibujos animados.
㉒ LABORATORIO DE CIENCIAS NATURALES. Reportaje. Gracias por el Suelo.

9:00 ④ XXVI JUEGOS OLIMPICOS. ATLANTA 96. Transmisión, comentarios y reseña, en forma "Nacional" (República Mexicana), hasta las 20:00 horas.
⑤ LOS HURACANES. Aventuras.
⑨ AQUI ESTA LA CHILINDRINA. Comedia.
⑬ PARTIDOS POLITICOS. P. R. I.
㉒ LOS INTREPIDOS. Reportaje. La Influencia de la Luna en el Cuerpo Humano.
9:30 ⑤ DIVERTIRISAS. Comedia.
⑨ CACHUN, CACHUN, RA, RA. Comedia.
⑪ PELICULA. Dulce. (Drama).
⑬ ALF. Dibujos animados
㉒ EX-CONVENTO DE ACTOPAN. Reportaje. Patrimonio Restaurado.
10:00 ② EN DOMINGO, AL DESPERTAR. Noticias, deportes, variedades, invitados especiales. Guillermo Ortega Ruiz, Angélica Mejía, Mayra Saucedo, Antonio de Valdés, Javier Alarcón, Raúl Orvañanos.
⑤ PIRATAS DE LAS AGUAS TENEBROSAS. Dibujos animados.
⑨ FUNCION DE LUCHA LIBRE TRIPLE "A" Y EMPRESA MEXICANA DE LUCHA LIBRE. Funciones celebradas en distintos escenarios del D.F., e interior de la República, con los encuentros en todas las modalidades del pancracio. Comentarios: Miguel Linares, Alfonso Morales, Raúl Sarmiento, Arturo Rivera, Leobardo Magadán.
⑬ EL NIÑO PROBLEMA. Dibujos animados.
㉒ LAS ARTES. Reportaje. Paisajes del Siglo XIX.
10:30 ⑤ T-REX. Aventuras.
⑬ CABALLEROS DEL ZODIACO. Dibujos animados.

㉒ VIVIR JUNTOS. Reportaje. Un Paisaje que se Transforma.
11:00 ② UN NUEVO DIA. Con César Costa, Rebeca de Alba e invitados. Edición Especial.
⑤ PELICULA. La Pandilla de Pícaros en Japón. (Acción).
⑬ MOTORATONES DE MARTE. Dibujos animados.
㉒ BIOGRAFIAS. Reportaje. Grace Kelly.
11:30 ⑪ AVENTURAS EN EL MEDITERRANEO Aventuras. Las Aguilas del Este. Segunda parte. Joshua y sus sobrinos viajan a Alemania para tratar de salvar a las águilas marinas que están muriendo inexplicablemente.
⑬ SAILOR MONN. Dibujos animados.
㉒ DEUTSCHE WELLE. Reportaje. El Periódico Semanal Die Zeit.
11:50 ② FUTBOL SOCCER NACIONAL. PARTIDO ESPECIAL. Desde el estadio Azteca, en Tlalpan, Distrito Federal. "LOS RAYOS" DEL NECAXA Vs. "LOS ASES" DEL FUTBOL NACIONAL. Homenaje a los jugadores destacados durante la Temporada 95-96. Encuentro previo a la Entrega de los Citlallis 1996.
12:00 ⑪ MOCHILA AL HOMBRO. Reportajes. Taxco, Guerrero. Una de las ciudades coloniales más típicas y bellas de nuestro México, con sus callejones, tejabanes, e intricados caminos y plazas de un pueblo minero.
⑬ PELICULA. Triple función.
㉒ CONCIERTO DE MUSICA CLASICA. Don Quijote.
12:30 ⑪ ESTA SEMANA EN LA CULTURA. Reportajes.
1:00 ⑤ PELICULA. Locura en la Playa. (Comedia).
⑨ LA CRIADA BIEN CRIADA. Comedia.

¡TELE-GUIAS!

MADURA.- "No temo a la vejez, pues he sabido evolucionar y asimilar el paso del tiempo. Disfruto cada una de las etapas de mi vida, veo pasar los años como un proceso natural y por eso nunca he tenido conflictos emocionales por la edad". **CLAUDIA ISLAS.**

Ahora, ¡a analizar!

1. En los Estados Unidos hay varios programas religiosos en la televisión los domingos por la mañana. ¿Cuántos programas religiosos hay en la televisión mexicana según *Tele*∗*Guía?* ¿Cuáles son?

2. ¿Hay programas para niños los domingos por la mañana? ¿Cuántos puedes nombrar?

3. ¿A qué hora se dan las noticias de la mañana? ¿Cómo se llama el programa noticiero? ¿Cuánto tiempo dura?

4. ¿Hay progamas deportivos? ¿Cuáles son?

5. ¿Por qué ponen Atletismo a las 18:05 horas antes de las competiciones a las 10:00, a las 13:00 y las 12:00 en «Lo mejor del día»?

¿Qué se dice...?

Al hablar de las noticias del día

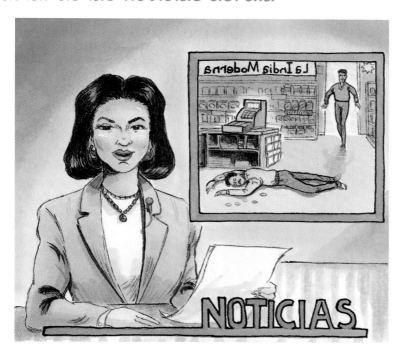

cigarrillos	robo	incendio	asesino
Calle 25-6	cliente	tienda	cenar
sospechan	muerto	Calle 6-25	arrestó
dueño	policía	dos mujeres	ambulancia

_____

_____

Esta mañana el gobernador regresó de su viaje al lago Atitlán, donde la policía informó que más de cien personas perdieron su vida en el vuelo 113 de Aerolíneas Maya.

En el campeonato de fútbol, Chichicastenango jugó contra Antigua y ganó 3 a 0. En béisbol los Gigantes de Quetzaltenango vencieron a los Cardenales de Huehuetenango, 6 a 4. Y aquí en la capital, anoche en fútbol, el equipo Maya Quiché empató al equipo Federal, 2 a 2.

Ahora, ¡a hablar!

A. Las noticias nacionales. Tú eres el (la) locutor(a) de Univisión y estás preparándote para dar las noticias nacionales. ¿Qué vas a decir?

> **Modelo** anoche / policía / capturar / tres ladrones
>
> **Anoche la policía capturó a tres ladrones.**

1. esta mañana / policía / encontrar / un avión / montañas
2. ayer / policía / arrestar / dos vendedores de cocaína

3. ayer / presidente de Telex / llegar / la capital

4. anoche / hombre / asesinar / cinco personas

5. hoy / presidente / Casa Blanca / hablar / la economía

6. anoche / presidente / recibir / primer ministro del Japón

B. Personas famosas. En las noticias siempre hay información sobre las actividades de personas famosas. Usando tu imaginación, di qué hicieron estas personas ayer.

Modelo   Gloria Estefan cantó en México ayer.

		Nueva York
el rey *(king)* de España	salir	Estados Unidos
Fidel Castro	cantar	Inglaterra
el presidente de los EE.UU. +	viajar +	España
Rigoberta Menchú	llegar	Europa
el presidente de Guatemala		volver Rusia
¿... ?	¿... ?	¿... ?

C. Los deportes. Ahora imagínate que eres locutor(a) de deportes de una estación de televisión. Prepara un anuncio de los resultados de la semana.

Deporte	¿Quién?	Resultado
en fútbol	(sus equipos o atletas favoritos)	ganar
en baloncesto		perder
en béisbol		jugar
en ¿... ?		empatar

Y ahora, ¡a conversar!

A. Gente famosa. Escoge una persona famosa y contesta las siguientes preguntas. Luego hazle estas preguntas a tu compañero(a) para saber algo de la persona que él (ella) escogió.

1. ¿Es hombre o mujer?

2. ¿Dónde vive?

3. ¿Cuál es su profesión?

4. ¿Salió en el periódico (revista, televisión) recientemente? ¿Por qué?

5. ¿... ?

B. ¿Y tú? Ahora imagínate que tú eres una persona muy famosa y estás leyendo *Gente,* una revista que informa a sus lectores sobre las actividades de gente famosa. ¿Qué dice de ti y de tus actividades durante el fin de semana pasado?

1. ¿Dónde pasaste el fin de semana? ¿Con quién lo pasaste?

2. ¿Alguien te visitó? ¿te llamó?

3. ¿Visitaste tú a algunas personas? ¿Llamaste a alguien?

4. ¿Saliste el viernes o el sábado por la noche? ¿Con quién? ¿Qué hiciste *(did you do)*?

5.   ¿A qué hora regresaste a tu casa el sábado por la noche?

6.   Si no saliste el sábado por la noche, ¿qué hiciste?

7.   ¿... ?

C.   Para los lectores hispanos.   Un día por semana, el periódico de tu universidad publica una sección en español con noticias locales, nacionales y mundiales. En grupos de tres o cuatro, preparen esa sección con las noticias de esta semana.

D.   Noticias en nuestra clase.   La clase de español va a publicar un periódico con noticias importantes de cada alumno de la clase. Para conseguir la información necesaria, primero indica si hiciste algo interesante o si te pasó algo interesante este año en estos lugares. Luego pídeles la misma información a dos compañeros(as) de clase y anótala.

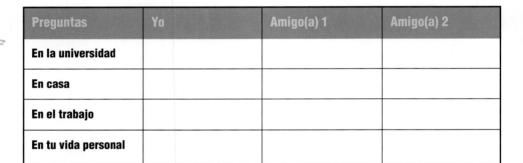

Preguntas	Yo	Amigo(a) 1	Amigo(a) 2
En la universidad			
En casa			
En el trabajo			
En tu vida personal			

¡Luz! ¡Cámara! ¡Acción!

A.   Reportaje.   Tú y tres compañeros de clase son locutores del noticiero de las seis de la noche. Preparen las noticias del día y preséntenlas a la clase. Uno debe hablar sobre las noticias mundiales, otro sobre las noticias nacionales, otro sobre las noticias locales y otro sobre los deportes.

B.   ¿Qué pasó?   Anoche en el noticiero de las seis, oíste algo muy interesante en las noticias. Ahora estás contándole a un(a) amigo(a) lo que pasó. Tu amigo(a) quiere saber todos los detalles y te hace muchas preguntas. Dramatiza la conversación con un(a) compañero(a) de clase.

¿Comprendes lo que se dice?

Estrategias para escuchar.   *When speaking, especially when providing extensive information as in news reports, the speaker must decide where to stop to take a breath. The words that are said before the speaker pauses to take a breath are called "breath groups." Learning to form logical breath groups is central to speech in all languages. As you hear the following news broadcast about Nobel Peace Prize winner, Rigoberta Menchú, listen to the breath groups the speakers form as they stop sometimes at the end of sentences, other times in the middle of sentences. Do you note any logic to where the speakers stop to take a breath as they report the news?*

Noticiero especial.   Escucha este noticiero especial de Radio Capital de Ciudad Guatemala con noticias sobre Rigoberta Menchú, la indígena maya-quiché que, en 1992, fue galardonada con el Premio Nóbel de la Paz. Luego selecciona la frase que mejor completa cada oración.

1. Rodrigo Lagunas y Marta Cajillas son...
    a. hermanos de Rigoberta Menchú.
    b. miembros de un comité de derechos humanos.
    c. locutores de Radio Capital.

2. Según el noticiero, Rigoberta Menchú simboliza...
    a. el sufrimiento de los indígenas guatemaltecos a manos del gobierno.
    b. el Premio Nóbel de la Paz.
    c. el Comité de Justicia Social y Derechos Humanos.

3. El noticiero especial dice que Rigoberta anunció hoy que...
    a. el gobierno guatemalteco respeta los derechos humanos.
    b. el comité de derechos humanos está dando buen resultado.
    c. el comité de derechos humanos no está dando buen resultado.

4. Rigoberta demandó...
    a. la renuncia *(resignation)* del presidente.
    b. ser nombrada miembro del comité del presidente.
    c. la eliminación del comité del presidente.

NOTICIERO
CULTURAL

Guatemala

LUGAR... GUATEMALA

Antes de empezar, dime...

1. ¿Adónde en los EE.UU. se puede viajar para conocer el pasado indígena del país? ¿el pasado colonial?

2. ¿Hay una población indígena en los EE.UU. actualmente? ¿Más o menos qué porcentaje es de la población del país?

3. ¿Hay inmigrantes recientes de otros países en tu estado? ¿De qué países?

4. ¿Cómo clasificas la vida de los inmigrantes recientes en tu estado? Explica tu clasificación.

❏ lujosa   ❏ muy cómoda   ❏ cómoda

❏ difícil   ❏ muy difícil   ❏ pésima

Indígenas maya-quiché de Guatemala

La cultura maya

Se dice que viajar a Guatemala es «viajar al pasado». En su territorio tuvo esplendor una de las civilizaciones más extraordinarias del continente americano: la cultura maya. Esta cultura estaba dividida en cuatro grandes centros: Tikal en Guatemala, Palenque y Calakmul en México y Copán en el noroeste de Honduras.

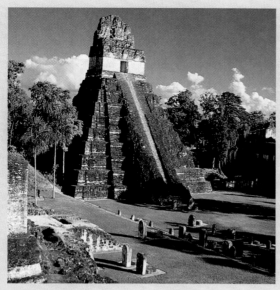

Tikal, Guatemala

Actualmente la población indígena representa el 55 por ciento de los habitantes de Guatemala. Muchos de ellos todavía viven en pequeños pueblos donde se dedican a la agricultura o a la artesanía, como hacían sus antepasados *(ancestors)*. Esto, tanto como las impresionantes ruinas precolombinas de la cultura maya, siguen fascinando tanto a los arqueólogos como a los turistas.

Desafortunadamente, al igual que en la mayoría de muchas comunidades indígenas, las condiciones de vida en el campo son muy deficientes, por lo cual muchos de ellos se van a vivir a la ciudad e incluso a otros países, como México y los EE.UU. En esos países los indígenas inmigrantes con frecuencia encuentran una vida aún más difícil debido a que están en culturas extrañas donde a veces ni hablan la lengua ni pueden encontrar trabajo.

Y ahora, dime...

Contesta estas preguntas con un(a) compañero(a) de clase.

1. ¿Por qué se dice que viajar a Guatemala es «viajar al pasado»?
2. Usa estos cuadros para comparar a los mayas en tiempos precolombinos con los mayas actualmente.

LOS MAYAS

Tiempos precolombinos	Actualmente
1.	1.
2.	2.
3.	3.

El español en otras disciplinas: Artesanía

Artesanía. Así como el arte, la artesanía *(handicrafts)* es también una parte importante de las culturas del mundo. ¿Qué sabes tú de la artesanía? ¿Cuál es la diferencia entre el arte y la artesanía? En grupos de dos o tres, preparen una lista de ideas que distinguen lo que es arte de lo que es artesanía. Después, compartan sus ideas con la clase.

Proyecto: Trae a la clase algún objeto favorito de artesanía. Explica su origen, uso, significado, etc. ¡En español, claro!

¡Co-o-o-mpre El Universal!

Antes de empezar este **Paso**, estudia **En preparación** 7.2 y haz por escrito los ejercicios de **¡A practicar!** También escucha **Paso 2 ¿Qué se dice...?** del Capítulo 7 en el CD del estudiante.

¿Eres buen observador?

Ahora, ¡a analizar!

1. ¿Cómo se llama este periódico?
2. ¿Cuántas secciones principales tiene? ¿Cuáles son?
3. ¿Cuál es la diferencia entre las noticias de la primera plana, la sección «Internacional» y la sección «Estados»?
4. ¿En qué sección podrías encontrar información sobre películas? ¿noticias de la nación? ¿quién ganó el partido de fútbol anoche? ¿casas en venta? ¿las noticias más importantes del día? ¿la novela más reciente de...?
5. ¿Te sorprenden las noticias principales en la sección «Internacional»? ¿Por qué?

¿Qué se dice...?

Al leer el periódico del día

Escribe el nombre de cada sección del periódico que los cuatro estudiantes leen: «Espectáculos», «Deportes», «Avisos», «Estados», «Internacional», la primera plana.

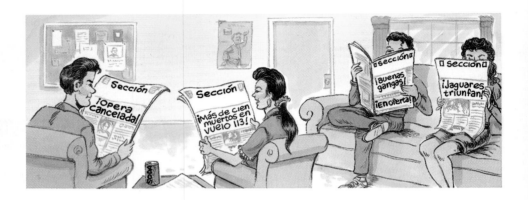

Norma tiene mucho interés en quién ganó y quién perdió en el mundo de los deportes. Pero a Meche le interesa más lo que ocurrió recientemente en el mundo, en la nación y en su propia ciudad. Mientras tanto Eduardo prefiere hablar de las películas, obras de teatro y exhibiciones de arte que están presentándose. Él también es muy aficionado a los programas de televisión. En cambio, Jorge no puede pensar en nada más que las buenas gangas de las tiendas. A él le gusta comprar, comprar y comprar.

¿Sabías que... ?

El *Popol Vuh* es el libro más importante de la literatura maya. Es un libro mágico y poético que describe la mitología quiché con respecto a la formación del mundo, los dioses, los héroes y el hombre del pueblo quiché. El nombre «quiché» viene del nombre del lugar donde vivían: el bosque. El sacerdote español fray Francisco Ximénez copió el *Popol Vuh* en el original quiché. Luego, en columnas paralelas, también lo tradujo a una versión en español. El original de fray Francisco se conserva actualmente en la Biblioteca Newberry de Chicago.

Ahora, ¡a hablar!

A. Un siglo interesantísimo.   ¿Cuáles fueron algunas de las noticias más interesantes del siglo XX? Identifícalas.

> **Modelo**   1914 / empezar / primera guerra mundial
> **En mil novecientos catorce empezó la primera guerra mundial.**

1.   1918 / terminar / primera guerra mundial
2.   1939 / empezar / segunda guerra mundial
3.   1945 / explotar / primera bomba atómica
4.   1959 / tomar control de Cuba / Fidel Castro
5.   1968 / asesinar (ellos) / Martin Luther King, Jr.
6.   1969 / llegar / Apollo 11 / la luna
7.   1986 / ocurrir / desastre nuclear en Chernobyl
8.   1990 / empezar / reunificación de Alemania
9.   1991 / comenzar / guerra del golfo Pérsico
10.   1992 / empezar / Olimpíadas en Barcelona
11.   1995 / explotar / bomba / Ciudad de Oklahoma
12.   este año / ¿... ?

B. ¿Qué pasó en el año 1996?   ¿Cuáles fueron las noticias principales de los Estados Unidos en el año 1996?

> **Modelo**   enero / terminar / huelga / empleados del gobierno
> **En enero terminó la huelga de los empleados del gobierno.**

1.   febrero / cubanos / atacar / dos aviones civiles / EE.UU.
2.   abril / la FBI / arrestar / hombre sospechoso de ser / «Unabomber» / Montana
3.   abril / accidente de avión / matar / niña piloto / siete años
4.   mayo / ocurrir / terrible accidente de avión / Everglades / Florida
5.   junio / la FBI / arrestar / miembros del grupo «Freemen» / Montana
6.   julio / empezar / Juegos Olímpicos / Atlanta
7.   julio / bomba / explotar / durante / Juegos Olímpicos / Atlanta
8.   julio / vuelo 800 / TWA / desaparecer / océano Atlántico
9.   ¿... ?

C. En 1995.   ¿Qué pasó en Latinoamérica en el año 1995? Cambia los tiempos de los verbos del presente al pretérito.

> **Modelo**   **diciembre**   La presidenta de **Nicaragua,** Violeta Barrios de Chamorro, firma una nueva constitución.
>
> **En diciembre, la presidenta de Nicaragua, Violeta Barrios de Chamorro, firmó una nueva constitución.**

enero   **Chile** y **Bolivia** expresan el deseo de unirse a Mercosur (*Southern Common Market*).

febrero	La guerra entre **Perú** y **Ecuador** empieza en la frontera de los dos países.
marzo	El gobierno implica al hermano del ex presidente de **México** en el asesinato del secretario general del PRI.
abril	En **Guatemala** acusan al gobierno de los Estados Unidos y la CIA de intervención militar en el país desde 1980.
mayo	En **Argentina**, el presidente peronista Carlos Saúl Menem, gana las elecciones para la presidencia una vez más.
junio	En **Colombia**, la policía arresta a Gilberto Rodríguez Ojuela, el líder del Cartel de Cali.
julio	Las fuerzas armadas del gobierno matan a más de 30 personas en el estado de Guerrero, **México**.
agosto	En **Colombia**, el ministro de Defensa, Fernando Botero, renuncia a su cargo después de acusaciones de tráfico de drogas.
septiembre	**Cuba** reacciona al embargo económico de los Estados Unidos.
octubre	Inglaterra y **Argentina** firman un acuerdo sobre los derechos al petróleo en las aguas de las islas Malvinas *(Falkland Islands)*.
noviembre	En **Bolivia**, el ex general Mario Vargas Salinas revela el sitio de entierro *(burial site)* de Che Guevara.

D.   Este año.   ¿Qué pasó este año en el mundo? En grupos de tres o cuatro, recuerden eventos que ocurrieron durante el año.

Y ahora, ¡a conversar!

A.   De la niñez a la adolescencia.   Entrevista a un(a) compañero(a) para saber algo de su niñez y adolescencia. Anota todas sus respuestas.

1. ¿Dónde naciste? ¿En qué año naciste?
2. ¿En qué año empezaste la escuela primaria? ¿Dónde?
3. ¿Dónde viviste los diez primeros años de tu vida?
4. ¿Dónde trabajaste por primera vez?
5. ¿En qué año empezaste a manejar? ¿Cuál fue el primer coche que compraste?
6. ¿En qué año terminaste la escuela secundaria?
7. ¿Cuándo decidiste venir a esta universidad?

B.   ¡Ésta es tu vida!   Ahora hazle cinco preguntas a tu compañero(a) sobre su vida aquí en la universidad. Anota sus respuestas y con lo que ya tienes del ejercicio anterior, escribe un resumen de la vida de tu compañero(a).

C.   Tiempo en cápsula.   En grupos de tres o cuatro preparen una descripción breve de los cinco eventos más importantes de los últimos veinte años. Ustedes consideran estos eventos tan importantes que van a poner su lista en una cápsula de tiempo para guardarlos para las futuras generaciones.

D. **¡Noticias fantásticas!** Tú y dos amigos(as) trabajan para un periódico que se dedica a reportar noticias fantásticas (tipo *Enquirer*). Preparen los títulos de la primera plana para la próxima edición.

¡Luz! ¡Cámara! ¡Acción!

A. **¿Leíste las noticias de hoy?** Tú y dos amigos(as) hablan de las noticias en el pe- riódico de hoy. Cada uno hace un resumen breve de un artículo que leyó y los(las) otros(as) reaccionan. Trabajando en grupos de tres, dramaticen esta situación.

B. **¿Yo, reportero?** Tú trabajas para la revista *Hola*. Hoy vas a entrevistar a una per- sona muy famosa. Quieres saber muchas cosas de su pasado. En parejas dramaticen esta situación.

¿Comprendes lo que se dice?

Estrategias para ver y escuchar. *As you listen to this commercial for Guatemala, pay close attention to how the narrators divide their sentences into logical breath groups.*

¡De Guatemala a guatemejor! Mira este anuncio sobre Guatemala. Luego, con un(a)   compañero(a), preparen una lista de razones por qué Guatemala es el lugar ideal para las vacaciones de una familia. Comparen su lista con la de dos otros grupos.

NOTICIERO CULTURAL

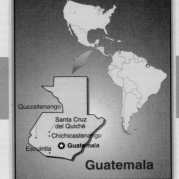

Guatemala

GENTE... RIGOBERTA MENCHÚ

Antes de empezar, dime...

Contesta estas preguntas sobre personas marginadas en tu país.

1. ¿Qué grupo o instituciones conoces que ayuden a las personas marginadas?

2. ¿Conoces a personajes históricos marginados que lucharon con éxito por alguna causa? Nómbralos y explica.

3. ¿Conoces a alguna persona de la actualidad que se dedica a ayudar a personas marginadas? Explica.

4. ¿Participas tú en algún tipo de causa o trabajo voluntario? Explica.

Rigoberta Menchú

Rigoberta Menchú

Rigoberta Menchú, indígena maya-quiché, nació el 9 de enero de 1959, en un pueblo llamado Chinel, al norte de Guatemala.

Al igual que todos los campesinos pobres, desde muy niña, empezó a trabajar con sus padres en las cosechas de algodón y café, ganando un bajísimo salario. Más tarde, siguiendo la tradición de muchas mujeres de las zonas rurales, se trasladó a la capital para trabajar en el servicio doméstico.

Pero muy pronto la vida de Rigoberta cambió radicalmente. La muerte violenta de sus padres y un hermano, crímenes atribuidos a las fuerzas del gobierno guatemalteco, la hicieron reaccionar y continuar la tarea social comenzada por su familia. Rigoberta se dedicó entonces a defender a su gente, los indígenas y los de las clases menos favorecidas.

Por esta intensa labor, Rigoberta recibió el Premio Nóbel de la Paz en 1992, premio que le permitió crear una fundación que apoya su causa en Guatemala.

Como toda persona famosa, Rigoberta Menchú no ha escapado a la controversia. Pero sea como sea, su persona sirvió para darle voz a un sector de la población marginada por mucho tiempo.

Y ahora, dime...

Usa un diagrama Venn como éste para hacer un paralelo entre la vida de Rigoberta Menchú y un personaje histórico de los EE.UU., como Martin Luther King, Jr. o César Chávez, que dedicó su vida a la gente marginada.

Rigoberta Menchú

1.
2.
3.
4.
5.
. . .

Ambas personas

1.
2.
3.
4.
5.
. . .

{Nombre}

1.
2.
3.
4.
5.
. . .

Antes de escribir
Estrategias para escribir: Orden cronológico

Generalmente al escribir una autobiografía, el escritor narra su vida en orden cronológico, es decir, eventos de la niñez primero, luego la juventud, luego su vida como adulto. Nota que la breve biografía de Rigoberta Menchú está narrada en orden cronológico. Prepárate ahora para escribir tu autobiografía en orden cronológico.

Ahora, ¡a escribir!

A. En preparación. Decide cuáles fueron los eventos más importantes en tu vida. Escribe un grupo de ideas de todos los eventos que podrías incluir, por ejemplo, datos de nacimiento, dónde vivió tu familia durante los primeros años, escuela primaria, etc. Prepara una lista de todos los eventos principales de tu vida desde tu nacimiento hasta el presente.

B. El primer borrador. Ahora organiza la información en tu lista en orden cronológico y prepara un primer borrador de tu autobiografía. Incluye toda la información de tu lista que consideres relevante.

C. Ahora, a compartir. Comparte tu primer borrador con dos o tres compañeros. Comenta sobre el contenido y el estilo de las composiciones de tus compañeros y escucha los comentarios de ellos sobre tu autobiografía.

D. Ahora, a revisar. Si necesitas hacer cambios basados en los comentarios de tus compañeros, hazlos ahora. Antes de preparar la versión final de tu autobiografía, comparte tu borrador con dos compañeros de clase para que te digan si hay errores de ortografía, gramática o puntuación. Presta atención particular al uso del pretérito.

E. La versión final. Prepara la versión final de tu autobiografía y entrégala. Escribe la versión final a máquina o en la computadora siguiendo el formato recomendado.

F. Ahora, a publicar. En grupos de cinco o seis, junten sus autobiografías en un volumen. Elijan *(Choose)* un título creativo para su volumen, algo como: *Autobiografías de seis estudiantes extraordinarios* o *Cómo llegar a la universidad: seis versiones*.

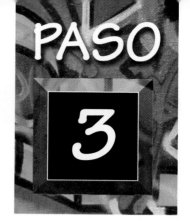

¿Qué pasó ayer?

PASO 3

TAREA

Antes de empezar este **Paso**, estudia **En preparación** 7.3 y 7.4 y haz por escrito los ejercicios de **¡A practicar!** También escucha **Paso 3 ¿Qué se dice... ?** del Capítulo 7 en el CD del estudiante.

¿Eres buen observador?

Estos son los TV-programas + vistos

Cañaveral de pasiones, firme en la cúspide...

Con toda el alma *cerró con buen rating*

HORARIO MATUTINO (De 6:00 a 12:00 hrs.)

Preferencias:	menciones
1.- Al despertar	287
2.- Un nuevo día	256
3.- Cine de la mañana	176
4.- Hola, México	118
5.- Café express	76
Otros con menos de 30 menciones:	35
Total:	**888**

De 1,500 personas encuestadas:
- 612 no ven TV en la mañana
- 888 si ven TV en la mañana

HOLA, MEXICO

HORARIO VESPERTINO (De 13:00 a 19:00 hrs.)

Preferencias:	menciones
1.- ¡Pácatelas!	310
2.- Canción de amor	235
3.- La sombra del otro	185
4.- La niñera	161
5.- Confidente de secundaria	128
Otros con menos de 30 menciones:	86
Total:	**1,103**

De 1,500 personas encuestadas:
- 397 no ven TV en la tarde
- 1,103 si ven TV en la tarde

CANCION DE AMOR

Ahora, ¡a analizar!

1. ¿Cuántas personas participaron en esta encuesta? ¿Qué tipo de encuesta es?

2. ¿Cuántas de las personas que participaron tenían opiniones específicas acerca de los programas? ¿Por qué no expresaron opiniones las otras personas?

3. ¿A qué hora del día o de la noche se dan los programas que fueron evaluados? ¿Cuál programa es el más popular? ¿el menos popular?

4. ¿Qué tipo de programa crees que es el más popular? ¿Por qué crees eso? ¿Hay otros programas del mismo tipo entre los diez mencionados? ¿Cuáles? ¿Por qué crees eso?

Al hablar de tu telenovela favorita

¿Quién hizo esto: la madre (M), el padre (P), la madre de la telenovela (MT) o el padre de la telenovela (PT)?

_MT_ 1. Recibió flores.

_P_ 2. Descubrió una venta de libros.

_PT_ 3. Recibió una botella de vino.

_M_ 4. Quiere saber qué pasó en *Vidas y sueños* ayer.

MADRE   ¡Ay, mira! No lo dejó entrar. Pero, ¿por qué no?

HIJA   Luz María descubrió que Roberto no trabajó el sábado por la noche. Ella lo vio en el coche con Lola. Ahora va a explicar por qué salió con Lola.

PADRE   Se solicita carpintero a media jornada, hijo. A lo mejor debes solicitar. Siempre dices que necesitas más dinero.

HIJO   Papá, ¡ahora no! ¡No ves que miramos la tele!

MADRE   ¿Ya terminó? Yo quiero saber qué mentira va a inventar ahora.

HIJO   Pero, mamá, no va a decirle una mentira. Dijo que quería decirle la verdad.

MADRE   ¡Ay, hijo! ¡Qué inocente estás tú hoy día!

PADRE   Aquí dice que se alquila un...

HIJO   ¡Ay! ¿Otra vez?

HIJA   ¡Ya! ¡Por Dios, papá!

Ahora, ¡a hablar!

A. Robo. En el episodio del programa de televisión *El detective,* el inspector Mata-moscas interroga a dos testigos sobre el robo de un banco. ¿Qué dicen los dos testigos?

Modelo   **TESTIGO 1**   yo / lo / ver / todo

> **Yo lo vi todo.**

1. un coche / parar / enfrente de / banco
2. dos hombres / entrar / banco
3. un hombre / ir / caja
4. el hombre / sacar / pistola
5. el cajero / no decir / nada
6. los hombres / escapar / con / dinero

Modelo   **TESTIGO 2**   no / ser / así

> **No, no fue así.**

7. tres hombres / salir / coche
8. dos hombres / ir / caja
9. un hombre / decir / algo / cajero
10. el cajero / sacar / todo / dinero / caja
11. los tres hombres / salir / corriendo

B. El sábado.   ¿Qué hiciste tú el sábado pasado?

Modelo   **En la mañana dormí hasta tarde, hice ejercicio, fui al supermercado, limpié la casa, estudié y...**

1. En la mañana
    salir a correr / tomar café / escribir cartas / ir al centro / mandar cartas / limpiar la casa / ver la televisión / descansar / llamar a mis padres

2. En la tarde
    ir de compras / caminar a... / hacer la tarea / mirar deportes en la televisión / escuchar la radio / dormir un poco / practicar deportes / ir a la biblioteca / ¿... ?

3. En la noche
ir a una fiesta / salir con amigos / mirar televisión / leer una novela / comer en un restaurante / ir a un concierto / alquilar un video / invitar a unos amigos a casa / ir al cine / ¿... ?

C. Buena impresión. Tú tienes una entrevista para un empleo en una compañía importante. ¿Sabes qué se hace o qué no se hace para dar una buena impresión?

Modelo   llevar blue jeans
No se lleva blue jeans.

1. llevar ropa de colores vivos
2. hablar mal de su empleo anterior
3. fumar durante la entrevista
4. mirar a la persona que entrevista

5. hablar claramente
6. decir mentiras
7. llegar a tiempo
8. ¿... ?

D. ¡Necesito dinero urgentemente! ¿Qué puedo hacer? Una solución es vender algunas cosas que no necesito. Prepara unos anuncios de cosas que quieres vender.

Y ahora, ¡a conversar!

A. ¿Quién es? En grupos de tres o cuatro escojan una persona famosa del mundo de la política o del espectáculo. Digan las cosas más importantes que hizo esa persona. El resto de la clase tiene que adivinar quién es. Se permite hacer preguntas para saber más detalles.

Gloria Estefan

Antonio Banderas

Edward James Olmos

Cristina Saralegui

Fidel Castro

Eva Perón

B. **¿Y tú?** Ahora tu propia vida va a servir de guión *(screenplay)* para una telenovela. En grupos de tres o cuatro, escriban el guión para un día dramático que tuviste.

C. **Necesitamos dinero.** Estos individuos necesitan dinero urgentemente. En parejas, ayúdenles a preparar anuncios clasificados para vender algún objeto apropiado. Sean creativos.

> **Modelo** Antonio Banderas
>
> **Se vende tambor** *(drum)*. **Excelente para música de mambo. Se puede usar como objeto decorativo. $250,00.**

1. Oprah Winfrey   4. Linda Ronstadt
2. Jon Secada   5. ¿... ?
3. Geraldo Rivera

¡Luz! ¡Cámara! ¡Acción!

A. **¡Hace diez años!** Tú y un(a) amigo(a) de la escuela secundaria se encuentran después de un largo tiempo. Cuéntense lo que pasó en sus vidas respectivas.

B. **Señores y señoras...** Ustedes trabajan en el departamento de publicidad para la estación de televisión XELO. En grupos de cuatro o cinco preparen una publicidad para su producto favorito y dramatícenla.

¿Te gusta leer?

Antes de leer
Estrategias para leer: Adelantarse al tema

A. **Adelántate.** *Before reading, we frequently try to anticipate* (**adelantar**) *what a reading will be about by focusing on external clues, such as the visual(s) accompanying the reading or the title or subtitles of the reading, or simply by drawing on previous knowledge we may have about the topic of the reading.*

Practica el adelantarte a esta lectura leyendo solamente los títulos, en este caso, las palabras en negrilla *(bold type)* y en imprenta grande. ¿Cuáles de estos temas son muy obvios, cuáles son menos obvios y cuáles probablemente no aparecen en estos anuncios?

1. programadores de computadoras
2. mecánicos
3. ingenieros
4. médicos
5. electricistas
6. guardias de seguridad
7. sirvientas para limpiar la casa
8. secretarias bilingües

B. Prepárate para leer. Adelántate y lee sólo los títulos de los anuncios de la lectura. En una hoja de papel, escribe brevemente dos cosas que crees que cada anuncio va a mencionar. Luego, después de leer los avisos, vuelve a lo que escribiste y confirma tus respuestas.

- Computadoras JCN
- Conserje
- Ingeniero civil
- Ingeniero electrónico

Avisos limitados

JCN *Computadoras JCN*

Para trabajar en su Departamento de seguridad, IBM de Guatemala

Solicita personal calificado que cumpla con los siguientes requisitos:

- Título de técnico superior en seguridad industrial o estudiante universitario, con experiencia previa en el área de seguridad.
- Conocimiento del idioma inglés.

Las personas interesadas deberán dirigirse a la siguiente dirección: Edificio *JCN*, planta baja, Av. Ernesto Blohm

---

Se solicita
Conserje
(Matrimonio)

Edificio Comercial situado en Lomas Norte, solicita los servicios de un matrimonio para el cuidado, mantenimiento y limpieza del mismo.

Se requiere una pareja joven, dinámica, sin hijos y con buena experiencia en similares trabajos y excelentes referencias por escrito.

Interesados favor de presentarse el lunes 11 de septiembre en el Edf. Centro Lomas, Torre Oeste, Piso 3, Ofic. Núm. 1 y preguntar por la Srta. Agostina.

Importante Empresa del sector de la construcción solicita

Ingeniero Civil

Para incorporarse a una organización dinámica con grandes perspectivas de expansión.

Se ofrece:
- Excelente remuneración
- Beneficios sociales
- Caja de ahorro
- Seguro de vida y hospitalización

Requisitos:
- Experiencia no indispensable
- Disponibilidad de residencia en el interior del país
- Deseos de superación en una compañía corporativa
- Habilidad en el manejo de personal

Favor de enviar curriculum vitae con foto al Apartado Postal Nos. 10 y 203, Cd. Guatemala

---

Profesores bilingües
(Español/Inglés)

Prestigioso colegio en Col. Lomas está entrevistando a profesores capacitados para el período 1998–99 para trabajar en los niveles de preescolar y primaria.

Requisitos indispensables:
- Título docente • Dominio del inglés • Experiencia comprobada • Con preferencia nacionalidad americana, británica o canadiense (no indispensable).

La institución ofrece estabilidad laboral y salario promedio mensual 72.000 Q.

Interesados comunicarse por tele. 256 66 46

Importante Línea Aérea Internacional

Requiere para su Departamento de Reservaciones cinco candidatas(os).

Requisitos:
- Inglés indispensable
- Bachilleres
- Edad 18 a 25 años

Enviar hoja de vida con foto reciente al Anunciador No. 1277, EL TIEMPO.

A ver si comprendiste

Contesta estas preguntas a base de los *Avisos limitados* que leíste.

1. ¿Cuántos puestos requieren experiencia previa? ¿Cuáles son?
2. ¿Cuáles puestos requieren título universitario?

3. ¿Cuántos puestos requieren conocimiento de dos lenguas? ¿Cuáles son?

4. ¿Se puede solicitar por escrito a todos estos puestos? Explica tu respuesta.

5. ¿Cuál de estos puestos te interesa a ti? ¿Por qué?

Viajemos por el ciberespacio a... GUATEMALA

Expand your horizons! *Let's travel through cyberspace to* **Guatemala** where . . .

- through the Internet, you can visit Guatemala's dense jungles, arid deserts, and breathtaking volcanoes, as well as its beautiful beaches on both the Atlantic and Pacific coastlines.

- you can see an abundant variety of plant and animal life, ranging from thousands of species of orchids to the rare national bird, the quetzal.

- in addition to its natural beauty, you can experience the diverse cultures of Guatemala, where the majority of its inhabitants are indigenous, and where over 30 languages and many more regional dialects are spoken.

- you can visit the **Arte Maya Tz'utuhil Museum,** where you can appreciate the work of contemporary self-taught Mayan artists living in towns on Lake Atitlán around San Pedro la Laguna.

If you are a cyberspace browser, join us in **Viajemos por el ciberespacio a... Guatemala,** by trying the following important addresses.

Universidad del Valle de Guatemala
http://www.uvg.edu.gt/

Fundación Rigoberta Menchú Tum
http://ourworld.compuserve.com/homepages/rmtpaz/

Periódicos y revistas
http://www.pronet.net.gt/gweekly/
http://www.prensalibre.com/

Arte Maya:
http://www.artemaya.com/

Because addresses are likely to change without notice, the following key words will guarantee that **Viajemos por el ciberespacio a... Guatemala** will get you to your desired destination:

Palabras clave

Guatemala	Arte Maya
Periódicos de Guatemala	Rigoberta Menchú
Turismo en Guatemala	Radio en vivo Guatemala

http//www.hrwcollege.com

Vocabulario

Asesinatos

arrestar	to arrest
asesinar	to assassinate
atacar	to attack
bomba	bomb
capturar	to capture
escapar	to escape
explotar	to explode
guerra	war
huelga	strike
informar	to inform
ladrón	thief
matar	to kill
pistola	gun
policía (f.)	police force
policía (m./f.)	(male/female) police officer
robar	to rob; to steal
robo	robbery
sospechar	to suspect

Viajar

aerolínea	airline
avión (m.)	airplane
viaje (m.)	trip
vuelo	flight

Deportes

atleta (m./f.)	athlete
baloncesto	basketball
campeonato	championship
deporte (m.)	sport
empatar	to tie (in games and elections)
equipo	team
ganar	to win
jugar (ue)	to play
partido	game
vencer	to conquer

Periódicos

aviso	advertisement, classified ad
espectáculo	movie/theater section of newspaper
noticias	news
primera plana	front page
titular (m.)	headline

Negocios

caja	cash register
empleo	employment
entrevista	interview
experiencia	experience
negocios	business
profesión	profession
puesto	job, position

Sustantivos

escuela primaria	elementary school
escuela secundaria	high school
gobierno	government
interés (m.)	interest
lago	lake
llave (f.)	key
mentira	lie
revista	magazine
siglo	century
verdad (f.)	truth
vez (f.)	time
vida	life

Verbos

celebrar	to celebrate
comenzar (ie)	to begin
dejar	to leave behind
desaparecer	to disappear

descubrir	to discover
empezar (ie)	to begin
entrar	to enter
fumar	to smoke
llegar	to arrive
mandar	to send
manejar	to drive
nacer	to be born
ocurrir	to occur
ofrecer	to offer
parar	to stop
perder (ie)	to lose
reaccionar	to react
recibir	to receive
solicitar	to apply
terminar	to finish; to end

Adjetivos

espectacular	spectacular
fantástico(a)	fantastic
internacional	international
local	local
nacional	national
propio(a)	own, one's own
vivo(a)	bright, lively

Adverbios

anoche	last night
ayer	yesterday
durante	during
esta mañana/ tarde/noche	this morning / afternoon / evening
menos	less
recientemente	recently

Otras palabras

¡Escúchame!	Listen to me!

En preparación 7

7.1 Preterite of Regular Verbs

Providing and requesting information about past events

Spanish has two simple past tenses: the preterite and the imperfect. In this chapter you will study various uses of the preterite. Following are the preterite verb endings for regular verbs.

-AR Verb endings

yo	**-é**	nosotros(as)	**-amos**
tú	**-aste**	vosotros(as)	**-asteis**
Ud.	**-ó**	Uds.	**-aron**
él, ella	**-ó**	ellos, ellas	**-aron**

Encontrar

encontré	encontramos
encontraste	encontrasteis
encontró	encontraron

-ER, -IR Verb endings

yo	**-í**	nosotros(as)	**-imos**
tú	**-iste**	vosotros(as)	**-isteis**
Ud.	**-ió**	Uds.	**-ieron**
él, ella	**-ió**	ellos, ellas	**-ieron**

Vender **Recibir**

vendí	vendimos	recibí	recibimos
vendiste	vendisteis	recibiste	recibisteis
vendió	vendieron	recibió	recibieron

A. The preterite is used to describe an act that has already occurred; it focuses on the beginning, the end, or the completed aspect of an act. The preterite is translated in English as the simple past or as *did* + verb.

Encontré los boletos.
{ *I found the tickets.*
{ *I did find the tickets.*

¿**Vendiste** el coche?
{ *You sold the car?*
{ *Did you sell the car?*

B. Note that the first- and third-person singular endings of regular verbs *always* require a written accent in the preterite.

Regresé a eso de las once.   *I returned at about 11:00.*
La policía lo **arrestó** anoche.   *The police arrested him last night.*

C. Note also that the first-person plural endings of **-ar** and **-ir** verbs are identical to the present indicative endings. Context determines whether the verb is in the past, the present, or the future.

Mañana **jugamos** en Nueva York;   *Tomorrow we play in New York;*
 ayer **jugamos** en Miami.   *yesterday we played in Miami.*

D. All stem-changing **-ar** and **-er** verbs in the present tense are *regular* in the preterite. Stem-changing **-ir** verbs in the preterite will be discussed in **Capítulo 10.**

Encontraron el avión en las montañas.	*They found the plane in the mountains.*
¿Entendiste las noticias?	*Did you understand the news?*
Perdieron el campeonato, ¿verdad?	*They lost the championship, right?*

¡A practicar!

A. Noticias. Paula está leyéndole las noticias a su esposo mientras él prepara el desayuno. ¿Qué le dice ella? Al contestar, completa estas oraciones con el pretérito.

1. La policía _____ (arrestar) al famoso asesino.
2. El presidente y su esposa _____ (recibir) al presidente de Guatemala.
3. Unos niños _____ (encontrar) un millón de dólares.
4. Los Cardenales _____ (jugar) contra los Gigantes.
5. Una actriz _____ (vender) sus diamantes.
6. Dos hombres _____ (asesinar) a un policía.

B. Me interesan los detalles. El marido de Paula está muy interesado en lo que ella dice y pide más información. ¿Qué le pregunta a Paula?

1. ¿Dónde _____ (encontrar) la policía al asesino?
2. ¿Cuándo _____ (llegar) los representantes de Guatemala?
3. ¿Dónde _____ (descubrir) los niños tanto dinero?
4. ¿Quiénes _____ (ganar), los Cardenales o los Gigantes?
5. ¿Es la misma actriz que _____ (dejar) a su esposo el mes pasado?
6. ¿Cómo _____ (matar) ellos al policía?

7.2 Preterite of Verbs with Spelling Changes

Describing in past time

A. To maintain the consonant sound of the infinitive, verbs that end in **-car, -gar,** and **-zar** undergo a spelling change in the preterite. (These rules apply not only to verbs in the preterite but to verbs in any tense whenever the following circumstances occur.)

1. **-car: c** changes to **qu** in front of **e**
   sacar: sa**qué,** sacaste, sacó...
   buscar: bus**qué,** buscaste, buscó...

2. **-zar: z** changes to **c** in front of **e**
   empezar: empe**cé,** empezaste, empezó...
   comenzar: comen**cé,** comenzaste, comenzó...

3. **-gar: g** changes to **gu** in front of **e**
   llegar: llegué, llegaste, llegó...
   jugar: jugué, jugaste, jugó...

B. Whenever an unstressed **i** occurs between two vowels, it changes to **y**. Note that these verbs require a written accent in all persons except the third-person plural.

leer		creer		oír	
leí	leímos	creí	creímos	oí	oímos
leíste	leísteis	creíste	creísteis	oíste	oísteis
leyó	leyeron	creyó	creyeron	oyó	oyeron
leyó	leyeron	creyó	creyeron	oyó	oyeron

¡A practicar!

A. ¡Qué día! Ayer Angélica tuvo (*had*) un día terrible. ¿Qué pasó?

Ayer yo _____ (empezar) el día con el pie izquierdo (*left foot*). Cuando _____ (comenzar) a preparar un café, _____ (oír) sonar el teléfono. Era mi mamá. Ella _____ (hablar) más de una hora. Luego _____ (buscar) las llaves (*keys*) de mi auto pero no las _____ (encontrar). Las _____ (buscar) en todas partes pero sin suerte (*luck*). Finalmente yo _____ (decidir) tomar el autobús, pero _____ (llegar) muy tarde a la parada. Yo _____ (regresar) a casa y no _____ (salir) el resto del día.

B. Norberto.   Por lo general, Norberto lleva una vida muy aburrida. ¿Qué pasó ayer en su vida?

Ayer Norberto _____ (llegar) tarde a clase. Después de clase _____ (practicar) fútbol por dos horas. Cuando _____ (volver) a casa, _____ (preparar) la cena y _____ (leer) el periódico. Por la noche no _____ (empezar) a hacer su tarea hasta que _____ (llegar) su amigo Ricardo. Norberto y Ricardo _____ (estudiar) dos o tres horas. De repente (*Suddenly*), Ricardo _____ (oír) un ruido (*noise*). Norberto _____ (buscar) por todas partes pero no _____ (encontrar) a nadie. ¡Parece que Ricardo tiene una imaginación muy activa!

PASO 3

7.3 Preterite of *ir, ser, decir,* and *hacer*

Narrating in past time

ir / ser		decir		hacer	
fui	fuimos	dije	dijimos	hice	hicimos
fuiste	fuisteis	dijiste	dijisteis	hiciste	hicisteis
fue	fueron	dijo	dijeron	hizo	hicieron
fue	fueron	dijo	dijeron	hizo	hicieron

A. The preterite forms of **ser** and **ir** are identical. Context will clarify the meaning.

Anoche **fuimos** a ver la película   *Last night we went to see the*
 Lo que el viento se llevó.   *movie* Gone with the Wind.
Vivien Leigh **fue** la actriz principal.   *Vivien Leigh was the leading actress.*
Fuimos solos.   *We went alone.*

B. Note that these irregular verbs do not have written accents in the preterite.

¿Quién **hizo** eso?   *Who did that?*
Te **dije** que yo lo **hice.**   *I told you I did it.*

¡A practicar!

A. En busca de empleo. Completa el párrafo que sigue para saber qué pasó ayer cuando Martín tuvo una entrevista con el supervisor del periódico escolar.

Ayer yo _____ (ir) a solicitar un trabajo al periódico de la universidad.

Todos _____ (ser) muy amables. El supervisor me _____

(hacer) escribir una carta en la computadora y luego otras personas me

_____ (hacer) algunas preguntas más técnicas. Finalmente la secretaria

me _____ (decir) que me van a informar del resultado la semana próxima. Espero tener suerte.

B. Cumpleaños. Según Alicia, ¿cómo celebran el cumpleanos de Jaime?

Ayer _____ (ser) el cumpleaños de Jaime. Jorge, su compañero de

cuarto, _____ (organizar) una fiesta para él. Marta y yo

_____ (ir) a la tienda para comprar champán. Carmen _____

(hacer) un pastel delicioso. Isabel y Juana _____ (hacer) unos sánd-
wiches. Todos nosotros _____ (ir) a la casa de Jorge y esperamos a
Jaime. Cuando Jaime _____ (llegar) todos _____ (decir):
«¡Felicitaciones!» La fiesta _____ (ser) estupenda. Jaime
_____ (decir): «Es la mejor fiesta de cumpleaños de mi vida».

7.4   The Pronoun *se*: Special Use

Making announcements

In notices such as classified ads, placards, recipes, and signs on windows or walls, the pronoun **se** is employed in Spanish.

Se alquilan bicicletas.	*Bicycles for rent.*
Se necesita secretaria.	*Secretary wanted.*
Se habla inglés aquí.	*English spoken here.*
Se prohíbe estacionar.	*No parking.*

Note that the verb form following **se** is in the third-person singular when followed by a singular noun or infinitive (**secretaria, estacionar**) and in the third-person plural when it is
followed by a plural noun (**bicicletas).**

¡A practicar!

A. Anuncios.   Imagínate que tú trabajas en el departamento de anuncios clasificados en
las oficinas de un periódico de tu ciudad. Prepara algunos anuncios.

Modelo   vender / bicicleta nueva
                  Se vende bicicleta nueva.

1. ofrecer / buen puesto
2. vender / televisor en buen estado
3. buscar / persona competente
4. vender / casa grande
5. necesitar / dos mecánicos
6. desear / camarero competente

B. Ventas.   Varios estudiantes están escribiendo anuncios clasificados para poner en el
periódico escolar. ¿Qué dicen sus anuncios?

1. vender / libros usados
2. ofrecer / auto en buen estado
3. necesitar / alquilar casa cerca de la universidad
4. comprar / computadoras usadas
5. buscar / persona dinámica para trabajar con niños
6. reparar / bicicletas

CAPÍTULO 8

Cultural Topics

- **¿Sabías que…?**
  Nombres de comidas en el Cono Sur
  El menú del día
- **Noticiero cultural**
  Lugar: *Chile: Retorno a la democracia*
  Gente: *Salvador Allende*
- **Lectura:** *Crem Helado*

Writing Strategies

- *Descripción de un evento*

Reading Strategies

- *Dar un vistazo*

En preparación

- 8.1 Indirect Object Nouns and Pronouns
- 8.2 The Verb **gustar**
- 8.3 Double Object Pronouns
- 8.4 Review of **ser** and **estar**
- 8.5 The Verb **dar**

¡A comer!

In this chapter, you will learn how to …

- request a table at a restaurant.
- order a meal.
- describe your favorite foods.
- get a waiter's attention.

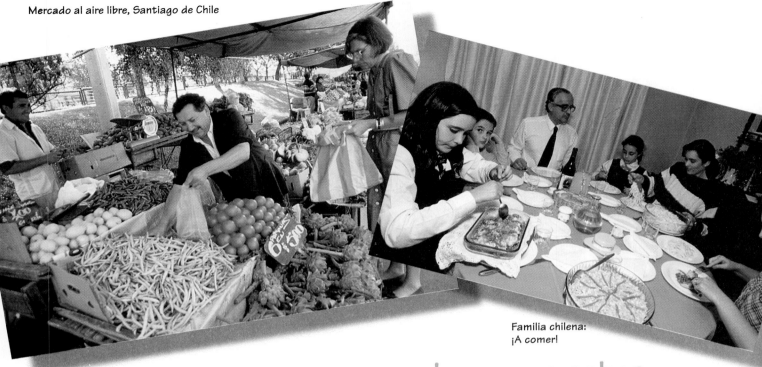

Mercado al aire libre, Santiago de Chile

Familia chilena:
¡A comer!

Restaurante en Santiago
de Chile

Lo que ya sabes...

1. ¿Adónde vas para hacer las compras de comestibles (groceries)? ¿Vas a veces a los mercados al aire libre? ¿Por qué?

2. ¿Es la familia en la segunda foto como tu familia? ¿Por qué?

3. ¿De qué crees que está hablando esta familia? ¿Conversa mucho tu familia a la hora de comer? ¿De qué?

4. ¿Es el comer una actividad especial para ti o es simplemente algo necesario para alimentar el cuerpo? ¿Prefieres comer solo o en compañía? ¿Por qué?

5. ¿Con qué frecuencia comes en lugares que sirven «comida rápida»? ¿Crees que los lugares que sirven «comida rápida» son muy populares en los países latinos? ¿Por qué?

CHILE

PASO 1

¿Tienen una mesa reservada?

TAREA

Antes de empezar este **Paso**, estudia **En preparación** 8.1 y 8.2 y haz por escrito los ejercicios de **¡A practicar!** También escucha **Paso 1 ¿Qué se dice...?** del Capítulo 8 en el CD del estudiante.

¿Eres buen observador?

Ahora, ¡a analizar!

1. ¿Cuáles son las ocho verduras en este jugo? ¿Cuántas puedes nombrar en inglés? ¿Cuáles no puedes nombrar?

2. ¿Cuáles son los ocho premios que se van a dar? ¿Quién o qué ha sido nominado para mejor actuación? ¿para mejor coloración? ¿mejor nutrición?

3. El «**Jugo de 8 Verduras**» tiene un paralelo en Estados Unidos. ¿Cuál es? ¿Lo tomas tú? ¿Te gusta?

4. ¿Por qué crees que dice que es «el auténtico»? ¿Por qué dice que está hecho con amor?

5. ¿Cuál es tu jugo de verdura favorito?

NOMINADO PARA 8 PREMIOS

MEJOR ACTUACION
AL TOMATE

MEJOR SABOR
A LA ZANAHORIA

MEJOR FRESCURA
A LA LECHUGA

MEJOR NUTRICION
A LAS ESPINACAS

MEJOR COSECHA
AL APIO

MEJOR COLORACION
AL BETABEL

MEJOR CONDIMENTACION
A LOS BERROS

MEJOR SAZON
AL PEREJIL

El Auténtico Jugo de 8 Verduras HERDEZ está hecho con amor

Con toda confianza... es HERDEZ JUGO DE VERDURAS 8

Hechos con amor
Con toda confianza... es

HERDEZ

¿Qué se dice...?

Al llegar a un restaurante

¿Para cuántas personas es la reservación? ___4 -cuatro___

¿A quién esperan? ___Dueno___

Más o menos, ¿qué hora es? ___7:30 pm mas o menos___

DUEÑO ¿Dónde prefieren sentarse?

LOLA Por favor, una mesa cerca de la ventana.

DUEÑO ¿Les gusta esta mesa?

SRA. RÍOS Si es posible, la mesa del rincón, por favor.

DUEÑO Sí, cómo no. Les puedo preparar la mesa del rincón en seguida. Si son tan amables de esperarme un momento, por favor.

¿Sabías que... ?

Hay mucha variedad en los nombres de las comidas en distintas regiones de las Américas, por ejemplo, entre México y Centroamérica y los países del Cono Sur: Chile, Argentina, Uruguay y Paraguay.

Frutas y verduras	El Cono Sur	México y Centroamérica
avocado	palta	aguacate
beans	porotos	frijoles
string beans	porotos verdes	ejotes
chili pepper	ají	chile
corn	choclo	maíz
peach	melocotón	durazno
peanut	maní	cacahuate
peas	arvejas	chícharos
pineapple	ananá	piña
potato	patata	papa

Ahora, ¡a hablar!

A.   ¡Nos gusta comer!   A todos nos gusta comer, pero no nos gustan las mismas comidas a todos. Trabajando en parejas, pregúntense si les gustan estas comidas.

> **Modelo**   manzana
>
> TÚ   **¿Te gustan las manzanas?**
> COMPAÑERO(A)   **Sí, me gustan muchísimo.**

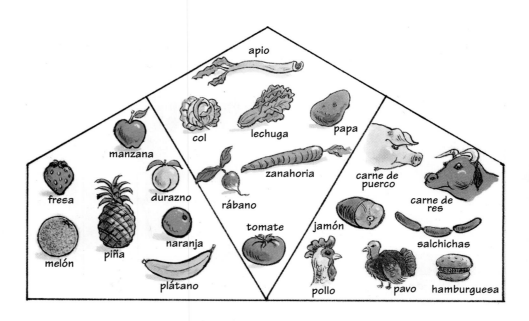

Frutas	Verduras	Carnes
fresa	apio	carne de puerco
manzana	col	carne de res
durazno	lechuga	jamón
melón	papas	salchicha
piña	rábanos	hamburguesa
plátano	tomate	pavo
naranja	zanahorias	pollo

B. Preferencias. No a todos nos gustan las mismas comidas. En grupos de cuatro, decidan a quiénes les gustan o no les gustan estas comidas e informen a la clase de los gustos del grupo.

Modelo **A todos nos gustan los huevos menos a (*nombre*). o**

A nadie (*no one*) le gustan los calamares.

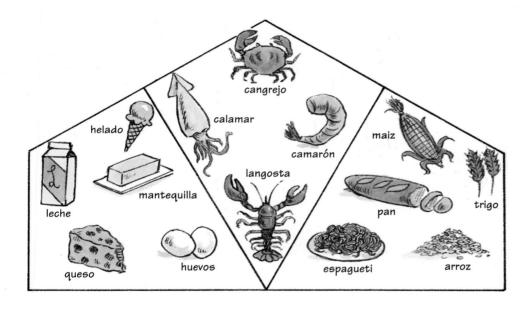

Productos lácteos y otros	Pescados y mariscos	Cereales y pastas
leche	cangrejo	maíz
helado	langosta	pan
mantequilla	camarón	trigo
queso	calamar	espagueti
huevos		arroz

C. Cumpleaños. Invitas a un(a) amigo(a) a tu casa para su cumpleaños. ¿Qué haces para esta persona?

Modelo preparar una fiesta

Le preparo una fiesta.

1. preparar una cena especial
2. hacer un pastel
3. servir la comida
4. decir «Feliz cumpleaños»
5. comprar algo especial
6. dar un abrazo y un beso
7. dar una tarjeta especial
8. servir el pastel

D. Promesas. Carmen y Roberto son novios y piensan casarse pronto. ¿Qué le pregunta Carmen a su futuro esposo? ¿Qué le pregunta él a ella? ¿Qué contesta cada uno?

Modelo preparar el desayuno

CARMEN **¿Vas a prepararme el desayuno todas las mañanas?**

ROBERTO **Sí, te voy a preparar el desayuno.** o

No, no te voy a preparar el desayuno.

Carmen a Roberto

1. traer flores de vez en cuando
2. servir el desayuno en la cama
3. hacer un postre especial los fines de semana
4. ¿... ?

Roberto a Carmen

5. decir siempre palabras de amor
6. hacer pan una vez a la semana
7. preparar comidas especiales
8. ¿... ?

Y ahora, ¡a conversar!

A. ¿Comes bien? Entrevista a un(a) compañero(a) sobre su dieta.

1. ¿Comes carne de res? ¿de puerco? ¿Cuántas veces por semana?
2. ¿Tomas leche? ¿Comes huevos? ¿Cuántas veces por semana?
3. ¿Tomas agua? ¿Cuántos vasos por día?
4. ¿Cuánto pescado comes a la semana? ¿Comes mariscos? ¿Cuánto pan comes generalmente?
5. ¿Cuántas verduras comes a la semana? ¿Tomas desayuno, almuerzo y cena todos los días?
6. En tu opinión, ¿comes bien? ¿mal? ¿Qué necesitas cambiar?

B. ¿Qué recomiendas? ¿Qué comidas les recomiendas a las siguientes personas?

Modelo Elena es vegetariana.

Le recomiendo comer frutas y vegetales.

1. Pablo está muy gordo.
2. Sancho está muy delgado.
3. Enrique tiene diabetes.

4. Victoria tiene el estómago *(stomach)* delicado.

5. Elena es vegetariana.

6. Elías hace mucho ejercicio y quema *(he burns up)* muchas calorías.

C. Hábitos culinarios. ¿Qué conexión hay entre lo que comes y cuándo, dónde y con quién comes? Para saberlo, completa este cuadro con información sobre lo que comiste ayer. Luego, comparen sus formularios en grupos de tres y contesten las preguntas que siguen.

	¿Qué comiste?	¿Dónde comiste?	¿Con quién comiste?	¿De qué hora a qué hora?
desayuno				
bocadillo (snack)				
almuerzo				
bocadillo				
cena				
bocadillo				

1. ¿Cuál es la comida más popular para el desayuno? ¿el almuerzo? ¿la cena? ¿los bocadillos *(snacks)*?

2. ¿Dónde y con quién comes con más frecuencia?

3. ¿Cuánto tiempo toman para comer el desayuno? ¿el almuerzo? ¿la cena?

4. ¿Qué hora es la más popular para comer un bocadillo?

¡Luz! ¡Cámara! ¡Acción!

A. Buenas noches, señores. Tú y un(a) amigo(a) llegan a un restaurante. Hay mucha gente pero ustedes tienen una reservación. Explíquenle al (a la) mesero(a) que tienen reservación y díganle dónde prefieren sentarse.

B. Bienvenidos. Tú y un(a) amigo(a) llegan a un restaurante. Tienen una reservación pero llegan media hora tarde y el (la) mesero(a) dice que ya no hay mesas. Dramaticen la situación en grupos de tres.

¿Comprendes lo que se dice?

Estrategias para escuchar. *Linking is the combining of the final sound of one word with the beginning sound of the word that follows. Linking is common to all languages. In English, for example, "What did you eat?" becomes something similar to "Whadjeet?" when final and initial word sounds are linked. In Spanish, linking occurs most frequently under the following conditions.*

1. *Linking always occurs when a word ends with a vowel or consonant sound identical to the vowel or consonant sound that begins the following word.*

    L**a ha**mburgues**a a**yer fue la mejor.

    E**l l**imón y la**s z**anahorias son los ingredientes más importantes de la**s s**opas.

2. *Linking also occurs when a word ends with a vowel sound and the following word begins with a vowel sound.*

    Tengo much**a ha**mbre.   ¿A cuánt**o está e**l bistec grande?

Understanding linking can help you when you are trying to distinguish individual words within a breath group. Now pay particular attention to linking as you listen to Claudio Téllez and Elena Contreras who have just arrived at their favorite restaurant in Santiago.

¿Un aperitivo?   Claudio Téllez y Elena Contreras, dos estudiantes de la Universidad de Santiago, están celebrando su primer aniversario de ser novios en Canto del Agua, un nuevo restaurante en Santiago. Escucha su conversación, y luego indica quién hace lo siguiente: el mesero (**M**), Elena (**E**) o Claudio (**C**).

M	1.	Los lleva a una mesa.
E	2.	Pregunta si prefieren una mesa cerca de la ventana.
M	3.	Ofrece un aperitivo.
E	4.	Pide un vaso de agua.
C	5.	Pide un vino tinto.
M	6.	Los deja ver la carta.
C	7.	Sugiere una ensalada de zanahorias.
E	8.	Dice que no le gustan las zanahorias.
M	9.	Recomienda una sopa de mariscos.

NOTICIERO CULTURAL

LUGAR... CHILE

Antes de empezar, dime...

1. ¿Cuál es el origen del nombre de tu ciudad? ¿de tu estado? ¿de los EE.UU.?

2. ¿Sabes cuántos americanos nativos había en el suroeste de los EE.UU. antes de comenzar los anglosajones a establecer colonias? Compara ese número con el número de americanos nativos que hay en el país ahora.

3. ¿Hay algún período en la historia de los EE.UU. en el que nuestro gobierno no fue democrático? ¿Alguna vez tomaron control del gobierno de los EE.UU. los militares del país?

4. ¿Hay algún producto exclusivo del cual depende la economía de los EE.UU.? ¿Es bueno o no depender de un sólo producto? ¿Por qué?

Patricio Aylwin, presidente de Chile

Chile: Retorno a la democracia

Chile está en el extremo suroeste de Sudamérica. Su nombre viene de la palabra *aymará chilli* que significa «confines de la Tierra», porque este país está prácticamente aislado del resto de Sudamérica por la cordillera de los Andes.

Cuando llegaron los españoles, en el territorio chileno habitaban alrededor de 500.000 indígenas: los *atacameños* y *diaguitas* en la zona norte y los *mapuches* (llamados *araucanos* por los españoles) en la zona sur. Durante el período de los españoles exterminaron a muchos indígenas. Actualmente la población indígena del país es un diez por ciento de la población total.

El Volcán Osorno

Chile se caracteriza en Latinoamérica por tener gobiernos constitucionales democráticos y civiles, excepto dos gobiernos militares. El más reciente ocurrió en 1973, cuando las fuerzas armadas, al mando del General Augusto Pinochet, tomaron el poder. El presidente socialista Salvador Allende murió durante el ataque al palacio presidencial. En 1990, asumió un presidente elegido democráticamente, Patricio Aylwin, después de perder Pinochet un referéndum en 1988.

Hasta la década de los 70 la economía de Chile dependió principalmente de un solo producto de exportación: cobre. Gracias a una exitosa estrategia económica durante la década de los 80, el país pasó a depender de las exportaciones de una variedad de productos agrícolas: frutas, verduras y vino, entre otros. Gracias a las diferencias de estaciones climáticas, el mercado de estos productos chilenos se extiende ahora no sólo a los EE.UU. y Europa sino a otros lugares del mundo.

Y ahora, dime...

Con un(a) compañero(a) de clase haz la siguiente comparación.

	CHILE	EE.UU.
1. Geografía		
2. Población indígena		
3. Sistema de gobierno		
4. Productos de exportación		

El español en otras disciplinas: Alimentación mundial

Frutas y verduras. El éxito *(success)* comercial llegó a Chile en la década de los 80, cuando se empezó a exportar una variedad de frutas y verduras a varios países, en particular a los EE.UU. y Europa. Con temporadas del año opuestas a las de los EE.UU. y Europa, una gran cantidad de las frutas y verduras que los estadounidenses y europeos compran en sus supermercados durante el invierno son importadas de Chile. ¿Qué productos exporta tu estado a otros países? ¿A qué países? Discutan estas preguntas en grupos de tres e informen a la clase de lo que decidieron.

Proyecto: Selecciona un país hispanohablante e investígalo en la enciclopedia para ver qué productos exporta. Prepara un breve informe para la clase sobre lo que encuentres.

PASO 2

¿Qué se les ofrece?

TAREA

Antes de empezar este **Paso**, estudia **En preparación** 8.3 y haz por escrito los ejercicios de **¡A practicar!** También escucha el **Paso 2 ¿Qué se dice... ?** del Capítulo 8 en el CD del estudiante.

¿Eres buen observador?

Ahora, ¡a analizar!

1. ¿Para qué compañía es esta propaganda, para «Otra» o para «Casera»?

2. ¿Qué tipos de productos producen «Otra» y «Casera»? ¿Cuáles de esos productos usas tú? ¿Te gustan todos?

3. ¿Cuál es la diferencia entre los productos de «Otra» y los de «Casera»? ¿Es una diferencia importante? ¿Por qué?

4. Explica el título de este anuncio: «La sal está en otras». Explica también la expresión «Salud y conveniencia» en relación a este producto.

5. ¿Cuál usarías tú, «Otra» o «Casera»? ¿Por qué?

LA SAL ESTA EN OTRAS.

Y NO EN CASERA.

Porque Casera envasa una línea de productos sin sal añadida, para aquellos que cuidan de su salud: Salsa de tomate, habichuelas y garbanzos en agua. Todos con la calidad Casera, y sin sal añadida.

SALUD Y CONVENIENCIA CON CASERA SIN SAL.

casera.

¿Qué se dice...?

Al pedir la comida

cóctel de camarones
pescado a la parrilla
bistec a la parrilla

carne asada
pescado frito
langosta

vaso de agua
pollo frito
calamares

CAMARERO   ¿Y usted, señorita? A la orden.

LOLA   Yo quisiera algo ligero. Tal vez un <u>cóctel de camarones</u>... o, mejor, la <u>ensalada de mariscos</u>.

CAMARERO   Y a ustedes, señores, ¿qué les puedo servir?

SR. RÍOS   Para mí, <u>el pollo asado,</u> por favor.

PEPE   Y yo quisiera probar los camarones al ajillo.

SR. RÍOS   Y para beber, una botella de vino blanco para nosotros dos y agua mineral con gas para todos.

CAMARERO   A sus órdenes.

SR. RÍOS   (Al hijo) ¿Me pasas la sal y la pimienta, por favor? Y, camarero, tráigame un <u>tenedor</u> limpio.

SRA. RÍOS   Y un <u>cuchillo</u> para la mantequilla, por favor. Y una <u>cuchara</u> para el café.

LOLA   ¡Ay! Me puede traer una servilleta limpia, por favor.

CAMARERO   ¡Cómo no, señorita! Con mucho gusto.

¿Sabías que... ?

Muchos restaurantes europeos y latinoamericanos siempre ofrecen un menú del día. Éste generalmente incluye sopa, ensalada, plato principal, postre y bebida. Esta comida siempre se ofrece a buen precio pero no se permiten sustituciones.

Ahora, ¡a hablar!

A.   ¿Qué les puedo servir?   Tú y unos amigos están en Coco Loco, un restaurante chileno. Tú pides para todos. ¿Qué dices?

> **Modelo**   a mi amiga / pescado frito
>
> **A mi amiga Gloria le trae el pescado frito, por favor.**

1.   a mi padre / camarones
2.   a mi madre / bistec
3.   al bebé / leche
4.   a mí / carne asada
5.   a mis hijos / sopa de tomate
6.   a todos / agua mineral

B. **¡Por favor!** Ahora tú y todos tus amigos ya están comiendo. Pero tú necesitas que tus amigos te pasen varias cosas. ¿Qué les dices?

Modelo   una amiga / la sal

Gloria, la sal… ¿me la pasas, por favor?

1. un amigo / el pan
2. una amiga / la cuchara
3. una amiga / la mantequilla
4. un amigo / la servilleta
5. un amigo / el tenedor
6. una amiga / la pimienta

C. **Gustos particulares.**   El padre de Margarita es muy particular y siempre insiste en que le preparen la comida de cierta manera. ¿Cómo se la preparan?

Modelo   el pescado / a la parrilla

Siempre se lo preparan a la parrilla.

1. los huevos / revueltos
2. los camarones / al ajillo
3. el bistec / a la parrilla
4. la carne / asada
5. el pollo / frito
6. las papas / asadas

D. **¡Le falta sabor!**   Trabajando en parejas, pregúntale a tu compañero(a) qué le pone a estas comidas cuando les falta sabor *(they lack flavor)*.

Modelo   papas fritas

TÚ   **¿Qué les pones a las papas fritas?**

COMPAÑERO(A)   **Les pongo sal y salsa de tomate.**

1. huevos   mayonesa o mostaza
2. papas fritas   sal y pimienta
3. hamburguesa   azúcar *(sugar)* o leche
4. té   mantequilla o margarina
5. pescado frito   salsa picante *(hot sauce)*
6. pan francés   limón

salsa de tomate

Y ahora, ¡a conversar!

A. **Entrevista.**   ¿Cuáles son algunos de los hábitos de comer de tu compañero(a)? Pregúntale a tu compañero(a)...

1. a qué hora desayuna. ¿almuerza? ¿cena?
2. si le gustan los bocadillos. ¿Cuáles?
3. cuándo tiene más hambre.
4. cuándo come más.
5. si come cuando estudia. ¿en el trabajo? ¿viendo televisión?
6. si come platos congelados *(frozen)*. ¿Con qué frecuencia?

B. ¿Tu favorito? Indica tu favorito en cada categoría. Luego en grupos pequeños, prepárense para decirle a la clase si tienen algunos gustos en común.

1. Entremeses:
   a. cóctel de mariscos   b. jamón   c. queso   d. otro: _____

2. Ensalada:
   a. de papas   b. verde   c. mixta   d. otra: _____

3. Sopa de:
   a. pollo   b. verduras   c. pescado   d. otra: _____

4. Plato principal:
   a. bistec   b. pollo   c. pescado   d. otra: _____

5. Bebidas:
   a. café   b. vino   c. leche   d. otra: _____

6. Postre:
   a. helado   b. fruta   c. pastel   d. otro: _____

C. ¡Cuatro estrellas! Clasifica cinco restaurantes de la ciudad de tu universidad usando esta escala de cuatro estrellas. Compara los resultados con el resto de la clase.

Restaurante	Tipo de comida	Especialidad	Calidad	Servicio
	americana			
	mexicana			
	china			
	francesa			
	italiana			

★★★★ Excelente   ★★★ Muy bueno   ★★ Bueno   ★ Aceptable

¡Luz! ¡Cámara! ¡Acción!

A. ¡Mozo! Tú y dos amigos(as) están en su restaurante favorito, estudiando el menú y tratando de decidir qué van a pedir. Dramaticen la situación con un(a) cuarto(a) amigo(a) que hará el papel de camarero(a).

B. ¡A comer! Tú y dos amigos(as) están comiendo en un restaurante pero cada uno necesita que los otros les pasen algunas cosas (la sal, un tenedor, etc.). También tienen que pedirle al (a la) mesero(a) que les traiga varias cosas. Dramaticen la situación.

¿Comprendes lo que se dice?

Estrategias para ver y escuchar.   *In the previous* **Paso** *you learned that linking is the combining of the final sound of one word with the beginning sound of the word that follows. As you view this commercial, listen for the linking that takes place in the song. Later you will be asked to identify some of it in writing.*

¡Fundo El Clarín!   ¿Te gustan las frutas? ¿Las comes durante todo el año? Al mirar este anuncio, piensa en tus frutas favoritas. Luego, en parejas, contesten las preguntas a continuación.

1.   ¿Qué es el Fundo El Clarín?
2.   ¿En qué país está el Fundo El Clarín?
3.   ¿Por qué dice la fresa que es «deliciosa todo el verano, de diciembre hasta abril»? Explica tu respuesta.
4.   A continuación están los primeros versos de la canción que canta la fresa. Indiquen cuáles vocales o consonantes finales se ligan con las vocales o consonantes iniciales.

> Soy la fresa que está más fresca
>   que todas las demás,
> deliciosa todo el verano
>   de diciembre hasta abril.

NOTICIERO *CULTURAL*

Chile

GENTE...

SALVADOR ALLENDE

Antes de empezar, dime...

Contesta estas preguntas sobre ex presidentes de los EE.UU.

1. Según tu opinión, ¿cuáles son los presidentes más importantes dentro de la historia de los EE.UU.?

2. ¿Qué presidentes de los EE.UU. fueron asesinados en el oficio de presidente?

3. ¿Hay presidentes de los EE.UU. que no pudieron terminar su gobierno debido a otras razones? Explica.

Salvador Allende

Salvador Allende (1908–1973)

Dentro de la historia de Chile, el presidente Salvador Allende forma parte de un capítulo importante.

Nació en Valparaíso y estudió medicina en la Universidad de Chile, donde cultivó sus ideas progresistas que comenzaron ya en la escuela secundaria. Fue uno de los fundadores del Partido Socialista de Chile, en 1933. Participó activamente en la vida política del país, como diputado y más tarde como senador. Después de varios intentos, en 1970 obtuvo la presidencia del país.

Allende quería intentar una transición pacífica al socialismo, incluyendo mejoras sociales para las clases menos favorecidas. Pero la nacionalización de las minas de cobre, el reparto de tierras a familias campesinas y otras medidas causaron el descontento de varios sectores de las clases media y alta del país como también de algunos países del extranjero, inclusive los EE.UU. A esto también contribuyeron el deterioro económico y la hiperinflación.

Allende murió el 11 de septiembre de 1973, durante el bombardeo a la casa de gobierno, La Moneda. Y como otros personajes de la historia, su muerte también es objeto de misterio y polémicas: para algunos fue suicidio, para otros, asesinato.

Por razones de censura política, Allende fue enterrado en una tumba anónima. Sólo en el año 1990, con la vuelta de la democracia, Salvador Allende recibió un homenaje nacional y sus restos fueron enterrados en el Cementerio General, en el panteón de su familia, ante la presencia de cientos de miles de chilenos que ofrecían su último tributo a la memoria de un gran hombre.

Y ahora, dime...

Usa un diagrama Venn como éste para hacer un paralelo entre la vida del presidente Salvador Allende y un presidente de los EE.UU. Tú decide el presidente que quieras comparar.

Salvador Allende
1.
2.
3.
4.
5.
...

Ambos presidentes
1.
2.
3.
4.
5.
...

{Nombre}
1.
2.
3.
4.
5.
...

¿Te gusta escribir?

Antes de escribir
Estrategias para escribir: Descripción de un evento

Orden cronológico. Las descripciones usualmente incluyen muchos detalles y se hacen siguiendo el orden cronológico del evento. Este tipo de descripción es importante particularmente en algunas profesiones como las de policías, abogados y periodistas.

La lista que sigue incluye todos los detalles de un incidente que ocurrió en Coco Loco, un restaurante chileno muy elegante. Ocurrió cuando el reportero de la serie *Los mejores restaurantes de Santiago* fue a cenar allí. El problema es que la lista no está en orden cronológico. Reorganízala, numerando las oraciones de 1 a 11, para que esté en el orden apropiado. Las primeras oraciones ya están indicadas.

    _____   a.   El cocinero llamó al gerente.

    _____   b.   El camarero se sorprendió y llamó al cocinero.

    _____   c.   Mis amigos pidieron una ensalada y pescado frito.

     2   d.   Un camarero nos preguntó si teníamos una mesa reservada.

    _____   e.   Yo pedí una sopa de mariscos.

     3   f.   Le dije que sí, a nombre de Gabriel Ramos.

    _____   g.   Nos llevó a una mesa y nos dio la carta.

    _____   h.   Yo dije:—¡Porque no tengo una cuchara!

    _____   i.   Cuando me sirvieron la sopa, dije: —No la puedo comer.

     1   j.   Mis amigos y yo fuimos al restaurante a comer.

    _____   k.   El gerente dijo:—No está fría, no está salada. ¿Por qué no se la puede comer?

Ahora, ¡a escribir!

A. Ahora, a precisar. El periódico estudiantil de tu universidad va a publicar una serie sobre los mejores restaurantes de la ciudad. Vas a contribuir con una descripción de tu restaurante favorito. Puedes describir algún incidente interesante que te ocurrió allí o tu última visita al restaurante. Empieza por hacer una lista de ideas sobre todo lo que puedes decir de tu restaurante favorito.

B. El primer borrador. Ahora prepara un primer borrador de tu artículo. Incluye la información en la lista de ideas que preparaste en la sección previa.

 C. Ahora, a compartir. Comparte tu primer borrador con dos o tres compañeros. Comenta sobre el contenido y el estilo de la descripción de tus compañeros y escucha los comentarios de ellos sobre tu descripción. ¿Comunican bien? ¿Hay bastantes detalles o necesitan más? ¿Es lógica la organización del artículo?

D. El segundo borrador. Haz los cambios necesarios a partir de los comentarios de tus compañeros de clase. Luego prepara un segundo borrador.

E. A compartir, una vez más. Comparte tu segundo borrador con dos o tres compañeros. Esta vez comenta sobre errores de estructura, ortografía o puntuación. Concéntrate específicamente en el uso de complementos directos e indirectos. ¿Los usan cuando deben usarlos? ¿Los ponen frente al verbo o después de y conectados a infinitivos, mandatos o participios presentes? Indica todos los errores de los artículos de tus compañeros y luego decide si necesitas hacer cambios en tu artículo basado en los errores que ellos te indicaron a ti.

F. La versión final. Prepara la versión final de tu artículo y entrégalo. Escribe la versión final a máquina o en la computadora siguiendo el formato recomendado por tu instructor(a).

G. Ahora, a publicar. En grupos de seis, preparen una página titular que diga *Los mejores restaurantes de* (*su ciudad*) y guarden todas las descripciones allí. Decidan entre ustedes cuál de las descripciones va a convencer más al público y léansela a la clase.

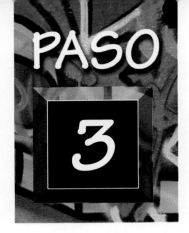

PASO 3

¡Para chuparse los dedos!

TAREA

Antes de empezar este **Paso**, estudia **En preparación** 8.4 y 8.5 y haz por escrito los ejercicios de **¡A practicar!** También escucha el **Paso 3 ¿Qué se dice... ?** del Capítulo 8 en el CD del estudiante.

¿Eres buen observador?

Ahora, ¡a analizar!

1. ¿Cuál es el propósito de este anuncio? ¿el producto principal?
2. ¿Qué vas a aprender a hacer si compras este producto?
3. ¿Dónde se puede comprar este producto?
4. Explica la expresión «Para chuparse los dedos». ¿Cuál es una expresión similar en inglés?
5. Explica la expresión «los manjares más exquisitos».

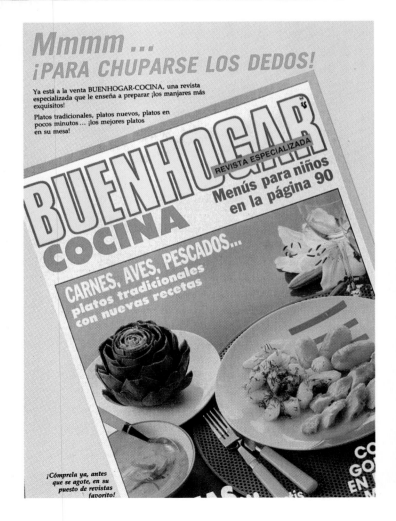

Mmmm ...
¡PARA CHUPARSE LOS DEDOS!

Ya está a la venta BUENHOGAR-COCINA, una revista especializada que le enseña a preparar ¡los manjares más exquisitos!

Platos tradicionales, platos nuevos, platos en pocos minutos ... ¡los mejores platos en su mesa!

BUENHOGAR COCINA

REVISTA ESPECIALIZADA

Menús para niños en la página 90

CARNES, AVES, PESCADOS...
platos tradicionales con nuevas recetas

¡Cómprela ya, antes que se agote, en su puesto de revistas favorito!

4

¿Qué se dice...?

Al hablar de la comida

¿Quién haría estos comentarios: la madre (M) o la hija (H)?

M   1.   Soy alérgica a los mariscos.

H   2.   El pollo está buenísimo.

M   3.   No puedo comer postres; estoy a dieta.

H   4.   ¡Ay, no! Si tomo café no duermo.

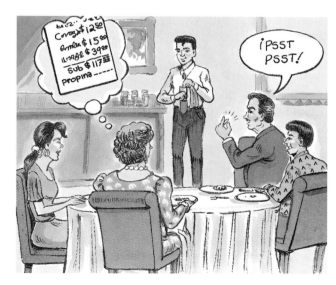

El señor Ríos hace una señal con los dedos y llama al camarero diciendo:—¡Psst, psst! La cuenta, por favor— . Luego le pregunta a su señora:—¿Cuánto le doy de propina?— Ella dice que no necesita darle nada porque la propina va incluida en la cuenta.

Al salir del restaurante los Ríos se encuentran con sus amigos los Ordaz. La señora Ordaz le pregunta a la señora Ríos qué opina de la comida de este restaurante. La señora Ríos dice que la comida es pésima, la ensalada no está fresca y el pollo no tiene sabor. Pero Lola le cuenta a su amiga que las ensaladas son fresquísimas. También le recomienda el pescado, los mariscos y el pollo. —En efecto —dice —hasta los camareros, uno en particular, son exquisitos.

Ahora, ¡a hablar!

A.   ¿Y para ti?   Para ti, ¿cómo son los siguientes platos?

> **Modelo**   el cangrejo
>
> **Me gusta mucho. Es sabroso.**

Vocabulario útil

pésimo	no muy bueno	bueno	buenísimo
sabroso	delicioso	exquisito	riquísimo

1. la sopa de pollo
2. la carne de puerco
3. el pollo
4. el pescado
5. el café
6. los calamares
7. el arroz
8. el apio

B.   ¡Está riquísimo!   ¿Qué le dice Lola al camarero cuando él le pregunta cómo está la comida?

> **Modelo**   vino / rico
>
> **El vino está riquísimo.**

1. sopa / rica
2. pescado / sabroso
3. postre / bueno
4. calamares / sabrosos
5. langosta / fresca
6. arroz / bueno

C. **¡Hoy es una excepción!**   Hoy el señor Ríos está tomando el desayuno en la cafetería del edificio donde trabaja. ¿Qué opina de lo que le sirven?

> **Modelo**   el jugo de naranja
> **Generalmente es pésimo, pero hoy está riquísimo.**

1. las frutas
2. el café con leche
3. los huevos revueltos
4. las salchichas
5. el pan
6. el bistec

D. **Propinas.**   ¿Quiénes dan propinas a estas personas: tú, tus padres o todos ustedes?

> **Modelo**   el peluquero *(barber)*
> **Mi padre le da propina al peluquero.**

1. taxistas
2. chófer de autobús
3. peluquera *(hairdresser)*
4. dependientes
5. camareros
6. niños que distribuyen el periódico

Y ahora, ¡a conversar!

A. **Entrevístense.**   Entrevista a un(a) compañero(a) y luego que él (ella) te entreviste a ti.

1. ¿Eres alérgico(a) a algún tipo de comida? ¿Cuál?
2. ¿Sabes cocinar? ¿bien? ¿mal?
3. ¿Para quién te gusta cocinar?
4. ¿Qué platos prefieres preparar?
5. ¿Cuál es tu especialidad?
6. ¿Te gusta comer en restaurantes o prefieres comer en tu casa? ¿en la casa de tus padres?
7. ¿Te gusta comer en restaurantes de «comida rápida» *(fast food)*? ¿Por qué?

B. **Adivinanzas.**   ¿Puedes identificar estas bebidas y comidas? Hazlo con dos o tres compañeros. Cuando terminen, díganle a su profesor(a).

1. un líquido caliente que se toma con cuchara
2. un líquido transparente que no tiene sabor
3. un líquido que se toma para no dormir
4. una fruta amarilla, larga, tropical
5. un líquido que los ingleses toman mucho
6. un marisco grande, rojo y bastante caro
7. un plato de lechuga y tomate

C. La Fonda. Tú y tu compañero(a) son dueños del restaurante La Fonda. Su restaurante es muy popular porque ofrece un menú nuevo cada semana. Ahora tienen que preparar el menú para la semana próxima. Incluyan por lo menos tres opciones en cada categoría.

— La Fonda —

Entremeses

_____   _____

_____   _____

Platos principales

_____   _____

_____   _____

_____   _____

Bebidas

_____   _____

_____   _____

Postres

_____   _____

_____   _____

D. ¿Son generosos? ¿Son generosos tus amigos? Pregúntales a quién le dan estas cosas y bajo qué circunstancias.

        Modelo flores

        TÚ   **¿A quién le das flores y cuándo se las das?**

    COMPAÑERO(A)   **Se las doy a mi mamá el Día de las Madres.**

1. dinero
2. una sonrisa *(a smile)*
3. propina
4. tu amor
5. consejos
6. tu tiempo
7. cumplidos *(compliments)*
8. ¿... ?

¡Luz! ¡Cámara! ¡Acción!

A. ¡Exquisito(a)! Tú y tu mejor amigo(a) van a un restaurante a cenar. Resulta que su mesero(a) es guapísimo(a). Ustedes empiezan a competir por su atención. ¿Quién gana *(wins)?* Ustedes lo van a decidir en su dramatización.

B. ¡A cenar! Tus padres vienen a visitarte en la universidad, y tú y tu mejor amigo(a) los llevan a cenar a un restaurante elegante. Dramatiza la situación con cuatro compañeros. Decidan quién va a hacer el papel de mamá, papá, hijo(a), mejor amigo(a) y mesero(a). Cada persona debe pedir una comida completa y su camarero(a) debe contestar sus preguntas sobre varias opciones.

¿Te gusta leer?

Antes de leer
Estrategias para leer: Dar un vistazo

A. Dar un vistazo. *In Chapter 5 you learned to scan by quickly reading a text. It is an especially useful strategy when reading reference texts such as indexes, road maps, dictionaries, classified ads, menus, or any article with long lists because their format allows the reader to concentrate on the information needed and to ignore extraneous material.*

Ahora da un vistazo al menú de Crem Helado en la página 310 y decide si estas declaraciones son ciertas o falsas. Si son falsas, corrígelas.

1. Los huevos con tocineta cuestan $330.
2. El plato más caro del menú es el de langostinos fritos.
3. El plato de pescado más barato del menú es la sopa de pescado.
4. Se puede pedir un sandwich y algo de tomar por menos de $225.
5. No sirven ensaladas en este restaurante.
6. Sirven jugos sólo con helado.
7. La hamburguesa más cara es la «Cow boy».
8. Las gaseosas no cuestan tanto como la leche.
9. La comida más barata del menú cuesta $120.
10. Sólo hay pastelitos de fresa y de limón.

B. Prepárate para leer. Consulta el menú de Crem Helado. Usa los subtítulos y el formato para contestar las preguntas que siguen.

1. A base del arte en el menú, ¿qué tipo de restaurante crees que es Crem Helado? ¿Por qué crees eso?
2. ¿Hay restaurantes en los Estados Unidos con menús similares? ¿Cuáles?
3. ¿Qué crees que es un «cow boy a caballo»? ¿una cerveza o «sifón»? ¿«tinto o aromática»? ¿«milo» caliente o frío? ¿«ponqué»? ¿«salpicón»?

Lectura

Crem Helado

SOPAS:

Sopa de pescado	480
Crema de champiñones	420
Crema de tomate	370
Consomé de pollo	250
Consomé de pollo con huevo	300

CARNE, POLLO, PESCADO Y OTROS:

Baby beef	800
Bistec de lomito	800
Steak de jamón	800
Pollo en canasta - 3 piezas	700
Pollo en canasta - especial	800
Róbalo frito	880
Langostinos fritos	1.550
Chuletas de cerdo ahumadas	880
Chili con carne y frijoles	490

EXQUISITAS HAMBURGUESAS DE PURA CARNE:

Cow boy (Chili con carne)	600
Cow boy a caballo	660
Especial (Tomate-cebolla)	500
Especial a caballo	560
Con queso caliente "Cheeseburger"	430
Sencilla	320
Sencilla a caballo	380

SANDWICHES:

Steak de lomito	550
De jamón ahumado (Especial)	550
Róbalo frito (Florida)	550
De pollo caliente	600
De pollo frío	500
De jamón	320
De jamón y queso (Combinado)	380
De queso	320
De atún	390
De huevo frito	250
Perro caliente	180
Cochinito silbando	330
Chili dog	330

PLATOS FRIOS:

Con salchichas	500
Con jamón	520

PORCIONES ADICIONALES Y OTROS:

2 huevos (A la orden)	120
2 huevos con jamón (A la orden)	330
2 huevos con tocineta (A la orden)	350
Porción de anillos de cebolla	170
Porción de papa a la francesa	170
Porción de papa chips	170
Porción de papa a la americana	180
Tostada, mermelada y mantequilla	130

BEBIDAS:

Cervezas o Sifón	140
Cervezas lata	190
Gaseosas	40
Tinto o aromática	50
Café con leche	100
Milo caliente o frío	145
Té con limón o leche	100
Leche pasteurizada	100
Malteadas (Varios sabores)	240

POSTRES Y HELADOS:

Copa de helado (Varios sabores)	190
Sundae con salsas (Varios sabores)	330
Peach melba	400
Banana split	400
Pastelitos (Fresa o Limón)	280
Pastelitos con helado (Fresa o Limón)	350
Ponqué de chocolate	280
Ponqué de chocolate con helado	350
Pie (Manzana o Piña)	280
Pie con helado (Manzana o Piña)	350
Rollo de helado con salsas (Varios sabores)	350
Jugos varios (con o sin leche)	210
Jugos varios con helado	280
Salpicón	280
Salpicón con helado	330

A ver si comprendiste

¡Decide, por favor!   La familia Díaz Duque está en Crem Helado un domingo por la tarde. Cada miembro de la familia tiene gustos muy particulares. Decide qué va a pedir cada persona, cuánto les va a costar la comida y cuánta propina deben dejar.

El señor Díaz Duque: Siempre toma unas cervezas con la comida y normalmente tiene buen apetito. Él siempre pide una sopa, un plato de carne y de postre algo dulce con un cafecito.

La señora Díaz Duque: Siempre celebra una comida en un restaurante con algún plato de pescado. Y como siempre está a dieta, no toma nada con la comida.

La hija: Come muchísimo. A ella le encanta la comida gringa. Toma leche en grandes cantidades también. No le gustan los postres.

El hijo menor: Come poco y esto es problemático. Le gustan los perros calientes y a veces el pollo. Lo que sí le gusta mucho es todo lo que lleve fruta y helado.

Viajemos por el ciberespacio a... CHILE

Expand your horizons! *Let's travel through cyberspace to* **Chile** *where . . .*

■ through the Internet, you can visit this prosperous South American country and witness the great economical activity taking place there.

■ you can share the emotionally charged feelings Chileans have for their recent bouts with socialism and military dictatorship and the optimism with which they view the future.

■ you can chat with Spanish-speaking university students in Santiago and other Chilean cities.

■ you can visit Easter Island, one of the most unique places you will ever encounter, where the complete island is an open-air museum, home to a truly fascinating but unfortunately lost culture. There, the friendly Rapanui people and the amazing landscape formed by volcanic craters, lava formations, sandy beaches, brilliant blue water, and mysterious archaeological sites await you.

If you are a cyberspace browser, join us in **Viajemos por el ciberespacio a... Chile** by trying the following important addresses.

Universidad de Chile
http://www.uchile.cl

Universidad de Santiago de Chile
http://www.usach.cl/

Teatro Municipal de Santiago
http://www.municipal.cl/

Fundación Pablo Neruda
http://www.uchile.cl/WWW/NERUDA/Fundacion/fundacion.html

Periódicos:

Diario El Mercurio
http://www.mercurio.cl/

Diario La Época
http://www.reuna.cl/laepoca/

Diario Estrategia
http://www.reuna.cl/estrategia/

Because addresses are likely to change without notice, the following key words will guarantee that **Viajemos por el ciberespacio a... Chile** will get you to your desired destination.

Palabras clave

Chile	Santiago de Chile
Importación-exportación Chile	Negocios de Chile
Pablo Neruda	Gabriela Mistral
Salvador Allende	Teatro Municipal de Santiago
Turismo Chile	Isla de Pascua

http://www.hrwcollege.com

Vocabulario

Verduras

apio	*celery*
col *(f.)*	*cabbage*
lechuga	*lettuce*
papa	*potato*
tomate *(m.)*	*tomato*
vegetal *(m.)*	*vegetable*
verduras	*greens, vegetables*
zanahoria	*carrot*

Carnes y aves

bistec	*steak*
carne *(f.)*	*meat*
carne de puerco	*pork*
carne de res	*beef*
jamón *(m.)*	*ham*
pavo	*turkey*
pollo	*chicken*
salchicha	*sausage*

Mariscos y pescados

calamar *(m.)*	*squid*
camarón *(m.)*	*shrimp*
cangrejo	*crab*
langosta	*lobster*
marisco	*seafood, shellfish*
pescado	*fish*

Fruta

durazno	*peach*
fresa	*strawberry*
fruta	*fruit*
manzana	*apple*
melón *(m.)*	*melon*
naranja	*orange*
piña	*pineapple*
plátano	*banana*

Condimentos

azúcar *(m.)*	*sugar*
mantequilla	*butter*
mayonesa	*mayonnaise*
mostaza	*mustard*
pimienta	*pepper*
sal *(f.)*	*salt*
salsa	*sauce*

Otras comidas

arroz *(m.)*	*rice*
bocadillo	*snack*
ensalada	*salad*
entremés *(m.)*	*appetizer*
flan	*caramel custard*
helado	*ice cream*
huevo	*egg*
pan *(m.)*	*bread*
postre *(m.)*	*dessert*
sopa	*soup*

Bebidas

jugo	*juice*
vino blanco	*white wine*
vino tinto	*red wine*

En un restaurante

camarero(a)	*waiter / waitress*
cuenta	*bill*
en seguida	*right away*
mesero(a)	*waiter / waitress*
propina	*tip*
reservación	*reservation*

Preparación y condición de comidas

a la parrilla	*grilled*
al ajillo	*sautéed in garlic*
asado(a)	*roasted*
delicioso(a)	*delicious*
exquisito(a)	*exquisite*
fresco(a)	*fresh*
frito(a)	*fried*
para chuparse los dedos	*finger-licking good*
pésimo(a)	*very bad*
revuelto	*scrambled*
sabroso(a)	*tasty, delicious*

Cubiertos

copa de vino	*wineglass*
cuchara	*spoon*
cuchillo	*knife*
plato	*plate, dish*
servilleta	*napkin*
tenedor *(m.)*	*fork*
vaso	*glass*

Comidas principales

almuerzo	*lunch*
cena	*dinner*
desayuno	*breakfast*

Verbos

contar (ue)	*to count; to tell*
dar	*to give*
desayunar	*to eat breakfast*
gustar	*to like*
opinar	*to express an opinion*
quisiera	*would like*
sugerir (ie, i)	*to suggest*

8.1 Indirect Object Nouns and Pronouns

Stating to whom and for whom people do things

A. You learned in **Capítulo 7** that direct objects answer the question *Who?* or *What?* in relation to the verb of the sentence. Indirect objects answer the questions *To whom / what?* or *For whom / what?* in relation to the verb.

Identify the direct and indirect objects in the following sentences. Note that in English the words *to* and *for* are often omitted. Check your answers below.[*]

1. She doesn't want to tell me the price.
2. No, I will not buy any more bones for your dog!
3. We'll write you a letter.
4. Give us the keys and we'll leave the door open for you.

Now identify the indirect objects in the following Spanish sentences. Check your answers below.[†]

1. Bueno, ¿van a traernos el menú, o no?
2. Me puedes invitar a tomar un café.
3. ¿Te sirvo algo más?
4. Voy a pedirte un aperitivo, ¿está bien?

B. Study this chart of indirect object pronouns in Spanish.

Indirect Object Pronouns

to me, for me	**me**	**nos**	to us, for us
to you, for you (fam.)	**te**	**os**	to you, for you (fam.)
to you, for you (formal) to her, for her to him, for him	**le**	**les**	to you, for you (formal) to them, for them

In Spanish, both the indirect object pronoun and the indirect object noun may be included in a sentence for *emphasis* or for *clarity* when using **le** or **les.** The preposition **a** always precedes the indirect object noun.

¿Le pido más café **al camarero?**   *Shall I ask the waiter for more coffee?*
A ustedes les voy a servir un   *I'm going to serve you a very*
    postre muy especial.   *special dessert.*

---

*ANSWERS: **1.** D.O. = price, I.O. = me **2.** D.O. = bones, I.O. = dog **3.** D.O. = letter, I.O. = you **4.** D.O. = keys, door, I.O. = us, you

---

†ANSWERS: 1. **nos** 2. **Me** 3. **Te** 4. **te**

C. Like direct object pronouns, indirect object pronouns in Spanish are placed in front of conjugated verbs. They may also be attached to the end of infinitives and present participles. Note the placement of the object pronouns in the following sentences and indicate if a change in word order is possible.

Check your answers below.*

1. ¿Qué puedo servirle, señorita?
2. Les recomiendo la sopa de mariscos. ¡Está exquisita!
3. Están preparándonos algo muy especial.
4. ¿Nos puede traer una botella de vino tinto, por favor?

When object pronouns are used with affirmative commands, they also follow and are attached to the verb, which usually requires a written accent to keep the original stress of the verb.

Pregúntele si quiere café o té.	*Ask him / her if he / she wants coffee or tea.*
Dígame si quiere más.	*Tell me if you want more.*

¡A practicar!

A. En un restaurante chileno. La familia Carrillo está en su restaurante preferido. ¿Qué les sirve la camarera?

> **Modelo** a nosotros / nachos
> **Nos sirve nachos.**

1. a mí / camarones al ajillo
2. a mi papá / sopa de mariscos
3. a mis hermanos / pescado frito
4. a todos / té helado
5. a mi mamá / calamares fritos
6. a mis hermanas / ensalada de camarones

B. Regalos para todos. Ramón acaba de regresar de un viaje y trae regalos para todos sus familiares y amigos. ¿Qué les trae?

> **Modelo** a Paloma / un reloj
> **A Paloma le trae un reloj.**

1. a su mamá / una blusa de seda
2. a ti / un diccionario
3. a su papá / dos botellas de vino
4. a ustedes / camisetas
5. a mí / un libro de historia
6. a Pepe y a Paco / unos discos compactos

8.2 The Verb *gustar*

Talking about likes and dislikes

The verb **gustar** means *to be pleasing to* and is the Spanish equivalent of *to like*. The forms of **gustar** are *always preceded* by an indirect object pronoun.

Me gusta la sopa.	*I like soup. (Soup is pleasing to me.)*
No **me gustan** las hamburguesas.	*I don't like hamburgers.*
	(Hamburgers are not pleasing to me.)

---

*ANSWERS: 1. **¿Qué le puedo servir...?** 2. **No change.** 3. **Nos están preparando...** 4. **¿Puede traernos...?**

Notice that with the verb **gustar,** what or who is liked will always be the *subject* of the sentence; the person who does the liking will always be the *indirect object* of the sentence.

Identify the subjects and objects in the following examples. Check your answers below.*

1. Nos gusta el pescado.
2. ¿Le gustan los mariscos a usted?
3. Me gustan las ensaladas pero no me gustan con tomate.

If what is liked is an action (**cantar, leer, trabajar,** etc.) or a series of actions, the singular form of **gustar** is generally used.

Me **gusta** viajar.	*I like to travel.*
Nos **gusta** leer y salir a caminar.	*We like to read and to go for a walk.*

¡A practicar!

A. ¡Qué rico!   ¿A todos les gusta la comida que les sirve la camarera?

Modelo   a nosotros / mariscos

Nos gustan mucho los mariscos. o

No nos gustan.

1. a mí / carne de puerco
2. a nosotros / salchicha
3. a mi mejor amigo(a) / calamares
4. a mis compañeros(as) de cuarto / ensalada de zanahorias
5. a mi mamá / pescado frito
6. a mis hermanos / ensalada

B. Gustos.   ¿Conoces los gustos de tus familiares y amigos? ¿Y qué no les gusta?

Modelo   abuela: postre sí, verduras no

A mi abuela le gusta el postre. No le gustan las verduras.

1. hermano: jugar al fútbol sí, estudiar no
2. hermana: el verano sí, el invierno no
3. papá: el tomate sí, la lechuga no
4. mamá: las flores sí, el vino no
5. mejor amigo(a): lavar platos sí, cocinar no
6. ¿y a mí?: los postres sí, el pescado no

8.3   Double Object Pronouns

Referring indirectly to people and things

A.   When both a direct and an indirect object pronoun are present in a sentence, a specific word order must be maintained. The two pronouns must always be together, with the indirect object pronoun preceding the direct object pronoun.

PASO
2

*ANSWERS: 1. S = **pescado,** I.O. = **nos** 2. S. = **mariscos,** I.O. = **le (a usted)** 3. S. = **ensaladas,**   I.O. = **me**

Nothing may separate them. As with single object pronouns, the double object pronouns are placed directly in front of conjugated verbs, or after conjugated verbs and attached to infinitives, present participles, and affirmative commands.

Te lo recomiendo.	*I recommend it to you.*
Ella va a traér**noslo.**	*She is going to bring it to us.*

Remember that the first pronoun in the sentence is not always the subject of the verb. As subject pronouns are often not stated in Spanish, the first pronoun in a sentence may well be the object of the verb.

Translate the following sentences. Check your answers below.*

1. Prefiero la sopa del día, pero me la sirve caliente.
2. Y la cuenta, ¿cuándo nos la van a traer?
3. ¿Es posible? ¿Todavía están preparándotelo?
4. Sírvamelo con el postre, por favor.
5. ¿Puedes pasármelos, por favor?

B. Notice in examples 3, 4, and 5 above, that whenever two object pronouns are attached to a present participle, an affirmative command, or an infinitive, the original stress of the verb form is maintained by a written accent, which is always necessary.

Indicate where written accents need to be placed on the italicized verb forms of the following sentences. Check your answers below.[†]

1. *Sirvanosla* bien caliente, por favor.
2. ¿Piensas *devolvernoslo* esta tarde?
3. Por favor, *compramelo.*
4. ¿Están *preparandomelo* ahora mismo?

C. In Spanish, whenever two object pronouns beginning with the letter **"l"** occur together in a sentence, the indirect object pronoun **(le, les)** changes to **se.**

~~le~~	{ lo	~~les~~	{ lo	
	la		la	
se	{ los	**se**	{ los	
	las		las	

—El vino «Casillero del diablo» es exquisito.

—~~Les~~ lo recomiendo. → **Se** lo recomiendo.

—¿Vas a comprar dos botellas?

—Sí, voy a regalár~~le~~ las a papá. → Sí, voy a regalár**se**las a papá.

---

*ANSWERS: **1.** I prefer the soup of the day, but serve it to me hot **2.** And the bill, when are they going to bring it to us? **3.** Is it possible? They are still preparing it for you? **4.** Serve it to me with the dessert, please. **5.** Can you pass them to me, please?

[†]ANSWERS: 1. **Sírvanosla** 2. **devolvérnoslo** 3. **cómpramelo** 4. **preparándomelo**

Since **se** may refer to **le** or **les,** it is often necessary to use the preposition **a** plus a noun or prepositional pronoun to clarify its meaning.

Voy a regalárselas **a papá.**   *I'm going to give them to Dad.*
Se lo recomiendo **a ustedes.**   *I recommend it to you.*

¡A practicar!

A. Tenemos hambre.   Tomás y sus amigos están en un café. ¿Qué les sirve el camarero?

Modelo   servir arroz a Mariano
El camarero le sirve arroz a Mariano.
Se lo sirve a Mariano.

1. traer el menú a nosotros
2. traer los entremeses a Mariano y a Juanita
3. traer jamón a mí
4. servir vino blanco a nosotros
5. servir ensalada a Juanita
6. servir sopa de verduras a Mariano y a mí

B. ¡Ay, qué sabroso!   La camarera conoce bien los gustos de cada miembro de la familia Gamboa. ¿A quiénes les recomienda estos platos?

Modelo   el pescado frito / al señor Gamboa
Se lo recomienda al señor Gamboa.

1. la sopa de tomate / a papá y a mí
2. los calamares / a mi hermana mayor
3. los huevos fritos / a mi hermanito
4. el arroz blanco / a toda la familia
5. el arroz con pollo / a mí
6. el helado / a mi hermana menor

C. ¿Tantos regalos?   Paquito, el hermanito de Ramón, quiere saber para quién son todos los regalos. ¿Qué le dice Ramón?

Modelo   ¿Para quién son los discos compactos? ¿Para Paloma?
Sí, se los traigo a Paloma.

1. ¿Para quién es la blusa? ¿Para mamá?
2. ¿Para quién son las camisetas? ¿Para mí?
3. ¿Para quién son las dos botellas de vino? ¿Para papá?
4. ¿Para quién es el libro? ¿Para Miguel?
5. ¿Para quiénes son los chocolates? ¿Para nosotros?
6. ¿Para quién son los casetes? ¿Para ti?

8.4   Review of *ser* and *estar*

Describing, identifying, expressing origin, giving location, and indicating change

A.   Ser is used

■   with adjectives to describe physical attributes, personality, and inherent characteristics.

■   to identify people or things.

■   to express origin and nationality.

■   to tell of what material things are made.

■   to tell time.

■   with impersonal expressions.

B.   Estar is used

■   with adjectives to describe temporal evaluation of states of being, behavior, and conditions.

■   to indicate location.

■   to form the progressive tense.

¡A practicar!

A.   Nuevos amigos.   Completa esta carta con la forma correcta de **ser** o **estar** para saber qué le escribe Rebecca a sus padres.

Queridos papás:

¿Cómo _____ ustedes? Recibí su carta y yo _____ muy contenta porque vienen a visitarme este domingo. Hace tres semanas que vivo en el nuevo apartamento y mis compañeras _____ simpatiquísimas. Rosa _____ alta y morena como yo; siempre nos preguntan si _____ hermanas. Marina siempre _____ ocupada porque _____ una estudiante muy diligente. Toni, el hermano de Marina, y Rosa son novios. Él _____ muy tímido y cuando nos visita siempre _____ muy nervioso.

Me despido ahora porque Marina y Rosa me _____ diciendo: —Rebecca, tú _____ muy perezosa hoy. ¿Cuándo vas a preparar la comida?

Hasta pronto,

Rebecca

B.   ¡En Santiago!   Ahora Rebecca está en Chile durante las vacaciones de primavera. Completa su carta a una prima con la forma correcta de **ser** o **estar.**

Querida prima:

¿Cómo _____ tú? Yo _____ muy bien y _____ contentísima aquí en Santiago. La gente aquí _____ muy simpática.

Todos los chilenos _____ amistosos y siempre dicen que

_____ impresionados con mi español. Ahora unos amigos y yo

_____ aprendiendo a hablar español muy bien. Todos nosotros

_____ estudiantes en un colegio privado.

   ¿Conoces a Julio Iglesias? Él _____ aquí en Santiago ahora. Él

_____ el mejor cantante de España, en la opinión de muchos. No

_____ mi cantante favorito pero me gusta escucharlo.

   Bueno, ya _____ las 10:00 de la noche y yo _____ muy

cansada. Buenas noches y hasta pronto.

Rebecca

8.5   The Verb *dar*

Telling what people give

Dar

to give	
doy	damos
das	dais
da	dan

¡A practicar!

A.   La propina.   Tú y unos amigos salieron a cenar juntos esta noche. Ahora están decidiendo cuánto deben dejarle de propina al camarero. ¿Cuánto le da cada uno?

Modelo   Antonio / $1,25

   Antonio le da un dólar y veinticinco centavos.

1. Pablo / $1,00
2. María y Juan / $1,50
3. Yo / $1,50
4. Ana / $1,75
5. Carmen y Pedro / $1,25
6. En total, / ¿... ?

B.   ¿Qué se dan?   De acuerdo con los gustos de las siguientes personas, ¿qué regalos se dan para la Navidad o para su cumpleaños?

Modelo   tú / papá

   Yo le doy una pipa a papá. Él me da una camisa.

Vocabulario útil

unas vacaciones	un pastel	un teléfono	una corbata
un televisor	un vestido	unas flores	un suéter
un perro	un perfume	una pipa	una camisa

1. mamá / papá
2. tú / hermano(a)
3. tú y tus hermanos / abuelos
4. tú / mamá
5. tu mejor amigo(a) / tú
6. tú / ¿... ?

CAPÍTULO 9

Cultural Topics

- **¿Sabías que…?**
  Popularity of small, family-owned businesses
- **Noticiero cultural**
  Lugar: *Estados Unidos: Los hispanos… ¿quiénes son?*
  Gente: *Sandra Cisneros, Jon Secada, Rosie Pérez*
- **Lectura:** *Poema: «Una pequeña gran victoria»*

Writing Strategies

- *Organización de una biografía*

Reading Strategies

- *Falta de puntuación en poesía*

En preparación

- 9.1 Weather Expressions
- 9.2 **Mucho** and **poco**
- 9.3 Reflexive Verbs
- 9.4 **Por** and **para:** A Second Look
- 9.5 Affirmative **tú** Commands

Un día común y corriente

In this chapter, you will learn how to …

- discuss the weather and how it affects you.
- describe your daily routine.
- ask for and give directions.
- describe a typical weekend.

Calle Misión en San Francisco, California

Knowledge is Power, mural en Chicago del artista puertorriqueño Dzine.

Miami, *o sea*, la Pequeña
Habana en la Florida

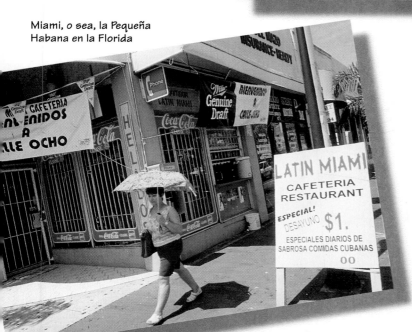

Lo que ya sabes...

1. ¿Es la calle Misión de San Francisco una calle típica de los EE.UU.? Explica tu respuesta.

2. En Miami hay un grupo de hispanos muy grande. ¿De dónde es la mayoría? ¿Qué otros grupos de hispanos se encuentran en Miami?

3. ¿Dónde hay una gran concentración de puerto-rriqueños en los EE.UU. continentales? ¿Por qué crees que seleccionan ir allí?

4. ¿Qué opinas del mural de Dzine *Knowledge is Power*? ¿Qué bandera (flag) aparece en el mural?

ESTADOS UNIDOS

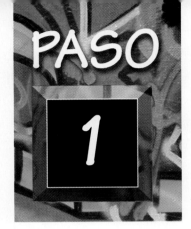

PASO 1

Huy, ¡qué frío hace!

TAREA — Antes de empezar este **Paso**, estudia **En preparación** 9.1 y 9.2 y haz por escrito los ejercicios de **¡A practicar!** También escucha **Paso 1 ¿Qué se dice...?** del Capítulo 9 en el CD del estudiante.

¿Eres buen observador?

Monitor Atmosférico

VERIFICACIÓN VEHICULAR

| 5 y 6 |
| 7 y 8 |

En esta semana
Nivel máximo diario del ozono.

	Sab	Dom	Lun	Mar	Mier	Jue	Ayer
	172	62	55	181	212	178	164

DOBLE NO CIRCULA

Lunes	5 y 6	3 y 4
Martes	7 y 8	1 y 2
Miércoles	3 y 4	9 y 0
Jueves	1 y 2	5 y 6
Viernes	9 y 0	7 y 8

Para los fines de semana se alternarán los autos de una contingencia a otra.

| Sábado | Números nones |
| Domingo | Pares, cero y permisos |

Norteamérica	MAX	MIN
Chicago	28	17
Dallas	38	26
Denver	35	16
Houston	37	26
Las Vegas	41	26
Los Angeles	27	18
Miami	32	26
Montreal	23	14
Nueva York	28	21
Orlando	33	24
San Antonio	38	25
San Diego	23	19
San Francisco	18	13
Toronto	26	14
Tucson	37	25
Vancouver	20	13
Washington D.C.	29	22

Latinoamérica		
Buenos Aires	22	8
Bogotá	19	8
Caracas	31	25
Guatemala	24	16
La Habana	30	23
Lima	18	11
Managua	32	23
Montevideo	21	10
Panamá	33	24
Quito	22	9
Rio de Janeiro	22	14
San José, C.R.	30	21
San Salvador	32	24
Santiago	15	11
Santo Domingo	33	25

Europa		
Amsterdam	23	14
Atenas	37	24
Berlin	26	17
Copenague	24	14
Estocolmo	21	14
Ginebra	29	16
Lisboa	30	17
Londres	23	10
Madrid	36	18
Moscú	24	12
Paris	26	14
Roma	30	21

Asia/Oceanía		
Hong Kong	31	26
Jerusalem	34	19
Sydney	20	12
Tokio	32	26

Ahora, ¡a analizar!

1. ¿Hace frío, calor o buen tiempo en la Cd. de México, de día? ¿de noche?

2. ¿Qué tiempo hace de día y de noche en Acapulco? ¿en Tijuana? ¿Cancún?

3. Hay sol con un poco de nubes en Del Río, Texas. Nombra otras ciudades donde hay sol con un poco de nubes.

4. Llueve en Cd. Juárez. ¿En cuál ciudad de los Estados Unidos llueve? ¿Llueve en la Cd. de México?

5. ¿En cuáles ciudades de Norteamérica hace frío de noche? ¿En cuáles ciudades de Latinoamérica hace frío de día y de noche?

6. ¿En cuál ciudad de Europa hace más calor de día? ¿más frío de noche? ¿En cuáles de Asia / Oceanía?

¿Qué se dice...?

Al hablar del clima

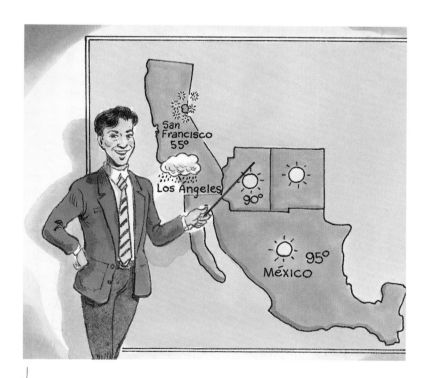

_d_ **1.** Phoenix	**a.**	Está nevando.
_a_ **2.** Los Ángeles	**b.**	Hace frío y hay neblina.
_c_ **3.** Las montañas	**c.**	Está nublado con llovizna.
_b_ **4.** San Francisco	**d.**	Hace calor y está despejado.

En Cuba hoy hay sol pero en el este vemos que hace mucho viento y se acerca una tormenta impresionante. En la Florida ya está lloviendo bien fuerte.

Ahora, ¡a hablar!

A. ¿Qué tiempo hace? ¿Qué tiempo hace generalmente donde vives en los siguientes días de fiesta?

> **Modelo** Navidad *(Christmas)*
> **En Navidad hace frío.**

1. Pascua Florida *(Easter)*
2. Día de Acción de Gracias
3. Navidad
4. Día de San Valentín
5. el 4 de julio
6. Día de las Madres
7. el día de tu cumpleaños

B.   Actividades.   ¿Qué te gusta hacer bajo las siguientes condiciones?

Modelo   está nevando

Cuando está nevando me gusta esquiar.

1.   está lloviendo   4.   hace viento

2.   hace mucho calor   5.   hace buen tiempo

3.   hay neblina   6.   hace mucho frío

C.   ¿Cómo se siente?   Describe el clima en los siguientes dibujos y explica cómo se
sienten las personas en cada dibujo.

Modelo

Hace mucho sol y el señor tiene mucho calor.

1.   2.

3.   4.

5.   6.

Y ahora, ¡a conversar!

A. Preferencias. Entrevista a un(a) compañero(a) para saber algo sobre sus preferencias.

1. ¿Qué tiempo prefieres?
2. ¿Cuál es tu estación favorita? ¿Por qué?
3. ¿Cuál es tu mes favorito? ¿Por qué?
4. ¿En qué estación es tu cumpleaños? ¿Qué tiempo hace generalmente en ese día?
5. ¿Cuáles son tus deportes favoritos para cada estación?

B. ¡Abrígate bien! ¿Qué ropa llevarías *(would you wear)* bajo estas condiciones?

Modelo   Está nevando.

Llevaría un abrigo, una bufanda, guantes y botas.

Vocabulario útil

el abrigo   la bufanda

el impermeable   los guantes

el paraguas   las botas

1. Está lloviendo.
2. Hace mucho calor y hay sol.
3. Hace calor pero el cielo está nublado y parece que va a llover.
4. Hace mucho viento y la temperatura está a 45 grados Fahrenheit.
5. Es un día estupendo. No hace ni frío ni calor.

C. Pronóstico. Mira el periódico y di cuál es el pronóstico para hoy, para mañana, para el fin de semana.

¡Luz! ¡Cámara! ¡Acción!

El pronóstico del día.   Ustedes son locutores del Canal 31. En grupos de tres, prepárense para dar el pronóstico del día. Cada uno debe hacerlo sobre una de estas regiones de los Estados Unidos.

El noreste   La costa del oeste   El suroeste

¿Comprendes lo que se dice?

Estrategias para escuchar.   *If you are thoroughly familiar with the subject of a conversation and can anticipate what will be said, you are able to listen casually to the general flow, picking out the occasional specific words that convey the gist of what is being said and letting your knowledge of the topic fill in the blanks on everything else. This approach is known as "listening from the top down."*

To familiarize yourself with San Francisco summer weather, read the following paragraph about a typical summer day in San Francisco, then "listen from the top down" to the forecast for July 15.

Si viajas a San Francisco en el verano vas a darte cuenta de que un día típico empieza con neblina, especialmente en los barrios junto a la costa. Más tarde, en la mañana, la neblina se disipa y la temperatura puede ser muy agradable bajo cielos despejados. No obstante, alrededor de las cuatro de la tarde la neblina reaparece, y ya por la noche puede hacer bastante frío y viento. En efecto, puede hacer tanto frío que Mark Twain dijo que nunca había sufrido un invierno tan horrible como el verano en San Francisco.

Pronóstico para San Francisco.   Escucha el pronóstico del tiempo en San Francisco para el 15 de julio. Luego con un(a) compañero(a), decidan cómo la información en la columna **B** se combina con la información en la columna **A** según el pronóstico que escucharon.

	A		**B**
_____	1. 25° C	a.	máximo del día
_____	2. brisas ligeras	b.	termina la neblina
_____	3. 31° C	c.	temperatura por la noche
_____	4. neblina	d.	vientos fuertes
_____	5. media mañana	e.	por la tarde
_____	6. al anochecer	f.	en la costa

NOTICIERO CULTURAL

LUGAR... ESTADOS UNIDOS

Antes de empezar, dime...

Contesta estas preguntas para ver cuánto sabes de los hispanos en los EE.UU.

1. ¿De qué países viene la mayoría de los hispanos que hay en los EE.UU.?
2. ¿Qué porcentaje de la población de los EE.UU. representan los hispanos en este país?
3. ¿Qué influencia han tenido los hispanos en la cultura estadounidense? Da ejemplos.

Los hispanos... ¿quiénes son?

Se espera que para el año 2000 el número de hispanos en los EE.UU. llegará a un 20 por ciento. La mayoría de este grupo viene de México (63%), y el resto de Puerto Rico (12%), de Cuba (5%) y de otros países de Centroamérica y de Sudamérica. Vemos la influencia de

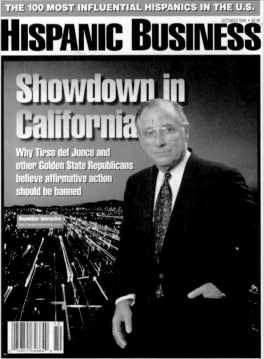

October 1996, HISPANIC BUSINESS Magazine

estos grupos en todos los aspectos de la vida en los EE.UU.: la arquitectura, la pintura, la literatura, la música, la cocina, la vestimenta, el cine y mucho más. Los hispanos estadounidenses participan activamente en estos tiempos en el arte, la política y las áreas más importantes del campo nacional. ¿Quién no reconoce los nombres de Henry Cisneros, Secretario de Vivienda y Desarrollo Urbano en el Gabinete del presidente Bill Clinton, o el de Antonia Novello, la Cirujana General de los EE.UU., o el de César Chávez, el gran líder del movimiento obrero?

Por otra parte, el impacto de novelistas como Rudy Anaya, Rolando Hinojosa Smith, Oscar Hijuelos y Sandra Cisneros, de poetas como Alurista, Lorna Dee Cervantes, Jorge Argueta y Francisco Alarcón y de dramaturgos como Luis Valdez y Gregorio Nava, se ha sentido tanto en los EE.UU. como en las Américas y Europa.

La música que han creado los hispanos es incomparable y ha alcanzado enorme popularidad. Todo el mundo conoce la canción *La Bamba* y la música de Gloria Estefan, Jon Secada y Rubén Blades, para nombrar a sólo tres cantantes hispanos. Los actores de origen hispano también están conquistando el público de los Estados Unidos en el cine y en la televisión. Junto a grandes estrellas como César Romero, Anthony Quinn, Rita Moreno, Raúl Julia y Andy García estamos viendo a nuevos actores hispanos como Edward James Olmos, Rosie Pérez, Antonio Banderas, Emilio Estévez, Daphne Zúniga, Cristina Saralegui, Jimmy Smits y muchos más.

Podemos seguir nombrando a hispanos sobresalientes en las artes visuales, la arquitectura, la moda, la cocina, los deportes y otros campos. Sólo en este último sobresalen nombres como Fernando Valenzuela, Nancy López, Chi Chi Rodríguez, José Canseco, Roberto Clemente, los Alomar, Lee Treviño, Tony López, Rudy Galinda, Mary Jo Fernández... La lista de hispanos profesionales en los deportes en este país parece no tener fin.

Los hispanos de los Estados Unidos son un grupo multicolor, cada vez con más confianza en un futuro mejor y en su capacidad de poder unir como en un arco iris (*rainbow*) cultural lo mejor de los Estados Unidos y Latinoamérica.

Y ahora, dime...

Con un(a) compañero(a) de clase haz la siguiente comparación. Indica cuál es la actividad o profesión que tienen estos famosos hispanos estadounidenses.

_____	1. Anthony Quinn		
_____	2. Gloria Estefan		
_____	3. Francisco Alarcón	a.	cantante / músico
_____	4. Sandra Cisneros	b.	político(a)
_____	5. Henry Cisneros	c.	poeta
_____	6. Rosie Pérez	d.	actor / actriz de televisión
_____	7. Fernando Valenzuela	e.	actor / actriz de cine
_____	8. Rolando Hinojosa Smith	f.	novelista
_____	9. César Chávez	g.	deportista
_____	10. Edward James Olmos		
_____	11. Rubén Blades		
_____	12. Cristina Saralegui		

El español en otras disciplinas: Meteorología

La temperatura: Así como en distintos países se hablan distintas lenguas, también con frecuencia se usan distintos sistemas para medir la temperatura. En los EE.UU. se usa el sistema Fahrenheit (grados Fahrenheit); en cambio, en los países hispanos se usa el sistema Celsius (grados centígrados). En el pronóstico de San Francisco que escuchaste en **¿Comprendes lo que se dice?,** dijeron que la temperatura máxima y mínima del día eran 31° y 25° C. Con un(a) compañero(a), usando una de estas fórmulas, conviertan esas temperaturas a grados Fahrenheit.

	Grados Fahrenheit	Grados Celsius
Temperatura exacta	(grado C x 1.8) + 32	$\dfrac{\text{grado F} - 32}{1.8}$
Temperatura aproximada (más fácil de calcular)	(grado C x 2) + 32	$\dfrac{\text{grado F} - 32}{2}$

Proyecto: Decide a qué país hispano te gustaría ir de vacaciones en el verano y a cuál durante el invierno a esquiar. ¿A qué ciudades irías en esos países? Busca en la enciclopedia la temperatura media en los países y dos de las ciudades que visitarías e informa a la clase de las temperaturas medias en centígrados y en Fahrenheit.

¡El sábado duermo hasta tarde!

PASO 2

TAREA Antes de empezar este **Paso**, estudia **En preparación** 9.3 y haz por escrito los ejercicios de **¡A practicar!** También escucha **Paso 2 ¿Qué se dice...?** del Capítulo 9 en el CD del estudiante.

¿Eres buen observador?

PHILISHAVE

El rastrillo es cosa del pasado.

Si tú te afeitas con rastrillo... es que todavía no conoces la nueva línea de rasuradoras eléctricas Philishave de Philips; diseñadas para ti que además de ser práctico, quieres la mejor rasurada.

El sistema de 2 y 3 cabezas, rotatorio y de microcorte exclusivo de Philishave, te da una rasurada suave y continua. Con nuevos microsurcos que permiten obtener un afeitado más al ras.

Hay un modelo para cada quien. Philishave de Philips, para ti que prefieres, la mejor rasurada.

Juntos hacemos tu vida mejor.

 PHILIPS

Ahora, ¡a analizar!

1. ¿Qué crees que es un rastrillo? ¿Para qué se usa un rastrillo? ¿Por qué dice este anuncio que es cosa del pasado?

2. ¿Tú usas rastrillo o rasuradora (afeitadora) eléctrica? ¿Por qué?

3. ¿Cuál es la ventaja del sistema rotatorio de Philishave?

4. Explica la expresión «un afeitado más al ras».

5. ¿Hay sólo un modelo de Philishave? ¿Cómo lo sabes? Explica.

6. Explica la frase «Juntos hacemos tu vida mejor».

Al describir la rutina diaria

_____ Se afeita.   _____ Se levanta.   _____ Se peina.

_____ Se despierta.   _____ Se ducha.   _____ Oye el despertador.

Generalmente no desayuna porque tiene prisa. Su primera clase es a las siete.

Después de las clases, Mario llega a casa muy cansado. Primero se quita el suéter y los pantalones y luego se pone unos vaqueros. Después de cenar se sienta a ver la tele un rato. Se acuesta a eso de las once y se duerme en seguida.

Ahora, ¡a hablar!

A.   Un sábado típico.   La rutina de Lupe y Ángel es diferente durante el fin de semana porque no trabajan. ¿Qué hacen los sábados por la mañana, según Ángel?

1.   yo / levantarse / 9:00 / mañana

2.   también / preparar / desayuno

3.   mi esposa / quedarse / cama

4.   después / ella / levantarse / y ducharse

5.   nosotros / tomar / desayuno / juntos

6.   después / nosotros / ir / centro comercial

B.   Planes.   Ángela tiene planes para este fin de semana. ¿Qué va a hacer?

Modelo   levantarse tarde

> **Ella va a levantarse tarde.** o
> **Ella se va a levantar tarde.**

1.   despertarse tarde

2.   desayunar en la cama

3.   bañarse muy tarde

4.   no vestirse hasta las doce

5.   ir de compras

6.   salir con sus amigos

7.   divertirse mucho

8.   acostarse tarde

C. ¿Mi rutina? Tu compañero(a) quiere saber algo sobre tu rutina diaria. ¿Qué te pregunta y qué le contestas?

> **Modelo** despertarse temprano todos los días
>
> COMPAÑERO(A) **¿Te despiertas temprano todos los días?**
>
> TÚ **Me despierto a las siete todos los días menos los sábados y domingos.**

1. levantarse en seguida
2. ir a clase todos los días
3. hacer la tarea todos los días
4. acostarse temprano
5. divertirse los fines de semana
6. estudiar en la biblioteca

D. Con frecuencia. ¿Con qué frecuencia a la semana haces lo siguiente?

> **Modelo** despertarse temprano
>
> **Me despierto temprano cada día.**

cada día	tres veces	dos veces	una vez	nunca
●	●	●	●	●

1. ducharse
2. peinarse
3. afeitarse
4. acostarse muy tarde
5. dormirse en la clase
6. sentarse a mirar la televisión
7. levantarse muy temprano

Y ahora, ¡a conversar!

A. ¿Qué haces tú? Hazle preguntas a un(a) compañero(a) de clase para saber cómo pasa el fin de semana.

Pregúntale...

1. a qué hora se acuesta los viernes por la noche. ¿los sábados? ¿los domingos?
2. a qué hora se levanta los domingos por la mañana. ¿Qué hace después de levantarse? ¿de ducharse?
3. si desayuna los sábados y domingos. ¿Qué come? ¿Quién le prepara el desayuno?
4. si generalmente se queda en casa los sábados y domingos o si sale con sus amigos. ¿Qué hace durante el día?
5. qué hace de noche.
6. ¿... ?

B. Consejos. Tú eres muy desorganizado(a) y un poco perezoso(a). Quieres cambiar pero no puedes. Ahora hablas con un(a) consejero(a). Dile tus problemas para que te dé consejos.

> **Modelo**
>
> TÚ **Me levanto muy tarde todos los días.**
>
> CONSEJERO(A) **Debes levantarte más temprano. ¿A qué hora te acuestas?** etc.

C. Un buen fin de semana. Contesta las preguntas en la primera columna de este formulario y luego entrevista a dos compañeros(as) de clase para saber cuáles son sus actividades favoritas. Anota sus respuestas en las columnas apropiadas.

	Yo	Estudiante 1	Estudiante 2
¿Qué haces un sábado normal por la mañana?	1. 2. 3.	1. 2. 3.	1. 2. 3.
¿Qué haces un sábado normal durante el día?	1. 2. 3.	1. 2. 3.	1. 2. 3.
¿Y por la noche?	1. 2. 3.	1. 2. 3.	1. 2. 3.
¿Con quién prefieres estar un sábado por la noche?	1. 2. 3.	1. 2. 3.	1. 2. 3.
¿Cuáles son tus actividades favoritas de un domingo normal?	1. 2. 3.	1. 2. 3.	1. 2. 3.
¿Qué haces durante un fin de semana lluvioso?	1. 2. 3.	1. 2. 3.	1. 2. 3.
(Haz una pregunta original.)			

¡Luz! ¡Cámara! ¡Acción!

A. ¡De vacaciones! Tú estás de vacaciones con dos amigos en la Florida durante las vacaciones de primavera. Hace dos días que están allí y tú decides llamar a tus padres por teléfono. Ellos te hacen muchas preguntas acerca de tu rutina diaria y la de tus amigos. Dramatiza la situación con un(a) compañero(a), quien hará el papel de tu padre o madre.

B. ¡Dificilísimo! Tú estás tratando de convencer a un(a) amigo(a) de que la vida en tu universidad es más difícil que la vida en su universidad. Dramatiza esta situación con un(a) compañero(a). Comparen sus rutinas diarias al hacerlo.

¿Comprendes lo que se dice?

Estrategias para ver y escuchar. *In the previous* **Paso** *you learned that when you are very familiar with the message being communicated, you can anticipate what will be said and therefore understand much more easily. The same is true with what you see and hear on video. Use the knowledge you already have about the evils of cigarette smoking to anticipate what this message about smoking is likely to be. Then listen to the tape and see if you anticipated correctly.*

 ¿Fumar? Fumar es un placer pero ¿es bueno para la salud? Decide tú mientras ves y escuchas este anuncio irónico. Luego contesta las preguntas que siguen.

1. ¿Quién pagó por este anuncio? ¿Cuál es el mensaje del anuncio?

2. Este anuncio usa la ironía para comunicar un mensaje muy importante. La ironía está entre lo que la mujer dice de fumar en su canción, y cómo el fumar la ha afectado *(has affected her)* en realidad. Con un(a) compañero(a), usen este diagrama para señalar la ironía entre lo que la mujer dice en la canción y la realidad de la situación.

FUMAR

La canción	La realidad
1.	1.
2.	2.
3.	3.
4.	4.
5.	5.

NOTICIERO
CULTURAL

GENTE… SANDRA CISNEROS, JON SECADA Y ROSIE PÉREZ

Antes de empezar, dime…

Contesta estas preguntas sobre hispanos famosos de los EE.UU.

1. ¿Has leído *(Have you read)* un libro o cuento de un autor hispano de los EE.UU.? ¿Cuál? ¿Te gustó? ¿Por qué?

2. ¿Tienes algún cantante hispano favorito? ¿Quién es? ¿Cuál es tu disco favorito de este cantante?

3. ¿Quiénes son tus actores hispanos favoritos? ¿En que películas actuaron?

Tres hispanos sobresalientes en los EE.UU.

Sandra Cisneros

Esta poeta y cuentista chicana escribe en inglés pero incorpora mucho español a sus cuentos y poesía. Su libro *The House on Mango Street,* recibió el "American Book Award" en 1985. Como la mayoría de sus cuentos y poesía, este libro está lleno de humor de la realidad de una joven chicana. Ahora, Sandra vive en San Antonio, Texas.

Jon Secada

Este cantante cubanoamericano es bilingüe: graba sus canciones tanto en inglés como en español. Y no importa en qué lengua esté cantando, la venta de sus discos tiende siempre a llegar a más de un millón. Pero Jon Secada no sólo es cantante, sino también compositor y arreglista. Su música se destaca por su sensualidad y pasión.

Rosie Pérez

Esta joven actriz nació en un barrio puertorriqueño en Brooklyn. Es una mujer muy dedicada a su profesión. Sus primeras películas fueron *Do the Right Thing, White Men Can't Jump* y *Fearless.* A pesar de ser de una familia muy grande y de limitados recursos, Rosie Pérez ya ha demostrado que el éxito está al alcance de todos los que actúan con determinación y dedicación.

 Y ahora, dime...

Usa un diagrama Venn como éste para comparar a uno de estos hispanos sobresalientes con tu escritor(a), cantante o actor (actriz) favorito(a).

Sandra Cisneros, Jon Secada o Rosie Pérez
1.
2.
3.
4.
5.
...

Lo que tienen en común
1.
2.
3.
4.
5.
...

Mi escritor, cantante o actor favorito
1.
2.
3.
4.
5.
...

¿Te gusta escribir?

Antes de escribir
Estrategias para escribir: Organización de una biografía

A. La biografía. Una biografía es la historia de la vida de una persona. Puede estar organizada en forma cronológica desde el nacimiento hasta los últimos años o puede estar organizada destacando algunas actividades importantes de la vida de la persona que se describe. Es fácil ver la organización de una biografía al ver las preguntas que la biografía contesta. Por ejemplo, la biografía de Sandra Cisneros (en la página 337) contesta las siguientes preguntas.

1. ¿Quién es Sandra Cisneros?
2. ¿Dónde vive?
3. ¿De qué nacionalidad es?
4. ¿Escribe en inglés o en español?
5. ¿Cuál es su obra más conocida?
6. ¿De qué se trata esta obra?

Trabajando con un(a) compañero(a), vuelvan a las breves biografías de Jon Secada y Rosie Pérez y preparen una lista de las preguntas que esas biografías contestan.

B. Preguntas clave. Ahora, con tu compañero(a) preparen una lista de preguntas que debe contestar una persona que esté pensando en escribir una biografía.

Ahora, ¡a escribir!

A. En preparación. Piensa en alguien sobre quien te gustaría escribir la biografía. Puede ser una persona de tu familia, un(a) cantante, escritor(a) o actor (actriz) del que te resulte interesante comunicar su historia a los demás estudiantes. Para empezar, basándote en las preguntas anteriores, escribe una lista de la información que vas a necesitar para escribir una biografía que destaque la cronología y las actividades importantes de la persona.

B. El primer borrador. Ahora usa toda esa información para formar la base de la historia. Tu biografía debe tener un formato similar al orden de las preguntas que hiciste: *(Nombre)* **nació el... , en... Vivió sus primeros años en... Estudió en... y en... Hizo sus estudios superiores en... Cuando terminó sus estudios se dedicó a... Después...**

C. Ahora, a compartir. Intercambia tu biografía con dos o tres compañeros. Comenta sobre el contenido y el estilo de las de tus compañeros y escucha los comentarios de ellos sobre tu biografía. Si hay errores de ortografía o de gramática, menciónalos.

D. Ahora, a revisar. Agrega a tu biografía la información que consideres necesaria, basada en los comentarios de tus compañeros. Revisa los errores de gramática, de puntuación y de ortografía.

E. La versión final. Escribe ahora la última versión de tu historia y entrégasela a tu profesor(a).

F. Ahora, a publicar. En grupos de cuatro o cinco lean las biografías que les dará su profesor(a) y decidan cuál es la más interesante. Descríbanla a la clase mencionando las actividades más importantes de la persona que aparece en ella.

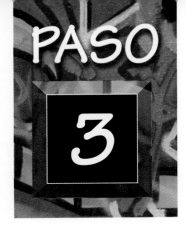

PASO 3

¿Y cómo llegó?

TAREA

Antes de empezar este **Paso**, estudia **En preparación** 9.4 y 9.5 y haz por escrito los ejercicios de **¡A practicar!** También escucha **Paso 3 ¿Qué se dice...?** del Capítulo 9 en el CD del estudiante.

¿Eres buen observador?

Santa Fe, Nuevo México

Paseo de Peralta

N

Sheridan
Lincoln
Washington

7
2
6

1

San   Francisco

Palace   Avenue

Cathedral
Peralta

5

Trail

8
Gaspar

9
4

Santa Fe
Paseo   de

10
Don

3

Paseo de Peralta

CENTRO DE LA CIUDAD • **Lugares de interés**

1. Centro histórico
2. Palacio de los Gobernadores
3. Capitolio
4. La iglesia y la casa más antigua de los EE.UU. continentales
5. La Catedral de San Francisco
6. Zapatería Robles
7. Museo de Bellas Artes
8. Supermercado Garduño
9. Librería El Lector
10. Café Paloma Blanca

Ahora, ¡a analizar!

1. Si en una zapatería se venden zapatos, ¿qué se vende en una frutería? ¿librería? ¿carnicería? ¿papelería? ¿perfumería? ¿tabaquería?

2. Si el Museo de Bellas Artes está a la izquierda del Palacio de los Gobernadores, ¿qué está a la derecha del Palacio de los Gobernadores?

3. ¿Dónde está el Centro Histórico, en frente o detrás del Palacio de los Gobernadores?

4. ¿Dónde está el Supermercado Garduño, en frente o detrás de la Librería El Lector? ¿y el Café Paloma Blanca?

5. ¿Está lejos o cerca del Capitolio, la iglesia más antigua de los EE.UU.? ¿y la casa más antigua? ¿la Catedral de San Francisco?

6. ¿Qué calle va alrededor de toda la ciudad?

¿Sabías que... ?

Por lo general el comercio en los países de habla española es muy especializado; los negocios se dedican a la venta de «un» artículo—de ahí la carnicería, panadería, pastelería, zapatería, mueblería *(furniture store)*, etc. Últimamente se han popularizado los centros comerciales, aunque cada negocio mantiene su independencia. Las tiendas grandes tales como «Sears» o «JC Penney» existen sólo en las grandes ciudades.

¿Qué se dice...?

Si deseas saber cómo llegar a...

1. ¿Adónde va Memo?   _____

2. ¿Qué autobús debe tomar?   _____

3. ¿Por dónde pasa el autobús? _____

MEMO ¿En qué calle debo bajarme?

PEPE Bájate en la parada que está al lado del Palacio, frente al Museo de Bellas Artes.

MARTA No, no. La parada está detrás del Palacio, en la calle Marcy.

MEMO Y de ahí, ¿para dónde sigo?

PEPE Sigue por la calle Lincoln a la calle San Francisco. Dobla a la izquierda y está a una cuadra y media.

MARTA Sigue derecho por esa calle. Queda en la esquina.

PEPE No. La catedral está a media cuadra. Hay que doblar a la derecha en la calle Catedral.

Ahora, ¡a hablar!

A. ¿Para qué? ¿Para qué van las siguientes personas a esos lugares?

> **Modelo**   Marcelo / zapatería
>
> **Marcelo va a la zapatería para comprar zapatos.**

1. Adela / supermercado
2. Pamela / librería
3. Anselmo / biblioteca
4. Cristina / farmacia
5. Bárbara / panadería
6. Marcelo / papelería
7. Javier / carnicería
8. yo / ¿... ?

B. Transporte. ¿Qué medio de transporte prefieres para llegar a los siguientes lugares?

> **Modelo**   al supermercado
>
> **Para ir al supermercado prefiero viajar en coche.**

Vocabulario útil:

avión	tren	barco	coche
a pie	moto	autobús	bicicleta

1. México
2. la universidad
3. Europa
4. Hawai
5. Canadá
6. la casa de mi mejor amigo(a)
7. visitar a mis padres

C. Opiniones. ¿Qué opinan tú, tu familia y tus amigos de los varios tipos de transporte?

> **Modelo**   **Para mí, es importante no manejar cansado.**

	Es importante tener un coche en buenas condiciones.
mis padres	Es peligroso viajar en avión.
yo	Es importante no manejar *(drive)* borracho.
toda mi familia	Es bueno poder manejar a los 16 años.
mis amigos	Es necesario tener límite de velocidad.
mis amigos y yo	Es mejor viajar de noche que de día.
	Es mejor viajar en tren que en coche.
	¿... ?

D. ¿Cómo llego? Ricardo quiere ir a la casa de Patricia pero no sabe dónde vive. ¿Qué le dice Patricia?

> **Modelo**   llamarme primero
>
> **Llámame primero.**

1. venir a las 8:00
2. salir de tu casa a las 7:00
3. tomar el autobús 5
4. bajarte en la parada de la calle Bolívar
5. seguir derecho por esta calle
6. doblar a la izquierda
7. tocar la puerta
8. subir al tercer piso

Y ahora, ¡a conversar!

A. **¿Dónde queda?** Imagínate que tu hermano(a) menor acaba de llegar a la universidad. Hoy tú vas a ayudarlo(la) a conocer el lugar. En este momento tú y tu hermano(a) están en tu cuarto. Dile cómo llegar a estos sitios.

> **Modelo** la biblioteca
> **Para llegar a la biblioteca, sal por esa puerta y dobla a la izquierda. Sigue derecho hasta llegar a un edificio muy alto. Ése es.**

1. la biblioteca
2. la piscina
3. el gimnasio
4. la librería
5. el edificio de la administración
6. el laboratorio de idiomas

B. **Lugar misterioso.** El instructor va a dibujar o va a traer un plano de la comunidad. Luego te va a dar instrucciones para llegar a un lugar misterioso. Sigue sus instrucciones y marca con una X el lugar misterioso.

C. **Problemas anónimos.** Comparte con la clase un problema que tienes (o uno imaginario). El resto de la clase va a darte consejos para solucionar el problema. Escribe tu problema en una hoja de papel pero no la firmes. Todos los problemas van a ser anónimos.

¡Luz! ¡Cámara! ¡Acción!

A. **¿Podría decirme... ?** Tú vas caminando por tu ciudad cuando un(a) estudiante nuevo(a) te pide información sobre cómo llegar a algún lugar. Dramatiza la situación con tu compañero(a).

Estudiante	Tú
■ Pregúntale a una persona que camina por la calle si sabe dónde está la estación de policía.	■ Contesta que sí y explícale cómo llegar. Pídele que repita las instrucciones para ver si entendió bien.
■ Repite las instrucciones y dale las gracias. Luego pregúntale cómo se llega a algún otro lugar. Sé cortés.	■ Responde y deséale buena suerte.
■ Despídete.	

B. **Ven a casa.** Tú y un(a) amigo(a) necesitan estudiar juntos este fin de semana en un proyecto para la clase de biología. Tú invitas a tu amigo(a) a estudiar en tu casa pero él (ella) no sabe dónde vives. Tienes que explicarle cómo llegar a tu casa. Dramatiza la situación con un(a) compañero(a).

Antes de leer
Estrategias para leer: Falta de puntuación en la poesía

A. Falta de puntuación. La poesía tradicional se escribía con letras mayúsculas al empezar una oración y punto final al terminar la oración. Además, también usaba otra puntuación: comas, signos de interrogación o de exclamación, comillas *(quotation marks)*, etc. La poesía moderna con frecuencia no tiene puntuación. Algunos poetas como Francisco X. Alarcón, el poeta chicano que escribió el poema aquí incluido, nunca usa puntuación. Sin embargo, todos sus poemas tienen oraciones completas —sólo falta la puntuación. Si tienes dificultad en leer poesía, a veces sólo con ponerle la puntuación que falta, ayuda mucho a entender lo que dice.

B. Si falta, se la ponemos. En parejas, lean el poema y decidan dónde falta la puntuación. Pongan las letras mayúsculas que faltan, los puntos finales, las comas y las comillas. Si es necesario, escriban el poema de nuevo.

Lectura

El poeta Francisco Xavier Alarcón nació en Wilmington, California, pero se crió tanto en los EE.UU. como en México. Un verdadero bilingüe, se educó en escuelas primarias y secundarias en East Los Ángeles y en Guadalajara, México. Empezó sus estudios universitarios en East Los Ángeles College y terminó su licenciatura en la Universidad Estatal de California en Long Beach. Hizo sus estudios graduados en la Universidad de Stanford. Poeta, crítico y editor chicano, ha publicado nueve colecciones de poemas: *Tattoos* (1985); *Ya vas, Carnal* (1985); *Quake Poems* (1989); *Body in Flames / Cuerpo en llamas* (1990); *Loma Prieta* (1990); *Snake Poems* (1992); *Poemas zurdos* (1992); *No Golden Gate for Us* (1993). Actualmente es catedrático de la Universidad de California en Davis.

por Francisco X. Alarcón

esa noche de verano
mi hermana dijo
    no
ya nunca más
se iba a poner ella
a lavar los trastes°   platos

mi madre sólo
se le quedó viendo
quizás deseando
haberle dicho°   decir
lo mismo
a su propia madre

ella también había odiado°   no le gustaron
sus tareas de "mujer"
de cocinar limpiar siempre estar al tanto°   tener que servir
de sus seis hermanos
y su padre

un pequeño trueno°   sonido fuerte *(thunder)*
sacudió° la cocina   movió
cuando silenciosos
nosotros recorrimos
con los ojos la mesa
de cinco hermanos

el repentino aprieto°   momento incómodo
se deshizo cuando
mi padre se puso
un mandil° y abrió   delantal *(apron)*
la llave del agua
caliente en el fregadero°   lugar para lavar platos

A ver si comprendiste

Contesten estas preguntas en parejas.

1. ¿Dónde estaba el poeta esa «noche de verano»? ¿Quiénes estaban con él? ¿Cuántos eran en total?

2. ¿Quién dijo «no»? ¿A qué y a quiénes dijo «no»? ¿Por qué crees que dijo «no»?

3. ¿Cómo reaccionó la madre? ¿Por qué cree el poeta que su madre reaccionó de esa manera? ¿Estás de acuerdo *(in agreement)* con el poeta? ¿Por qué?

4. Explica por qué el poeta menciona a seis hermanos y luego a cinco hermanos. ¿Es un error?

5. ¿Cómo se solucionó el problema? ¿Quién lavó los platos al final? ¿Qué opinas tú de eso? ¿Podría ocurrir esta situación en tu familia? ¿Por qué?

6. Explica el título del poema.

Viajemos por el ciberespacio a... los EE.UU.

Expand your horizons! *Let's travel through cyberspace to the **United States** where...*

■ in Santa Fe, New Mexico, you can visit the impressive Museum of International Folk Art.

(Ver página siguiente)

- you can visit the **Museo del Barrio** in New York, the only museum in the U.S. entirely devoted to the art and culture of Puerto Rico and Latin America.

- you can access valuable information on Latino holidays being celebrated in the United States.

- through the Internet, you can learn about famous Latinos such as Gloria Estefan, Chita Rivera, and many others.

- you can learn about famous historical Latino figures and Latino leaders today in the United States and elsewhere in the world.

- you can chat with Spanish-speaking people in the United States.

If you are a cyberspace browser, join us in **Viajemos por el ciberespacio a... los EE.UU.** by trying the following important addresses.

La comunidad hispana en EE.UU. Latino Web
http://www.latinoweb.com/favision/

Hispanos Unidos
http://www.hispunidos.com/

Museo Internacional de Arte Popular, Santa Fe
http://www.state.nm.us/moifa/

Museo del Barrio
http://emall.com/exploreny/ny6.html

Eventos del mundo hispano
http://www.onr.com/sainta/spanish/eventos.html

Agencia de Noticias: Telemundo
http://telemundo.hispanic.com/

Periódicos:
La opinión (San Antonio, TX)
http://www.laopinion.com/
La oferta review (San Jose, CA)
http://www.laoferta.com/
La prensa (San Diego)
http://www.electriciti.com/theplaza/

Gloria Estefan
http://www.music.sony.com/Music/ArtistInfo/GloriaEstefan.html

Because addresses are likely to change without notice, the following key words will guarantee that **Viajemos por el ciberespacio a... los EE.UU.** will get you to your desired destination.

Palabras clave

Estados Unidos	Cubanoamericanos
Hispanos	Puertorriqueños
Hispanos famosos	Museo del Barrio
Hispanos Unidos	Santa Fe, New Mexico
Latinos	Música Latina
Chicanos	Gloria Estefan

http://www.hrwcollege.com

Vocabulario

Clima

centígrados	*centigrade*
cielo	*sky*
clima *(m.)*	*climate*
congelado(a)	*frozen*
empapado(a)	*soaking wet*
estar despejado	*to have clear skies*
estar nublado	*to be cloudy*
grado	*degree*
hacer buen	*to have good*
tiempo	*weather*
hacer calor	*to be hot*
hacer frío	*to be cold*
hacer viento	*to be windy*
hay sol	*it is sunny*
llover (ue)	*to rain*
lloviznar	*to drizzle, rain*
	lightly
lluvia	*rain*
lluvioso(a)	*rainy*
neblina	*fog*
nevar (ie)	*to snow*
nieve *(f.)*	*snow*
pronóstico	*forecast*
temperatura	*temperature*
tiempo	*weather*
tormenta	*storm*

Ropa

abrigo	*coat*
bufanda	*scarf*
guantes *(m. pl.)*	*gloves*
paraguas *(m.*	
sing. or pl.)	*umbrella*
traje de baño *(m.)*	*swimsuit*
vaqueros *(m. pl.)*	*blue jeans*

Profesiones

actor *(m.)*	*actor*
actriz *(f.)*	*actress*
cantante *(m./f.)*	*singer*

deportista *(m./f.)*	*athlete*
músico *(m./f.)*	*musician*
novelista *(m./f.)*	*novelist*
poeta *(m./f.)*	*poet*
político *(m./f.)*	*politician*

Lugares

calle principal *(f.)*	*main street*
carnicería	*butcher shop*
escuela	*school*
esquina	*corner*
farmacia	*pharmacy*
frontera	*border*
panadería	*bakery*
papelería	*stationery store*
pastelería	*pastry shop*
zapatería	*shoe store*

Transporte

a pie	*on foot, walking*
barco	*boat*
moto *(f.)*	*motorcycle*
tren	*train*

Puntos cardinales

este	*east*
norte	*north*
oeste	*west*
sur	*south*

Rutina diaria

acostarse (ue)	*to go to bed*
afeitarse	*to shave*
bajarse	*to get off; to get down*
bañarse	*to bathe*
despertarse (ie)	*to wake up*
divertirse (ie)	*to have a good time,*
	enjoy oneself
dormirse (ue)	*to fall asleep*
ducharse	*to shower, take a*
	shower

levantarse	*to get up*
peinarse	*to comb*
quitarse	*to take off*
sentarse (ie)	*to sit down*
vestirse (i)	*to dress, get dressed*

Otros verbos

contestar	*to answer*
cortarse	*to cut oneself*
doblar	*to turn*
preguntar	*to ask*
quedarse	*to stay; to fit*
repetir (i)	*to repeat*
seguir (i)	*to continue; to follow*
subir	*to go up*
sudar	*to perspire, sweat*

Adverbios

al rato	*in a short while*
aproximadamente	*approximately*
continuamente	*continuously*
derecho	*straight (ahead)*
en seguida	*immediately, at once*
lentamente	*slowly*
poco	*little*
todo derecho	*straight ahead*

Adjetivos

derecho(a)	*right*
izquierdo(a)	*left*
peligroso(a)	*dangerous*
siguiente *(m./f.)*	*following, next*

Palabras útiles

buena suerte *(f.)*	*good luck*
despertador *(m.)*	*alarm clock*
ni… ni	*neither . . . nor*
población *(f.)*	*population*
porcentaje *(m.)*	*percentage*

En preparación 9

9.1 Weather Expressions

Talking about the weather

A. In Spanish, **hacer, estar,** and the verb form **hay** are commonly used to describe weather conditions.

¿Qué tiempo **hace** hoy?	*What's the weather like today?*
Hace mucho frío.	*It's very cold.*
Sí, pero no **hace** viento.	*Yes, but it's not windy.*
Está lloviendo	*It's raining.*
En el norte **está** nevando.	*In the north it's snowing.*
¿**Hay** neblina hoy?	*Is there fog today?*
No, pero **hay** mucha contaminación.	*No, but there is a lot of pollution (smog).*

B. The verb **tener** is used to describe how a person feels as a result of the weather conditions.

¿No **tienes** frío?	*Aren't you cold?*
No, en realidad, **tengo** mucho calor.	*No, actually, I'm very hot.*

C. The verb **estar** can also be used to describe a person's condition as a result of the weather.

Estoy congelado.	*I'm frozen.*
Están sudando.	*They are perspiring/sweating.*
Estamos empapados.	*We are soaking wet.*

¡A practicar!

A. ¿Qué tiempo hace?   Unos amigos quieren saber qué tiempo hace en diferentes partes de los Estados Unidos. ¿Qué les dices tú?

1. verano en Phoenix, Arizona
2. invierno en Buffalo, Nueva York
3. primavera en Des Moines, Iowa
4. otoño en Boston, Massachusetts
5. todo el año en Chicago, Illinois
6. todo el año en Seattle, Washington

B. Justamente lo opuesto.   Y veamos ahora qué tiempo hace en diferentes lugares del mundo, en las siguientes fechas.

1. la Navidad en San Francisco
2. la Navidad en Buenos Aires

3. el 4 de julio en California

4. el 4 de julio en Alaska

5. el Año Nuevo en París

6. el Año Nuevo en Santiago de Chile

9.2 *Mucho* and *poco*

Expressing indefinite quantity

A. **Mucho** and **poco** may describe a noun or a verb. When the former is the case, **mucho** and **poco** act as adjectives and must agree in number and gender with what is being described.

Hay **pocos** carros pero **mucha** contaminación.	*There are few cars but a lot of pollution.*
Hay **mucha** nieve pero hace **poco** frío.	*There is a lot of snow, but it's not very cold.*

B. When **mucho** and **poco** modify a verb, they are adverbs and do not vary in form.

Nieva **mucho** en el invierno.	*It snows a lot in the winter.*
Llueve **poco** aquí en el verano.	*It rains very little here in the summer.*

C. **Muy** is never used to modify **mucho.** Use the word **muchísimo** instead.

Hay **muy poca** nieve pero **muchísima** lluvia.	*There is very little snow but a lot of rain.*

¡A practicar!

A. **Así es mi vida.** Completa el párrafo con **mucho** o **poco** según tu propio *(your own)* estilo de vida.

Yo tengo _____ amigas y _____ amigos y por eso salgo

_____. Este semestre estudio _____ porque tengo

_____ clases. Trabajo _____ y gano *(earn)* _____

dinero. Tengo _____ tiempo libre. En mi tiempo libre practico

_____ deportes y miro _____ la televisión. En mi ciudad hay

_____ cosas que hacer.

B. **Problemas de un estudiante.** ¿Cómo se prepara este estudiante para empezar las clases, después de las vacaciones de verano? Para saberlo, completa el párrafo con **mucho** o **poco.**

El semestre empezó esta semana y yo tuve que comprar _____ libros.

¡Ay, qué caros son! Por eso, ahora yo tengo muy _____ dinero. ¡Soy

pobre! Además, tengo _____ clases, pero _____ energía.

Debo organizar mi vida. Necesito trabajar _____ horas y pasar

_____ tiempo en la biblioteca. Este semestre voy a tener

_____ tarea y _____ tiempo. ¡Qué horror!

9.3   Reflexive Verbs

Talking about what people do for themselves

PASO
2

Lavarse

to wash			
I wash (myself)	**me** lavo	**nos** lavamos	*we wash (ourselves)*
you wash (yourself)	**te** lavas	**os** laváis	*you wash (yourselves)*
you wash (yourself)	**se** lava	**se** lavan	*you wash (yourselves)*
he/she/it washes (himself/herself/itself)	**se** lava	**se** lavan	*they wash (themselves)*

A. A verb is called *reflexive* when the subject does the action to or for himself, herself, themselves, etc.; that is, when the subject receives the action of the verb. A reflexive pronoun always accompanies such a verb; it agrees in person and number with the subject of the verb. Reflexive pronouns precede a conjugated verb.

Los niños **se bañan** de noche.   *The children bathe (themselves) at night.*

Yo siempre **me acuesto** a las once.   *I always go to bed at eleven.*

B. Reflexive verbs appear in vocabulary lists with the reflexive pronoun **-se** attached to the infinitive ending. The following is a list of frequently used reflexive verbs. Some of these verbs have been used in previous chapters nonreflexively.

acostarse (ue)	*to go to bed*	levantarse	*to get up; to stand up*
afeitarse	*to shave*	llamarse	*to be named, be*
bañarse	*to take a bath, bathe*		* called*
despertarse (ie)	*to wake up*	peinarse	*to comb one's hair*
divertirse (ie)	*to have a good time,*	ponerse	*to put on (clothing)*
	* enjoy oneself*	quitarse	*to take off (clothing)*
dormirse (ue)	*to fall asleep*	sentarse (ie)	*to sit down*
ducharse	*to shower, take a shower*	sentirse (ie)	*to feel*
lavarse	*to wash oneself*	vestirse (i)	*to get dressed*

The reflexive pronoun is necessary only when the subject does something to or for itself.

Mamá **se despierta** primero y luego   *Mother wakes up first and then*
 despierta a los niños.   *wakes up the children.*

Primero **me baño** y luego **baño** a   *First I bathe, and then I bathe the*
 los niños.   *children.*

C. Reflexive pronouns, like direct and indirect object pronouns, are always placed directly in front of conjugated verbs. They are attached to the end of infinitives, present participles, and affirmative commands. As with object pronouns, a written accent is often necessary to keep the original stress of infinitives, present participles, and affirmative commands when reflexive pronouns are attached.

Siempre **me** afeito antes de duchar**me**.	*I always shave before taking a shower.*
No vamos a levantar**nos** hasta mediodía.	*We're not going to get up until noon.*
Los jóvenes están divirtiéndo**se** muchísimo.	*The young people are enjoying themselves very much.*
Quíta**te** la ropa y acuésta**te** en seguida.	*Take your clothes off and go to bed right away.*

¡A practicar!

A. Todos los días... ¿Cuál es la rutina en casa de los Chávez según Marta, la hija mayor?

1. Yo _____ (levantarse) a las 6:30.
2. Yo _____ (ducharse) rápidamente pero no _____ (lavarse) el pelo todos los días.
3. Papá _____ (afeitarse) después de _____ (ducharse).
4. Mamá _____ (peinarse) y luego _____ (peinar) a mi hermanita.
5. Mi hermana y yo _____ (vestirse) rápidamente.

B. ¡Un pájaro raro! La rutina del profesor Gamboa es muy interesante. Para saber por qué, completa el párrafo con la forma apropiada de los verbos que están entre paréntesis.

Por lo general, el profesor Gamboa _____ (acostarse) muy temprano, a eso de las 9:30 ó las 10:00 de la noche. ¿Por qué tan temprano? Porque _____ (levantarse) cuando todo el mundo está durmiendo, a las 4:00 de la mañana. ¿Qué hace a esa hora? Pues, primero _____ (prepararse) una taza de café. Luego _____ (sentarse) a trabajar frente a la computadora. No _____ (bañarse) y no _____ (afeitarse) hasta las 11:30 porque no tiene que ir a la universidad hasta el mediodía. Ah, ¡y nunca _____ (peinarse)! Es un pájaro raro *(rare bird)*.

C. ¿Y tú? Responde a las siguientes preguntas sobre tu propia rutina diaria.

1. ¿A qué hora te despiertas diariamente?
2. ¿Prefieres ducharte o bañarte?
3. ¿Cuántas veces a la semana te lavas el pelo?
4. ¿Cuántas veces al día te peinas?
5. ¿A qué hora te levantas los fines de semana?
6. ¿A qué hora te acuestas todos los días?

9.4   *Por* and *para:* A Second Look

Explaining how, when, why, and for whom things are done

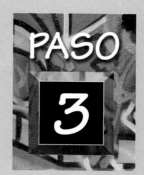

In **Capítulo 5** you learned that **por** and **para** have different uses. The following list reviews those uses and introduces several new ones.

Por

- *By, by means of*
  Vinieron **por** avión.   *They came by plane.*

- *Through, along*
  ¿Pasaron **por** aquí?   *Did they pass through here?*

- *Because of*
  Vinieron **por** Gloria Estefan.   *They came because of Gloria Estefan.*

- *During, in*
  Practicaron aquí **por** la mañana   *They practiced here in the morning and*
    y allá **por** la noche.   *there during the evening.*

- *For: in place of, in exchange for*
  ¿Quién jugó **por** ella?   *Who played for her?*

- *For: for a period of time*
  Jugaron **por** tres horas.   *They played for three hours.*

Para

- *In order to*
  Para ganar, hay que practicar.   *In order to win, it is necessary to practice.*

- *For: compared with, in relation to others*
  Para ser futbolista, no es muy   *For a soccer player, he is not very*
    agresivo.   *aggressive.*

- *For: intended for, to be given to*
  Compré las entradas **para** tus   *I bought the tickets for your parents.*
    padres.

- *For: in the direction of, toward*
  De aquí salieron **para** Lima.   *From here they left for Lima.*

- *For: by a specified time*
  Tendremos los resultados **para**   *We'll have the results by tomorrow.*
    mañana.

- *For: in one's opinion*
  Para nosotros, Maradona es el   *For us, Maradona is the best.*
    mejor.

¡A practicar!

A.   Los planes de Amalia.   ¿Qué planes tiene Amalia para el próximo fin de semana? Para saberlo, llena los espacios con **por** o **para.**

1.   El sábado voy _____ la casa de mis padres.

2.   _____ la mañana voy a salir temprano de casa.

3.   ¿Por qué? Porque primero debo comprar un regalo _____ mi madre. Es su cumpleaños.

4.   También voy a pasar _____ la pastelería.

5.   Sí, por supuesto, _____ comprar una rica torta.

6.   Pero ¡qué pena! El domingo _____ la tarde, ya debo regresar a mi casa _____ prepararme _____ los exámenes finales.

B.   En diciembre, ¡vacaciones!   Veamos lo que hace María Teresa en diciembre, completando con **por** o **para.**

Hoy debo estudiar _____ dos exámenes y el fin de semana voy a escribir mi composición _____ la clase de filosofía, y después de eso... ¡vacaciones! Salgo _____ mi casa el lunes _____ la mañana, y esta vez voy _____ avión. ¡Sí!, compré el boleto en una oferta. Ahora voy a estar con mi familia _____ dos semanas completas. ¡Qué suerte!

9.5   Affirmative *tú* Commands

Giving orders and directions

Commands are used to order someone to do or not to do something. **Tú** commands are used with people with whom you are familiar or whom you address as **tú.** There are different forms for affirmative and negative **tú** commands. In this chapter, you will learn only affirmative **tú** commands.

A.   In general, the affirmative **tú** command is identical to the third-person singular of the present indicative.

Infinitive	Command
tomar	**Toma** café.
leer	**Lée**lo.
dormirse	**Duérme**te.

Habla con el profesor y **explíca**le
   tu problema.
Trae el mapa.

Talk to the professor and explain
   your problem to him.
Bring the map.

B. There are eight irregular affirmative **tú** command forms. Note that most are derived from irregular first-person singular forms ending with **-go.**

Infinitive	*yo* Present	*tú* Command
decir	digo	**di**
poner	pongo	**pon**
salir	salgo	**sal**
tener	tengo	**ten**
venir	vengo	**ven**
hacer	hago	**haz**
ir	voy	**ve**
ser	soy	**sé**

C. Object and reflexive pronouns always follow and are attached to affirmative commands. The placement of pronouns follows this order: reflexive, indirect, direct.

Trá**emelas.**	*Bring them to me.*
Acuésta**te.**	*Go to bed.*
Lléva**selo.**	*Take it to him.*

Notice that whenever pronouns are added to a verb, accents are often necessary in order to maintain the original stress.

¡A practicar!

A. ¡Organízate!   El hermano menor de Olga es muy desorganizado. ¿Qué consejos le da Olga a su hermano?

> **Modelo**   acostarse / más temprano
>
> **Acuéstate más temprano.**

1. levantarse / más temprano
2. vestirse / rápidamente
3. poner / la ropa en tu cuarto
4. salir / antes de las 7:30
5. ir / directamente a clase
6. hacer / tu tarea todas la noches

B. ¡Por favor!   Tú decides establecer un poco de orden en el uso del baño en tu casa o apartamento. Dile a tu hermano(a) o a tu compañero(a) de cuarto lo que tiene que hacer para evitar que todos quieran usar el cuarto de baño a la vez. Usa mandatos en la segunda persona (**tú**).

1. levantarse temprano
2. ducharse rápidamente
3. vestirse en su cuarto
4. lavarse el pelo por la noche
5. peinarse rápidamente
6. ¿… ?

CAPÍTULO 10

Cultural Topics

Writing Strategies

Reading Strategies

En preparación

¡Socorro! ¡Llamen a la policía!

In this chapter, you will learn how to …

- ask for help in case of an emergency.
- respond to questions about a crime.
- describe a car accident.
- describe a robbery.

Managua, capital de Nicaragua, situada en una zona de gran actividad sísmica

Después del terremoto de 1972 en Managua, Nicaragua

Marcha del Frente Sandinista de Liberación Nacional (FSLN) en Managua, Nicaragua

Lo que ya sabes...

1. ¿Crees que es peligroso (dangerous) construir una ciudad cerca de un volcán? ¿Por qué lo hace la gente?

2. ¿Has sentido (Have you felt) un terremoto alguna vez? ¿Cuánto tiempo duró? ¿Cómo debemos protegernos en un terremoto?

3. ¿Por qué hay tantos grupos guerrilleros, como los sandinistas, en unos países latinos? ¿Qué causa que se formen estos grupos? En tu opinión, ¿dan buen o mal resultado estos grupos? ¿Por qué crees eso? Da ejemplos.

NICARAGUA

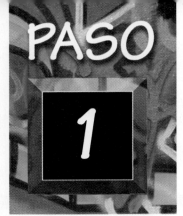

PASO

1

¡Por favor, vengan pronto!

TAREA

Antes de empezar este **Paso**, estudia **En preparación** 10.1 y haz por escrito los ejercicios de **¡A practicar!** También escucha **Paso 1 ¿Qué se dice...?** del Capítulo 10 en el CD del estudiante.

¿Eres buen observador?

Ahora, ¡a analizar!

1. ¿Por qué fue nombrado José Emiliano Avelar «Policía de la semana»? ¿Qué hizo?

2. ¿Es joven o mayor de edad? ¿Cuántos años tiene? ¿Cuánto tiempo ha servido como policía?

3. ¿Qué número de emergencia llamarías en caso de un incendio *(fire)*? ¿en caso de un abuso de drogas? ¿de problemas con un joven delincuente? ¿si necesitaras una ambulancia? ¿en caso de desacuerdos domésticos?

4. ¿Cuáles de estas categorías no reconoces? Pídele ayuda a la clase.

POLICIA
DE LA SEMANA

José Emiliano Avelar

Edad:
63 años.
Tiempo en la corporación:
27 años.
Grado:
Suboficial.
Adscripción:
Dirección General de Agrupamientos.
Hecho destacado:
Captura a tres presuntos asaltantes

T E L E F O N O S D E E M E R G E N C I A			
5 Adicciones, Grupo Amigos	682 28 18	Cruz Roja	557 57 57
Centro de Integración Juvenil	534 34 34	Centro Antirrábico	549 42 94
Neuróticos Anónimos	539 25 84	Radiopatrullas	06
Bomberos	768 37 00	Robos, asaltos, riñas	08
Locatel	658 11 11	Alcohólicos Anónimos	286 15 93

🎧 ¿Qué se dice...?

En caso de emergencia

1. Prestar primeros auxilios...
2. Llamar a la policía...
3. Hablar...

4. Actuar...
5. Dar información...
6. Describir... el estado del herido

HEROÍNA ¡Socorro! ¡Auxilio! ¡Incendio! ¡Operadora,... con los bomberos, por favor! Mi casa se está quemando. Hay mucho humo. ¡Llamen inmediatamente a la policía! Es urgente.

OPERADORA Servicio de urgencia. ¿Cuál es su emergencia?

HEROÍNA Necesito una ambulancia urgentemente. ¿Hay un hospital por aquí cerca?

¿Sabías que... ?

La profesión de bombero es de mucha importancia en cualquier ciudad. Los bomberos constantemente corren el riesgo de lastimarse y aún perder la vida. Sin embargo, en algunos países sudamericanos, por ejemplo, esta actividad no es remunerada; es trabajo de voluntarios. El único salario que estos bomberos reciben es la satisfacción de un trabajo bien hecho y también en muchos casos, de salvarle la vida a alguien. En casos de heroísmo, se recompensa a los bomberos con trofeos y condecoraciones.

A propósito...

The ordinal numbers—**primer(o), segundo, tercer(o), cuarto, quinto, sexto, séptimo, octavo, noveno, décimo**—are adjectives and must agree in number and gender with the nouns they modify. When preceding a singular masculine noun, **primero** and **tercero** become **primer** and **tercer.**

Ahora, ¡a hablar!

A. Supervivencia. ¿Sabes algo sobre casos de emergencia? Decide si lo siguiente es verdadero o falso. Si es falso, corrígelo.

1. Una persona que no respira por más de seis minutos puede morirse.
2. Los ataques cardíacos representan la causa principal de la muerte de los adultos mayores de 38 años.
3. Es importante administrar mucha leche a una persona que sufre de envenenamiento *(poisoning)*.
4. Si una persona sufre un ataque cardíaco, lo primero que se le debe hacer es la respiración artificial.
5. En caso de dosis excesiva de alguna medicina, debes llamar inmediatamente al servicio de emergencia.
6. Si una persona bebe demasiado alcohol, los efectos no son muy serios.

 B. ¿Qué debo hacer? Pregúntale a un(a) amigo(a) lo que debe hacer en estos casos de emergencia.

> **Modelo** Una persona está inconsciente: despertarla / inmediato
>
> TÚ Una persona está inconsciente.
> COMPAÑERO(A) **Debes despertarla inmediatamente.**

1. Una persona es víctima de envenenamiento y está inconsciente: llamar al Centro de Control de Venenos / calmado
2. Una persona es víctima de un choque *(shock)* eléctrico: verificar si la víctima respira / normal

3. Una persona sufre de lesiones en la cabeza: observar si hay hemorragia / cuidadoso

4. Una persona sufre de ataque cardíaco: llamar al servicio de emergencia / urgente

5. Una persona se está ahogando *(drowning):* sacarla del agua y empezar a administrar la respiración artificial / rápido

C. **¿Cómo?**   ¿Cómo haces tú las siguientes cosas?

Modelo   estudiar para un examen final (cuidadoso o inteligente)
Estudio cuidadosamente para un examen final.

1. hablar español (rápido o lento)

2. trabajar (duro o tranquilo)

3. ganar dinero (calmado o urgente)

4. manejar (rápido o lento)

5. hacer amigos (fácil o difícil)

6. comunicarse con los padres (frecuente o infrecuente)

7. resolver problemas personales (fácil o difícil)

8. resolver problemas financieros (rápido o lento)

D. **Incendio.**   Di en qué orden y cómo debe hacerse lo siguiente si hay un incendio.

Modelo   1°   llamar a los bomberos / inmediato
Primero, se debe llamar a los bomberos inmediatamente.

2° ver si la puerta está caliente / inmediato

3° poner una toalla *(towel)* húmeda debajo de la puerta / rápido

4° caminar por el pasillo / lento

5° buscar la salida más cercana / tranquilo

6° bajar por la escalera / cuidado

7° ayudar a otras personas / cortés

Y ahora, ¡a conversar!

A. **Precauciones.**   Entrevista a tu compañero(a) para saber si ha usado un servicio de emergencia y si está preparado para futuras emergencias.

Pregúntale si…

1. usó alguna vez un servicio de emergencia.

2. te puede explicar cuál fue el caso de emergencia.

3. necesitó esperar mucho.

4. está preparado(a) para ayudar a la víctima de un accidente.

5. está preparado(a) en caso de que ocurra un incendio en su casa o en un edificio.

6. tiene un extintor que funciona.

7. sabe por dónde salir de su casa en caso de incendio.

8. su casa está asegurada.

B. Imprudencias. En el edificio donde vive Carlos ocurrieron seis accidentes el año pasado. Con un(a) compañero(a) explica lo que pasó.

1. la señora Ortiz

2. el señor Jiménez

3. el señor Medina

4. la señorita Valdez

5. Juanito

6. Andrés

C. Accidentes. Dile a un(a) compañero(a) lo que debe hacer en estas situaciones de emergencia.

> **Modelo**   chocar en carro con una bicicleta
>
> **Si chocas con una bicicleta debes parar el carro inmediatamente y ayudar a la víctima.**

1. comer algo contaminado
2. ver a una persona ahogándose
3. caerse de una escalera *(fall from a ladder)*
4. romperse *(break)* una pierna o un brazo
5. recibir un choque *(shock)* eléctrico
6. quemarse

¡Luz! ¡Cámara! ¡Acción!

A. ¡Incendio!   Al preparar la comida, tu compañero(a) de cuarto tuvo un accidente y ahora hay un incendio en tu apartamento. Dramatiza la situación con un(a) compañero(a).

B. ¡Auxilio!   Tú y un(a) amigo(a) asisten a una clase de primeros auxilios y mañana hay un examen. En preparación para el examen, tu compañero(a) inventa varias situaciones de emergencia para ver si tú sabes qué hacer. Dramatiza la situación con un(a) compañero(a).

¿Comprendes lo que se dice?

Estrategias para escuchar.   *In* **Capítulo 9** *you learned that listening is easier when you know something about the subject. However, this is often not the case. When you know nothing about what you are listening to, it is helpful and sometimes necessary to listen for grammatical and linguistic structures that you already know. For example, listening to* verb endings *can tell you not only* who *is carrying out the action, but* when *it is occurring. Listening for* adverbs *derived from adjectives can tell you* how *the action is carried out. This method is known as "listening from the bottom up."*

¿Qué pasó?   Escucha este noticiero especial de Radio Managua. Luego con un(a) compañero(a) hagan una lista de por lo menos cuatro cosas que ocurrieron y expliquen con un adverbio o en breves palabras cómo ocurrió cada cosa.

NOTICIERO
CULTURAL

Nicaragua

Jinotega · Matagalpa
Corinto
· León
★ · Granada
Managua

LUGAR... NICARAGUA

Antes de empezar, dime...

1. Nombra tres bellezas naturales de los EE.UU.

2. ¿Qué tipo de desastres naturales ocurren en los EE.UU.?

3. Haz una lista de los lugares que más sufren desastres naturales en los EE.UU. y al lado de ellos, el tipo de desastre.

4. ¿Por qué sigue viviendo la gente en esos sitios?

5. ¿Cómo reaccionas tú después de estos desastres? Explica.

Managua, Nicaragua

Managua y sus volcanes:
Una ciudad que no se deja vencer

Nicaragua es el país más grande de Centroamérica y, con excepción de Belice, el menos poblado. Managua ha sido la capital y el centro comercial de Nicaragua desde el año 1858. Esta ciudad está en la costa sur del lago Managua, uno de los únicos lagos de agua dulce

El *centro de Managua despúes del terremoto de 1972*

(fresh water) del mundo que tiene tiburones *(sharks)*. Managua presenta al turista los más impresionantes volcanes que pueda ofrecer la madre naturaleza. Pero los mismos volcanes que le dan una inmensa belleza natural, la han destruido completamente varias veces en el pasado.

Managua fue totalmente destruida en marzo del año 1931 por un terremoto. Cinco años más tarde parte de la ciudad desapareció a causa de uno de los incendios más grandes de la historia de Nicaragua. Lentamente se volvió a reconstruir totalmente con las características de una ciudad moderna. En diciembre del año 1972 otro terrible terremoto destruyó el centro de la ciudad, dejando solamente algunos edificios modernos.

Pero esos mismos volcanes que han causado la destrucción de la ciudad en el pasado, le dan una belleza sin igual. Es interesante ver a sólo 16 kilómetros de la ciudad de Managua un cráter de volcán que es uno de los más hermosos lagos donde se puede nadar, pescar, hacer picnic, acampar y dar un paseo en bote. Este lago se llama Laguna de Xiloá.

Parece que Managua vuelve a nacer siempre, de los incendios, terremotos y revoluciones. Por eso, cuando la visitamos, tenemos la sensación de estar ante una ciudad que no se dejará vencer *(conquer)* nunca.

Y ahora, dime...

Con un(a) compañero(a), preparen dos listas: una de razones por qué a mucha gente le gusta vivir en Managua y otra de razones por qué mucha gente rehusa ir a vivir allá.

El español en otras disciplinas: Sismografía

Cultura sísmica. Las experiencias que nos han dejado los sismos (terremotos y temblores) de los EE.UU., México, Colombia, Perú y Chile, entre otros, nos indican que vivimos en un «continente sísmico» y que tenemos que acostumbrarnos a convivir con este tipo de desastres naturales, ya que son fenómenos que van a continuar sucediendo. Por esta razón, es muy importante que «desarrollemos una cultura sísmica» o sea, una cultura que sepa qué hacer antes, durante y después de un terremoto. Con un(a) compañero(a) haz una lista de los «pasos» que ustedes creen que debemos seguir antes, durante y después de este tipo de desastre.

Proyecto: Estudia en la enciclopedia sobre un reciente desastre natural en algún país latino, ya sea un terremoto, una erupción de volcán, un huracán, un tornado, etc., y escribe un breve resumen de cuándo y dónde ocurrió y cómo actuó la gente antes, durante y después del desastre.

¡Yo no tuve la culpa!

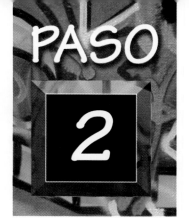

PASO 2

TAREA

Antes de empezar este **Paso,** estudia **En preparación** 10.2 y 10.3 y haz por escrito los ejercicios de **¡A practicar!** También escucha **Paso 2 ¿Qué se dice... ?** del Capítulo 10 en el CD del estudiante.

¿Eres buen observador?

 ALTO

 CEDA EL PASO

 ADUANA

 100 (Km/h) MAXIMA

 CIRCULACION

Ahora, ¡a analizar!

1. ¿Cuáles de estas señales de tráfico reconoces? Explícale el significado de diez a tu compañero(a) y escucha mientras tu compañero(a) te explica otras diez. ¡En español, por supuesto!

2. ¿Qué creen ustedes que significan las siguientes señales: **glorieta, puente angosto, vado, alto, ceda el paso**?

3. Pídele a tu compañero(a) que te explique las que no entiendes. Si no puede, pregúntenle a la clase.

 NO REBASE

 CONSERVE SU DERECHA

 PROHIBIDO EL RETORNO

 CONTINUA

 PROHIBIDO VUELTA A LA IZQUIERDA

 PROHIBIDA LA CIRCULACION A VEHICULOS PESADOS

 PROHIBIDO SEGUIR DE FRENTE

 UNA HORA

 TERMINA

 PROHIBIDO ESTACIONARSE

 DOBLE CIRCULACION

 GLORIETA

 ESTRECHAMIENTO A UN LADO

 ESTRECHAMIENTO

 PUENTE ANGOSTO

 4.20 m ALTURA LIBRE

 CAMINO DERRAPANTE

 BAJADA PRONUNCIADA

 VADO

 CRUCE DE F. C.

 HOMBRES TRABAJANDO

 ZONA ESCOLAR

 ZONA DE DERRUMBES

 SEMÁFORO

 GANADO

¿Qué se dice...?

Cuando ocurre un accidente automovilístico

_____ 1. Chocó otro coche por detrás.   _____ 4. Se le reventó una llanta.

_____ 2. Trató de frenar.   _____ 5. Le pegó otro coche.

_____ 3. Le pegó a otro coche   _____ 6. Lo siente.
        por detrás.

SR. BLANCO   Mi coche está destrozado.

HEROÍNA   ¿Recibieron golpes serios? ¿Hay heridos? (al Sr. Blanco) ¿Está usted herido?

SR. BLANCO   No lo creo.

HEROÍNA   (al Sr. Rojo) ¿Cómo se siente usted?

SR. ROJO   Pues, no sé. No muy bien.

HEROÍNA   ¿Hubo algún testigo?

LOS DOS SRES.   No, ninguno.

Ahora, ¡a hablar!

A. ¡Un accidente! Hubo un accidente en la carretera principal de la ciudad. ¿Qué dijeron los chóferes cuando llegó la policía a investigar? Cambia los verbos entre paréntesis al pretérito.

Chófer #1 Yo no tuve la culpa porque…

1. no (poder) ver el otro coche.
2. no (tener) tiempo para frenar.
3. (hacer) todo lo posible por evitar el accidente.

Chófer #2 El otro chófer tuvo la culpa porque…

4. (perder) control del coche.
5. (chocarme) por detrás.
6. (decir) que no me (ver).

B. ¿Qué pasó aquí? Hubo un accidente y tres coches chocaron. ¿Qué dicen los chóferes y los testigos?

Modelo   yo / no tener la culpa / él / ser el culpable
  Yo no tuve la culpa; él fue el culpable.

Chóferes

1. yo / hacer todo lo posible / pero / no poder frenar
2. ella / parar el coche de repente / y / yo / chocarla
3. yo / perder control del coche / y / pegarle por detrás

Testigos

4. yo / ver el accidente / y / venir a ayudar inmediatamente
5. mi esposa / ayudar a los heridos / mientras yo / llamar a la policía
6. el chófer del coche rojo / tener la culpa / porque / no frenar a tiempo

C. ¿Yo? ¡Nunca! ¿Es tu compañero(a) un(a) conductor(a) modelo? Pregúntale si alguna vez hizo lo siguiente.

nunca   de vez   a menudo   siempre
              en cuando

Modelo   dejar la licencia en casa

COMPAÑERO(A)   **¿Dejaste la licencia en casa alguna vez?**
         TÚ   **Yo nunca dejo la licencia en casa.** o
              Yo dejo la licencia en casa de vez en cuando.

1. estar borracho(a) al manejar
2. tener una multa *(ticket)*
3. estacionar en una zona prohibida
4. no decir la verdad a la policía
5. tener un accidente
6. ser testigo de un accidente
7. ¿… ?

D. **La última vez.** ¿Mantiene tu compañero(a) su coche en buen estado para evitar accidentes? Pregúntale cuándo fue la última vez que hizo lo siguiente.

Modelo limpiar el interior del coche

TÚ **¿Cuándo fue la última vez que limpiaste el interior del coche?**

COMPAÑERO(A) **Lo limpié en octubre.**

1. cambiar el aceite
2. revisar *(check)* el motor
3. echarle agua al radiador
4. inflar las llantas *(tires)*
5. revisar la batería
6. llenar el tanque de gasolina
7. rotar las llantas
8. ¿... ?

Y ahora, ¡a conversar!

A. **Mi primer coche.** ¿Recuerdas tu primer coche? Entrevista a un(a) compañero(a). Pregúntale sobre su primer coche y háblale del tuyo.

1. ¿En qué año obtuviste tu licencia de manejar? ¿Dónde la obtuviste?
2. ¿Cuál fue tu primer coche? ¿Cuánto costó?
3. ¿En qué año compraste tu primer coche? ¿Quién lo pagó, tú o tus padres?
4. ¿Por cuánto tiempo lo tuviste?
5. ¿Tuviste algún accidente con ese coche? ¿Qué pasó?
6. ¿Qué pasó con ese coche?

B. **Mecánicos.** ¿Es tu compañero(a) buen(a) mecánico(a)? Léele estas definiciones para ver si, usando el diagrama de un coche en la página A-6, te puede decir el nombre de estas partes del coche. Anótalas y al terminar, verifiquen sus respuestas.

1. Es donde nos sentamos, pero no es una silla.
2. Los coches tienen cuatro. Siempre necesitan aire.
3. Es un espejo *(mirror)* pequeño situado dentro o fuera del coche que se usa para ver si hay otro coche o algún objeto detrás del coche.
4. Sólo se usan de noche para ver mejor.
5. Protege el coche cuando va a chocar contra otro coche.
6. Es esencial para determinar la dirección del movimiento del coche.
7. Protege del viento al chófer y al pasajero. También permite al chófer ver qué hay enfrente del coche.
8. Es una fuente de energía eléctrica.
9. Son esenciales para parar el movimiento del coche.

C. Nueva póliza de seguros.   Tú eres agente de seguros *(insurance)*. Tu compañero(a)
va a hacer el papel de un(a) cliente que acaba de tener un accidente automovilístico. Para
darle una nueva póliza de seguros tienes que conseguir esta información. Entrevístalo(la).

1. edad

2. dirección

3. empleo

4. tipo de coche

5. multas previas: ¿cuántas y por qué?

6. accidentes: ¿cuántos? ¿culpable o no?

7. ¿… ?

¡Luz! ¡Cámara! ¡Acción!

A. ¡Yo no tuve la culpa!   Hubo un accidente de dos carros (o dos bicicletas). Los
chóferes tienen opiniones muy distintas de cómo ocurrió y quién es el (la) culpable. Un
testigo vio todo y puede resolver la discusión. Dramatiza la situación con dos com-
pañeros(as).

B. ¡Idiota!   Hubo un accidente entre un coche y una moto. No hubo heridos pero la
moto está destrozada. El (La) motociclista está furioso(a). La policía llega y los dos
chóferes cuentan su versión de lo que pasó. Dramatiza la situación con dos
compañeros(as).

¡Me siento nuevo!   Escucha este anuncio que combina elementos de exageración, humor
y nacionalismo para vender el producto. Luego da varios ejemplos de cómo se usan estos
tres elementos en el anuncio.

NICAR AGUA

Exageración	Humor	Nacionalismo
1.	1.	1.
2.	2.	2.
3.	3.	3.
4.	4.	4.
5.	5.	5.
…	…	…

NOTICIERO CULTURAL

Nicaragua

Jinotega • Matagalpa
Corinto
León
✪ • Granada
Managua

GENTE...
VIOLETA CHAMORRO

Antes de empezar, dime...

1. Nombra a tres mujeres famosas en la historia de los EE.UU.

2. Nombra a tres mujeres famosas en la actualidad en los EE.UU.

3. Da ejemplos de mujeres que se destacan en la política de los EE.UU. actualmente.

4. Según tu opinión, ¿están listos los estadounidenses para tener una mujer como presidenta? Justifica tu respuesta.

Violeta Chamorro

Violeta Chamorro

Violeta Barrios de Chamorro, política y empresaria nicaragüense, nació en 1930. Se casó en 1950 con Pedro Joaquín Chamorro, editor del periódico *La Prensa*, quien fue un destacado opositor a la dictadura de la familia Somoza, que estuvo en control desde 1937 hasta 1979. La señora de Chamorro asumió la dirección del periódico después del asesinato de su esposo en 1978. Después de la caída del último Somoza, formó parte de la junta revolucionaria que tomó el poder desde julio de 1979 a abril de 1980. Cuando en 1984 Daniel Ortega, líder del Frente Sandinista de Liberación Nacional (FSLN) fue elegido presidente de Nicaragua, Violeta Chamorro pasó a la oposición y empezó a actuar más activamente en la política de su país.

En 1990 derrotó en elecciones libres a Daniel Ortega, el candidato del movimiento sandinista y se convirtió así en la primera mujer presidenta de esta nación latinoamericana. Su gobierno reestableció relaciones con los EE.UU. y ha logrado también una cierta reconciliación con los frentes opositores. Últimamente, como todo personaje famoso, ha sido objeto de controversias, debido al interés de algunos familiares de participar más directamente también en el gobierno nicaragüense, incluso en el mando del país.

Y ahora dime...

1. Anota lo que sabes de la presidenta Violeta Chamorro.

LA VIDA DE VIOLETA CHAMORRO

Antes de 1978	Después de 1978
1.	1.
2.	2.
3.	3.
4.	4.
5.	5.
. . .	. . .

2. La prensa y la política hicieron un papel muy importante en la vida de Violeta Chamorro. En grupos de tres o cuatro, discutan el papel de la prensa en la política de los EE.UU. ¿Existe una verdadera «libertad de prensa»? ¿Hay necesidad de «censura de prensa»? Informen a la clase de sus conclusiones.

¿Te gusta escribir?

Antes de escribir
Estrategias para escribir: Conseguir información

A.   En preparación.   Una composición es un trabajo escrito que requiere dos cosas:
1.   conseguir información sobre el tema y
2.   comunicar esa información por escrito de una manera clara y organizada.

Para conseguir la información necesaria puedes usar varios recursos: entrevistas, libros de referencia como la enciclopedia, revistas, periódicos, etc. Para comunicar la información de una manera clara y organizada debes seguir el proceso de redacción *(writing)* que has usado en estas escrituras desde el principio.

Una buena composición siempre contesta preguntas específicas sobre el tema. En este capítulo has leído dos composiciones en las secciones **Noticiero cultural**, una sobre Managua y sus volcanes y otra sobre Violeta Chamorro. Mira cómo la composición sobre Violeta Chamorro contesta ciertas preguntas específicas.

1.   ¿Quién es Violeta Chamorro?
2.   ¿Cuándo nació?
3.   ¿Qué hizo antes de 1979? ¿después de 1979?
4.   ¿Cuándo subió a la presidencia?
5.   ¿Qué se logró *(was accomplished)* durante su presidencia?

 B.   Preguntas clave.   Ahora, con un(a) compañero(a) preparen una lista de las preguntas que contesta la composición sobre Managua y sus volcanes.

Ahora, ¡a escribir!

A.   La idea principal.   Piensa ahora en un tema relacionado con Latinoamérica que te gustaría investigar para escribir una composición. Puede ser sobre un país, una ciudad o región, una persona o un evento histórico. Prepara preguntas apropiadas a tu tema que crees que debes contestar en tu composición. Si necesitas ayuda, mira como guía, las preguntas que preparaste sobre Managua y sus volcanes. Usa varios recursos para encontrar la información necesaria para contestar tus preguntas sobre el tema.

B.   El primer borrador.   Usa la información que preparaste en **A** para escribir un primer borrador. Pon toda la información relacionada con la misma pregunta en un párrafo.

 C.   Ahora, a compartir.   Comparte tu primer borrador con dos o tres compañeros. Comenta sobre el título, el contenido y el estilo de las composiciones de tus compañeros y escucha los comentarios de ellos sobre tu noticia. Si hay errores de ortografía o de gramática, menciónalos.

D.   Ahora, a revisar.   Si necesitas hacer unos cambios, a partir de los comentarios de tus compañeros, hazlos ahora.

E.   La versión final.   Prepara una versión final de tu composición y entrégala.

 F.   Publicación.   En grupos de cuatro o cinco lean las composiciones que les dará su profesor(a) y decidan cuál es la más interesante. Descríbanla a la clase mencionando la información más importante que aparece en ella.

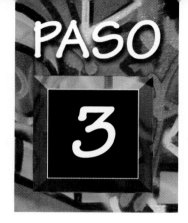

¡Pánico!

PASO 3

TAREA

Antes de empezar este **Paso**, estudia **En preparación** 10.4 y 10.5, y haz por escrito los ejercicios de **¡A practicar!** También escucha **Paso 3 ¿Qué se dice... ?** del Capítulo 10 en el CD del estudiante.

¿Eres buen observador?

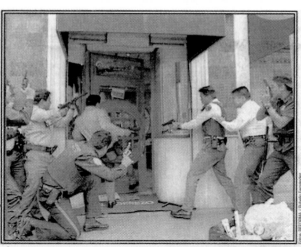

Ahora, ¡a analizar!

1. ¿Dónde ocurrió este asalto? ¿A qué hora? ¿En qué tipo de negocio?
2. ¿Cuántos asaltantes hubo? ¿Fueron todos capturados?
3. ¿Hubo heridos o muertos? ¿Cuántos? ¿Quiénes fueron?
4. ¿Qué es una balacera?
5. ¿Qué es un botín? ¿En qué consiste el botín?

Asalto y captura

Un policía y un civil muertos, dos presuntos asaltantes detenidos y un botín no cuantificado, fue el saldo de una balacera ocurrida en una joyería ubicada en la esquina de Isabel la Católica y 16 de Septiembre, en el Centro Histórico, ayer a las 13:20 horas.

Ciudad (2B)

¿Qué se dice...?

Al describir un robo

Hora del robo:	2:00 AM	2:00 PM	4:00 PM
Primero vio al ladrón:	en el banco	en su coche	en la estación
Lo sintió a su lado:	en el banco	en su coche	en la estación

HEROÍNA   ¿Puede identificar al ladrón? ¿Cómo es?

VÍCTIMA   Es un hombre feo. Es alto con pelo negro y bigotes.

HEROÍNA   ¿Qué le robó?

VÍCTIMA   Sacó una pistola y me pidió la cartera. Y cuando se la di, se rió de mí. Tuve mucho miedo y no pude hacer nada.

HEROÍNA   ¿Por dónde se fue...?

PROFESORA   ¡Margarita! ¡Margarita! ¿Qué te pasa? Presta atención a la clase.

Ahora, ¡a hablar!

A.   ¿Qué pasó aquí?   Mario fue víctima de un robo. Ahora él le está describiendo a la policía lo que le pasó. ¿Qué dice?

> **Modelo**   en el restaurante / yo / despedirme de mis amigos
>> **En el restaurante, yo me despedí de mis amigos.**

1.   al salir / yo / sentir a una persona detrás de mí
2.   esa persona / seguirme al coche
3.   yo / pedir ayuda / pero / nadie / oírme
4.   el ladrón / pedirme la cartera / y / reírse
5.   él / darme un golpe en la cabeza / y / irse
6.   alguien / verlo / y / llamar a la policía

B.   ¡Mentira!   La policía acaba de arrestar al ladrón. Él tiene su propia versión de lo que pasó. ¿Qué dice él? ¿Lo crees?

> **Modelo**   yo / ver / hombre borracho salir / restaurante
>> **Yo vi a un hombre borracho salir del restaurante.**

1.   hombre / caminar / coche / porque / sentirse mal
2.   yo / seguirlo / y / ofrecerle / ayuda
3.   él / tener miedo / y / empezar a / gritar
4.   yo / querer / calmarlo / pero / no / poder
5.   yo / no pegarle / hombre
6.   hombre / acusarme de / robar / cartera
7.   yo / irme / para evitar problemas

C.   ¡Solo en Nueva York!   El detective Buscapistas trabaja en Nueva York donde siempre pasan cosas extrañas. ¿Qué cosas extrañas pasaron el mes pasado?

> **Modelo**   Un ladrón (perseguir) a un policía para devolverle su cartera.
>> **Un ladrón persiguió a un policía para devolverle su cartera.**

1.   Un gorila (conseguir) una pistola y (asaltar) un banco.
2.   Un policía (pedirle) ayuda a un ladrón.
3.   Una mujer (asaltar) un banco y (pedir) cinco dólares.
4.   Un turista (robarle) la cartera a un ladrón famoso.
5.   Un restaurante (servirle) a una familia de extraterrestres.
6.   Un borracho (bañarse) en una fuente y luego (vestirse) en público.

D.   Hace dos meses que...   ¿Cuánto tiempo hace que ocurrieron estos eventos en tu vida?

> **Modelo**   oír a alguien gritar «¡Socorro!»
>> **Hace dos meses que oí a alguien gritar «¡Socorro!»**

1.   ver una película policíaca   4.   ser víctima de un robo o un asalto
2.   leer de un incendio   5.   lastimarte
3.   ser testigo de un robo

Y ahora, ¡a conversar!

A. Honesto. Ser completamente honesto no es siempre fácil. Entrevista a un(a) compañero(a) y decide si es completamente honesto(a) o si sólo lo es de vez en cuando.

| nunca | una vez | varias veces |

Modelo   mentir en una declaración de impuestos *(tax return)*

TÚ   **¿Mentiste en alguna declaración de impuestos?**

COMPAÑERO(A)   **No. Yo nunca mentí.** o **Sí, mentí una vez.** o **Sí, mentí varias veces.**

1. mentir en una solicitud *(application)* de trabajo
2. pedirle dinero a un(a) amigo(a) y luego no pagarle
3. hacer trampa *(cheat)* en un examen
4. faltar al trabajo
5. inventar pretextos para no salir con una persona
6. inventar rumores sobre una persona
7. hablar mal de un(a) amigo(a)
8. no cumplir con una promesa importante
9. reírse a espaldas de una persona *(behind someone's back)*
10. repetir un secreto importante

B. Extraño. ¿De vez en cuando haces algo totalmente fuera de lo normal? Comparte estos momentos con tus compañeros en grupos de tres o cuatro.

Modelo   dormir… horas

Generalmente duermo 8 horas pero un día dormí 15 horas para poder estudiar 24 horas seguidas para un examen de química.

1. no mentir
2. pedir dinero
3. reírse en clase
4. seguir a una persona
5. conseguir un trabajo
6. vestirse de manera extravagante
7. ¿… ?

C. ¡Asalto! Tú y tu compañero(a) son reporteros muy famosos. Esta mañana asaltaron un banco y ustedes dos lo vieron todo. Tomaron algunas fotos que acaban de revelar. Ahora necesitan narrar lo que pasó y describir cada foto.

1.

2.

3.

4.

5.

6.

7.

¡Luz! ¡Cámara! ¡Acción!

A. ¡Ladrones!   Tú y tu amiga acaban de ser víctimas de un robo. Un grupo de motociclistas le robó la bolsa a tu amiga. Ahora ustedes le están explicando a un policía lo que pasó. Trabajando en grupos de tres, dramaticen esta situación.

B. ¡Socorro!   Tú y tu amigo(a) acaban de salir de su discoteca favorita. Son las dos de la mañana. De repente un hombre con una pistola les pide las carteras. ¿Qué hacen? Dramaticen la situación.

¿Te gusta leer?

Antes de leer
Estrategias para leer: Predecir con titulares

A. Titulares.   Siempre que leemos las noticias de un periódico lo primero que leemos son los titulares. La información que nos dan los titulares nos hace decidir si leemos el artículo o buscamos otro de mayor interés para nosotros. Por eso, es esencial seleccionar cuidadosamente cada palabra de los titulares.

1. ¿Qué sabes definitivamente al leer los titulares de este artículo?

2. ¿Cuáles son las tres cosas que crees que se van a mencionar en este artículo?

   a. _____

   b. _____

   c. _____

B. Prepárate para leer.   En grupos de tres o cuatro, hagan dos listas: una de los problemas que pueden ocurrir en un asalto y otra de las posibles soluciones. La primera ya está hecha.

Problemas	Soluciones
1. Los ladrones pueden tener como rehénes *(hostage)* a varios clientes de la joyería.	1. La policía puede negociar con los ladrones la libertad de los rehenes.
_____	_____
_____	_____
_____	_____

Lectura

Asaltan joyería; mueren 2

Por Arturo Sánchez

UN POLICÍA Y UN CIVIL MUERTOS, DOS presuntos asaltantes detenidos y un botín no cuantificado, fue el saldo de una balacera ocurrida en una joyería ubicada en la esquina de Isabel la Católica y 16 de Septiembre, en el Centro Histórico, ayer a las 13:20 horas.

Según versión de testigos, dos hombres y una mujer, quienes aparentaron ser clientes, se introdujeron en la joyería «El Aderezo S. A.», que era custodiada por Antonio Peralta Barrón, placa 9443, elemento de la Policía Bancaria e Industrial.

«Vimos que una mujer salió de la joyería con una bolsa bajo del brazo y que se subía a un taxi, luego oímos dos o tres balazos y nada más. Entonces el policía que estaba afuera corrió para decirnos que llamáramos por teléfono a la joyería, y como no contestaron, avisamos al 08 y a la base Catedral de T 2000», relató la encargada de una tienda contigua.

«Los policías les decían que salieran y que se rindieran porque estaban rodeados, pero uno de ellos

Tomando posiciones.

La balacera duró cerca de 5 minutos.

quería salir tomando como rehén a la encargada y le apuntaba con una pistola a la cabeza. Entonces cuando un policía rompió un aparador con un pedazo de madera, la señora salió corriendo y se soltó una balacera que duró como 5 minutos», narró un comerciante.

En el interior del edificio fueron detenidos Juan Osorio González, de 33 años de edad; y Arcadio Vázquez, de 30, a quienes les fue decomisada una pistola tipo escuadra calibre 45 milímetros, marca Colt Commander; mientras que una mujer identificada como Karina Neri, presuntamente se dio a la fuga con el producto del robo.

A ver si comprendiste

Un buen artículo informativo sobre un incidente como éste siempre contesta las preguntas más esenciales: ¿quiénes?, ¿qué?, ¿cuándo?, ¿dónde?, ¿cómo?, ¿por qué? y ¿cuánto? ¿Contesta este artículo todas estas preguntas? ¿Cuáles son las respuestas a cada una?

Viajemos por el ciberespacio a... Nicaragua

Expand your horizons! *Let's travel through cyberspace to* **Nicaragua** where . . .

■ you can visit dozens of volcanoes, many still active, and enjoy their magnificent landscape and beauty.

■ you can witness the history of a small country capable of challenging the odds in search of a future that will end the conflict and bring peace and justice.

■ you can visit the imposing **Lago Nicaragua.**

■ you can read the masterpieces of renowned Nicaraguan poets.

■ you can learn about the many earthquakes that continually shake this tiny but vibrant country.

If you are a cyberspace browser, join us in **Viajemos por el ciberespacio a... Nicaragua** by trying the following important addresses:

Universidad Centroamericana
http://165.98.12.3/

Universidad Americana
http://www.uam.rain.ni/

Rubén Darío
http://users.deltanet.com/~drx/ruben.htm
http://sashimi.wwa.com/~roustan/dario.html
http://www.fciencias.unam.mx/~emg/dario.html

Gioconda Belli
http://www.ibw.com.ni/~dlabs/lit/gioconda.html

Periódicos:
El ciberdiario
http://www.ciberdiario.com.ni/ultima.htm
La Prensa
http://www.laprensa.com.ni/

Volcanes: Cerro Negro
http://www.unige.ch:80/cgi-bin/hazards/imagemap/world-map/67,229#Cerro

Lago Nicaragua
http://users.deltanet.com/~drx/nic_lake.htm
http://www.worldheadquarters.com/nicalake.html

Because addresses are likely to change without notice, the following key words will guarantee that **Viajemos por el ciberespacio a... Nicaragua** will get you to your desired destination.

Palabras clave

Nicaragua	Daniel Ortega
Política en Nicaragua	Violeta Chamorro
Volcanes de Nicaragua	Rubén Darío
Comida Nicaragüense	Gioconda Belli
Lago Nicaragua	Cerro Negro

http://www.hrwcollege.com

Vocabulario

Emergencias

accidente *(m.)*	accident
ataque cardíaco *(m.)*	heart attack
caerse	to fall down
clínica	clinic
emergencia	emergency
herido(a)	wounded, injured
humo	smoke
incendio	fire
inconsciente *(m. / f.)*	unconscious
morirse (ue, u)	to die
muerte *(f.)*	death
quemarse	to burn (up)
romperse	to break, shatter
sufrir	to suffer
terremoto	earthquake
urgente *(m. / f.)*	urgent
víctima *(m. / f.)*	victim

Auxilios

ambulancia	ambulance
¡Auxilio!	Help!
ayuda	help, assistance
bombero (a)	firefighter
calmarse	to calm oneself
hospital *(m.)*	hospital
primeros auxilios	first aid
proteger	to protect
respiración artificial *(f.)*	artificial respiration
respirar	to breathe
¡Socorro!	Help!

Crimen

acusar	to accuse
asaltar	to assault
culpable *(m. / f.)*	guilty, culpable
disparar	to fire (a gun)
golpe *(m.)*	hit, blow
gritar	to cry out; to shout
lastimar	to injure
mentir (ie, i)	to tell a lie
pegar	to hit
perseguir (i, i)	to follow
sospechoso(a)	suspicious
tener (ie) la culpa	to be at fault

testigo	witness

Automóvil

asiento	seat
automóvil *(m.)*	automobile
batería	battery
cambiar una llanta	to change a tire
carretera	highway
carro	car
chocar	to collide
estacionar	to park
frenar	to apply the brakes (of a car)
licencia	license
llanta	tire
mecánico(a)	mechanic
motor *(m.)*	motor
multa	fine, ticket, parking ticket
reventar (ie) una llanta	to have a blowout
revisar el motor	to check the motor
semáforo	traffic light
tanque *(m.)*	tank
volante *(m.)*	steering wheel

Partes del cuerpo

bigote *(m.)*	mustache
brazo	arm
cabeza	head
espalda	back
pierna	leg

Verbos

comunicar	to communicate
denunciar	to denounce
describir	to describe
devolver (ue)	to return (something)
enchufar	to plug in
evitar	to avoid
faltar	to lack; to need; to be missing
funcionar	to function, run (a motor)
identificar	to identify
notar	to notice, take note
obtener (ie)	to obtain

reírse (i, i)	to laugh
resolver (ue)	to resolve
reventar (ie)	to burst
saltar	to jump
seguir (i, i) un curso	to take a class
sentir (ie, i)	to feel
tratar de	to try, attempt

Adjetivos

cortés *(m. / f.)*	courteous
cuidadoso(a)	careful
detallado(a)	detailed
duro(a)	hard, difficult
honesto(a)	honest
lento(a)	slow
preciso(a)	precise
rápido(a)	rapid, fast
seguro(a)	sure, certain

Adverbios

con calma	calmly
con precisión	precisely
cortésmente	courteously
de repente	suddenly
precisamente	precisely
pronto	quickly, rapidly, fast
rápidamente	rapidly, fast
tranquilamente	tranquilly, calmly

Expresiones negativas e indefinidas

alguien	someone, anyone
alguna vez	sometime
alguno(a)	some, any
jamás	never
nada	nothing
ni… ni	neither . . . nor
ninguno(a)	none, not any
o… o	either . . . or
tampoco	neither

Palabras útiles

callejón *(m.)*	alley
cartera	purse, wallet
estufa	stove
operador(a)	operator
promesa	promise
toalla	towel
veneno	poison

En preparación 10

10.1 Adverbs Derived from Adjectives

Expressing how an event happened

In **Capítulo 5** you learned that adverbs are words that qualify or modify an adjective, a verb, or another adverb. In this chapter, you will learn how to form adverbs from adjectives.

A. Adverbs are commonly formed from adjectives by adding **-mente** to the feminine singular form of the adjective. This is equivalent to adding **-ly** in English. Written accents on adverbs formed this way are required only if they appear on the adjective form.

tranquilo(a)	**tranquilamente**	*tranquilly, calmly*
lento(a)	**lentamente**	*slowly*
rápido(a)	**rápidamente**	*rapidly, fast*

B. Adjectives that do not have a separate feminine form add **-mente** to the singular form.

total	**totalmente**	*totally*
cortés	**cortésmente**	*courteously*
fuerte	**fuertemente**	*strongly, loudly*

C. When two or more adverbs occur in a series, only the last one takes the **-mente** ending; the others use the feminine (or singular) form of the adjective.

Yo caminaba **cuidadosa y** **lentamente** cuando lo vi.	*I was walking carefully and slowly when I saw him.*

D. Remember that adverbs are normally placed before adjectives or after the verb they modify.

Lo golpearon **violentamente.**	*They beat him violently.*
El tren es **bastante** rápido.	*The train is quite fast.*

¡A practicar!

A. ¡Es buenísimo! ¿Por qué dicen todos que Ernesto Trujillo es un policía muy bueno? Cambia los adjetivos entre paréntesis por adverbios al contestar.

1. Ernesto trabaja _____ (serio).
2. Cuando hay una emergencia él llega _____ (inmediato).
3. Se dedica _____ (total) a su trabajo.

4. Ernesto siempre sabe _____ (exacto) qué hacer en una emergencia.

5. Hace _____ (rápido) todo lo que sus jefes le piden.

6. Siempre habla con el público muy _____ (cortés).

7. Él siempre piensa _____ (cuidadoso y lógico) antes de actuar.

8. En una emergencia, Ernesto actúa _____ (inteligente y eficaz).

B.   ¡Qué susto!   Completando con el adverbio apropiado, lee lo que dice un periodista al informar de un robo en un restaurante.

La policía llegó _____ (rápido) y capturó al ladrón _____ (inmediato). Luego salieron todos del restaurante _____ (tranquilo), pero al subir al carro policial, el ladrón reaccionó _____ (violento). El jefe de la policía habló _____ (cortés) con los periodistas y los clientes del restaurante. Luego agradeció *(expressed appreciation)* _____ (fuerte) la cooperación de los trabajadores del lugar.

10.2   Irregular Verbs in the Preterite

Describing what already occurred

In **Capítulo 7,** you learned the preterite of **ir, ser, decir,** and **hacer.** The following is a more complete list of irregular verbs in the preterite. Note that all have irregular stems as well as unstressed first- and third-person singular verb endings. Note that with **hacer** the **c** changes to **z (hizo).**

i-stem verbs

hacer: **hic-**
querer: **quis-** } **-e, -iste, -o, -imos, -isteis, -ieron**
venir: **vin-**

Venir

vine	vinimos
viniste	vinisteis
vino	vinieron
vino	vinieron

u-stem verbs

andar: **anduv-**
estar: **estuv-**
haber: **hub-**
poder: **pud-**   } **-e, -iste, -o, -imos, -isteis, -ieron**
poner: **pus-**
saber: **sup-**
tener: **tuv-**

Poder

pude	pudimos
pudiste	pudisteis
pudo	pudieron
pudo	pudieron

j-stem verbs

conducir:	**conduj-**	
decir:	**dij-**	
producir:	**produj-**	**-e, -iste, -o, -imos, -isteis, -eron**
traducir:	**traduj-**	
traer:	**traj-**	

Decir

dije	dijimos
dijiste	dijisteis
dijo	dijeron
dijo	dijeron

A. Note that any verb whose stem ends in **j** drops the **i** in the third-person plural ending of the preterite: **dijeron, trajeron,** etc.

B. The preterite of **hay** is **hubo** *(there was, there were)*. As in the present indicative, it has only one form for both singular and plural.

Hubo un accidente en la carretera esta mañana.	*There was an accident on the highway this morning.*
¿**Hubo** muchos heridos?	*Were there many injured?*
Afortunadamente no **hubo** heridos.	*Fortunately no one was injured.*

¡A practicar!

A.   ¡Hubo un accidente!   ¿Cómo ocurrió? Completa estas oraciones con el pretérito de los verbos entre paréntesis.

Elena y Esteban _____ (estar) en un accidente ayer. Esteban

_____ (perder) el control del coche y no _____ (poder) parar

a tiempo. Ellos _____ (chocar) con otro coche. La policía

_____ (venir) y _____ (decir) que el otro chófer no

_____ (tener) la culpa *(was not at fault)*. Por suerte no _____ (haber) heridos. Ellos _____ (tener) que dejar el coche allí y _____ (andar) a casa.

B.   ¡Fue terrible!   Ahora Esteban está explicándole a su agente de seguros cómo ocurrió el accidente. Cambia los verbos entre paréntesis al pretérito para saber qué le dice Esteban.

¡ _____ (Ser) terrible! El chófer delante de mí _____ (parar) de repente. Yo _____ (hacer) todo lo posible para evitarlo pero no _____ (poder) parar a tiempo. _____ (Yo / perder) totalmente el control del coche. La policía _____ (decir) que fue mi culpa. Mi señora _____ (estar) muy nerviosa por varios días después. Ah, _____ (yo / traer) la descripción del accidente que nos pidió escribir.

10.3   Negative and Indefinite Expressions

Denying information and referring to non-specific people and things

Negative and Indefinite Expressions

nada	*nothing*	algo	*something, anything*
nadie	*no one, nobody*	alguien	*someone, anyone*
ninguno	*none, not any*	alguno	*some, any*
nunca }	*never*	alguna vez	*sometime, ever*
jamás }		siempre	*always*
tampoco	*neither*	también	*also*
ni... ni	*neither . . . nor*	o... o	*either . . . or*

A.   **Alguno** and **ninguno** are adjectives and therefore must agree with the words they modify. As with all numbers ending in **uno,** the **-uno** ending becomes **-ún** when it precedes a masculine singular noun: **algún, ningún.**

¿Tiene usted **algunos** amigos bomberos?	*Do you have any friends who are firefighters?*
No, no tengo **ningún** amigo bombero.	*No, I don't have any friends who are firefighters.*
¿Conoce usted a **alguna** persona en esta foto?	*Do you know anyone in this photo?*

B.   Unlike English, a double negative construction is quite often used in Spanish. Whenever a negative word follows the verb, another negative word (usually **no**) must precede the verb.

Ni oí **nada, ni** vi a **nadie.**	*I neither heard anything nor did I see anyone.*
No recuerdo **ningún** momento.	*I don't remember (even) one moment.*
Nadie está en la casa.	*No one is in the house.*
No hay **nadie** en la casa.	*There isn't anyone in the house.*

¡A practicar!

A. Primeras informaciones.   Para saber cuáles son las primeras preguntas que hacen los bomberos, completa estas preguntas con apropiadas expresiones indefinidas.

1.   ¿Hay _____ en el interior?

2.   ¿Está seguro que no haya _____ persona en el interior?

3.   ¿Hay aquí _____ testigo?

4.   Señor, ¿usted vio _____ sospechoso?

5.   ¿Está seguro que no vio a _____ sospechoso?

6.   Señora, ¿está segura que no vio a _____ ladrón?

B. ¡Contradicciones!   El problema con los testigos es que con frecuencia se contradicen *(they contradict each other)*. ¿Cómo contradice Salvador a Lupe? ¿Qué dice?

LUPE	Vi a alguien cerca de la casa.
SALVADOR	Yo no vi _____
LUPE	Noté algo extraño.
SALVADOR	_____
LUPE	Vi a algunas personas en la calle.
SALVADOR	_____
LUPE	Yo sé que hay algunos testigos.
SALVADOR	_____
LUPE	Oí algo extraño a las diez y media.
SALVADOR	_____
LUPE	Vi a un hombre o a un muchacho entrar en el edificio.
SALVADOR	_____

10.4   Preterite of Stem-changing *-ir* verbs

Talking about past events

In the previous chapter, you learned that **-ar** and **-er** stem-changing verbs in the present indicative tense are regular verbs in the preterite. However, all **-ir** verbs whose stem changes in the present indicative also have a stem change in the *third-person* singular and plural forms of the preterite. In these verbs, there is only a one-vowel change: **e → i** or **o → u.** Following are some frequently used stem-changing **-ir** verbs. Note that the present-tense stem change is given first, then the preterite stem change.

Seguir

seguí	seguimos
seguiste	seguisteis
siguió	**siguieron**
siguió	**siguieron**

Dormir

dormí	dormimos
dormiste	dormisteis
durmió	**durmieron**
durmió	**durmieron**

conseguir (i, i)	*to obtain*	preferir (ie, i)	*to prefer*
despedir (i, i)	*to fire, discharge*	reírse* (i, i)	*to laugh*
divertirse (ie, i)	*to have a good time*	repetir (i, i)	*to repeat*
dormir (ue, u)	*to sleep*	seguir (i, i)	*to follow, continue*
mentir (ie, i)	*to lie*	sentir (ie, i)	*to feel, to hear*
morir (ue, u)	*to die*	servir (i, i)	*to serve*
pedir (i, i)	*to ask (for)*	vestirse (i, i)	*to get dressed*
perseguir (i, i)	*to pursue*		

¡A practicar!

A. ¡Con el pie izquierdo!   Jaime dice que ayer se levantó con el pie izquierdo. Veamos qué dice él…

> **Modelo**   anoche / acostarme / muy tarde
>
> **Anoche me acosté muy tarde.**

1. no / dormir / muy bien
2. casi / no conseguir / descansar
3. por la mañana / no oír / despertador
4. vestirse / rápidamente
5. preferir / ir / universidad / autobús
6. llegar / tarde a la parada y / perder / el autobús
7. cuando / llegar / finalmente / ver / que era sábado
8. cuando / regresar / casa / compañeros / reírse / de mí

B. ¡Un día fatal!   A veces es mejor no levantarse por la mañana. Ayer fue uno de esos días para Francisco. Completa el párrafo con la forma correcta del verbo entre paréntesis para saber por qué.

Anoche Francisco _____ (dormir) muy mal. Por la mañana _____ (perder) el autobús para ir al trabajo y no _____ (conseguir) un taxi hasta las nueve y media. Obviamente, _____ (llegar) tarde al trabajo. Después de un día dificilísimo, al regresar a casa un ladrón (*thief*) lo _____ (seguir) y le _____ (pedir) la cartera. Se la _____ (llevar) con todo su dinero y documentos de identidad. Francisco casi _____ (morirse) de miedo.

C. ¡Sí, hay justicia!   Ahora la policía está interrogando al ladrón que robó a Francisco. Completa el párrafo con la forma correcta del verbo entre paréntesis para saber qué dice el ladrón.

¡Fue facilísimo! Yo _____ (repetir) lo que siempre hago cuando veo a una víctima fácil. _____ (Yo / seguir) al señor por dos cuadras. Como no había (*there was*) nadie en la calle, le _____ (decir) que tenía una pistola y le _____ (pedir) la cartera. Cuando él _____ (sentir) mi

---

*Note that **reír** drops an **e** in the third person singular and plural: **rio, rieron.**

pistola a su lado, casi _____ (morirse) de miedo. Yo _____ (reírme) de lo fácil que fue y _____ (despedirme) cortésmente. Desafor-tunadamente, ustedes _____ (seguirme) y aquí estoy.

10.5 *Hacer* and Past Events

Expressing time relationships with *ago*

In **Capítulo 4** you learned to describe an action that began sometime in the past and is still going on with the following formula.

Hace + (time expression) + **que** + (present tense verb)

To describe the time that has lapsed since an event occurred, Spanish uses another formula.

Hace + (time expression) + **que** + (past tense/preterite verb)

Hace dos horas **que comí.**	*I ate two hours ago.*
Hace un mes **que** ellos **llegaron.**	*They arrived a month ago.*

Note that the English equivalent pairs up the past tense and the word *ago*.

¡A practicar!

A. ¡Hace poco!   You have been working and studying so much lately that your friends are starting to say that you never do anything else. What do you tell them when they make the following comments?

> **Modelo**   ¿Cuándo fue la última vez que fuiste al cine? (dos semanas)
> **Hace dos semanas que fui al cine.**

1.   ¿Cuándo fue la última vez que saliste a comer con tus amigos? (dos meses)
2.   ¿Cuándo fue la última vez que invitaste a tus amigos a beber una cerveza? (tres semanas)
3.   ¿Cuándo fue la última vez que fuiste a cenar con tus amigos? (tres meses)
4.   ¿Cuándo fue la última vez que viste la televisión? (una semana)
5.   ¿Cuándo fue la última vez que llamaste a tus padres? (un mes)

B. ¿Y cuánto tiempo hace que... ?   ¿Cuánto tiempo hace que hiciste lo siguiente?

> **Modelo**   llegar a esta ciudad
> **Hace un año que llegué a esta ciudad.**

1.   graduarte de la escuela secundaria
2.   comenzar a trabajar
3.   dejar de vivir con tus padres
4.   aprender a conducir
5.   empezar a estudiar en esta universidad

CAPÍTULO 11

Cultural Topics

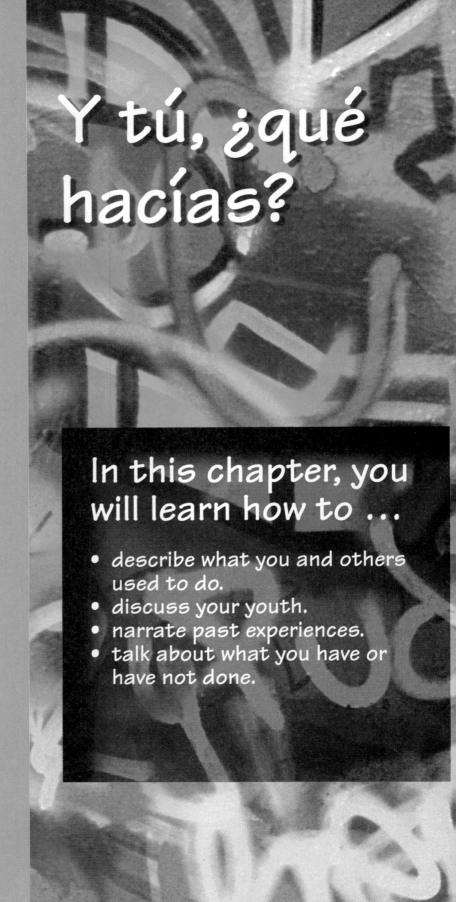

Y tú, ¿qué hacías?

In this chapter, you will learn how to …

- describe what you and others used to do.
- discuss your youth.
- narrate past experiences.
- talk about what you have or have not done.

De niño, yo jugaba al fútbol con mis amigos.

De niña, yo siempre jugaba con mis muñecas.

Nosotros asistíamos a la escuela en Costa Rica.

Lo que ya sabes...

1. ¿Jugabas tú al fútbol cuando eras niño(a)? ¿Jugabas al fútbol en la calle o en otro lugar?

2. Nombra dos o tres juegos que eran muy populares entre los niños cuando tú eras niño(a). ¿Cuáles jugabas tú?

3. Muchos juguetes (toys) de niños son universales. ¿Puedes nombrar algunos?

4. ¿Tenías un juguete favorito cuando eras niño(a)? ¿Qué era?

5. ¿Era tu escuela como esta escuela en Costa Rica? Compáralas.

COSTA RICA

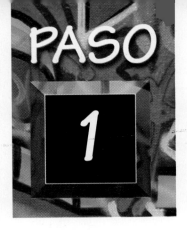

PASO 1

Jugaba mucho y estudiaba poco

TAREA Antes de empezar este **Paso**, estudia **En preparación** 11.1, 11.2 y 11.3 y haz por escrito los ejercicios de **¡A practicar!** También escucha **Paso 1 ¿Qué se dice...?** del Capítulo 11 en el CD del estudiante.

¿Eres buen observador?

Ahora, ¡a analizar!

1. ¿Para qué es esta propaganda? ¿Para qué producto?
2. ¿Qué vas a recibir gratis si pides este producto?
3. ¿Qué es un cachorro? ¿una mascota?
4. ¿Tienes un cachorro u otra mascota ahora? ¿Dónde está? ¿Tenías un cachorro u otra mascota cuando eras niño(a)? ¿Cómo se llamaba?
5. Explica el título de este anuncio. Explica también la expresión: «¡Convence a tu amo!»

ALEGRA ESA CARA

Ahora tu revista favorita, **Cachorros y Mascotas**, te regala una manopla, para que tengas el pelaje siempre limpio y suave y para quitar todos tus pelos sueltos de tapicerías y alfombras.

¡CONVENCE A TU AMO!

ESTA MANOPLA ES GRATIS CON TU SUSCRIPCION

Sólo tienes que rellenar el cupón con tus datos y enviarlo a : GLOBUS COMUNICACION, S.A. – Goya, 115 – 28009 MADRID

■ Si prefieres, llama al (91) 401 10 00 para suscribirte
■ También puedes enviar tu boletín por fax al (91) 309 23 51.
■ Remite los talones bancarios o giros postales a nombre de GLOBUS COMUNICACION, S.A.
■ Utiliza letra de imprenta para rellenar el boletín, eso previene errores.
■ Si durante la vigencia de tu suscripción echas en falta algún número de la revista, llámanos y te lo reenviaremos sin cargo alguno.
■ Un mes antes de vencer tu suscripción, recibirás un aviso de renovación mediante el cual podrás renovarla o cancelarla si lo deseas.
■ Este boletín es válido sólo para el territorio español.
■ Las ofertas de regalos son válidas hasta agotar las existencias de los mismos.

Sí, deseo suscribirme a Cachorros y Mascotas por el periodo de un año: 11 números (13 números si domicilio el pago). Pagaré únicamente 3.850 pesetas y recibiré una manopla gratuitamente.

Nombre:
Calle:
Código Postal: Población:
Provincia: Tel. nº:

FORMA DE PAGO
☐ Talón adjunto nº
☐ Contra reembolso
☐ Tarjeta VISA/AE nº ☐ Giro postal nº
☐ Domiciliación bancaria (Con esta modalidad, recibiré 2 números más TOTALMENTE GRATIS). Fecha de caducidad

DATOS BANCARIOS (si elijo domiciliar)
Banco o Caja de ahorros: Agencia nº:
Domicilio: C. P.:
Población: Provincia:
Nombre del titular:

Ruego a ustedes que con cargo a mi cuenta/libreta atiendan los recibos que periódicamente les presente GLOBUS COMUNICACION, S.A., en concepto de suscripción a la revista **Cachorros y Mascotas**.

CUENTA / LIBRETA Entidad ☐☐☐☐ Oficina ☐☐☐☐ D.C. ☐☐ Cuenta ☐☐☐☐☐☐☐☐☐☐
Nif: Fecha: Firma: (de tu padre o madre si eres menor)
El tratamiento informático de tus datos responde a las normas de la Agencia de Protección de Datos y, por tanto, puedes acceder a ellos para revisarlos y/o modificarlos.
Si no deseas recibir información comercial de otras empresas, marca aquí con una cruz. ☐
CM - 19

🎧 ¿Qué se dice...?

Al hablar del pasado

Como buen estudiante yo...

1. _____
2. _____
3. _____

También era popular porque...

4. _____
5. _____

JORGE   Dirigía una banda de música rock y tocaba los tambores y címbalos. También tocaba la trompeta en la orquesta de mi escuela. Mi hermano tocaba el clarinete y el saxofón.

JORGE   Casi nunca veía la tele por la noche porque cuando no tenía que practicar al fútbol, iba a trabajar en un supermercado después de las clases.

¿Sabías que... ?

En muchos países hispanos cuesta muy poco o no cuesta nada asistir a una universidad, pero es muy difícil ser aceptado. Hay que aprobar *(pass)* un examen largo y dificilísimo. Cada año hay más postulantes que vacantes y sólo aceptan a los mejores estudiantes. Una vez aceptados, pueden trabajar de ayudantes para ganar experiencia en la carrera elegida.

Ahora, ¡a hablar!

A.   ¡Sigue mi ejemplo!   El presidente de una compañía de computadoras le está explicando a su hijo cómo llegó a ser presidente. ¿Qué dice que hacía cuando estaba en la escuela secundaria?

> **Modelo**   estudiar / cuatro horas / todo / días
>
> **Yo estudiaba cuatro horas todos los días.**

1. trabajar / tienda / todo / días / después / clases
2. siempre / ayudar / mamá / por / noche
3. no / salir / amigos / fines / semana
4. no / tomar / bebidas / alcohólico
5. leer / mucho / libros
6. jugar / mucho / deportes / y / tocar / banda / mi escuela
7. no / fumar / y / no / usar / drogas

 B.   Recuerdos.   Durante los años de la escuela secundaria generalmente se vive una vida muy activa. ¿Con qué frecuencia hacían tú y tus amigos lo siguiente?

> **Modelo**   hablar por teléfono
>
> **Nosotros hablábamos por teléfono todos los días.**

1. jugar con amigos
2. estudiar juntos
3. ver deportes en la televisión
4. hablar por teléfono

5. salir juntos
6. comer en la cafetería
7. hacer fiestas
8. ¿... ?

C. En la primaria. Cuando estabas en la escuela primaria, tu vida era diferente. Compara tu vida actual con la de tu infancia.

> **Modelo** Ahora trabajo mucho.
>
> **Antes no trabajaba nunca.**

1. Ahora sufro de estrés.
2. Ahora tengo muchas responsabilidades.
3. Ahora necesito ganar dinero.
4. Ahora duermo _(¿... ?)_ horas.
5. Ahora trabajo mucho.
6. Ahora soy muy responsable.
7. Ahora veo poca televisión.
8. Ahora ¿... ?

Y ahora, ¡a conversar!

A. La escuela secundaria. Pregúntale a tu compañero(a)...

1. si estudiaba mucho y tenía mucha tarea en la escuela secundaria.
2. si participaba en muchas actividades. ¿Cuáles?
3. cómo se llamaba su maestro(a) favorito(a) y por qué le gustaba tanto.
4. si le gustaban los deportes y cuáles jugaba.
5. si le gustaba la música y si tocaba algún instrumento.
6. qué hacía después de las clases y si trabajaba.

B. Y tú, ¿qué hacías? La vida constantemente cambia. ¿Qué pasaba en tu vida hace unos tres o cuatro años? Escribe cinco cosas que hacías y compártelas con un(a) compañero(a).

> **Modelo** **En 1996 yo asistía a la escuela secundaria. Vivía en Trenton y trabajaba en un supermercado los fines de semana...**

C. Me recuerda... Para la próxima clase, trae un objeto que te haga recordar tus años de la escuela secundaria. Puede ser un objeto, un animal de peluche *(stuffed animal)*, una joya, un artículo de ropa, una foto, un libro, etc.

En grupos de tres o cuatro...

- ■ presenten su objeto.
- ■ descríbanlo en detalle.
- ■ expliquen cuántos años tenían cuando lo obtuvieron.
- ■ expliquen qué importancia tenía para ustedes.

¡Luz! ¡Cámara! ¡Acción!

A. ¿Mis padres? Tú y tu mejor amigo(a) están hablando de cómo eran sus padres cuando eran jóvenes. Dramaticen la situación. Mencionen algunas de las cosas divertidas que hacían.

B. ¡Yo nunca hacía eso! Ahora eres padre o madre y quieres dar un buen ejemplo a tu hijo(a). Le dices lo que hacías cuando asistías a la universidad. Acuérdate que tienes que mostrar un buen ejemplo; exagera lo bueno si es necesario y no hables de lo malo. Dramatiza la situación con un(a) compañero(a) de clase.

¿Comprendes lo que se dice?

La dinastía del amor: Episodio 1

Ahora ustedes van a conocer a la familia Gómez, de Monterrey, México. Todos los martes a las nueve de la noche ellos se sientan *(sit down)* frente al televisor para ver *La dinastía del amor,* una versión en español de la nueva telenovela *(soap opera)* que viene directamente desde los Estados Unidos. La familia incluye al padre, don Sergio Gómez, arquitecto de 48 años; su esposa doña María Luisa de Gómez, profesora de 45 años, y sus dos hijos, Luisita y Juan Pedro. Luisita tiene 16 años y está en su último año de la escuela secundaria. Juan Pedro tiene 20 años y asiste a la Universidad de Arizona en los Estados Unidos.

En el episodio anterior Natalie decide hacer una fiesta en su casa. Este nuevo episodio empieza la noche de la fiesta, a las siete y media. Escúchalo y luego contesta las preguntas a continuación.

A través de dos culturas

Telenovela

1. ¿Dónde se filmó *La dinastía del amor?* ¿Se filmó en español originalmente? Explica.

2. ¿Quiénes llegan a casa de Natalie? ¿A qué hora llegan?

3. ¿Por qué está contenta Natalie?

4. ¿Quién es Eric?

5. ¿Es ésta la primera vez que Sharon y Eric se reúnen *(meet)*?

6. ¿Qué hacen Natalie y Rod?

7. ¿Adónde va Sharon? ¿Quién va con ella?

8. ¿Qué insinúa Kathy al final?

Televidentes

9. ¿Cuál es el nombre, la edad y la profesión de Sergio, María Luisa, Luisita y Juan Pedro?

10. ¿Estás de acuerdo con don Sergio Gómez? ¿Crees que la gente joven cada día está peor? ¿Por qué sí o por qué no?

11. ¿Crees que las ideas de don Sergio y doña María Luisa son anticuadas? Explica.

12. ¿Reaccionan don Sergio y su señora de una manera muy diferente a cómo reaccionarían los padres de una familia estadounidense?

13. ¿Es verdad lo que dice Juan Pedro? ¿Cambian los jóvenes estadounidenses de novio todos los días? ¿y los jóvenes hispanos? Explica.

Costa Rica

Alajuela
Puntarenas Limón
⭐ • Cartago
San José

Golfito

NOTICIERO CULTURAL

LUGAR... COSTA RICA

Antes de empezar, dime...

1. ¿Qué opinas de la pena de muerte (*death penalty*)? ¿Crees que puede eliminarse en civilizaciones avanzadas o no? ¿Por qué?

2. ¿Hasta qué edad es gratuita (*free*) la educación en los EE.UU.? ¿Crees que debe extenderse esa edad? ¿Por qué?

3. En tu opinión, ¿es posible la democracia sin un ejército para defenderla? ¿Hay países sin ejército donde se practica la democracia? ¿Cuáles?

4. ¿Hay algunas ventajas en no tener ejército? Explica tu respuesta.

5. ¿Qué es el Premio Nóbel de la Paz? ¿Puedes nombrar a alguien que lo recibió recientemente?

Niños costarricenses se preparan para un desfile (*parade*).

Una democracia sin armas

El sistema de gobierno y la constitución de Costa Rica son algunos aspectos que la hacen muy diferente de otros países hispanos y de los Estados Unidos. En un mundo de violencia, este pequeño país, situado entre Nicaragua y Panamá, da lecciones de democracia a todo el mundo.

Oscar Arias Sánchez

Costa Rica siempre ha sido un país progresista, un líder entre las naciones democráticas. En la constitución de 1949, Costa Rica estableció la educación obligatoria y gratuita *(free)* para todos los costarricenses y creó impuestos *(taxes)* para financiarla. En 1882 eliminó la pena de muerte. Y en 1948 eliminó el ejército. A pesar de la inestabilidad de los países vecinos, Nicaragua y El Salvador, Costa Rica sigue siendo la única democracia sin ejército en Norte y Sudamérica.

El mejor ejemplo del importante papel que tiene la democracia en este pequeño país es que en el año 1987, el presidente de Costa Rica ganó el Premio Nóbel de la Paz. El señor Oscar Arias Sánchez ganó la notable distinción por sus esfuerzos para lograr la paz en Centroamérica. El presidente Arias fue autor del llamado «Plan para la paz en Centroamérica», que fue firmado por cinco repúblicas centroamericanas en 1987, como uno de los mayores intentos para eliminar la violencia y el terrorismo en Centroamérica.

Y ahora, dime...

Usa este diagrama Venn para comparar a Costa Rica y los EE.UU. Indica las diferencias y lo que tienen en común.

Costa Rica

1.
2.
3.
4.
5.
6.
. . .

Costa Rica y
Estados Unidos
1.
2.
3.
4.
5.
6.
. . .

Estados Unidos

1.
2.
3.
4.
5.
6.
. . .

El español en otras disciplinas: Música

Música latina. Latino américa se caracteriza por el uso de distintos instrumentos musicales que le dan un «sabor latino» muy especial a su música. Además de los instrumentos de cuerda, percusión y viento, como por ejemplo la guitarra, el tambor o el saxofón, la música latina incorpora una serie de instrumentos muy peculiares como la **marimba,** el **cuatro,** el **guitarrón** y las **maracas**. Más aún, la música andina incluye entre otros el **charango**, las **quenas** y **zampoñas**, las **flautas** y **pitos** y, por supuesto, el «grave» **bombo**. Con un(a) compañero(a), preparen una explicación de dos de estos instrumentos. Si es necesario, consulten un diccionario o una enciclopedia. Presenten sus explicaciones en grupos pequeños.

Proyecto: Trae a la clase algún tipo de música latina y habla de su origen/cultura y de los instrumentos utilizados. Si puedes traer y hablar de un instrumento específico (o una foto de él), ¡aún mejor!

PASO 2

¡No te vi! ¿Dónde estabas?

TAREA

Antes de empezar este **Paso**, estudia **En preparación** 11.4 y 11.5 y haz por escrito los ejercicios de **¡A practicar!** También escucha **Paso 2 ¿Qué se dice... ?** del Capítulo 11 en el CD del estudiante.

¿Eres buen observador?

Ahora, ¡a analizar!

1. ¿Quién crees que hace esta propaganda? ¿Dónde crees que va a aparecer este anuncio?
2. ¿Cuántos animales puedes ver en Costa Rica según este anuncio? ¿Cuáles son? ¿Sabes qué son todos? Si no, ¿cuáles no identifican?
3. ¿Cuántas actividades distintas puedes hacer en Costa Rica según este anuncio? ¿Cuáles te interesan a ti?
4. ¿Cómo se puede viajar en Costa Rica? ¿Dónde se puede hospedar?
5. Explica el título de este anuncio.

¿Qué se dice...?

Al hablar de lo que pasó

1. Pensaba ir a su clase, pero...
   a. no se despertó a tiempo.
   b. su carro no funcionó.

2. Mientras se bañaba,...
   a. su mamá preparó el desayuno.
   b. sonó el teléfono.

JORGE   La semana pasada no pude comprar el manual de ciencias porque no tenía bastante dinero. ¡Cuesta $75! Llamé a la profesora inmediatamente para quejarme del precio, pero no estaba. Por eso dejé la clase.

JORGE   El lunes de la semana pasada me llamó mi amiga Lidia para invitarme a una fiesta el sábado. Pero le dije que no podía aceptar porque ya tenía planes de ir al cine con Abelardo. Eso no era verdad y terminé pasando el sábado solo y aburrido en casa mirando la televisión.

Ahora, ¡a hablar!

A.   ¡No dormí toda la noche!   Marcos faltó a todas sus clases esta mañana. Para saber por qué, selecciona el verbo correcto en cada oración.

1. Yo (dormí/dormía) cuando un sonido muy fuerte me (despertó/despertaba).

2. El sonido que (oí/oía), (fue/era) la sirena de un coche de policía.

3. Yo (cerré/cerraba) los ojos para dormirme otra vez cuando (sonó/sonaba) el teléfono.

4. Me (levanté/levantaba) para contestar el teléfono pero la llamada no (fue/era) para mí.

5. Como (tuve/tenía) mucho sueño, me (acosté/acostaba) otra vez.

6. Luego el perro de mi vecino (empezó/empezaba) a ladrar [bark] y me (desperté/despertaba) otra vez.

7. Cuando (sonó/sonaba) el despertador, yo no lo (oí/oía) porque (dormí/dormía) profundamente.

B.   Interrupciones.   Ernesto tenía la intención de hacer muchas cosas ayer, pero una serie de interrupciones no le dejaron terminar nada. ¿Qué pasó?

Modelo   yo / estudiar: teléfono / sonar

> **Yo estudiaba cuando el teléfono sonó.**

1. escribir / composición: computadora / dejar de funcionar

2. ordenar / cuarto: amigo / llegar

3. leer / libro muy interesante: novia / llamarme

4. manejar / tienda: llanta *(tire)* / pincharse

5. preparar / cena: amigos / invitarme a comer

6. nosotros mirar / televisión: electricidad / cortarse

C.   ¡No era perfecto!   Jaime era un adolescente bueno y por lo general era responsable, pero, como todos los jóvenes, también hacía algunas cosas malas. ¿Qué hacía general-mente? ¿Qué cosas malas hizo?

Modelo   Generalmente (estudiar) mucho antes de un examen pero una vez no (abrir) el libro.

> **Generalmente estudiaba mucho antes de un examen pero una vez no abrió el libro.**

1. Siempre (ser) buen estudiante pero un día (sacar) una F.

2. Siempre (respetar) el límite de velocidad pero un día (manejar) demasiado rápido.

3. Normalmente no (faltar) a clase pero una semana (decidir) no ir a la escuela.

4. Siempre (decir) la verdad pero una vez les (mentir) a sus padres.

5. Nunca (tomar) bebidas alcohólicas pero una noche (emborracharse).

6. Siempre (respetar) a los adultos pero un día (insultar) a su vecino.

D. **¡No fue mi culpa!** Juanito es muy mal estudiante. Siempre llega tarde o falta a las clases y siempre tiene un pretexto. ¿Qué le pasó la semana pasada? ¿Qué excusas encontró?

Modelo lunes: llegar tarde / la llanta pincharse

Llegué tarde porque la llanta del coche se pinchó.

1. lunes: llegar tarde / el despertador / no sonar
2. martes: no ir a clase / en la mañana / enfermarme
3. miércoles: faltar a / la clase de matemáticas / perder el libro
4. jueves: no asistir / la primera clase / perder el autobús
5. viernes: no ir a clase / tener emergencia en casa

E. **¿Qué hicieron ayer?** Un alumno quiere saber qué hicieron en la clase que se perdió ayer. ¿Qué le dice su amiga?

Para empezar, el profesor _____ (perder) el autobús y _____ (llegar) con veinte minutos de retraso. ¡Él _____ (estar) furioso! Pero él _____ (enojarse) más cuando _____ (ver) que cinco estudiantes no _____ (estar) en la clase. Entonces _____ (darnos) un examen muy difícil. Por suerte, mientras nosotros _____ (hacer) el examen, _____ (sonar) una alarma y todos _____ (tener) que salir rápidamente. Obviamente, no _____ (poder) terminar el examen.

Y ahora, ¡a conversar!

A. **¿Mejores excusas?** ¿Qué excusas dan ustedes? Trabajando en grupos de tres, preparen una lista de posibles excusas para estas situaciones.

Modelo ¿Por qué no fuiste al laboratorio ayer?

Estaba demasiado cansado. Tuve que preparar un trabajo (paper) **para la clase de inglés.**

1. ¿Por qué no hiciste la tarea anoche?
2. ¿Por qué no asististe a clase ayer?
3. ¿Por qué llegaste tan tarde a clase hoy?
4. ¿Por qué no estudiaste para el examen?
5. ¿Por qué faltaste al último examen?

B. **¿Y en tu clase?** Trabajando en parejas, pregúntale a tu compañero(a)...

1. cuál fue su primera clase ayer. ¿A qué hora empezó?
2. cómo estaba el (la) profesor(a). ¿Cómo se sentía él (ella)?
3. si estaba preparado(a). ¿Cómo se preparó?
4. si le gustó la clase. ¿Cuál fue el tema de la clase? ¿Lo presentó bien el (la) profesor(a)?
5. si tuvieron un examen. ¿Pasó algo interesante? ¿Qué? Descríbelo.

C. La Cenicienta.   Los siguientes dibujos narran parte del famoso cuento de hadas (*fairy tale*) *La Cenicienta*. Narra el cuento completo con la ayuda de tu compañero(a) que tiene, en la página A-6, los dibujos que faltan.

Vocabulario útil

la madrastra	*stepmother*	la hermanastra	*stepsister*
el príncipe	*prince*	los ratoncitos	*little mice*
la chimenea	*fireplace*	el hada madrina	*fairy godmother*
la calabaza	*pumpkin*	la carroza	*carriage*
la zapatilla	*slipper*	el cristal	*glass, crystal*
la escalera	*stairway*	el paje	*valet*
probar (ue)	*to try on*	de rodillas	*kneeling*

1. Había una vez una muchacha que se llamaba Cenicienta...

3. La Cenicienta no...

5. El hada madrina dijo...

7. Cuando la Cenicienta...

D. Ésta es mi vida.   Tu vida va a servir de base para un cuento moderno. Escribe tu versión personal de tu propia vida. Luego compártela con un(a) compañero(a).

Modelo   **Había una vez un(a) muchacho(a) que se llamaba… Vivía en…**

¡Luz! ¡Cámara! ¡Acción!

A. ¡No pude ir!   Anoche hubo una fiesta y tú no pudiste ir. Claro, ahora tú quieres saber todos los detalles: ¿quiénes fueron? ¿qué hicieron? ¿si fue una persona muy especial? ¿qué hizo esa persona? ¿con quién bailó?... Dramatiza la conversación con un(a) amigo(a) que te pueda dar toda la información.

B. ¡Pobre mamá (papá)!   Ayer fue el cumpleaños de tu mamá (papá) y lo olvidaste completamente. ¡No la (lo) llamaste! ¡No le mandaste ni una tarjeta! Sabes que tu mamá (papá) va a sentirse muy mal. Ahora hablas con ella (él) por teléfono para explicarle por qué no llamaste ayer. Dramatiza la situación con tu compañero(a).

¿Comprendes lo que se dice?

La dinastía del amor: Episodio 2

Son las nueve de la noche del martes y la familia Gómez se prepara para ver otro episodio de la popular telenovela *La dinastía del amor*. En este nuevo episodio Eric, acompañado de Sharon, examina un apartamento que quiere alquilar. Escucha el episodio y luego contesta las preguntas que siguen.

A través de dos culturas

Telenovela

1. ¿Cómo es el apartamento que encuentra Eric?
2. ¿Dónde está el apartamento?
3. ¿Qué dice Sharon sobre el apartamento?
4. ¿Por qué cree Eric que a Natalie le va a gustar el apartamento?
5. ¿Crees que Natalie y Sharon son buenas amigas? ¿Por qué?

Televidentes

6. Don Sergio y doña Luisa insinúan que los jóvenes ahora hacen muchas cosas que no se permitían en sus tiempos. ¿Cuáles son algunas de estas cosas?
7. ¿Trata de la misma manera don Sergio a su hijo y a su hija? ¿Crees que las hijas deben tener los mismos privilegios y responsabilidades que los hijos? Explica. ¿Cuáles son otros problemas que los padres tienen con los hijos?
8. ¿Es común que los estudiantes universitarios vivan en apartamentos en los EE.UU.?
9. ¿Crees que don Sergio y doña Luisa le van a permitir a Luisita vivir en su propio apartamento?
10. ¿Por qué le permite don Sergio a su hijo vivir en un apartamento?

NOTICIERO *CULTURAL*

COSTUMBRES... COSTA RICA

Antes de empezar, dime...

1. En los EE.UU. como en todos los países la pronunciación varía en diferentes zonas del país. ¿Cuántas de estas zonas o pronunciaciones puedes distinguir tú? ¿Puedes imitar algunas?

2. A veces no sólo la pronunciación varía sino el vocabulario también. En Boston, por ejemplo, hablan de un *"elastic"* mientras que en California dicen *"rubber-band."* ¿Puedes pensar en otras palabras que identifiquen distintas partes de los EE.UU.? Prepara una lista.

3. ¿Cómo son diferentes el inglés de Inglaterra y el de los EE.UU.? Explica y da ejemplos.

Los «ticos»

Dos muchachas conversan en un café de San José. Rosalía es de Costa Rica y Mercedes es de Uruguay.

ROSALÍA   Si vamos a ir juntas al cine esta tarde tienes que esperarme un po-quitico porque tengo otras cosas que hacer antes de las dos.

MERCEDES   Sí, perfecto. No hay problema. ¿Te gustaría pasar a tomar algo antes de la película?

ROSALÍA   Sí, buena idea. Conozco un sitio chiquitico cerca de aquí que te va a encantar.

MERCEDES   Me encanta como hablas. Suena tan bonito. ¿Es una nueva costum-bre de todos los jóvenes usar eso de «tico»?

Pasatiempo favorito

Y ahora, dime...

¿Por qué usa Rosalía tanto el diminutivo **«-tico»**?

1. A los jóvenes de Costa Rica, como a los de todo el mundo, les gusta tener su propia jerga *(slang)* y el diminutivo **«-tico»** es la jerga que está actualmente de moda entre la juventud costarricense.

2. El español de Costa Rica es muy diferente del español de otros países del hemis-ferio. A veces es difícil comunicarse con los costarricenses.

3. El diminutivo **«-tico»** es parte del dialecto costarricense. No sólo los jóvenes sino también los niños y los adultos usan este diminutivo.

En el Apéndice A, mira el número que corresponde a la respuesta que seleccionaste.

Antes de escribir
Estrategias para escribir: Especificar los hechos

Reportaje. En el capítulo anterior aprendiste que las composiciones siempre contestan ciertas preguntas clave. Lo mismo ocurre con el reportaje periodístico. Para escribir un reportaje periodístico es necesario partir de hechos específicos. Es importante que el reportaje conteste siempre a las preguntas esenciales: **¿qué?, ¿cuándo?, ¿dónde?, ¿cómo?, ¿quiénes?, ¿cuánto tiempo?** y **¿cuáles fueron los resultados?**

Ahora, ¡a escribir!

A. La idea principal. Elige un incidente reciente apropiado para reportar en el periódico de tu universidad. Puede ser un accidente, un partido, una fiesta, un incidente en una clase, en la biblioteca, en la cafetería, en la residencia, etc.

B. Al especificar. Pensando en el incidente que vas a reportar, contesta las siete preguntas de **Reportaje** en la sección anterior. Luego añade otra información pertinente a cada respuesta.

C. El primer borrador. Usa la información que preparaste en **B** para escribir un primer borrador. Pon toda la información relacionada con la misma idea en un párrafo. No te olvides de poner un título que informe sobre lo que va a decir tu artículo.

D. Ahora, a compartir. Comparte tu primer borrador con dos o tres compañeros. Comenta sobre el contenido y el estilo de los reportajes de tus compañeros y escucha los comentarios de ellos sobre tu noticia. Fíjate, en particular, en cada uso del pretérito y del imperfecto. Si hay errores, menciónalos.

E. Ahora, a revisar. Si necesitas hacer cambios, basados en los comentarios de tus compañeros, hazlos ahora.

F. La versión final. Prepara una versión final de tu composición y entrégala.

G. Publicación. Preparen un periódico con todos los artículos de sus compañeros de clase y cuélguenlo *(hang it)* en la pared donde todo el mundo pueda leerlo.

¡No he hecho nada!

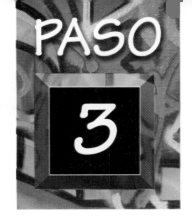

TAREA

Antes de empezar este **Paso**, estudia **En preparación** 11.6 y haz por escrito los ejercicios de **¡A practicar!** También escucha **Paso 3 ¿Qué se dice...?** del Capítulo 11 en el CD del estudiante.

¿Eres buen observador?

Nadie sabe el bien que tiene... hasta que lo ve perdido.

**Conserva la naturaleza, hoy.
Recibe Ocelotl.**

Pronatura te invita a conocer, con la revista Ocelotl, las bellezas naturales de México.

Con sólo N$100.00, además de recibir Ocelotl por un año, apoyarás nuestros proyectos de conservación que van desde las exuberantes selvas tropicales hasta el maravilloso Mar de Cortés.

Porque quieres conservar la naturaleza.

Tu donativo es deducible de impuestos.

Envía este cupón a Pronatura, A.C. Camino al Ajusco Nº 124, 5º Piso. Fracc. Jardines en la Montaña C.P. 14210 México, D.F.
Tel.: 630 11 33. Fax: 631 57 27.

Nombre _____
Teléfono _____ Fax _____
Dirección a donde se enviará la revista _____
Colonia _____
C.P. _____ Ciudad _____ Estado _____
Forma de pago:
Giro postal ☐ Giro bancario ☐ Cheque personal ☐
Tarjeta:
Carnet ☐ Bancomer ☐ Banamex ☐
No. _____
Válida hasta _____
Firma _____
Autorización _____
No. de Afiliación Pronatura 4986378
Por este pagaré me obligo incondicionalmente a pagar a la orden del Banco emisor de la tarjeta descrita en este documento, el importe de este título. Este pagaré procede del contrato de apertura de crédito que el Banco emisor y el tarjetahabiente tienen celebrado y representa las disposiciones que del crédito concedido hace el suscriptor.
Tanto la restitución de la suma dispuesta, como los intereses que causará dicha suma, se determinarán y calcularán en la forma, términos y condiciones convenidos en el contrato referido.

Ahora, ¡a analizar!

1. ¿Qué tipo de revista es *Ocelotl*? ¿Dónde se publica?

2. ¿Cuánto cuesta suscribirse a *Ocelotl*? ¿Más o menos cuánto es en dólares?

3. Lo que pagas por una suscripción se usa para varias causas. ¿Cuáles son?

4. ¿Hay organizaciones en los EE.UU. que, como *Ocelotl*, tienen una publicación pero usan el dinero de las suscripciones para proyectos de conservación? Nombra algunas.

5. ¿Estás suscrito a algunas de estas organizaciones? ¿A cuáles?

¿Qué se dice...?

Al hablar de lo que (no) has hecho

1. _____ ha dejado de llamarlo.
2. _____ se ha enojado con Jorge.
3. _____ lo han abandonado.

JORGE   Y fíjese, doctor,... le confieso que por primera vez en la vida he recibido una mala nota. Mi profesora de música me ha dado una D y los otros profesores me han amenazado con malas notas también si sigo faltando a mis clases.

JORGE   ¡Caramba, doctor! No sé qué me pasa. Siempre he sido un buen estudiante... he estudiado mucho y he trabajado todos los días. He cumplido con mis deberes (*responsibilities*) y he tratado de ser amable con todos. ¿Qué cree usted, doctor? ¿Qué me recomienda?

Ahora, ¡a hablar!

A. Consecuencias.   Todos sufrimos las consecuencias de nuestras acciones. ¿Por qué sufren estas personas ahora? ¿Qué han hecho para causar sus problemas?

Modelo   Marcos está enfermo porque (comer) demasiado.

Marcos está enfermo porque ha comido demasiado.

1.   Marcos está enfermo porque (beber) mucho.

2.   Patricio tiene una F en su clase de inglés porque no (escribir) las composiciones.

3.   Josefina no tiene electricidad en su casa porque no (pagar) la cuenta.

4.   El coche de Andrés no funciona porque él no le (poner) aceite al motor.

5.   Los padres de Carolina no le creen porque ella les (decir) muchas mentiras en el pasado.

6.   Carlos no entiende la lección porque no (hacer) la tarea.

7.   Yo... porque ¿... ?

B. ¡Falta tiempo!   Lidia y Jorge se están preparando para los exámenes finales. ¿Qué dicen que les falta hacer?

Modelo   leer el último capítulo para la clase de historia

Todavía no hemos leído el último capítulo para la clase de historia.

1.   estudiar el vocabulario para la clase de español

2.   escribir la última composición para la clase de inglés

3.   hacer el proyecto para la clase de química

4.   terminar los ejercicios en el manual de laboratorio

5.   resolver los últimos problemas de química

6.   ver el video para la clase de historia

C. **¿Qué has hecho hoy?**   Pregúntale a un(a) compañero(a) si ha hecho lo siguiente.

Modelo   desayunar

TÚ   **¿Has desayunado ya?**
COMPAÑERO(A)   **No, todavía no he desayunado.**

1. hacer ejercicio
2. almorzar
3. hacer la cama
4. ponerle gasolina al coche
5. ir a la biblioteca
6. oír las noticias
7. leer el periódico
8. ver esta película

 D. **¡Inolvidable!**   Hay experiencias que dejan una impresión más profunda que otras. ¿Qué has hecho este año que consideras inolvidable?

Modelo   leer

He leído *El ingenioso hidalgo, Don Quijote de la Mancha.*

1. leer   5. ver
2. viajar   6. ir
3. conocer   7. aprender
4. participar   8. hacer

Y ahora, ¡a conversar!

 A. **Y tú, ¿qué has hecho?**   Trata de recordar todo lo que has hecho esta semana. Prepara una lista y luego léesela a dos compañeros(as). Escriban en la pizarra todo lo que los (las) tres hayan hecho en común.

 B. **Confesiones.**   Trabajando en grupos de tres o cuatro mencionen una cosa que cada uno ha hecho que nadie más en el grupo ha hecho y una cosa que han hecho todos en el grupo menos tú.

¡Luz! ¡Cámara! ¡Acción!

 A. **¡Eres famoso(a)!**   Tú has llegado a ser una persona muy famosa. Ahora un(a) reportero(a) te va a entrevistar para saber los secretos de tu éxito. Cuéntale cómo has llegado a ser tan famoso(a). Dramatiza la situación con un(a) compañero(a).

B. **¡Tres medallas!**   Tú has ganado tres medallas de oro en los Juegos Olímpicos. Un(a) reportero(a) de una revista de deportes te entrevista sobre lo que has hecho para prepararte para esta competición. Dramatiza la situación con un(a) compañero(a).

Antes de leer
Estrategias para leer: Encontrar la idea principal

La idea principal.   Generalmente, cada párrafo comunica una idea principal. Con frecuencia esa idea se expresa en la primera oración del párrafo y se desarrolla más en detalle en las oraciones que siguen. «**La leyenda de Iztarú**» tiene cuatro párrafos. A continuación, expresamos en pocas palabras la idea principal del primer y del último párrafo. Lee sólo la primera oración del segundo y tercer párrafo y escribe brevemente la idea principal de esos dos párrafos. Luego lee la leyenda completa y verifica si identificaste las ideas principales correctamente.

Párrafo 1: los líderes indígenas del norte y del sur de Costa Rica

Párrafo 2: _____

Párrafo 3: _____

Párrafo 4: los habitantes de Guarco reciben una maldición *(curse)*

Lectura.   Esta hermosa leyenda, parte del rico folklore de Costa Rica, trata de explicar un fenómeno natural del país, el volcán Irazú.

El volcán Irazú

La leyenda de Iztarú

Hace muchos años, antes de la llegada de los españoles a Costa Rica...

La parte Norte era gobernada por un cacique llamado Coo, de gran poder y de aplicación a la agricultura. La parte Sur la gobernaba Guarco, cacique déspota invasor.

defeating
en control

stone
ran away; lado;
    río pequeño; *defensive fences*
se extendió
tile

Guarco y Coo sostenían una lucha por el dominio de todo el territorio (Valle Central del Guarco). La lucha fue grande; poco a poco, Guarco iba derrotando° la resistencia de Coo, hasta que éste murió y dejó en mando° a Aquitaba, un enérgico y fuerte guerrero. Cuando vio que iba a ser derrotado por Guarco, tomó a su hija Iztarú, la llevó al monte más alto de la parte Norte de la región y la sacrificó a los dioses, implorando la ayuda para la guerra.

Estando en una dura batalla con Guarco, Aquitaba imploró la ayuda de «Iztarú» sacrificada; del monte más alto salió fuego, ceniza, piedra° y cayeron sobre los guerreros de Guarco que huyeron.° Del costado° del monte salió un riachuelo° que se convirtió en agua caliente destruyendo los palenques° de Guarco.

Una maldición cundió° y se decía que los habitantes de Guarco trabajarían la tierra, haciendo con ella su propio techo (teja°); el pueblo se llamó luego Tejar de Cartago, la región Norte Cot, y el monte alto volcán Irazú.

A ver si comprendiste

1. Compara a los tres personajes principales.

Coo	Guarco	Aquitaba
1. 2. 3. 4. 5.	1. 2. 3. 4. 5.	1. 2. 3. 4. 5.

2. ¿Quién era Iztarú? ¿En qué se transformó?
3. ¿Qué efecto tuvo esa transformación en los habitantes de Guarco?
4. La leyenda explica la existencia de ciertos lugares en la Costa Rica moderna. ¿Cuáles son esos lugares?

Viajemos por el ciberespacio a... COSTA RICA

Expand your horizons! *Let's travel through cyberspace to* **Costa Rica** *where you can* . . .

- visit the exceptional National Parks of Costa Rica, indication of the strong national commitment towards the preservation of existing rain forests and natural habitats of a wide variety of plant and animal life.

- stroll through a country that provides shelter for almost 12,000 varieties of plants, 237 species of mammals, 848 types of birds, and 361 different amphibians and reptiles, all native to Costa Rica.

- get to know the "ticos," the people of Costa Rica, and, through the Internet, talk to any number of them.

- learn about the different brands of Costa Rican coffee and how Costa Rican coffee beans are processed to acquire a truly outstanding quality.

- go bird watching as you work your way through hundreds of amazing pictures of birds, from the very tiny to some of the largest, most colorful birds you've ever seen.

If you are a cyberspace browser, join us in **Viajemos por el ciberespacio a... Costa Rica** by trying the following important addresses.

Costa Rica home page
http://www.cr./.

Universidad de Costa Rica
http://www.ucr.ac.cr/

Universidad Latina
http://www.ulatina.ac.cr/

Museo de arte costarricense
http://www.cr./arte/musearte/musearte.htm

Periódicos: La Nación
http://www.nacion.co.cr/

Tico Times
http://infoweb.magi.com/calypso/ttimes.html

Semanario Universidad
http://cariari.ucr.ac.cr/~semana/univ.html

Instituto Nacional de Biodiversidad
http://www.inbio.ac.cr/INBioInfo/Espanol/biodiv.html

Because addresses are likely to change without notice, the following key words will guarantee that **Viajemos por el ciberespacio a... Costa Rica** will get you to your desired destination.

Palabras clave

Museos de Costa Rica
Museo de arte costarricense
Periódico La Nación (San José)
Tico/a (Costarricense)
Avifauna de Costa Rica

Biodiversidad Costa Rica
Organizaciones medioambientalistas
Pájaros de Costa Rica
Parques naturales de Costa Rica

http://www.hrwcollege.com

Vocabulario

Música

banda	*band*
címbalos	*cymbals*
clarinete *(m.)*	*clarinet*
instrumento	*instrument*
saxofón *(m.)*	*saxophone*
tambor *(m.)*	*drum*
trompeta	*trumpet*

Gobierno

abogado(a)	*lawyer*
ciudadano(a)	*citizen*
democracia	*democracy*
derecho	*law*
ejército	*army*
fuerzas armadas	*armed forces*

Emociones

enojarse	*to get angry*
quejarse	*to complain*
sentirse (ie, i)	*to feel*
soñar (ue)	*to dream*
sufrir de estrés	*to be under stress*

La televisión

episodio	*episode*

filmar	*to film*
telenovela	*T.V. soap opera*

Acciones ofensivas

abandonar	*to abandon*
amenazar	*to threaten*
emborracharse	*to get drunk*
faltar a clase	*to miss class*
insinuar	*to insinuate*
insultar	*to insult*

Adjetivos

anticuado(a)	*very old, antiquated*
último(a)	*latest*

Adverbios

antes	*before*
gratis	*free*
por suerte	*fortunately*
ya	*already*

Verbos

cumplir	*to carry out, realize*
desenchufar	*to unplug (electricity)*
dejar de	*to stop (doing something)*

dirigir	*to direct*
echar de menos	*to miss*
librar	*to free, liberate*
montar	*to get on, ride*
participar	*to participate*
pincharse	*to get a flat tire; to puncture*
sacar buenas notas	*to get good grades*
salir juntos	*to date, go out together*
sonar (ue)	*to ring*

Palabras y expresiones útiles

animal de peluche *(m.)*	*stuffed animal (toy)*
¡caramba!	*good heavens!*
culpa	*fault*
deberes	*responsibilities*
había una vez	*once upon a time*
¡fíjese!	*just imagine!*
gasolinera	*gas or filling station*
joya	*jewel*
Premio Nóbel	*Nobel Prize*
precio	*price*
responsabilidad *(f.)*	*responsibility*

En preparación 11

PASO
1

11.1 Imperfect of Regular Verbs

Talking about past events

In **Capítulo 10**, you learned about the preterite. In this chapter, you will learn about another aspect of the past tense: the imperfect. You will also learn how to distinguish between the preterite and imperfect.

-ar Verb endings	Trabajar
-aba	trabajaba
-abas	trabajabas
-aba	trabajaba
-ábamos	trabajábamos
-abais	trabajabais
-aban	trabajaban

-er, -ir Verb endings	Saber	Escribir
-ía	sabía	escribía
-ías	sabías	escribías
-ía	sabía	escribía
-íamos	sabíamos	escribíamos
-íais	sabíais	escribíais
-ían	sabían	escribían

Note that the first- and third-person singular endings are identical. Also *all* the imperfect **-er** and **-ir** endings require a written accent.

A.   There are no stem-changing verbs in the imperfect.

B.   The imperfect of **hay** is **había** *(there was, there were, there used to be),* from the infinitive **haber.**

C.   There are only three irregular verbs in the imperfect: **ser, ir,** and **ver.** They are presented in section 11.3.

11.2 Uses of the Imperfect

Talking about what we used to do

A. The imperfect has several English equivalents.

Trabajaba todos los días.
$$\left\{\begin{array}{l} \textit{I worked every day.} \\ \textit{I was working every day.} \\ \textit{I used to work every day.} \\ \textit{I would work every day.} \end{array}\right.$$

B. Like the preterite, the imperfect is used to talk about an act that has already occurred. However, the imperfect focuses on the continuation of an act or on an act in progress rather than on the completed act. Continuation includes repeated habitual action, background action, actions in progress, and certain physical, mental, or emotional states.

Repeated habitual action

Viajaba mucho en el invierno.	*I would travel a lot in the winter.*
Nunca **dormía** más de ocho horas al día.	*I never slept more than eight hours a day.*

Actions in progress

El bebé **dormía** en el otro cuarto.	*The baby was sleeping in the other room.*
Escuchaba mi disco favorito mientras **limpiaba** la casa.	*I was listening to my favorite record while I cleaned the house.*

Background action

Hacía mucho calor pero todos **estaban** trabajando.	*It was very hot, but everyone was working.*

Physical, mental, or emotional states

En esos días **estábamos** muy enamorados.	*In those days we were very much in love.*
Me **gustaban** mucho las exhibiciones de arte.	*I used to like art exhibits a lot.*

11.3 Imperfect of *ser, ir,* and *ver*

Describing how you used to be, where you used to go, what you used to see

There are three irregular verbs in the imperfect.

Ser		**Ir**		**Ver**	
era	éramos	iba	íbamos	veía	veíamos
eras	erais	ibas	ibais	veías	veíais
era	eran	iba	iban	veía	veían
era	eran	iba	iban	veía	veían

¡A practicar!

A. Hace diez años. ¿Quiénes en el pasado hacían lo siguiente: tus padres, tú, tú y tus hermanos, etc.?

1. _____ vivía con mis padres.
2. _____ no estudiábamos en la universidad.
3. Algunos de _____ creíamos en Santa Claus.
4. _____ me daban dinero.
5. _____ no conducía un coche.
6. ¿Y _____? ¿Qué hacías hace diez años?

B. Gente famosa. Las personas famosas no tienen vida privada. Todos sabemos lo que hacen y dicen a cada minuto. ¿Qué hacían estas personas hace unos años?

Modelo   1950 / Ronald Reagan / filmar películas
              En 1950 Ronald Reagan filmaba películas.

1. 1960 / Martin Luther King, Jr. / protestar contra / discriminación racial
2. 1965 / los Beatles / cantar por todo el mundo
3. 1969 / Richard Nixon / dirigir el país
4. 1969 / Neil Armstrong / trabajar en la NASA
5. 1989 / alemanes / celebrar / comienzo / Alemania unida
6. 1990 / sudafricano Nelson Mandela / viajar / como hombre libre
7. 1991 / ejército de los Estados Unidos / estar / golfo Pérsico
8. 1996 / Bill Clinton / servir de / Presidente de los EE.UU.

C. ¡Cómo nos cambia la vida! Completa los espacios en blanco para saber cómo era la vida de esta típica estudiante universitaria.

Antes, cuando _____ (yo / vivir) con mis padres, todo _____ (ser) más fácil. Primero, _____ (yo / ser) buena estudiante y nunca _____ (tener) problemas de dinero. Tampoco _____ (tener) que trabajar. Bueno, es verdad que ahora nada es fácil, pero también sé que ahora soy una persona muy responsable.

D.   ¡Cuántos sacrificios!   Marta y Ramiro Roque se conocieron en la universidad. Lee este párrafo que cuenta cómo era la vida estudiantil de ellos. Cambia los verbos al imperfecto.

Nosotros _____ (ser) estudiantes de medicina y _____ (traba-jar) en un hospital. Marta _____ (ser) estudiante de ginecología y yo _____ (estudiar) cirugía. Nosotros _____ (ir) al hospital dos o tres veces por semana pero no nos _____ (ver) mucho porque _____ (trabajar) en diferentes secciones. A pesar de que _____ (ser) novios, no _____ (poder) salir mucho juntos porque _____ (tener) que estudiar día y noche.

11.4   Preterite and Imperfect: Completed and Continuous Actions

Describing completed actions and actions in progress in the past

You have learned that both the preterite and the imperfect are used to talk about the past, but there is a difference in how the two tenses are used. Compare the following.

A.   The preterite is used to describe completed past actions.

La conferencia **duró** dos horas.	*The lecture lasted two hours.*
Hablé con mis padres anoche.	*I spoke with my parents last night.*

B.   The imperfect is used to focus on continuation or actions in progress and background actions. It is also used to tell time in the past.

Siempre **charlábamos** por horas.	*We always used to chat for hours.*
El teléfono **sonaba** continuamente.	*The phone would ring continuously.*
Eran las seis.	*It was 6:00.*

C.   When the preterite and imperfect are used in the same sentence, the imperfect often describes a continuous background action that is interrupted by a completed action expressed in the preterite.

Miraba televisión cuando **llamaste.**	*I was watching television when you called.*
Nos lo **dio** mientras **comíamos.**	*He gave it to us while we were eating.*

D.   The imperfect may be used to focus on a future event related to a situation planned in the past.

Debo irme. Tita dijo que la clase **empezaba** a las ocho.	*I must leave. Tita said the class would begin (was going to begin) at 8:00.*

¡A practicar!

A. ¡Qué día! Esta alumna tuvo un día muy malo ayer. Según ella, ¿qué le pasó? Para saberlo, pon los verbos entre paréntesis en el pasado.

Ayer _____ (ser) un día terrible. Para empezar, yo _____ (estar) furiosa porque mi novio no me _____ (llamar) la noche anterior. Luego, cuando yo _____ (salir) de casa, _____ (estar) lloviendo a cántaros. _____ (Buscar) mi paraguas pero no lo _____ (encontrar). Luego, _____ (perder) el autobús y _____ (tener) que esperar el siguiente. Cuando finalmente _____ (llegar) a clase la secretaria _____ (anunciar) que la profesora _____ (estar) enferma. ¡Qué día!

B. ¡No más! Tomás decidió no ir a clase esta mañana. Para saber por qué, pon los verbos en el pasado.

1. ya / ser tarde / cuando / despertarme
2. preparar / desayuno / cuando / teléfono / sonar
3. mientras / bañarse / agua / cortarse
4. cuando / salir / casa / gato / escapar
5. estar manejando / de repente / llanta / pincharse
6. mientras / cambiar / llanta / empezar a / llover
7. finalmente / decidir / regresar / casa

C. ¿De veras? ¿Qué le dice el alumno a su mejor amigo cuando éste quiere saber por qué no fue a clase? Para saberlo, pon todos los verbos en el pasado.

Es verdad. Anoche mi computadora _____ (dejar) de funcionar. _____ (Ser) las diez y yo _____ (estar) preparando la tarea cuando _____ (sonar) el teléfono. _____ (Ser) mi madre, y nosotros _____ (hablar) por una hora, más o menos. Cuando _____ (regresar) a la computadora, no _____ (haber) imagen en la pantalla. _____ (Apretar) varias teclas *(keys)* pero sin ningún resultado. No _____ (descubrir) hasta esta mañana que mi compañero de cuarto la _____ (desenchufar).

11.5 Preterite and Imperfect: Beginning/End and Habitual/Customary Actions

Describing the beginning or end of actions and habitual past actions

In the previous section, you learned that the preterite focuses on completed actions and the imperfect focuses on actions in progress.

A. Since the preterite focuses on completed actions, it often emphasizes the beginning or end of an act.

Cuando **vi** a Carlota, **corrí** a saludarla.	*When I saw Carlota, I ran to greet her.*
Salieron corriendo.	*They left running. (They took off running.)*
De repente la computadora no **funcionó.**	*Suddenly the computer did not work. (It just stopped.)*
Me **sentí** muy mal después de la clase de informática.	*I felt very sick after computer science class. (But I got over it.)*

B. The imperfect is used to describe habitual or customary actions or events in progress.

Siempre **daba** la misma excusa.	*I always gave the same excuse.*
Yo nunca **iba** a la biblioteca de noche.	*I never used to go to the library at night.*

¡A practicar!

A.   ¡Excusas!   Fulano Embustero no trata bien a su novia pero siempre tiene una excusa. ¿Qué le dice a su novia?

1. Esta mañana cuando tú (llamaste / llamabas) yo no (contesté / contestaba) porque (estuve / estaba) en el baño.
2. Yo no te (llamé / llamaba) la semana pasada porque (desconectaron / desconectaban) mi teléfono.
3. La llanta de mi coche (se pinchó / se pinchaba) y por eso (llegué / llegaba) tarde a nuestra cita.
4. Anoche (trabajé / trabajaba) hasta tan tarde que (decidí / decidía) no llamarte para no despertarte.
5. El sábado pasado no (fui / iba) a tu casa porque mi coche no (funcionó / funcionaba).
6. Ayer no te (invité / invitaba) a la fiesta porque tú no (conociste / conocías) a nadie.

B.   ¿Qué le voy a decir?   Este alumno no fue a su clase de química ayer. ¿Por qué? Para contestar, pon en el pasado los verbos entre paréntesis.

¡Qué horror! No _____ (acostarme) hasta muy tarde anoche. Esta mañana cuando _____ (despertarme), ya _____ (ser) las 9:55. Mi clase de química _____ (empezar) en cinco minutos. _____ (Decidir) no ir a clase. Más tarde _____ (hablar) con un compañero de clase y él _____ (decirme) que el profesor _____ (estar) furioso porque yo no _____ (ir) a clase. Ahora no sé qué le voy a decir al profesor.

C.   ¡Aguafiestas!   Pon los verbos entre paréntesis en el pasado para saber lo que pasó el sábado pasado en la fiesta de Enrique.

El sábado pasado Enrique _____ (organizar) una fiesta en su casa. Sus padres no _____ (estar) y el _____ (invitar) a muchísima gente. Todos nuestros amigos _____ (venir) y también _____ (llegar) gente desconocida. _____ (Haber) mucha comida y muchas cervezas. Todos _____ (bailar) y _____ (cantar) cuando a eso de la una de la mañana unos vecinos _____ (llamar) a la policía. La policía nos _____ (obligar) a terminar la fiesta. Enrique no les _____ (decir) nada a sus padres.

11.6 Present Perfect

Talking about what people have or haven't done

As in English, the present perfect tense in Spanish is a compound past tense. It is formed by combining the present indicative of the auxiliary verb **haber** *(to have)* with the past participle.

Present Indicative

Haber	*to have**
he	hemos
has	habéis
ha	han
ha	han

Present Perfect Tense

Sentir	*to feel*
he sentido	hemos sentido
has sentido	habéis sentido
ha sentido	han sentido
ha sentido	han sentido

A. The past participle of most verbs in English is formed by adding *-ed* to the verb; for example, to travel → *traveled,* to study → *studied,* to open → *opened.* In Spanish, past participles are formed by adding **-ado** to the stem of **-ar** verbs and **-ido** to the stem of **-er** and **-ir** verbs.

Viajar		Querer		Sentir	
viaj**ado**	*traveled*	quer**ido**	*wanted*	sent**ido**	*felt*

The past participle of all **-er** and **-ir** verbs whose stem ends in **-a, -e,** or **-o** requires a written accent: **leído, traído, creído,** etc.

B. As in English, some Spanish verbs have irregular past participles; the following are those most frequently used.

abrir	**abierto**	hacer	**hecho**	resolver	**resuelto**
cubrir	**cubierto**	imprimir	**impreso**	romper	**roto**
decir	**dicho**	morir	**muerto**	ver	**visto**
escribir	**escrito**	poner	**puesto**	volver	**vuelto**

---

* Do not confuse the auxiliary verb **haber** with the verb **tener,** which is used to express possession and/or obligation.

Note that the past participles of verbs related to those above are also irregular: **descubrir** *(to discover)* → **descubierto, maldecir** *(to curse)* → **maldicho, devolver** *(to return something)* → **devuelto,** etc.

C. In general, the use of the present perfect tense in Spanish parallels its use in English.

No me **he sentido** bien.   *I haven't felt well.*
Han estado muy enfermos.   *They have been very sick.*
Todavía no **se ha levantado.**   *He hasn't gotten up yet.*
No **hemos devuelto** los libros a la biblioteca.   *We haven't returned the books to the library.*

Note that when used in the present perfect, the past participle is invariable; it does not agree in number or in gender with the noun. Reflexive and object pronouns are always placed before the conjugated form of the verb **haber.**

D. With few exceptions, **haber** functions only as an auxiliary verb. The verb **tener** is used to indicate possession or obligation.

No **me he sentido** nada bien.   *I haven't felt well at all.*
Tengo que llamar al médico.   *I have to call the doctor.*

¡A practicar!

A. ¡Qué organizado!   Cuando una persona organizada viaja, siempre prepara listas de lo que le queda por hacer. ¿Qué dice esta persona de lo que todavía no ha hecho?

Modelo   escribirles a mis tíos en Kansas
               Todavía no les he escrito a mis tíos en Kansas.

1. ver el monumento a la entrada del parque
2. ir al parque zoológico
3. sacar fotos de la plaza
4. viajar al sur del país
5. hacer compras en el mercado al aire libre
6. visitar el museo de arte moderno

B. ¡No he hecho nada!   Inevitablemente cuando llega el domingo por la tarde, descubrimos que no hemos hecho algunas cosas que pensábamos hacer durante el fin de semana. Pon los verbos en tiempo perfecto para ver unos ejemplos típicos.

1. Miguel no _____ (ir) de compras.
2. José no _____ (hacer) la tarea.
3. Yo no les _____ (escribir) a mis padres.
4. Miguel y José no _____ (lavar) la ropa.

5. Nosotros no _____ (poder) limpiar el garaje.
6. Yo no _____ (abrir) los libros para estudiar.
7. Tú no _____ (limpiar) tu cuarto.
8. Ustedes no _____ (llamar) a sus padres.

CAPÍTULO 12

Cultural Topics

Writing Strategies

Reading Strategies

En preparación

¡Qué vacaciones!

In this chapter, you will learn how to …

- describe problems you had on a trip.
- describe what you did and saw while on vacation.
- describe what you will do in the future.
- give advice and instructions.
- give orders.

Decoración de oro y turquesa descubierta recientemente en las Tumbas Reales de Sipán

La fortaleza de Sacsahuamán en Cuzco

Terrazas agrícolas en Machu Picchu

Lo que ya sabes...

1. Hay tres figuras en la decoración de oro y turquesa. ¿Qué representan: dioses, reyes o guerreros? ¿Por qué crees eso?

2. ¿Crees que toda la gente de esta civilización vestía de oro, como la figura central de la decoración de oro y turquesa? Explica tu respuesta.

3. ¿Cómo crees que fue construida esta gran fortaleza? ¿Qué crees que usaron para mover y cortar estas gigantescas rocas?

4. Perú es una tierra de muchos terremotos. ¿Cómo crees que han sobrevivido estas impresionantes construcciones por cientos y cientos de años? ¿Tenían los incas mejores arquitectos que los nuestros de hoy en día?

5. ¿Por qué crees que construyeron estas terrazas agrícolas? ¿Para qué crees que se usaban? ¿Cómo regaban (irrigate) las terrazas?

PERÚ

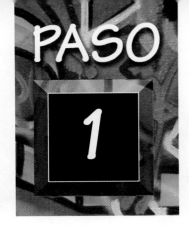

PASO 1

¡Imagínate... nosotros en Lima!

TAREA Antes de empezar este **Paso**, estudia **En preparación** 12.1 y haz por escrito los ejercicios de **¡A practicar!** También escucha **Paso 1 ¿Qué se dice... ?** del Capítulo 12 en el CD del estudiante.

¿Eres buen observador?

Ahora, ¡a analizar!

Un buen arqueólogo tiene que ser un excelente observador porque tiene que interpretar los restos *(remains)* de civilizaciones antiguas. Veamos a qué conclusiones puedes llegar tú sobre la civilización que dejó los restos que aparecen en estas fotografías.

1. ¿Qué talentos tenían las personas que crearon la cerámica con dos picos?

2. ¿Qué crees que son los objetos de oro? ¿Para qué se usaban? ¿Tenían un propósito decorativo o práctico? ¿Qué puedes asumir de una sociedad que producía y usaba este tipo de objetos?

3. ¿Cómo crees que se construyó este lugar? ¿Qué necesitaban saber sus arquitectos? ¿Qué tipo de máquinas y herramientas *(tools)* crees que usaron? ¿Cuántos trabajadores crees que necesitaron?

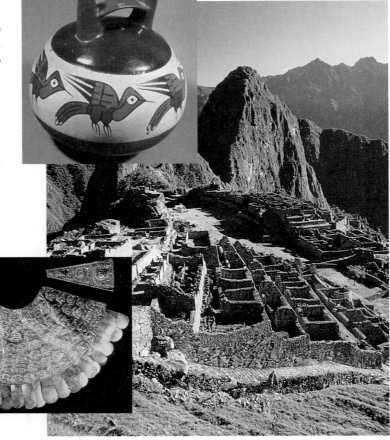

Machu Picchu

¿Sabías que... ?

Los quechuas eran los indígenas que controlaban la cordillera *(mountain range)* andina desde Ecuador hasta Argentina cuando los españoles llegaron a Perú en 1531. Los quechuas llamaban a su rey o emperador «el Inca». La sociedad quechua o incaica estaba dividida en cuatro clases: los gobernantes, los nobles, la gente común y los esclavos. Esta sociedad mantuvo grandes ejércitos *(armies)* muy organizados, construyó edificios impresionantes y estableció un sistema de carreteras *(highways)* que se extendía de un extremo al otro del imperio incaico. Actualmente, sus descendientes viven en el altiplano de Ecuador, Bolivia y Perú, donde la lengua quechua todavía se habla extensamente.

¿Qué se dice...?

Al hablar de lo que hiciste u olvidaste hacer

1. _____

2. _____

3. _____

4. _____

OLGA   Ay, olvidé mis gafas de sol... ¿O las puse en la maleta? No sé.
Recuerdo que abrí la maleta, saqué la pasta dental y el cepillo de
dientes para lavarme la boca y... ¡Dios mío! Creo que las dejé en el baño.

ENRIQUE   ¡Caramba, mujer! ¿En qué pensabas cuando hiciste la maleta?

OLGA   La verdad es que estaba muy nerviosa cuando empaqué, Enrique.

Ahora, ¡a hablar!

A. ¡Problemas típicos! Generalmente, cuando viajamos tenemos algunos problemas. Completa las oraciones para saber qué les pasó a Enrique y a Olga durante su viaje a Lima.

> **Modelo** Olga / no dormir bien / porque / la cama / no ser cómoda
> **Olga no durmió bien porque la cama no era cómoda.**

1. el segundo día / Olga / no bañarse / porque / no haber agua caliente
2. Enrique / no afeitarse / porque / la corriente / ser diferente
3. el tercer día / ellos / no cambiar dinero / porque / dejar los pasaportes en el hotel
4. ellos / no poder ir al cine / porque / Enrique / olvidar sus lentes en el hotel
5. ellos / perderse / porque / no tener un mapa de la ciudad
6. ellos / no poder / comprar un mapa / porque / tiendas / estar cerradas

B. ¿Turistas típicos? ¿Son Enrique y Olga turistas típicos? Decide después de completar este párrafo, poniendo los verbos entre paréntesis en el pasado.

Cuando Enrique y Olga Ballesteros _____ (llegar) al Hotel Colonial en Lima el mes pasado, _____ (tener) muchos problemas. Primero, Enrique no _____ (poder) abrir la maleta de Olga porque _____ (perder) la llave. Cuando Enrique _____ (tener) que romper la cerradura *(lock)*, Olga _____ (ponerse) furiosa. Luego Olga _____ (descubrir) que el cepillo de dientes, el champú y un par de zapatos no _____ (estar) en la maleta. Desafortunadamente, ya _____ (ser) demasiado tarde para ir de compras. Todas las tiendas _____ (estar) cerradas. Por eso, Olga _____ (acostarse) sin lavarse ni los dientes ni el pelo. Al día siguiente ellos _____ (ir) de compras muy temprano.

C. Mis vacaciones. Y para ti, ¿cómo fueron las últimas vacaciones? ¿Qué pasó? ¿Por qué?

> **Modelo** dormir (bien / mal) porque…
> **Dormí mal porque la cama era dura.**

1. dormir (bien / mal) porque...
2. comer (bien / mal) porque...
3. (no) estar cansado(a) porque...
4. pagar (mucho / poco) porque...
5. visitar (mucho / poco) la ciudad porque...
6. ir (mucho / poco) de excursión porque...

D. ¡Perú mágico! Carla y César pasaron las vacaciones en Perú. ¿Qué hicieron en los diferentes lugares en que estuvieron?

Paracas: Nosotros solamente _____ (quedarnos) un día. _____ (Hacer) mucho calor y _____ (estar) muy húmedo.

Arequipa: _____ (Pasar) tres semanas allí. Cada mañana _____ (ir) al mercado para comprar algo. _____ (Haber) mucha artesanía.

Lago Titicaca: Nosotros _____ (sacar) muchas fotos mientras el guía nos _____ (explicar) cómo _____ (vivir) los quechuas antes de la llegada de los conquistadores.

Cuzco: Yo _____ (viajar) a Cuzco por tren y _____ (ver) unas hermosas vistas panorámicas en camino. El segundo día en Cuzco, nosotros _____ (hacer) una excursión por el valle del río Urubamba.

Machu Picchu: Cuando _____ (llegar) a Machu Picchu, yo _____ (saber) que _____ (estar) en un país mágico.

Y ahora, ¡a conversar!

 A. ¿Pingüinos? ¿En Lima?   Enrique y Olga tuvieron unas experiencias estupendas durante su viaje a Perú, pero sin duda, la más interesante fue la de Enrique un día que paseaba por la ciudad. Para saber lo que le pasó, estudia estos dibujos mientras que tu compañero(a) estudia los que se encuentran en el Apéndice A. Cuéntale a tu compañero(a) la primera parte del incidente basándote en estos dibujos y él (ella) te va a contar el final basándose en sus dibujos.

1. Un día iba en mi carro por el parque cuando...

2. Paré el carro al lado del pingüino y...

3. Paseábamos en el carro cuando el pingüino dijo que...

4. El policía me preguntó por qué...

B. ¡Qué interesante! Tu compañero(a) hizo un viaje muy interesante recientemente. Pregúntale adónde fue y hazle muchas preguntas acerca de lo que hizo allá.

Modelo ¿A qué hora te acostabas?

C. Viaje a Machu Picchu. Tú y un(a) compañero(a) están viajando por Sudamérica, visitando y explorando diferentes lugares. Ahora están en las famosas cataratas del Iguazú y quieren viajar por Uruguay, Argentina, Chile y Bolivia para llegar al famoso Machu Picchu. Piensan hacer ocho escalas *(stopovers)* en su viaje. ¿Quién va a llegar primero? Para avanzar una escala, tienes que contestar la pregunta de tu compañero(a) correctamente. Tus preguntas están aquí, las de tu compañero(a) están en el Apéndice A.

1. ¿Cuál es la capital de Bolivia?
2. ¿Cuál es la capital de Ecuador?
3. Nombra tres países en la cordillera de los Andes.
4. Nombra dos de los vecinos de Colombia.
5. ¿De qué país era Eva Perón?
6. ¿Quién escribió *¡Dímelo tú!*? Nombra uno de los autores.
7. ¿Cuántos países de habla española hay en Centroamérica?
8. ¿Cómo se llama la capital de Perú?
9. ¿Cuál es el país de habla española más pequeño de Sudamérica?
10. Nombra dos culturas indígenas de México.
11. ¿En qué país hablan de **chinas** y **guaguas?**
12. Nombra cinco países de Sudamérica y sus capitales.

¡Luz! ¡Cámara! ¡Acción!

A.   ¡Ay, qué vacaciones!   Tú acabas de regresar de unas vacaciones fantásticas donde tuviste varias experiencias muy interesantes. Ahora le estás contando todos los detalles a tu mejor amigo(a). Tu amigo(a) te hace muchas preguntas también. Dramatiza la situación con un(a) compañero(a) de clase.

B.   ¡Puedo explicarlo!   Anoche tú no regresaste a casa hasta las cuatro de la mañana. Ahora tus padres están furiosos. Dramatiza esta situación con dos compañeros(as) de clase.

¿Comprendes lo que se dice?

La dinastía del amor: Episodio 3

Esta noche la familia Gómez nuevamente se reúne para ver la telenovela del momento. En este nuevo episodio Sharon va a descubrir un secreto de su hermana mayor. Escucha este episodio y luego contesta las preguntas que siguen.

Vocabulario útil

el sobre	*envelope*
certificado de matrimonio	*marriage certificate*
¡Cállate!	*Be quiet!*

A través de dos culturas

Telenovela

1.   ¿Cuál es la relación entre Rod y Betty?
2.   ¿Qué le trae Rod a Betty?
3.   ¿Qué hay en el sobre?
4.   ¿Qué quiere hacer Sharon?
5.   ¿Crees que Betty se casó?
6.   ¿Qué crees que le pasó a Sharon en la fiesta?

Televidentes

7.   ¿Cómo reacciona Luisita Gómez a la situación en la telenovela?
8.   ¿Crees que tiene razón Juan Pedro?
9.   ¿Qué opinas del comentario de don Sergio?
10.   ¿Por qué dice doña Luisa que su hija en particular debe hablar con los padres antes de casarse?
11.   ¿Es muy diferente la reacción que tiene don Sergio a la que tendrían tus padres? ¿Existe un gran respeto familiar en los Estados Unidos?
12.   ¿Es aceptable en los Estados Unidos que los hijos se casen sin pedirles permiso a los padres?

Perú

Chiclayo
Trujillo
Chimbate
Callao
✪ Lima

Arequipa

Mollendo

NOTICIERO CULTURAL

LUGAR... PERÚ

Antes de empezar, dime...

1. ¿Cuál fue el antiguo centro de cultura estadounidense antes de la llegada de los europeos? ¿Existen ruinas de esa época? ¿Dónde? ¿Cómo son? Descríbelas.

2. ¿Cuál es la ciudad más antigua de los EE.UU.? ¿Cuál es el origen y el significado de su nombre?

3. En los Estados Unidos hay muchos rascacielos *(skyscrapers)* impresionantes. ¿Cuánto tiempo crees que van a durar *(last)*? ¿Cuántas personas trabajan para construir uno de esos edificios? ¿Qué maquinaria y herramientas usan?

Vista panorámica de la ciudad de Cuzco

Cuzco: El corazón del imperio inca

La zona de Cuzco, la capital del imperio de los incas, está situada en las mesetas andinas, al sureste de Lima, en el «corazón» mismo del antiguo imperio. Debido a su rol crucial, esta antigua capital incaica está rodeada de una gran riqueza arqueológica. Cuzco es una palabra quechua que significa ombligo *(navel)* en español y hace referencia a su localidad en el centro del universo. La ciudad fue construida entre 1438 y 1471 durante el apogeo del imperio incaico y se encuentra a una altura de 3.399 m *(11,152 ft.)* sobre el nivel del mar. Su altura hacía de ella una capital difícil de alcanzar y por la misma razón, un lugar muy incómodo para los españoles.

La calle Hatunrumlyoc

La ciudad y sus alrededores contienen innumerables ruinas preincaicas e incaicas que incluyen fortalezas como Sacsahuamán y el Templo del Sol. En la construcción de estas fortalezas se observa un ejemplo incomparable de cantería *(stone cutting):* los bloques de granito están colocados uno sobre el otro sin haber utilizado cemento. Los expertos en el tema han llegado a decir que no existe otro tipo de construcción similar que pueda compararse con ésta en cuanto a su calidad.

En la actualidad los únicos habitantes de estos increíbles testimonios del pasado son las llamas y vicuñas y, claro, los turistas que vienen de todos los rincones del mundo.

 Y ahora, dime...

1. Usa este diagrama Venn para comparar a Cuzco con la capital de los EE.UU. o la capital de tu propio estado. Indica las diferencias y lo que tienen en común.

Capital de los EE.UU.
o de mi propio estado
   1.
   2.
   3.
   4.
   5.
   6.
   . . .

Ambas capitales
   1.
   2.
   3.
   4.
   5.
   6.
   . . .

Cuzco: Capital
del imperio incaica
   1.
   2.
   3.
   4.
   5.
   6.
   . . .

2. ¿Qué quiere decir «Cuzco» en español? Explica su significado.

El español en otras disciplinas: Arqueología

Sitios arqueológicos.   Cuando se habla de arqueología inmediatamente pensamos en Egipto, Grecia e Italia, entre otros y, por supuesto, en América. El continente americano es una fuente constante de investigación de norte a sur. Hay lugares que son centros constantes de estudio, como las Tumbas Reales de Sipán, que fueron científicamente excavadas en Perú entre 1987 y 1990. También hay otros que van surgiendo, o descubriéndose casi «por casualidad», como sucedió el 21 de febrero de 1978 en Ciudad de México, con el descubrimiento del Templo Mayor del antiguo Tenochtitlán. Con frecuencia, como fue el caso en Sipán, el descubrimiento de estos sitios arqueológicos implica la destrucción de antiguas tumbas. ¿Qué opinas tú de eso? ¿Crees que los arqueólogos tienen el derecho de entrar en cualquier tumba para sacar sus riquezas? En grupos de tres o cuatro, discutan sus opiniones e informen a la clase sobre sus conclusiones.

Decoración de oro y turquesa encontrada en las Tumbas Reales de Sipán

Proyecto: Investiga en la biblioteca de tu universidad las excavaciones de Sipán en Perú e informale lo que encontraste a la clase. Si es posible, trae un libro con fotos de la excavación y del tesoro que se descubrió.

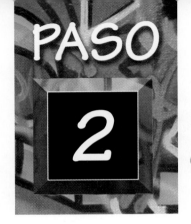

PASO 2

¿Adónde iremos mañana?

TAREA

Antes de empezar este **Paso**, estudia **En preparación** 12.2 y 12.3 y haz por escrito los ejercicios de **¡A practicar!** También escucha **Paso 2 ¿Qué se dice... ?** del Capítulo 12 en el CD del estudiante.

¿Eres buen observador?

Ahora, ¡a analizar!

1. ¿Dónde comienza el río Amazonas?

2. ¿Se sabe si es el río más largo del mundo? Explica.

3. ¿Qué longitud tiene el río Nilo de Egipto? ¿el río Amazonas?

4. ¿Cuál se sospecha que es la longitud verdadera del río Amazonas? ¿Cómo se piensa comprobarlo?

5. Si las cuentas no fallan, ¿cómo cambiará el *ranking* de los dos ríos?

El Amazonas metro a metro

Se sabe que comienza en la provincia arequipeña de Caylloma, en Perú, y el próximo cinco de julio se certificará si es el río más largo del mundo. Una expedición científica que contará con la participación de varios países pretende establecer su verdadera longitud. En la actualidad está reconocido como el segundo río más largo (6.437 kms), después del Nilo (6.671 kms), pero si no les fallan las cuentas, en breve se demostrará que cuenta con más de 7.000 kms y cambiará el *ranking* de los ríos.

J.M. Miranda

Una expedición científica pretende establecer la verdadera longitud del Amazonas.

¿Qué se dice...?

Al hablar de lo que harás y lo que verás

1. _____ Piensa que el hotel es carísimo.
2. _____ Pasará todo el día sacando fotos.
3. _____ Tendrá que cargar miles de recuerdos.
4. _____ Podrá dormir la siesta en el tren.

ENRIQUE Y después de Cuzco, ¿a Lima dijiste? ¿Será caro el hotel donde nos alojaremos? ¿Tendrá agua caliente?

OLGA ¡Por supuesto, Enrique! Lima es la capital y es una ciudad fabulosa.

ENRIQUE ¿Y qué comeremos? Ya no quiero comer más cui. ¡No me importa si es el plato nacional!

OLGA Enrique, en Lima hay montones de restaurantes buenos y baratos donde no tendrás que comer cui. Y si no dejas de quejarte, la próxima vez te dejo en casa.

¿Sabías que... ?

El **cui** o **cuy** (**cuis, cuises** o **cuyes** en el plural) es un conejillo de Indias (*guinea pig*) que se come frito o asado a la parrilla en Perú. Junto con los anticuchos, que se preparan con corazón de res, ají, achiote y vinagre, se consideran como platos indígenas nacionales en Perú. La palabra **cui** viene del quechua, idioma de los incas que siguen hablando muchos indígenas del Perú hoy en día.

Ahora, ¡a hablar!

A. ¡Cuzco!   Enrique está muy preocupado y quiere saber todos los detalles de lo que harán en Cuzco. Crea un itinerario para él y su esposa de la información que sigue.

> **Modelo**   domingo: empacar las maletas / y / acostarse temprano
>
> **El domingo empacarán las maletas y se acostarán temprano.**

1. lunes: llegar 17:30 / y / dormir dos o tres horas / porque / ser necesario para evitar el soroche *(altitude sickness)*

2. lunes: por la tarde / ver la piedra de los doce ángulos / salir a comer / y / pasar por el mercado a comprar recuerdos

3. martes: visitar las iglesias coloniales: La Merced, El Triunfo, la Catedral, San Blas, Santo Domingo y La Compañía de Jesús / y / conocer el Palacio de Manco Cápac

4. martes: por la tarde / ir a la casa del inca Garcilaso de la Vega (1539–1615), hijo de un capitán español y de una princesa / y / leer sus memorias

5. miércoles: despertarse a las seis / y / viajar en tren a Lima otra vez

B. ¡Machu Picchu!   Ahora Enrique y Olga están conversando sobre sus planes para Machu Picchu. ¿Qué dice Olga que harán ellos?

> **Modelo**   miércoles / llegar por la tarde / ir al hotel
>
> **El miércoles llegaremos por la tarde e iremos al hotel.**

1. quedarse dos días / Hotel del Gobierno

2. caminar por las ruinas / ver cómo los incas construían terrazas para cultivar la tierra

3. subir a Huayna Picchu / observar todas las ruinas desde arriba

4. el guía / explicarnos / historia de Machu Picchu

5. a las 7:00 / comer en el restaurante del hotel / escuchar música andina

C. Mis próximas vacaciones.   Entrevista a un(a) compañero(a) de clase para saber cómo y dónde pasará las próximas vacaciones.

1. ¿Adónde irá? ¿Cómo viajará? ¿en avión? ¿en tren? ¿en auto?

2. ¿Viajará solo(a)?

3. ¿Dónde se quedará? ¿Cuánto le costará la vivienda *(housing)*?

4. ¿Cuánto tiempo estará de vacaciones? ¿Se quedará en el mismo lugar o viajará a otros sitios?

5.   ¿Dónde comerá? ¿Comerá comida típica?

6.   ¿Qué hará durante el día? ¿y de noche?

7.   ¿Sacará muchas fotos? ¿Comprará muchos recuerdos?

D.   ¡Qué futuro!   El futuro está siempre lleno de promesas, de proyectos y de sueños. ¿Cómo ves tu propio futuro? ¿Cuáles son tus proyectos? ¿Será tu vida mejor que ahora? Con un(a) compañero(a), compara tu vida de ahora con la que piensas que podrá ser dentro de diez años.

> **Modelo**   trabajo
>
> **Ahora trabajo sólo de mesero; dentro de diez años seré director(a) de un banco.**

1.   trabajo

2.   estudios

3.   familia

4.   esposo(a) e hijos

5.   vivienda (casa o apartamento)

6.   bienes (coches, casas, propiedad, etc.)

Y ahora, ¡a conversar!

A.   Resoluciones.   En enero siempre empezamos nuestras resoluciones tradicionales. ¿Cuáles serán tus resoluciones para el año próximo? Discútelas con un(a) compañero(a) y escucha mientras él (ella) te dice las suyas.

B.   Bola de cristal.   Tú y tus compañeros trabajan para un periódico que se dedica a las noticias extravagantes e increíbles. Ésta es la edición al final del año y, como hacen todos los años, tienen que predecir el futuro más improbable para personas en estos puestos. En grupos de tres escriban sus predicciones. Compártanlas con otro grupo de tres.

1. en el mundo político	3. en el mundo del deporte
2. en el mundo del espectáculo	4. en el mundo del arte

C.   ¡El año 2005!   El siglo nuevo y un nuevo milenio se están acercando. En grupos de tres o cuatro, digan que creen que estarán haciendo en el año 2010. Decidan quién tendrá el futuro más interesante y cuéntenselo a la clase.

¡Luz! ¡Cámara! ¡Acción!

A.   Quiromancia.   Tú sabes practicar el arte de la quiromancia (*palm reading*). Tu compañero(a) quiere saber lo que le espera en el futuro. Lee su futuro y contesta todas las preguntas que él (ella) te haga. (Todas las respuestas están en la palma de la mano, ¡por supuesto!)

B.   Compañeros de cuarto.   Tú y tu compañero(a) han decidido compartir una casa. Ahora necesitan organizar su vida en común. Entre los dos, planeen lo que cada uno hará para contribuir a la armonía de la casa.

¿Comprendes lo que se dice?

La dinastía del amor: Episodio 4

Esta noche después de la comida, como de costumbre, se reúne la familia Gómez para seguir un nuevo episodio de la telenovela del momento: *La dinastía del amor.* En el último episodio, Sharon, después de encontrar el certificado de matrimonio, acusó a su hermana Betty de haberse casado y dijo que se lo iba a contar a su madre. Betty respondió que también tenía algo que contarle a su madre con respecto a Sharon. Escuchen ahora la continuación y luego contesten las preguntas que siguen.

Vocabulario útil

asustar	*to scare, frighten*	darse cuenta (de)	*to realize*
asustado(a)	*frightened*	ocultar	*to hide*
permiso	*permission*	ponerse al día	*to be up-to-date*

A través de dos culturas

Telenovela

1. ¿Dónde estaba Rod cuando supo que Betty lo buscaba?
2. ¿Por qué cree Betty que Sharon no va a decirle a su mamá lo del certificado de matrimonio?
3. ¿Por qué estaba llorando Betty?
4. ¿Cuál es el secreto de Betty?
5. ¿Por qué no ha hablado la madre de Betty con el padre sobre el secreto de su hija?

Televidentes

6. ¿Estás de acuerdo con el comentario de la señora Luisa? ¿Se casan ahora los jóvenes sin pedirles permiso a los padres?
7. ¿Es verdad lo que dice don Sergio? ¿Consulta la gente joven con sus padres?
8. ¿Por qué no le cuenta Luisita sus problemas a su padre?
9. ¿Por qué se molesta tanto doña Luisa con el comentario de Rod?
10. En tu opinión, ¿cree don Sergio que sus hijos confían en él?
11. ¿Es descortés el comentario de Luisita a su padre?

Perú

Chiclayo
Trujillo
Chimbate
Callao
Lima

Arequipa

Mollendo

NOTICIERO
CULTURAL

GENTE...

MARIO VARGAS LLOSA

Antes de empezar, dime...

Los buenos escritores.   Piensa en los grandes escritores que tú conoces al contestar estas preguntas.

1. En tu opinión, ¿es necesaria una educación universitaria para llegar a ser un gran escritor? Explica tu respuesta.

2. ¿De dónde sacan los grandes escritores sus ideas para contar experiencias tan variadas? ¿Crees que siempre cuentan sus propias experiencias?

3. ¿Tienen que llevar los grandes escritores una vida muy variada? ¿Es necesario que viajen mucho? ¿Es importante que pasen cierto tiempo viviendo en el extranjero? Explica tus respuestas.

4. ¿A qué edad crees que debe empezar a escribir una persona que desea ser un gran escritor? ¿Crees que debe dedicar toda su vida a escribir, y nada más? ¿Por qué?

Mario Vargas Llosa

Mario Vargas Llosa nació en Arequipa, Perú, en el año 1936. Cursó sus primeros estudios en Cochabamba, Bolivia, y los secundarios en Lima y Piura. Se graduó en Letras en la Universidad de San Marcos de Lima y más tarde se doctoró en la Universidad de Madrid. Este famoso escritor peruano ha vivido muchos años en París, Londres y Barcelona.

Empezó a escribir en los años 50, pero no logró su fama hasta 1963 cuando escribió su gran novela *La ciudad y los perros.* Esta novela fue traducida inmediatamente a más de veinte idiomas y recibió el Premio Biblioteca Breve y el Premio de la Crítica (1963). En el año 1966 apareció su segunda gran obra, *La casa verde,* que también obtuvo el Premio de la Crítica (1966) y el Premio Internacional de Literatura Rómulo Gallegos (1967).

Posteriormente ha publicado el cuento *Los cachorros* (1968), y las novelas *Conversación en la Catedral* (1970) y *Pantaleón y las visitadoras* (1973). Vargas Llosa, aparte de ser un escritor que ha alcanzado gran fama internacional, también ha tenido activa participación en la vida política de su país, Perú. Fue candidato a la presidencia en las elecciones de 1990.

 ## *Y ahora, dime...*

Con un(a) compañero(a) de clase indica los hechos más importantes en la vida de Mario Vargas Llosa, el hombre y el escritor.

MARIO VARGAS LLOSA

El hombre	El escritor
1.	1.
2.	2.
3.	3.
4.	4.
5.	5.
. . .	. . .

¿Te gusta escribir?

Antes de escribir
Estrategias para escribir: Puntos de vista

A. Puntos de vista. Cuando escribimos, es importante pensar cuidadosamente sobre el punto de vista que vamos a tomar. El punto de vista afecta muchísimo el resultado final de lo que escribimos. Por ejemplo, ¿crees que el chófer responsable por el accidente va a describir el accidente de la misma manera que el chófer víctima o algún espectador? ¡Es dudable! Lo más probable es que va a haber tres versiones distintas y las cortes tendrán que decidir el caso.

Ahora vuelve al **Noticiero cultural** del **Paso 1** de este capítulo, *Cuzco: El corazón del imperio inca.* ¿Desde qué punto de vista se escribió esta lectura? ¿Quién es el narrador?

B. Cambiando el punto de vista. Piensa cómo cambiaría esa lectura si el punto de vista fuera distinto. Por ejemplo, indica en una o dos oraciones cómo crees tú que las siguientes personas describirían la conquista de Cuzco. Luego compara tu trabajo con el de dos compañeros de clase.

Un conquistador español	Un inca en Perú ahora	Atahualpa, el último rey de los incas
1.	1.	1.
2.	2.	2.
3.	3.	3.
4.	4.	4.
...	...	...

Ahora, ¡a escribir!

A. Ahora, a planear. Prepara una lista de tres distintas características de Cuzco. Luego descríbelas desde el punto de vista de un conquistador español, de un indígeno inca en Perú ahora o de Atahualpa, el rey inca.

Características	Punto de vista de un conquistador	Punto de vista de un quechua ahora	Punto de vista de Atahualpa
1.	1.	1.	1.
2.	2.	2.	2.
3.	3.	3.	3.

B. El primer borrador. Usa la información que preparaste en la actividad anterior para decidir si vas a escribir sobre Cuzco desde el punto de vista de un conquistador español o de Atahualpa, el último rey de los incas. Escribe el primer borrador de una breve composición titulada «Cuzco: El centro del universo inca». No olvides que todo lo que relates tiene que ser desde el punto de vista de tu personaje.

C. Ahora, a compartir. Comparte tu primer borrador con dos o tres compañeros. Comenta sobre el contenido y el punto de vista de las composiciones de tus compañeros y escucha sus comentarios sobre tu trabajo. ¿Es lógico y consistente el punto de vista?

D. El segundo borrador. Haz los cambios necesarios a partir de los comentarios de tus compañeros de clase. Luego prepara un segundo borrador.

E. A compartir, otra vez. Comparte tu segundo borrador con dos o tres compañeros. Esta vez comenta los errores de estructura, ortografía o puntuación. Fíjate específicamente en el uso del pretérito, del imperfecto y del futuro. Indica todos los errores de tus compañeros y luego decide si necesitas hacer cambios en tu composición teniendo en cuenta los errores que ellos te indiquen a ti.

F. La versión final. Prepara la versión final de tu composición y entrégasela a tu profesor(a). Escribe la versión final a máquina o en la computadora siguiendo el formato recomendado por tu instructor(a).

G. Ahora, a publicar. En grupos de cuatro o cinco, junten sus lecturas en un volumen titulado *Cuzco: Varios puntos de vista*. Su profesor(a) va a guardar sus libros en la sala de clase para que todos puedan leerlos cuando tengan un poco de tiempo libre.

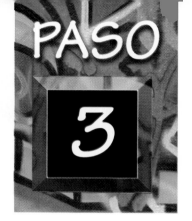

¡No olvides nada!

TAREA

Antes de empezar este **Paso**, estudia **En preparación** 12.4 y haz por escrito los ejercicios de **¡A practicar!** También escucha **Paso 3 ¿Qué se dice... ?** del Capítulo 12 en el CD del estudiante.

¿Eres buen observador?

SI TE DUELE LA ESPALDA AL VIAJAR...

A veces, cuando viajamos, sufrimos de dolores de espalda. Estos pueden ser causados por estar sentados demasiado tiempo, dormir en camas incómodas o caminar demasiado. Tú sabrás que tienes este problema si de repente sientes un dolor intenso y constante en la parte baja de la espalda. Pero no lo pienses dos veces. Simplemente haz los ejercicios que aquí te sugerimos. El dolor va a desaparecer... Y tú podrás continuar en tu viaje felizmente.

1 Siéntate en una silla dura. Deja caer tu cuerpo lentamente hasta que tu cabeza esté entre tus piernas. Vuelve a tu posición anterior (sentado) y contrae, a la vez, tus músculos abdominales. Relájate y repite el ejercicio.

2 Párate derecho y apoya tus manos en una mesa o silla. Agáchate, doblando las piernas, y levántate nuevamente. Relájate y repite el ejercicio.

¡Advertencia! No hagas demasiados ejercicios, especialmente al principio. Empieza haciendo los ejercicios lenta y cuidadosamente. Si los ejercicios te producen una incomodidad que dure más de 15 ó 20 minutos, detente y no hagas más ejercicios hasta que veas a tu médico.

Ahora, ¡a analizar!

1. ¿Qué puede causar dolores de espalda (*backaches*) cuando viajamos? ¿Crees que los estudiantes también sufren de este problema? ¿Por qué?

2. ¿Cómo sabemos que tenemos dolores de espalda?

3. Dile a un(a) compañero(a) lo que debe hacer si le duele la espalda. Luego que te diga a ti lo que tú puedes hacer. ¡Y háganlo!

4. ¿Qué opinas de estos dos ejercicios? ¿Podrías usarlos?

5. ¿Qué debes hacer si estos ejercicios te causan más dolores de espalda?

¿Qué se dice...?

Al hablar de lo que queda por hacer

1. _____ Escucha.
2. _____ Ve y compra tarjetas postales.
3. _____ Termina el café.

4. _____ No me molestes.
5. _____ Ve tú sola.
6. _____ No gastes mucho dinero.

OLGA   ¡Es terrible cómo pasa el tiempo! No he tenido tiempo ni de escribir en mi diario. Pero, por lo menos he hecho mucho ejercicio.

ENRIQUE   Eso sí. Hemos caminado millas y millas y millas... y yo siempre cargado con tus maletas.

OLGA   Creo que con tanto caminar he perdido peso. ¿Qué te parece, Enrique?

ENRIQUE   Estás igual, Olga.

OLGA   Bueno, por suerte no me estoy quejando siempre como tú. Oye, no te olvides de comprar algún recuerdo típico.

ENRIQUE   No quiero recordar. Además, ¿quién crees que ha pagado todo lo que tú has comprado?

OLGA   No seas cruel, Enrique. Eres un viejo gruñón (*grouch*) que se pasa la vida quejándose. Pero, a pesar de todo, te quiero.

Ahora, ¡a hablar!

A. ¡Libre! Ángela va a estudiar en Lima y va a estar sin su familia por primera vez. ¿Qué le recomienda su mamá?

Modelo   llamar cada semana

   Llama cada semana.

1. salir siempre con otros estudiantes
2. escribir con frecuencia
3. ser muy prudente
4. hacer siempre la tarea
5. quedarse en casa por la noche
6. divertirse

B. ¡No bebas el agua!   Su papá también le da consejos. ¿Qué le dice?

Modelo   no beber el agua

   No bebas el agua.

1. no salir de noche
2. no hablar con extraños (*strangers*)
3. no acostarse tarde
4. no ir a los clubes sola
5. no ser imprudente
6. no llegar tarde a tus clases

C. ¡Vamos al extranjero!   Tú vas a hacer tu primer viaje al extranjero. ¿Qué consejos te dan tus padres?

1. no salir solo / noche
2. no beber / agua
3. no comer / vegetales
4. no gastar / dinero en un lugar
5. comprarnos / regalo interesante
6. divertirte

D. El viaje de la vida.   ¿Qué le aconsejas a un amigo que quiere triunfar en la vida?

Modelo   trabajar

   Trabaja mucho. o No trabajes mucho.

1. ser responsable
2. casarte
3. salir mucho
4. divertirte
5. tomar drogas
6. ¿... ?

Y ahora, ¡a conversar!

A. ¡Cuídate! Un amigo que viaja contigo en Perú se enferma después de tomar el agua y quiere saber qué debe hacer para mejorarse. Aconséjalo.

Modelo No comas nada sólido.

Sugerencias

cerrar las ventanas	no beber más agua	pedir sopa de pollo
beber té caliente	tomar aspirina	no salir del cuarto

B. ¡Lima de noche! Durante tu visita a Lima con tu familia, conoces a un(a) joven de tu edad que ofrece enseñarte Lima de noche. Antes de salir, tus padres te dan varios consejos. ¿Qué te dicen?

C. A tus órdenes. En un viaje a Perú compraste una lámpara muy vieja. Ahora al limpiarla, aparece un genio *(genie)* que dice que está a tus órdenes. Te dice que puede concederte tres deseos. Decide cuáles van a ser tus tres deseos y díselos a la clase.

Modelo Tráeme mucho dinero, ...

¡Luz! ¡Cámara! ¡Acción!

A. Turista profesional. Tú acabas de regresar de un viaje al extranjero y ahora todos tus amigos te consideran un turista profesional. Tu mejor amigo(a) piensa visitar el mismo lugar que tú visitaste y te pide consejos. Dramatiza la situación con un(a) compañero(a).

B. El bebé. Tu hermano(a) menor va a empezar su primer año en la universidad el año próximo. ¿Qué consejos le das para que no cometa los mismos errores que tú cometiste? Dramatiza la situación con un(a) compañero(a).

¿Te gusta leer?

Antes de leer
Estrategias para leer: Pistas de contexto

A. Pistas. En un capítulo previo aprendiste a usar pistas de contexto *(context clues)* cuando no sabes el significado de una palabra. Aprendiste que varias cosas te pueden ayudar a entender una palabra clave desconocida:

- ■ el contenido de la oración
- ■ no preocuparse por saber el significado específico; basta con tener una idea general del significado
- ■ fijarse en la puntuación y la estructura
- ■ identificar las palabras clave y no preocuparse por palabras desconocidas que no son clave

Ahora lee las dos oraciones que siguen.

Una teoría dice que sirvió de refugio a los últimos incas que huían de la dominación española. Sea cual fuere su origen, la ciudad fue construida en las cumbres de la cordillera de los Andes.

1. Identifica las palabras desconocidas en cada oración. ¿Cuántas hay? ¿Cuáles son?

2. ¿Hay algunas palabras clave entre las palabras desconocidas? ¿Cuáles son? ¿Por qué crees que son clave?

B. ¡A descifrar! Con la ayuda de un(a) compañero(a), trata de descifrar las palabras desconocidas de las dos listas. Si tú sabes el significado de las de su lista, no se lo digas. Simplemente ayúdale a adivinar siguiendo uno de los procesos mencionados.

Machu Picchu:
La ciudad escondida de los incas

Machu Picchu

No se sabe con certeza cuándo fue construida Machu Picchu. Una teoría dice que la ciudad fue anterior a los incas y desconocida por ellos. Otra dice que fue construida por los incas, pero abandonada antes de la llegada de los españoles. Aún otra teoría dice que sirvió de refugio a los últimos incas que huían de la dominación española. Sea cual fuere su origen, la ciudad fue construida en las cumbres de la cordillera de los Andes a una altura de 1.400 pies sobre el río Urubamba.

No se sabe con seguridad si Machu Picchu fue encontrada por los conquistadores españoles. Si llegaron a conocerla, pronto la olvidaron porque permaneció escondida en las montañas por más de cuatro siglos. En 1911 Hiram Bingham, un profesor de historia de la Universidad de Yale, hizo una expedición al Perú en la que descubrió las ruinas de la ciudad. Desde ese momento aumentó el interés por conocer a fondo los elementos de la cultura incaica.

Algunos investigadores creen que Machu Picchu fue construida como fortaleza para defenderse del ataque enemigo. Otros piensan que fue un santuario de gran importancia mágico-religiosa para los incas. También se cree que fue un centro de trabajadoras femeninas, un convento donde se fabricaba la ropa que vestía el Inca. Lo más probable es que fuera un centro religioso donde se practicaban sacrificios en honor a los dioses.

Machu Picchu es también un laboratorio de la cultura incaica. Allí puede observarse el método que utilizaban para cultivar la tierra por medio de terrazas que permitían la mejor explotación del terreno montañoso. Hay también un sistema de canales para la irrigación agrícola y el consumo humano. Pero lo más impresionante de todo es el empleo de la piedra labrada en la construcción de las casas, templos y otros edificios. El resultado es una arquitectura en armonía con la naturaleza que la rodea. Todo en ella nos hace recordar el esplendor y el rigor de una civilización perdida.

A ver si comprendiste

1. ¿Cuáles son las varias teorías sobre el origen y el propósito de Machu Picchu? ¿Cuál es la más probable, en tu opinión? Explica tu respuesta.

2. ¿Por qué se dice que Machu Picchu es un laboratorio de la cultura incaica? Explica con detalle.

3. ¿Qué es lo más impresionante de Machu Picchu para ti? ¿Por qué?

Viajemos por el ciberespacio a... PERÚ

Expand your horizons! *Let's travel through cyberspace to* **Peru** *where* . . .

- through the Internet, you can visit the land of the astonishing Inca Empire: a land where the shadow of the majestic condor lives on.

- you can peer into the depths of **Cañón de Colca**, the deepest canyon in the world. Find out interesting facts about this impressive work of nature.

- you can visit the beautiful and highest navigable lake in the world: **lago Titicaca.**

- you can take lessons in Quechua, obtain Quechua fonts for your computer to allow you to write Quechua, and browse through lots of software related to this ancient yet living language.

- you can talk to Peruvians living in the United States and have any questions about their country answered directly.

If you are a cyberspace browser, join us in **Viajemos por el ciberespacio a... Perú** by trying the following important addresses.

Universidad Católica del Perú
http://www.pucp.edu.pe/

Universidad de Lima
http://ulima.edu.pe/

Vargas Llosa
http://www.clark.net/pub/jgbustam/
famosos/vargasll.html

Machu Picchu
http://ekeko.rcp.net.pe/promperu/
TURISMO/machu-picchu.html

http://ekeko.rcp.net.pe/peru/
cusco/machupichu.html

Periódicos y revistas:
Ilustración peruana
http://ekeko.rcp.net.pe/CARETAS/

La República
http://ekeko.rcp.net.pe/LaRepublica/

Diario El Comercio
http://ekeko.rcp.net.pe/ELCOMERCIO//

Because addresses are likely to change without notice, the following key words will guarantee that **Viajemos por el ciberespacio a... Perú** will get you to your desired destination.

Palabras clave:

Lago Titicaca	Peruanos
Lima, Perú	Quechua
Machu Picchu	Reserva de Biosfera del Manu
Cañón de Colca	Vargas Llosa

h t t p : / / w w w . h r w c o l l e g e . c o m

Vocabulario

Viajes

alojarse	*to lodge, to stay overnight*
empacar	*to pack (a suitcase)*
espectáculo	*show, special event*
extranjero	*abroad, a foreign country*
gafas de sol *(f.)*	*sunglasses*
pasaporte *(m.)*	*passport*
regalo	*gift*
ruinas	*ruins*
sello	*stamp (for mail)*
terraza	*terrace*

En el baño

cepillo de dientes *(m.)*	*toothbrush*
champú *(m.)*	*shampoo*
jabón *(m.)*	*soap*
máquina de afeitar *(f.)*	*electric shaver*
pasta dental *(f.)*	*toothpaste*

Verbos

cargar	*to load; to carry*
cometer un error	*to make a mistake*
doler (ue)	*to hurt*
enfermarse	*to get sick*
enviar	*to send*
estar harto(a) de (algo)	*to be fed up with (something)*
estar seguro(a) de (algo)	*to be sure, certain of (something)*
gastar	*to spend*
hacer ejercicio	*to exercise*
hacer la cama	*to make the bed*
hacer la siesta	*to take a nap, rest*
molestar	*to bother*
olvidar	*to forget*
perder (ie) peso	*to lose weight*

Sustantivos

bolso	*purse, pocketbook*
competición *(f.)*	*competition*
corriente *(f.)*	*electrical current*
deseo	*desire, wish*
diario	*diary*
empresa	*company, firm*
esperanza	*hope*
fábrica	*factory*
forma	*form*
lentes de contacto	*contact lens*
memoria	*memory, remembrance*
montón *(m.)*	*a bunch, lots*

origen *(m.)*	*origin*
parrilla	*grill*
uso	*use*
valor *(m.)*	*valor, bravery*
vecino(a)	*neighbor*
vejez *(f.)*	*old age*

Adjetivos

cruel	*cruel*
gruñón (-ona)	*grouchy, grumpy*
igual	*same*
puntual	*punctual*

Adverbios

además	*besides*
todavía	*still*

Palabras útiles

a pesar de todo	*in spite of everything*
ni siquiera	*not even*
No te preocupes.	*Don't worry.*

12.1 Summary of Preterite and Imperfect

Talking about past events

You have learned that both the preterite and the imperfect are used to talk about an event that took place at some time in the past. The preterite focuses on the beginning or end of the event or on the completed act. The imperfect focuses on the event or action while it was in progress. Visually, this may be illustrated as follows.

Preterite	Imperfect
A. Focus on beginning	Focus on event in progress
En ese momento, **sonó** el teléfono. *At that moment, the phone rang (started to ring).*	**Sonaba** el teléfono. *The phone was ringing. (It wouldn't stop.)*
B. Focus on ending	Habitual or customary acts
Me **quedé** allí una semana. *I stayed there a week. (And then left.)*	Siempre me **quedaba** allí. *I always stayed there. (It was customary.)*
C. Verbs with changed meaning	Certain physical or mental states
Ese día los **conocí.** *I met them that day.*	No me **sentía** bien. *I wasn't feeling well.*

D. Focus on completed act	Focus on future event within a past context

El presidente afirmó que las clases **empezaron** sin problemas. *The president affirmed that classes started without problems.*	El presidente confirmó que las clases **empezaban** a fin de mes. *The president confirmed that classes would start at the end of the month.*

E. Series of completed acts	Series of habitual acts

Cuando **llegué,** me **tomé** dos aspirinas y me **acosté** en seguida. *When I arrived, I took two aspirin and went to bed right away.*	De noche **cenábamos** en un buen restaurante y luego **íbamos** a bailar. *At night we used to dine at a good restaurant and afterwards we'd go dancing.*

¡A practicar!

A. ¡Viaje a Perú! El verano pasado Josefina Valle y su esposo viajaron al Perú. ¿Cuál fue su primera impresión? Para saberlo, pon los verbos entre paréntesis en el pasado.

El verano pasado mi esposo y yo _____ (decidir) hacer un viaje al Perú. _____ (Ser) la primera vez que yo _____ (viajar) a Sudamérica. Nosotros _____ (quedarse) tres semanas. En ese breve tiempo yo _____ (aprender) mucho. Cada día nosotros _____ (descubrir) algo nuevo e interesante. Con frecuencia _____ (ir) a los mercados al aire libre y siempre _____ (encontrar) algo interesante para comprar y además, los precios _____ (estar) muy bajos. En Cuzco, nosotros _____ (visitar) muchos lugares históricos y _____ (sacar) muchas fotos. Cuando _____ (tener) que regresar, yo _____ (estar) un poco triste.

B. De vacaciones en los EE.UU. No a todos les gusta viajar al extranjero durante las vacaciones. Pon los verbos entre paréntesis en el tiempo pasado para saber qué hizo esta familia el verano pasado.

Nosotros _____ (decidir) viajar al oeste. Papá _____ (querer) conocer Nuevo México. Lo más interesante del viaje para mí _____ (ser) Santa Fe, la capital. Es una ciudad interesantísima donde nosotros _____ (ver) cosas muy interesantes. Por ejemplo, frente al antiguo Palacio del Gobernador _____ (haber) muchos indios que _____ (vender) joyas de plata *(silver)* y turquesa. Los precios _____ (ser) muy buenos y los turistas _____ (comprar) de todo. De noche, todos _____ (ir) a cenar a restaurantes que _____ (servir) comida típica. Una noche mamá _____ (conseguir) boletos para la Ópera de Santa Fe. _____ (Ser) muy especial porque ellos _____ (presentar) la ópera al aire libre. Me gustaría regresar a Santa Fe alguna vez.

12.2 Future Tense of Regular Verbs

Talking about the future

A. In English, the future is usually expressed with the auxiliary verbs *will* or *shall:* *I will / shall see you later.* The future tense in Spanish is formed by adding the endings **-é, -ás, -á, -emos, -éis,** and **-án** to the infinitive of most **-ar, -er,** and **-ir** verbs.

Estar		Ser		Ir	
estar**é**	estar**emos**	ser**é**	ser**emos**	ir**é**	ir**emos**
estar**ás**	estar**éis**	ser**ás**	ser**éis**	ir**ás**	ir**éis**
estar**á**	estar**án**	ser**á**	ser**án**	ir**á**	ir**án**

Este verano no **viajaré**.	*This summer I will not travel.*
En el invierno **iremos** a esquiar en Utah.	*In the winter we will go skiing in Utah.*

B. There are other ways to talk about future time in Spanish. Remember that the present indicative and **ir a** + *infinitive* are also used to express future time.

Carlos **llega** mañana a las diez.	*Carlos arrives tomorrow at ten.*
Te **veo** más tarde.	*I'll see you later.*
Vamos a verla esta noche.	*We are going to see her tonight.*
Ella **va a traer**los.	*She is going to bring them.*

¡A practicar!

A. **¡Qué planes tengo!** Andrés acaba de graduarse y antes que nada quiere pasar las vacaciones en el Perú. ¿Qué planea hacer?

Modelo   yo / pasar / vacaciones / Perú

   Yo pasaré las vacaciones en Perú.

1. primero, yo / ir a descansar / playas / Santa María
2. estar / Lima / dos semanas
3. divertirme / todas las noches / discotecas
4. visitar Cuzco / donde poder ver / fortaleza de Sacsahuamán
5. caminar / toda la ciudad / y ver / mucho de la antigua capital
6. regresar / Estados Unidos / agosto

B.   ¡Me escaparé!   Unos amigos están hablando de lo que harán después de graduarse. Cambia los verbos al futuro para saber lo que dicen.

1.   Yo _____ (ir) a Cuba por tres semanas con mi novia.
2.   Alicia y yo _____ (descansar) y _____ (tomar) sol en las hermosas playas de La Habana.
3.   Gloria y María _____ (viajar) a Machu Picchu.
4.   José _____ (quedarse) aquí para descansar.
5.   Cecilia y Roberto _____ (volver) a Argentina durante el verano.
6.   Fernando dice que _____ (visitar) a sus parientes en Puerto Rico. _____ (Estar) allá un mes entero.

12.3   Future Tense of Verbs with Irregular Stems

Talking about the future

The future tense of the following verbs is formed by adding the future tense endings to irregular stems.

decir:	**dir-**	
haber:	**habr-**	
hacer:	**har-**	
poder:	**podr-**	–**é**
poner:	**pondr-**	–**ás**
querer:	**querr-**	–**á**
saber:	**sabr-**	–**emos**
salir:	**saldr-**	–**éis**
tener:	**tendr-**	–**án**
valer:	**valdr-**	
venir:	**vendr-**	

Poder

podré	podremos
podrás	podréis
podrá	podrán

Note that with the exception of **decir** and **hacer,** the irregular stems are derived by eliminating the vowel of the infinitive ending or replacing it with a **d.**

Tendremos que ver al sacerdote.   *We will have to see the priest.*
Los invitados **vendrán** de todas partes.   *The guests will come from all over.*
Tus futuros suegros te **harán** una   *Your future in-laws will give*
   despedida de soltera.   *you a bridal shower.*

¡A practicar!

A. ¡Hay tanto que hacer! Eva y Adolfo se casarán dentro de un mes. Ahora, Eva está explicándole a su mejor amiga lo que todavía le queda por hacer. ¿Qué dice Eva? Para saberlo, pon los verbos en el futuro.

Yo _____ (tener) que comprar el vestido muy pronto. Adolfo, yo y nues-

tros padres _____ (hacer) la lista de los invitados esta noche. Mamá

_____ (poner) el anuncio de la boda en el periódico. Mis tías

_____ (darme) una despedida de soltera la semana antes de la boda.

Adolfo _____ (poder) hablar con el sacerdote esta semana. Y mis abuelos

dicen que _____ (venir) de Miami.

B. ¡Los días pasan volando! La mejor amiga de Eva tiene algunas ideas de cómo ayu-darla. Pon los verbos entre paréntesis en el futuro para saber qué le sugiere.

Yo _____ (poder) ir contigo a comprar el vestido. Podemos ir mañana por

la tarde porque yo _____ (salir) del trabajo a las dos de la tarde. También

nosotras _____ (tener) tiempo de ir a casa a cenar. Te _____

(hacer) una cena especial. Probablemente no _____ (haber) otra oportu-

nidad de estar solas antes de la boda.

12.4 *Tú* Commands: A Second Look

Requesting, advising, and giving orders to people

A. In **Capítulo 9,** you learned that affirmative **tú** commands are identical to the third-person singular of the present indicative.

Llama al médico.	*Call the doctor.*
Bebe muchos líquidos.	*Drink a lot of liquids.*
Pide sopa de pollo.	*Ask for chicken soup.*

You have also learned that there are eight irregular affirmative **tú** commands: **di, pon, sal, ten, ven, haz, ve,** and **sé.**

B. To form a negative **tú** command, drop the final **-o** from the first-person singular of the present indicative and add **-es** to **-ar** verbs and **-as** to **-er** and **-ir** verbs.

Negative *Tú* Commands

tomar:	tomo	No **tomes** cerveza.	*Don't drink beer.*
comer:	como	No **comas** nada.	*Don't eat anything.*
dormir:	duermo	No **duermas** aquí.	*Don't sleep here.*
salir:	salgo	No **salgas** hoy.	*Don't go out today.*

C. Reflexive and object pronouns *must* precede the verb in negative commands and follow and be attached to the verb in affirmative commands. When two pronouns are present in a sentence, the reflexive pronoun always comes first, and the indirect object pronoun always precedes the direct object pronoun.

Acuéstate en seguida y no **te levantes** hasta mañana.	*Go to bed right away and don't get up until tomorrow.*
¡Ah, las pastillas! **Cómpramelas**, por favor.	*Oh, the pills. Buy them for me, please.*

¡A practicar!

A.   ¡Sigue mis consejos!   Tu compañero(a) de cuarto está enfermo(a). ¿Qué consejos le das?

1.   quedarte / en casa
2.   no comer / nada
3.   tomar / mucho jugo
4.   descansar / todo el día
5.   no hacer / la tarea / y / no mirar / la televisión
6.   acostarte / y / no levantarte
7.   dormir / todo el día
8.   si suena el teléfono / no contestarlo

B.   ¡Estás enfermo(a)!   Ahora tu compañero(a) de cuarto está hablando por teléfono con su mamá. ¿Qué le dice ella?

1.   no comer / nada
2.   no mirar / televisión
3.   no leer / mucho
4.   no tomar / cerveza
5.   no salir / al frío
6.   no hacer / ejercicios pesados

C.   ¡Instrucciones!   Los padres del (de la) enfermo(a) tienen instrucciones muy específicas para ti. ¿Qué te dicen?

Modelo   servirle sopa de pollo dos veces al día

> **Sírvele sopa de pollo dos veces al día.**   o
> **Sírvesela dos veces al día.**

1.   tomarle la temperatura cada cuatro horas
2.   no hablarle si se siente cansado(a)

3. darle una aspirina cada seis horas
4. no despertarlo(la) si suena el teléfono
5. prepararle té calientito todo el día
6. servirle un vaso de agua fresca cada media hora

CAPÍTULO 13

Cultural Topics

Writing Strategies

Reading Strategies

En preparación

Mente sana, cuerpo sano

In this chapter, you will learn how to …

- give advice.
- lead a group in aerobic exercise.
- tell someone what to do or not do.
- suggest and make recommendations.

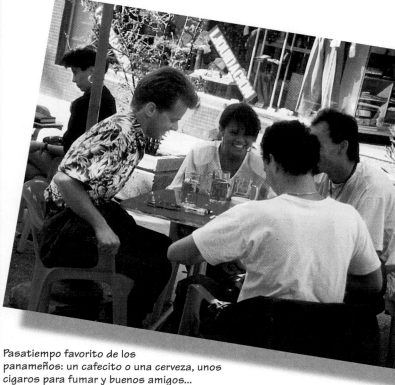

Dos enamorados en la Ciudad de Panamá

Pasatiempo favorito de los panameños: un cafecito o una cerveza, unos cigaros para fumar y buenos amigos...

Club de ejercicios en la capital de Panamá

Lo que ya sabes...

1. ¿Quiénes crees que son las personas en la primera foto: solteros, casados, amantes? ¿Por qué crees eso?

2. ¿Qué importancia tiene el mantenerse en buena forma para ti? ¿Qué haces para estar en buena condición física? ¿Vas a un club de ejercicios?

3. ¿Qué opinas de los pasatiempos de estas personas? ¿Son saludables? ¿Por qué?

4. ¿Por qué crees que tantos jóvenes tienen estos vicios? ¿Es posible dejarlos para siempre? ¿Cómo?

PANAMÁ

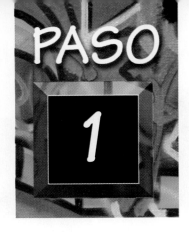

PASO

1

¡El exceso es malo para la salud!

TAREA

Antes de empezar este **Paso**, estudia **En preparación** 13.1 y 13.2 y haz por escrito los ejercicios de **¡A practicar!** También escucha **Paso 1 ¿Qué se dice... ?** del Capítulo 13 en el CD del estudiante.

¿Eres buen observador?

Ahora, ¡a analizar!

1. ¿Cuál es el propósito de este anuncio? ¿Por qué dice que tú puedes esperar? ¿Qué debes esperar?

2. ¿Cómo se dice SIDA en inglés?

3. ¿Por qué dice que la abstención o protección son tus mejores armas? ¿Abstención de qué? ¿Protección de qué?

4. ¿Qué es una «Línea de Auxilio»? ¿Siempre son confidenciales? ¿Por qué? ¿Cuál es el número de la línea de auxilio que recomiendan?

5. Explica el lema: «En control de tu cuerpo y tu vida».

En control
de tu cuerpo
y tu vida

Sé ESPECial
tú puedes esperar

Abstención o protección son tus mejores armas contra el VIH/SIDA

INFORMATE

Para información confidencial sobre el VIH/SIDA y cómo puedes protegerte, llama a la Línea de Auxilio, 765-1010*

* Fuera del Área Metropolitana
llama "con cargos a la Línea de Auxilio."

VIH es el Virus de Inmunodeficiencia Humana,
el virus que causa el SIDA.

¿Qué se dice...?

Al dar consejos

El médico recomienda que Jaime...

1. _____ tome mucha leche.
2. _____ no fume.
3. _____ coma muchas verduras.
4. _____ pierda peso.
5. _____ no beba alcohol.

6. _____ no coma mucha carne.
7. _____ no duerma tanto.
8. _____ camine o corra cada día.
9. _____ beba mucha agua.
10. _____ coma pollo y pescado.

PACO   A ver, nada de alcohol, nada de fumar, litros de agua, mucha verdura, correr y caminar. Es una vida ideal... para caballos. ¿Y la medicina para los nervios que tú le pediste?

JAIME   No me quiso dar nada.

PACO   Pues estos médicos siempre son iguales, Jaime. Siempre recomiendan que la gente haga más ejercicios en el gimnasio y que coman más verduras. Pero en fin no saben nada. ¿Sabes lo que yo opino, amigo?

JAIME   No, dime.

PACO   Yo sugiero que dejes de ser un teleadicto y que pongas más atención a tus libros en vez de a las telenovelas. De esa forma estarás mejor preparado y no vas a estar tan nervioso en las clases. Eso es lo que tú necesitas. ¿Qué te parece?

Ahora, ¡a hablar!

A.   ¡Estoy rendido!   Adrián está cansadísimo de tanto estudiar y trabajar. ¿Qué recomiendas para que se relaje? Forma por lo menos ocho recomendaciones originales.

> **Modelo   Recomiendo que haga un viaje.**
>
> hacer un viaje
>
> olvidar el trabajo
>
> aconsejar   descansar todo el domingo
>
> insistir en   tener una fiesta
>
> sugerir   salir más
>
> recomendar   conocer a nuevos amigos
>
> no preocuparse tanto
>
> ¿... ?

B.   El primer semestre.   Cuando se empieza la universidad, el primer semestre puede ser una experiencia llena de presiones. ¿Qué consejos tienes para un(a) nuevo(a) estudiante que acaba de entrar en la universidad?

> **Modelo**   estudiar cada día un poco
>
> **Recomiendo que estudie cada día un poco.**

1.   no dejar las cosas para después

2.   no perder la calma en los exámenes

3.   siempre hacer la tarea a tiempo

4.   estudiar con otras personas

5.   hacer ejercicio con frecuencia

6.   no faltar a clase

7.   hablar con los consejeros

8.   ¿... ?

C.   ¡El primer coche!   Jaime acaba de recibir su licencia de manejar. Según él, ¿qué consejos recibe de su familia?

> **Modelo**   mamá insistir en / nunca / manejar borracho
>
> **Mamá insiste en que nunca maneje borracho.**

1. padres / recomendar / siempre usar / cinturón de seguridad (*seatbelt*)
2. papá / insistir en / siempre observar los límites de velocidad
3. hermano mayor / recomendar / siempre poner / coche / garaje
4. hermana / insistir en / nunca / beber alcohol
5. papá / recomendar / lavar / coche / con frecuencia
6. padres / insistir en / siempre tener / llanta de auxilio
7. abuela / recomendar / ¿... ?

D. El director.   El señor López es el director de una escuela secundaria en una ciudad grande. Él es una persona que siempre tiene que estar en control de todo. ¿Cómo controla a los estudiantes?

> **Modelo**   no permitir: los estudiantes llevar ropa controversial
>
> **El señor López no permite que los estudiantes lleven ropa controversial.**

1. insistir en: los estudiantes no usar drogas
2. no permitir: los estudiantes traer bebidas alcohólicas a la escuela
3. insistir en: los estudiantes no fumar en los baños
4. insistir en: los estudiantes mantener limpia la escuela
5. insistir en: los estudiantes no correr en los pasillos (*halls*)
6. no permitir: los estudiantes comer en los pasillos

Y ahora, ¡a conversar!

A. Doctor Sabelotodo.   Tú y tu compañero(a) trabajan para el doctor Sabelotodo, un señor que da consejos en un periódico de su comunidad. ¿Qué consejos puede darles a estas personas? Sugieran varios consejos para cada situación.

Vocabulario útil

aconsejar	preferir	insistir
recomendar	sugerir	permitir

1. Una pareja quiere saber cómo puede tener un matrimonio feliz.
2. Una joven de 18 años necesita conseguir un buen trabajo inmediatamente.
3. Tres compañeros de cuarto quieren saber cómo conseguir buenas notas. ¡Es urgente!
4. Dos amigos quieren vivir juntos; necesitan consejos para poder vivir sin problemas.
5. Un(a) joven acaba de divorciarse. Está muy deprimido(a).

B. ¿Nosotros? ¿consejeros?   Todos tenemos problemas: de salud, de dinero, de trabajo o de lo que sea. En grupos de tres, preparen una descripción por escrito de dos o tres problemas típicos de estudiantes universitarios y dénsela a su profesor(a). Él (Ella) va a redistribuir las listas para que cada grupo haga varias recomendaciones para solucionar los problemas de su nueva lista.

C. Sueños. Todos tenemos sueños que queremos realizar algún día. Con un(a) compañero(a) comparte tus sueños. Tu compañero(a) va a darte algunos consejos que te ayuden a lograr *(attain)* lo que quieras.

Modelo

TÚ **Yo quiero vivir en una mansión grande y elegante.**

COMPAÑERO(A) **Sugiero que trabajes mucho y ahorres *(save)* mucho dinero.**

¡Luz! ¡Cámara! ¡Acción!

 A. ¿Qué me recomiendas? Es la última semana de exámenes y un(a) amigo(a) que está sufriendo mucho del estrés viene a hablar contigo y con tu compañero(a) de cuarto. ¿Qué consejos le dan ustedes? Dramatiza la situación con dos compañeros(as) de clase.

 B. Consejos. Tú y tu compañero(a) de cuarto están hablando con un(a) amigo(a) que tiene problemas serios debido al exceso de alcohol (drogas o cigarrillos). ¿Qué consejos le dan? Dramatiza la situación con dos compañeros(as) de clase.

¿Comprendes lo que se dice?

La dinastía del amor: Episodio 5

Es martes, son las nueve de la noche y una vez más la familia Gómez se reúne para ver la telenovela del momento. En el episodio anterior aprendimos el secreto de Betty, la hermana mayor. En este nuevo episodio vamos a descubrir el secreto de Sharon. Escucha este episodio y luego contesta las preguntas que siguen.

A través de dos culturas

Telenovela

1. ¿Por qué usó Sharon un nombre falso?
2. ¿Tiene Sharon diecinueve años en realidad?
3. ¿Qué teme Sharon que le diga el médico?
4. ¿Qué solución al problema ofrece Eric?

Televidentes

5. ¿Por qué dice Juan Pedro que Eric es tonto?
6. ¿Por qué cree don Sergio que Eric está obligado a casarse con Sharon? ¿Estás de acuerdo con él?
7. ¿Qué solución ofrece Luisita? ¿Estás de acuerdo? ¿Por qué sí o por qué no?
8. ¿A qué soluciones se refiere Juan Pedro?
9. ¿Por qué reacciona don Sergio tan fuertemente?
10. ¿Está Luisita tratando de proteger a su hermano al sugerir otra interpretación?

NOTICIERO CULTURAL

LUGAR... PANAMÁ

Antes de empezar, dime...

1. ¿Cómo puede influir la situación geográfica de un país en su destino o futuro? ¿Puedes dar ejemplos de esto?

2. ¿Qué influencia ha tenido en los EE.UU. el hecho de que México sea el vecino inmediato en la frontera del sur y Canadá en la frontera del norte? ¿Qué influencia ha tenido esta situación geográfica en México y Canadá?

3. ¿Dónde hay fortificaciones antiguas en los EE.UU.? ¿Cuándo fueron construidas? ¿A quiénes protegían estas fortificaciones?

La Ciudad de Panamá

Panamá: Puente del Atlántico al Pacífico

Panamá es un istmo, o sea, tierra angosta que une dos continentes. Es un país pequeño; de este a oeste mide unas 480 millas y de sur a norte varía entre 28 y 120 millas. El futuro de Panamá se determinó en el año 1513 cuando Balboa vio por primera vez el Pacífico. Reconocido muy pronto como el cruce más importante del Atlántico al Pacífico, el destino de este país ha sido determinado en gran parte por su situación geográfica.

La población de Panamá es de aproximadamente 2.655.000 habitantes. Está compuesta por comunidades europeas, indígenas, negras y una minoría de origen asiático. La población de Panamá crece anualmente un 2,2 por ciento.

Su capital, la Ciudad de Panamá, es una impresionante metrópoli de modernos rascacielos *(grandes edificios)* que actualmente tiene una población de 1.200.000. Fundada en 1519, fue de gran importancia para los españoles, siendo el puerto principal de donde salían las expediciones de la Conquista. En el año 1673, esta ciudad tuvo que ser reconstruida después de ser saqueada por el pirata inglés Henry Morgan. Al ser reconstruida, fue fortificada tan efectivamente por los españoles que nunca pudo ser atacada con éxito por el enemigo. Esta fortificación se conserva hasta hoy en la sección de la ciudad llamada «Casco Viejo», uno de los hermosos ejemplos de la arquitectura antigua del mundo hispano.

Y ahora, dime...

Explica con un(a) compañero(a), cómo influyó la situación geográfica de la ciudad de Panamá en su pasado y cómo sigue influyendo en su presente.

**INFLUENCIA DE
SITUACIÓN GEOGRÁFICA**

Pasado	Presente
1.	1.
2.	2.
3.	3.
4.	4.
. . .	. . .

El español en otras disciplinas: Ingeniería

Grandes obras de ingeniería. La ingeniería es una parte importantísima de nuestra era. En todos los países del mundo vemos su resultado en los grandes rascacielos, puentes y carreteras, por nombrar algunos. Pero si la ingeniería moderna es impresionante, es aún más impresionante cuando la observamos en antiguas construcciones como las pirámides y templos de México y Guatemala; las hermosas ciudades de los incas, los mayas y los aztecas; los caminos andinos precolombinos, y también los castillos e iglesias medievales españoles. Todas son obras que dan testimonio de la magnífica ingeniería de épocas anteriores.

Y tú, ¿cuánto sabes de proyectos de ingeniería? Con un(a) compañero(a), prepara una lista de los tres proyectos de ingeniería del mundo hispanohablante que ustedes consideran los más importantes. Pueden ser tanto del mundo antiguo como del mundo moderno. Compartan su lista con el resto de la clase para ver cuáles obras se repiten más.

Proyecto: Con un(a) compañero(a), prepara un informe sobre uno de estos proyectos—en español ¡por supuesto! Si es posible, agreguen fotos o dibujos y mencionen el objetivo de la obra, cuánto tiempo llevó construirla, quién la construyó, cuál fue el costo y en qué condiciones está actualmente.

PASO 2 *Salten uno, dos, tres...*

 TAREA   Antes de empezar este **Paso**, estudia **En preparación** 13.3 y 13.4 y haz por escrito los ejercicios de **¡A practicar!** También escucha **Paso 2 ¿Qué se dice...?** del Capítulo 13 en el CD del estudiante.

¿Eres buen observador?

Ahora, ¡a analizar!

1. ¿Para qué es esta propaganda? Explica el título de este anuncio. ¿En qué país y ciudad tienes que estar para poder usar este producto?

2. De los servicios que ofrecen, ¿cuántos reconoces? ¿Los has usados alguna vez? ¿Cuáles no reconoces?

3. En el «*Day Spa*» se puede comer tres comidas al día. ¿Cuáles son?

4. Explica lo que son los distintos servicios en el «*Day Spa*».

5. ¿Hay algunos tratamientos que te interesarían a ti? ¿Cuáles?

¿Qué se dice...?

Al hablar de tonificar el cuerpo

Doblen	en un pie.
No respire	vuelta las manos.
Estiren	el ritmo.
Den	por la boca.
Salten	los brazos.
Sigan	las rodillas.

LETICIA   ¡Huy! Estoy muerta. Ojalá que sea más fácil mañana.

PACO   Estoy molido *(exhausted)*.

JAIME   Yo también.

IRENE   ¡Ay, qué flojos están todos! Les digo que tienen que sufrir un poco si quieren tonificar el cuerpo. Ojalá pongan más esfuerzo mañana.

TODOS   ¡Bu! ¡Vaya! ¡A otro perro con ese hueso! ¡Cállate!

¿Sabías que... ?

La expresión **ojalá** viene de una expresión árabe que invocaba a su dios Alá. La influencia árabe en la lengua y cultura española abunda porque los musulmanes *(Moslems)* controlaron grandes partes de España por casi ochocientos años (711–1492). Siempre cuando dos lenguas conviven por un extenso período de tiempo, la una acaba por influir a la otra y viceversa. Por ejemplo, un gran número de sustantivos que empiezan con **al-** en español vienen directamente del árabe: **alfombra, almohada** *(pillow)*, **algodón** *(cotton)*, **alfalfa, álgebra, al-muerzo...** ¿Puedes pensar en palabras en inglés que vienen directamente del español debido a la convivencia de estas dos lenguas en los EE.UU., en particular en el suroeste del país?

Ahora, ¡a hablar!

A. Anatomía. ¿Cuánto saben del cuerpo humano? En grupos de tres, digan para qué sirven las siguientes partes del cuerpo.

Modelo   **La boca sirve para comer y para hablar.**

1. las manos	6. los brazos
2. la nariz	7. los ojos
3. los oídos	8. la boca
4. los dedos	9. las piernas
5. los pies	10. ¿... ?

B. ¿Yo, instructor(a) de aeróbicos? Tú eres instructor(a) de ejercicios aeróbicos. ¿Qué les dices a tus alumnos al empezar?

> **Modelo** relajarse / respirar profundamente
> **Relájense y respiren profundamente.**

1. con el ritmo de la música / levantar los brazos / bajarlos
2. estirar los brazos / doblarlos contra el pecho
3. todos juntos / doblar la cintura lentamente a la izquierda / derecha
4. subir la pierna izquierda / bajarla
5. levantar los brazos / dar vuelta las manos
6. subir los hombros / bajarlos

C. ¡Excesos! Los excesos son malos para la salud. ¿Qué le aconsejas a una persona que hace lo siguiente?

> **Modelo** fumar dos paquetes de cigarillos por día
> **No fume tanto.** O simplemente: **No fume.**

1. tomar mucho café
2. gritar *(scream)* mucho
3. correr sin zapatos
4. levantar cosas pesadas
5. leer con poca luz
6. beber mucho vino
7. salir al frío sin abrigo
8. escuchar música fuerte

D. ¡Ya no aguanto! Después de la clase de aeróbicos, Martín está molido. ¿Qué esta pensado?

> **Modelo** espalda: ojalá no ser nada grave
> **¡Ay la espalda! Ojalá no sea nada grave.**

1. cuello: ojalá no tener que ir al médico
2. piernas: ojalá poder caminar al coche
3. cabeza: ojalá / instructora darme una aspirina
4. pies: ojalá no estar hinchados *(swollen)*
5. brazos: ojalá poder abrir la puerta del coche
6. cuerpo: ojalá no tener que ir al hospital

Y ahora, ¡a conversar!

A. **«¿Aeroteleadicto?»** Hay personas no muy activas que prefieren mirar televisión todo el día en vez de hacer ejercicio. ¿Pueden tú y dos compañeros crear un programa de ejercicio diseñado especialmente para ese tipo de gente? Sean creativos al diseñar ejercicios «aeroteleadictos».

B. **Cuerpo ideal.** En una hoja de papel escribe el nombre de una persona famosa que, según tú, tiene un cuerpo ideal y está en excelente condición física. Da tu papelito a tu instructor(a) que va a redistribuirlos. Ahora en grupos de tres, lean los nombres de las personas famosas y digan qué consejos pueden darles a personas que deseen tener un cuerpo similar.

> **Modelo**   Arnold Schwarzenneger
>
> **Para tener un cuerpo como Arnold, levanten pesas cada día, corran una a tres millas cada dos días y...**

C. **La salud y el ambiente.** El ambiente en el que vives y trabajas afecta mucho la salud. Entrevista a un compañero(a) sobre el ambiente en el que vive y trabaja. Usa este cuestionario y anota sus respuestas. Luego aconséjalo(la) acerca de lo que debe hacer o no hacer para mantenerse en forma.

---

1. ¿Cuáles son los problemas ambientales del lugar donde vives?
   - ❑ pesticidas
   - ❑ asbestos
   - ❑ gases
   - ❑ polen
   - ❑ carcinógenos
   - ❑ humo diesel

2. Lugar de residencia:
   - ❑ campo
   - ❑ suburbio
   - ❑ ciudad

3. Calidad del agua de tu área:
   - ❑ potable
   - ❑ contaminada
   - ❑ muy contaminada
   - ❑ no sabe

4. Nivel de ruido (*noise*):
   - ❑ muy poco
   - ❑ un poco
   - ❑ mucho

5. Tipo de ruido:
   - ❑ niños
   - ❑ tráfico
   - ❑ trenes
   - ❑ perros
   - ❑ música
   - ❑ aviones

6. ¿Trabajas? Si dices que sí, ¿qué tipo de trabajo haces?
   - ❑ oficina
   - ❑ profesional
   - ❑ manual
   - ❑ intelectual
   - ❑ casa
   - ❑ no trabaja

7. Nivel de crimen:
   - ❑ no existente
   - ❑ muy poco
   - ❑ mucho

8. Lugar de trabajo:
   - ❑ casa
   - ❑ fábrica
   - ❑ oficina
   - ❑ hospital

9. Área donde trabajas:
   - ❑ fumadores
   - ❑ no fumadores

10. Nivel de estrés:
    - ❑ regular
    - ❑ alto
    - ❑ altísimo

¡Luz! ¡Cámara! ¡Acción!

A.   ¡Necesito consejos!   Tú eres un(a) instructor(a) de ejercicios aeróbicos. Ahora estás dándole consejos a uno(a) de tus estudiantes. Estás diciéndole exactamente cuáles ejercicios debe hacer para tonificar el cuerpo. Trabajando en parejas, dramaticen esta situación. El (La) instructor(a) debe insistir en que el (la) estudiante haga todos los ejercicios para ver si entiende lo que se le dice.

B.   ¡Estoy hecho pedazos!   Tú y un(a) amigo(a) acaban de terminar su primera clase de ejercicios aeróbicos y los dos están hechos pedazos. Están tan cansados que reconsideran si deben continuar con la clase. Dramatiza la situación con un(a) compañero(a). Hablen de cómo se sienten y de si deben continuar o no.

¿Comprendes lo que se dice?

La dinastía del amor: Episodio 6

Esta noche Luisita salió con unas amigas, pero los otros miembros de la familia se preparan para ver la telenovela del momento, *La dinastía del amor.* En el último episodio dejamos a Sharon y a Eric en la clínica hablando con el doctor Davis. Fueron allí para ver si Sharon estaba embarazada. Escucha ahora y luego contesta las preguntas que siguen.

Vocabulario útil

casado(a)	*married*	en camino	*on the way*
casarse	*to get married*	barbaridad	*nonsense*
criar	*to raise, rear (children)*		

A través de dos culturas

Telenovela

1.   ¿Cuál es el problema de Sharon y Eric?

2.   ¿Cómo sabe el médico que Sharon y Eric no son esposos?

3.   ¿Ofrece Eric una solución al problema?

4.   ¿Qué piensa Sharon de esta solución?

5.   ¿Qué consejos le da el médico a Sharon?

Televidentes

6.   ¿Crees que Juan Pedro tiene razón? ¿Es inocente Eric?

7.   ¿Cuál es la única solución, según doña Luisa? ¿Qué opinas de esta solución?

8.   ¿Por qué dice don Sergio que la muchacha es tonta? ¿Estás de acuerdo?

9.   ¿Cuáles son las soluciones que propone Juan Pedro?

10.   ¿Por qué dice la madre que es mejor que Luisita no esté en casa esta noche?

11.   En tu opinión, ¿qué haría Juan Pedro si fuera Eric? ¿Se casaría? ¿Favorecería la adopción? ¿el aborto? ¿Viviría con su novia sin casarse?

12.   ¿Por qué dice Juan Pedro que Eric es un «don Juan» y que Sharon debe dejarlo?

13.   ¿Crees que es posible conseguir un aborto en los países hispanos? ¿Por qué sí o por qué no?

Panamá

NOTICIERO CULTURAL

GENTE... RUBÉN BLADES

Antes de empezar, dime...

Artistas multitalentuosos. Piensa en los grandes artistas de cine, teatro, arte, música o baile que tú conoces al contestar estas preguntas.

1. ¿Te gustaría seguir la carrera de artista? ¿Por qué? Explica tu respuesta.

2. ¿Por qué será que muchas veces cuando los jóvenes deciden seguir la carrera de artista, ya sea músico, actor o actriz, pintor o bailarín, sus padres se oponen a que sigan esa carrera?

3. ¿Cuántos artistas puedes nombrar que fueron no sólo artistas sino también grandes políticos? ¿Por qué crees que se interesan los artistas en seguir carreras políticas? ¿Hacen buenos políticos los artistas, en tu opinión? Explica tu respuesta.

Rubén Blades: Salsero, político y panameño «de corazón»

Rubén Blades, abogado, músico, actor y político, nació en Panamá en 1948. Sus padres también se dedicaban a la música pero no deseaban ese futuro, a veces difícil, para su hijo. Así lo animaron para que estudiara y terminara su carrera de leyes, cosa que Blades cumplió en la universidad de Harvard en los EE.UU. pero sin dejar de lado su otra pasión, la música. Cuando Blades decidió salir de Panamá e irse a Nueva York en plan de desarrollar esa pasión musical, ya era un «salsero» reconocido en su propio país y ya había completado sus estudios de abogado.

En Nueva York, como les ocurre a tantos que vienen del extranjero a esta gran ciudad, la vida no le fue fácil desde el principio, pero con el tiempo fue haciendo buenos contactos hasta llegar a trabajar «mano a mano» con uno de los grandes: Willie Colón y su orquesta. Fue así, trabajando con Colón, que de veras llegó a ser bien conocido no sólo en los EE.UU. sino en la comunidad hispana del mundo entero.

Entre sus numerosos éxitos, se destaca uno en especial, «Pedro Navaja», apellido que alude al compositor y cantante mismo. Esta canción se encuentra en su LP de salsas *Siembra,* y trata el tema de crítica social, un tema ampliamente conocido en los barrios latinoamericanos y que ha servido de inspiración a otras canciones, películas y obras de teatro.

Esta preocupación por lo social, junto a su formación en derecho, lo llevaron a participar en política dentro de su país en 1993 cuando fue candidato a la presidencia. Aunque no ganó el puesto, el fervor con el cual sigue sus metas nos da una visión del sentido de la vida de este salsero político y panameño «de corazón», como él dice.

Como si su fama de salsero y político no fuera suficiente, Blades también es conocido como excelente actor de cine. Entre sus muchas películas están *Super* con Joe Pesci, *Fatal Beauty* con Whoopi Goldberg, *The Two Jakes* con Jack Nicholson, *Milagro Beanfield War* con Freddie Fender, y la película que lanzó a Rubén en el cine, *Crossover Dreams,* el drama de las experiencias de un salsero neoyorquino.

Y ahora, dime...

Con un(a) compañero(a) de clase indica los hechos más importantes en la vida de Rubén Blades antes y después de mudarse a Nueva York.

RUBÉN BLADES

Antes de Nueva York	Después de Nueva York
1.	1.
2.	2.
3.	3.
4.	4.
. . .	. . .

Antes de escribir
Estrategias para escribir: Al persuadir

A.   Persuadir.   Muchas veces necesitamos escribir un artículo o un pequeño ensayo para dar información sobre un tema y al mismo tiempo para persuadir a los lectores sobre el aspecto positivo o negativo de nuestras ideas. Al escribir este tipo de ensayo necesitamos presentar ambos argumentos, el positivo y el negativo, y después indicar por qué uno tiene más valor (*validity*) que el otro. Normalmente los temas más controvertidos son los que inspiran este tipo de escritura.

Júntate con dos compañeros y hagan una lista de temas de la actualidad que son interesantes en el momento de escribir este tipo de composición. Algunas sugerencias son: fumar, beber bebidas alcohólicas, eutanasia, etc.

B.   Las dos caras de la moneda.   Ahora en los mismos grupos, decidan y escriban algunos puntos a favor y en contra sobre dos de los temas en la lista que acaban de hacer.

Ahora, ¡a escribir!

A.   En preparación.   De los dos temas seleccionados en el ejercicio anterior decide cuál te interesa más —defender o atacar. Basándote en las respuestas dadas a favor o en contra, organiza la explicación de cada punto. Cuando termines tendrás cuatro listas: una que da puntos a favor y una que explica el por qué, y otra que da puntos en contra y una cuarta que también explica el por qué. Por ejemplo:

En favor	¿Por qué?	En contra	¿Por qué?
1. Bueno para la imagen 2. Conformidad 3. ...	1. Es más adulto. Muestra independencia. 2. Todo los amigos fuman. 3. ...	1. Malo para la salud. 2. Ofende a muchas personas. 3. ...	1. Causa cáncer. Puedes morir. 2. No se permite en muchos lugares. Afecta dónde puedes sentarte. 3. ...

B.   El primer borrador.   Basándote en la lista que tienes del ejercicio anterior decide cuál es tu opinión personal sobre el tema. Ahora organiza la información que tienes en párrafos, enfatizando la parte que tú crees que tiene más valor. Agrega una oración como conclusión al final de la composición para cerrar la escritura y convencer una vez más al lector de tu posición. Puedes usar frases como las siguientes.

- Para terminar yo creo que...
- Antes de terminar quiero repetir que...
- Personalmente no me cabe la menor duda de que...
- Tenemos que tener conciencia sobre...
- Lo más importante es aceptar que...

C.   Ahora, a compartir.   Intercambia tu composición con dos compañeros para saber su reacción. Cuando leas las de tus compañeros dales sugerencias sobre posibles cambios para mejorar sus puntos de persuasión. Si encuentras errores, menciónalos.

D.   Ahora, a revisar.   Agrega la información que consideres necesaria para tu composición. No te olvides de revisar los errores que mencionaron tus compañeros(as).

E.   La versión final.   Ahora que tienes todas las ideas revisadas y las correcciones hechas, saca una copia en limpio y entrégasela a tu profesor(a).

F.   Mesa redonda.   Sepárense en grupos de cinco o seis estudiantes y lean en voz alta las redacciones. Seleccionen la composición que, en su opinión, mejor logró la meta de persuadir.

PASO

3

El lunes empiezo... ¡Lo juro!

TAREA

Antes de empezar este **Paso**, estudia **En preparación** 13.5 y 13.6 y haz por escrito los ejercicios de **¡A practicar!** También escucha **Paso 3 ¿Qué se dice... ?** del Capítulo 13 en el CD del estudiante.

¿Eres buen observador?

Ahora, ¡a analizar!

1. ¿A quiénes se dirige este anuncio? ¿a niños? ¿a jóvenes? ¿a hombres? ¿a mujeres? ¿a todos?

2. ¿Qué es Leche Desnatada Pascual?

3. ¿Quiénes crees que van a tomar esta leche? ¿Por qué crees eso?

4. Explica las expresiones «mantenerte en forma» y «cuidar tu línea».

5. ¿Usarías tú este producto? ¿Por qué?

Cuida tu línea

Si quieres mantenerte en forma, cuidar tu línea, Leche Desnatada Pascual te ayuda a conseguirlo. Leche Desnatada Pascual con nada de grasa y todo el sabor.

LECHE PASCUAL UPERISADA DESNATADA

La calidad y la salud nuestra razón de ser.

🎧 ¿Qué se dice...?

Al sugerir y recomendar

Paco necesita _____

Jaime quiere _____

Leticia recomienda _____

PACO   Dudo que Jaime pueda aguantar (*stand*) un día más sin una hamburguesa o pollo frito, papas fritas...

IRENE   ¡Ay! Es imposible que no piense en comer si ustedes no hablan de nada más.

LETICIA   Obviamente todos estamos pensando en la misma cosa. Sugiero que olvidemos la dieta y que vayamos a almorzar juntos. Podemos ir al Pollo Tropical.

PACO   ¡Ay, vamos! ¡Ya estoy harto de verduras! Me muero por pollo frito, puré de papas con mucha mantequilla, y...

JAIME   Y yo pediré un montón de papas fritas. ¡Vámonos!

Ahora, ¡a hablar!

A. Recomendaciones. Selecciona la recomendación más apropiada para cada problema indicado aquí.

Problemas	Recomendaciones
1. estrés	a. El médico sugiere que no coma mucha carne.
2. cáncer	b. El médico recomienda que coma más verduras.
3. alta presión	c. El médico recomienda que tome ocho vasos de agua diarios.
4. ataque al corazón	d. El médico aconseja que trabaje menos.
5. necesitar perder peso	e. El médico aconseja que corra o camine al menos una hora al día.
6. problemas respiratorios	f. El médico insiste en que no fume.
	g. Insiste en que no beba alcohol.

B. ¡Necesitas un cambio! ¿Qué le sugieres a un(a) amigo(a) que está deprimido(a) y que sufre mucho del estrés?

> **Modelo** buscar un trabajo nuevo
>
> **Sugiero que busques un trabajo nuevo.**

1. no pensar tanto en las responsabilidades
2. pedir unas vacaciones
3. empezar un programa de ejercicio
4. tomar una clase de yoga
5. jugar más
6. salir más el fin de semana
7. dormir lo suficiente

C. ¡Me siento fatal! Con frecuencia, cuando no nos sentimos bien, todo el mundo quiere darnos consejos. ¿Qué consejos te dan estas personas?

> **Modelo** un amigo / recomendar / hacer ejercicios
>
> **Un amigo recomienda que haga ejercicios.**

1. mis padres / insistir / correr todos los días
2. mi novia(o) / sugerir / ir al médico
3. el médico / preferir / no comer carne
4. mi hermano / recomendar / tomar vitaminas
5. mi madre / insistir / dejar de fumar
6. mi mejor amigo(a) / aconsejar / bajar de peso

D. ¡No puedo hacerlo! No estamos siempre dispuestos a hacer sacrificios, ni siquiera cuando se trata de mejorar nuestra salud. Con un(a) compañero(a), decidan qué les pueden aconsejar a estas personas que dicen que no pueden cambiar.

> **Modelo** «No puedo tomar ocho vasos de agua cada día. ¡No me gusta el agua»!
>
> **Sugerimos que pongas un poco de limón al agua.**

1. «No me gusta hacer ejercicio. Prefiero ver la televisión».
2. «No puedo comer verduras ¡Las detesto»!
3. «No puedo seguir una dieta rígida. ¡Me encanta comer»!
4. «No puedo correr. Hace demasiado calor en el verano y demasiado frío en el invierno».
5. «No puedo hacer ejercicio regularmente. Estoy muy ocupado. Simplemente no tengo tiempo».
6. «No puedo dormir ocho horas al día. Tengo muchas obligaciones sociales».

Y ahora, ¡a conversar!

A. Buena salud. ¿Están tú y tus amigos en buena salud? Para saberlo, primero completa **Yo** en este cuestionario. Luego entrevista a dos amigos(as) y comparen todos los resultados.

Modelo

TÚ **¿Cuánto mides?**

AMIGO(A) **Mido un metro y ochenta y cinco centímetros.**

Medidas aproximadas: 1 centímetro = 0,4 pulgadas
1 metro = 3,3 pies
1 kilo = 2,2 libras

Yo	Amigo(a) #1	Amigo(a) #2
Altura _____ metro _____ cm. Peso _____ kilos **Ejercicio** Tipo _____ Nivel de dificultad ❏ bajo ❏ medio ❏ alto Frecuencia _____ Duración _____ **Fumar** Frecuencia _____ Cantidad _____ **Alcohol** Frecuencia _____ **Estrés** En casa ❏ bajo ❏ medio ❏ alto En el trabajo ❏ bajo ❏ medio ❏ alto En la universidad ❏ bajo ❏ medio ❏ alto **Estado mental** ❏ positivo ❏ indiferente ❏ negativo	**Altura** _____ metro _____ cm. Peso _____ kilos **Ejercicio** Tipo _____ Nivel de dificultad ❏ bajo ❏ medio ❏ alto Frecuencia _____ Duración _____ **Fumar** Frecuencia _____ Cantidad _____ **Alcohol** Frecuencia _____ **Estrés** En casa ❏ bajo ❏ medio ❏ alto En el trabajo ❏ bajo ❏ medio ❏ alto En la universidad ❏ bajo ❏ medio ❏ alto **Estado mental** ❏ positivo ❏ indiferente ❏ negativo	**Altura** _____ metro _____ cm. Peso _____ kilos **Ejercicio** Tipo _____ Nivel de dificultad ❏ bajo ❏ medio ❏ alto Frecuencia _____ Duración _____ **Fumar** Frecuencia _____ Cantidad _____ **Alcohol** Frecuencia _____ **Estrés** En casa ❏ bajo ❏ medio ❏ alto En el trabajo ❏ bajo ❏ medio ❏ alto En la universidad ❏ bajo ❏ medio ❏ alto **Estado mental** ❏ positivo ❏ indiferente ❏ negativo

B. Para mejorar. Ahora, en los mismos grupos de tres, den consejos a cada persona en su grupo según los problemas indicados en la entrevista del ejercicio anterior. Hagan varias recomendaciones sobre lo que pueden hacer para mejorar su condición física.

 C. Problemas sociales. Somos animales sociales y como tales a veces tenemos problemas con la gente que nos rodea (*surrounds us*). ¿Qué problemas tienes con las siguientes personas? Comparte tus problemas con dos compañeros(as). Tus compañeros(as) te van a ayudar a resolver los problemas dándote consejos útiles.

1. jefe
2. compañeros de trabajo
3. compañeros de clase
4. padres
5. esposo(a) o novio(a)
6. profesores
7. amigo(a)
8. vecino(a)

¡Luz! ¡Cámara! ¡Acción!

 A. ¡Ayúdenme! Tú estás aburrido(a) de todo: tus clases, tus amistades, la vida universitaria... Pídeles consejos a tus amigos. Dramatiza la situación con dos compañeros(as) de clase.

 B. Problemas matrimoniales. Dos amigos que sólo llevan tres meses de casados te confiesan que ya están cansados de la rutina del matrimonio. Escucha sus problemas y aconséjalos.

¿Te gusta leer?

Antes de leer
Estrategias para leer: Sumarios

 A. Sumarios. Generalmente cuando leemos artículos informativos, tratamos de recordar lo que leímos. Los sumarios nos ayudan a entender y recordar lo que leemos.

La forma más fácil de hacer un sumario de un artículo corto es escribir una oración que lo resuma.

Prepara ahora un sumario de la primera lectura, «El primer escalador con cascada de hielo particular». Empieza por leer el artículo una vez sin parar, para tener una idea general del contenido. Luego léelo detenidamente, haciéndote estas preguntas cada vez:

¿De qué se trata esta lectura?
¿Cómo comienza?
¿Cómo se desarrolla y cómo termina?

Luego haz una cuadrícula como la siguiente, recogiendo la información necesaria al leer la lectura por tercera vez.

Tema	Comienzo	Desarrollo	Conclusiones
Lectura 1	Chris Schmick practica su deporte en una cascada de hielo artificial.	De un largo y estrecho tanque perforado sale el agua en días de mucho frío y se congela.	Chris y sus estudiantes practican escalar el hielo en el tanque.
Sumario de una oración:			

B. Resumen. Usa la información en tu cuadrícula para escribir un sumario, de una oración. Luego compara tu sumario con el de dos o tres compañeros. Revisa tus sumarios si encuentras que no incluiste alguna información importante o si incluiste alguna información insignificante.

Lectura

El primer escalador con cascada de hielo particular

Chris Schmick, dueño de un gimnasio especializado para escaladores en la localidad de Bloomington (Illinois, EE.UU.), cuenta desde hace algún tiempo con una cascada de hielo artificial para practicar su deporte favorito sin desplazarse de su lugar de trabajo. La parte trasera de su gimnasio está formada por un tanque estrecho y alargado de unos 10 metros de alto que recoge agua. Chris ha perforado y tapado estratégicamente el tanque para que en los días de mucho frío pueda salir el agua poco a poco, con el volumen suficientemente para que al día siguiente se haya formado una cascada lo suficientemente resistente para poder ascender. Incluso los días de fuerte lluvia y frío la cascada llega a ser espectacular. Chris, que no es egoísta, comparte su posesión con los alumnos del gimnasio.

Sumergirse entre barcos naufragados

Siempre resulta misterioso y excitante para un submarinista explorar un barco hundido. Historias olvidadas vuelven a renacer entre camarotes, cabinas y viejos salones. En el Caribe, se pueden encontrar cientos de navíos hundidos, entre los que destaca el RMS Rhone. Sumergido frente a las costas de las Islas Vírgenes británicas, está considerado como el barco naufragado más bonito y mejor conservado del Caribe. Hundido por un huracán en 1867, mantiene la mitad de su casco intacto, por lo que se puede bucear en su interior. A lo anterior se une el atractivo de las preciosas capas de coral que lo recubren, así como la gran variedad de peces y flora tropical que en él se encuentran. Además, está considerado como uno de los lugares del mundo más idóneos para inmersiones nocturnas.

A ver si comprendiste

Sigue el mismo proceso que usaste para hacer el sumario de la primera lectura con la segunda, «Sumergirse entre barcos naufragados».

Tema	Comienzo	Desarrollo	Conclusiones
Lectura 2:			
Sumario de una oración:			

Viajemos por el ciberespacio a... PANAMÁ

Expand your horizons! *Let's travel through cyberspace to* **Panamá** where you can. . .

- visit Panama, a country that claims to be, and is, more than a mere Canal.

- travel to the **archipiélago** of the San Blas Islands, the home of the Cuna Indians and **molas**.

- visit the Panama Canal.

- learn about a country that has transformed its economy into a system of world service, as proclaimed in its national motto: *Pro Mundi Beneficio.*

- chat with Panamanians.

- visit **Isla Barro Colorado,** the largest section of the canal, now a biological reserve for scientific research.

If you are a cyberspace browser, join us in **Viajemos por el ciberespacio a... Panamá** by trying the following important addresses.

Universidad Tecnológica de Panamá
http://www.utp.ac.pa/

Universidad de Santa María la Antigua
http://www.usma.ac.pa/

Organización para la organización de la naturaleza ANCON
http://www.ancon.org/

Turismo en Panamá
http://www.pananet.com/turismo/
Intro/introi.html

Periódicos:
Diario La Prensa
http://www.gbm.net/prensa/

El siglo
http://www.elsiglo.com/

Servidores de Panamá:
Cybermundo Panamá
http://www.pty.com/

Sinfonet Panamá
http://www.sinfo.net/

Because addresses are likely to change without notice, the following key words will guarantee that **Viajemos por el ciberespacio a... Panamá** will get you to your desired destination.

Palabras clave

Ciudad de Panamá	Isla Barro Colorado
Universidad de Panamá	Parque Nacional Darién
Panameños	Parque Nacional Portobelo
Canal de Panamá	El Parque Nacional Volcán Barú
Archipiélago de San Blas	Refugio de Vida Silvestre Isla Iguana
Molas	Refugio de Vida Silvestre Taboga

http://www.hrwcollege.com

Vocabulario

Salud

cáncer *(m.)*	cancer
enfermedad *(f.)*	illness
estrés *(m.)*	stress
fiebre *(f.)*	fever
presión *(f.)*	pressure
salud *(f.)*	health
sangre *(f.)*	blood
SIDA *(m.)*	AIDS
vitamina	vitamin

Ejercicio

adentro	in, inside
afuera	out, outside
aguantar	to endure, stand
bajar	to go down; to lower
dar vuelta	to turn
doblar	to bend
durar	to last
estar molido(a)	to be exhausted
estar muerto(a)	to be dead
estirar	to stretch
flojo(a)	to be lazy
gimnasia	gymnastics, calisthenics
levantar	to raise, to lift
pesar	to weigh
pesas	weights

relajarse	to relax
teleadicto(a)	couch potato
tonificar	to tone; to strengthen

El cuerpo

boca	mouth
brazo	arm
cabeza	head
cintura	waist
codo	elbow
cuello	neck
cuerpo	body
dedo	finger
diente *(m.)*	tooth
espalda	back
estómago	stomach
hombro	shoulder
mano *(f.)*	hand
nariz *(f.)*	nose
oído	inner ear
ojo	eye
oreja	outer ear
pecho	chest
pie *(m.)*	foot
piel *(f.)*	skin
pierna	leg
rodilla	knee

tobillo	ankle

Consejos

aconsejar	to advise
consejo	advice
cuidar	to take care of
deprimido(a)	depressed
deprimirse	to be depressed
preocupar	to worry

Verbos

dudar	to doubt
insistir (en)	to insist (on)
medir (i, i)	to measure
ojalá	I hope
recetar	to prescribe

Palabras y expresiones útiles

¡A otro perro con ese hueso!	Go tell it to the Marines!
caballo	horse
¡Cállate!	Be quiet!
de vez en cuando	once in a while
embarazada	pregnant
profundamente	profoundly, deeply
ritmo	rhythm

En preparación 13

13.1 Present Subjunctive: Theory and Forms

Giving advice and making recommendations

A. The tenses you have learned up to now—present, present progressive, present perfect, preterite, and imperfect—are all part of the indicative mood. The indicative mood is used in statements or questions that reflect factual knowledge or certainty.

B. A second system of tenses, the subjunctive mood, is used for statements or questions that reflect doubt, desire, emotion, or uncertainty. The subjunctive is so named because it is usually *subjoined* or *subservient* to another dominating idea. Because of its subservient nature, the subjunctive tenses normally occur in a secondary or dependent clause (a group of words with a subject and a verb) of a sentence, and are often introduced by **que**. The verb in the main clause is usually in the indicative.

> main clause (indicative) + **que** +   dependent clause (subjunctive)
>   Mamá quiere   **que**   ustedes **coman** con nosotros esta noche.

C. To form the present subjunctive, personal endings are added to the stem of the **yo** form of the present indicative. The present subjunctive of **-ar** verbs take endings with **-e**, while **-er** and **-ir** verbs take endings with **-a**.

-ar	Preparar
-e	prepar**e**
-es	prepar**es**
-e	prepar**e**
-emos	prepar**emos**
-éis	prepar**éis**
-en	prepar**en**

-er, -ir	Correr	Asistir
-a	corr**a**	asist**a**
-as	corr**as**	asist**as**
-a	corr**a**	asist**a**
-amos	corr**amos**	asist**amos**
-áis	corr**áis**	asist**áis**
-an	corr**an**	asist**an**

D. Since the personal endings of the present subjunctive are always added to the stem of the **yo** form of the present indicative, verbs that have an irregular stem in the first person (e.g., **conozco, digo, hago, oigo, pongo, salgo, tengo, traigo, vengo, veo**) maintain that irregularity in all forms of the subjunctive.

Tener	Venir	Conocer	Ver
tenga	venga	conozca	vea
tengas	vengas	conozcas	veas
tenga	venga	conozca	vea
tengamos	vengamos	conozcamos	veamos
tengáis	vengáis	conozcáis	veáis
tengan	vengan	conozcan	vean

13.2 Subjunctive with Expressions of Persuasion

Persuading

Whenever the verb in the main clause expresses a request, a suggestion, a command, or a judgment, the verb in the dependent clause is expressed in the subjunctive, provided there is a subject change. This is because the action in the dependent clause is nonfactual and yet to occur.

main clause (indicative) + **que** + dependent clause (subjunctive)

El médico recomienda que yo **corra** todos los días.
The doctor recommends *that I run every day.*

También aconseja que **comamos** menos carne.
He also advises *that we eat less meat.*

Insiste en que yo **deje** de fumar.
He insists *that I stop smoking.*

The following are some frequently used verbs of persuasion.

aconsejar	*to advise*	preferir	*to prefer*
insistir (en)	*to insist*	recomendar	*to recommend*
permitir	*to permit*	sugerir	*to suggest*

¡A practicar!

A. **¡Problemas en el paraíso!**   Paco y Lupita tienen problemas en su matrimonio. ¿Qué les sugiere el consejero?

> **Modelo**   recomendar / cambiar la rutina
> **Él recomienda que cambien la rutina.**

1. sugerir / salir más
2. aconsejar / no quedarse / casa / fines de semana
3. recomendar / tener / más paciencia

4. sugerir / no mirar / tanto / televisión

5. recomendar / hacer / viaje juntos

6. aconsejar / regresar / hablar con él una vez / semana

B. ¡Primer baile!   Ángela va a asistir a su primer baile. ¿Qué le dicen sus padres?

1. tu madre y yo insistir / tú regresar / antes de la medianoche

2. yo recomendar / tú no beber / alcohol / fiesta

3. mamá y yo / insistir / ustedes / decir no a las drogas

4. tu madre preferir / tu amigo conducir / el coche al baile

5. yo insistir / tú no fumar

6. nosotros querer / ustedes llamarnos / en caso de emergencia

13.3   *Usted* and *ustedes* Commands

Telling people what to do or not to do

The present subjunctive is used to form both affirmative and negative **usted** and **ustedes** commands.

Respiren profundamente.	*Breathe deeply.*
Eva, no **baje** los brazos.	*Eva, don't lower your arms.*
Levanten las piernas.	*Raise your legs.*
Levántenlas.	*Raise them.*
Eva, no las **doble.**	*Eva, don't bend them.*

Remember that object pronouns always precede negative commands but are attached to the end of affirmative commands.

¡A practicar!

A. ¡Con el médico!   El médico de Matilde insiste en que ella coma mejor. ¿Qué le a-conseja?

> **Modelo**   dejar inmediatamente el café
>
> **Deje inmediatamente el café.**

1. comer muchas verduras

2. tomar ocho vasos de agua todos los días

3. hacer algún deporte

4. no consumir ni sal ni azúcar

5. no ponerle aceite a las ensaladas

6. no comer nada frito

7. venir a verme en dos semanas

B. **¡Levanten los brazos!**   Los instructores de ejercicios aeróbicos tienen ciertas rutinas que siempre siguen. Cambia los verbos a mandatos para aprender una de estas rutinas.

> **Modelo**   levantar la pierna izquierda
>
>   **Levanten la pierna izquierda.**

1. levantar los brazos
2. respirar profundamente
3. doblar las rodillas
4. estirar las piernas
5. hacerlo otra vez
6. estirar los brazos al frente
7. abrir los brazos
8. escuchar el ritmo
9. correr con el ritmo de la música
10. tomar un descanso

13.4   *Ojalá* and Present Subjunctive of Irregular Verbs

Expressing doubt

A.   The following six verbs have irregular subjunctive forms.

Dar	Estar	Haber	Ir	Saber	Ser
dé	esté	haya	vaya	sepa	sea
des	estés	hayas	vayas	sepas	seas
dé	esté	haya	vaya	sepa	sea
demos	estemos	hayamos	vayamos	sepamos	seamos
deis	estéis	hayáis	vayáis	sepáis	seáis
den	estén	hayan	vayan	sepan	sean

The accents on the first- and third-person singular forms of **dar** are necessary in order to distinguish them from the preposition **de.**

B.   **Ojalá** *(I hope, God grant)* is *always* followed by the subjunctive. **Tal vez** *(perhaps)* and **quizá(s)** *(maybe)* are followed by the subjunctive when the speaker wishes to express doubt about something.

Quizá **vayamos** al centro mañana.	*Maybe we'll go downtown tomorrow.*
Ojalá (que) me **llame** esta noche.	*I hope he calls me tonight.*

Note that **que** does not usually follow the expressions **tal vez** or **quizá(s)**; however, the use of **ojalá** versus **ojalá que** varies from one region to another and is a matter of personal choice.

¡A practicar!

A.   **¡Ejercicios aeróbicos!**   Hoy Martín asiste a su primera clase de ejercicios aeróbicos. ¿Qué está pensando?

> **Modelo**   no ser muy difícil
>
>   **Ojalá no sea muy difícil.**

1. no cansarme mucho
2. saber hacer todos los movimientos
3. haber buena música
4. no estar molido después de la clase
5. la instructora darnos instrucciones claras
6. no tener que correr

B. **¡Ya no aguanto!** ¿Qué recomendaciones hace el instructor de ejercicios aeróbicos a sus estudiantes al terminar la clase?

1. recomiendo que ustedes / ir al jacuzzi
2. insisto en que ustedes / estar aquí al empezar la clase
3. sugiero que ustedes / ser más consistentes y / no faltar tanto
4. ojalá ustedes / saber los movimientos / semana próxima
5. sugiero que ustedes / traer agua fresca a la clase
6. insisto en que ustedes / venir a tiempo

13.5 Present Subjunctive of Stem-changing Verbs

Suggesting and requesting

A. Stem-changing **-ar** and **-er** verbs follow the same pattern of stem changes in the present subjunctive as in the present indicative. Therefore, the stems of the **nosotros** and **vosotros** forms do not change.

Contar (ue)

cuente	contemos
cuentes	contéis
cuente	cuenten

Perder (ie)

pierda	perdamos
pierdas	perdáis
pierda	pierdan

B. Stem-changing **-ir** verbs follow the same pattern in the present subjunctive, except for the **nosotros** and **vosotros** forms, which undergo a one-vowel change: **e → i** or **o → u.**

Morir (ue)

muera	muramos
mueras	muráis
muera	mueran

Preferir (ie)

prefiera	prefiramos
prefieras	prefiráis
prefiera	prefieran

Pedir (i)

pida	pidamos
pidas	pidáis
pida	pidan

¡A practicar!

A.   ¡Deprimida!   La pobre Anita está atravesando *(going through)* momentos difíciles en su vida. ¿Qué le sugiere su mejor amiga?

> **Modelo**   sugerir / nosotras / desayunar juntas
> **Sugiero que desayunemos juntas.**

1.   recomendar / tú / contarme tus problemas
2.   sugerir / nosotras / salir / este fin de semana
3.   aconsejar / tú / ir / consejero
4.   recomendar / tú / pedir unas vacaciones
5.   recomendar / tú / volar a visitar / padres / Miami
6.   insistir en / tú / dormir más

B.   ¡Qué viejo me siento!   Ricardo se siente mucho más viejo que su edad. Su amigo le da unos consejos para que se sienta mejor. ¿Qué le dice?

1.   sugerir / tú / seguir una dieta equilibrada *(balanced)*
2.   recomendar / tú / ir de vacaciones
3.   sugerir / tú / vestirse más joven
4.   insistir en / tú / no fumar tanto
5.   aconsejar / tú / hacerte miembro de un club atlético
6.   sugerir / tú / no dormir tanto

13.6   Present Subjunctive of Verbs with Spelling Changes

Suggesting and requesting

As in the preterite, verbs that end in **-car, -gar,** and **-zar** undergo a spelling change in the present subjunctive in order to maintain the consonant sound of the infinitive.

-car:	**c** changes to **qu** in front of **e**
buscar:	bus**que**, bus**ques**, bus**que**...
-zar:	**z** changes to **c** in front of **e**
almorzar:	almuer**ce**, almuer**ces**, almuer**ce**...
-gar:	**g** changes to **gu** in front of **e**
jugar:	jue**gue**, jue**gues**, jue**gue**...

¡A practicar!

A.   ¡Y en un año más… !   El médico dice que estamos en buena forma, pero siempre nos hace unas recomendaciones. ¿Qué dice?

> **Modelo**   sugiero / desayunar / ligeramente
> **Sugiero que desayunen ligeramente.**

1.   aconsejo / buscar / un lugar para correr cada día
2.   recomiendo / practicar con las pesas

3. prefiero / no almorzar nada pesado

4. permito / jugar fútbol

5. acepto / comenzar la próxima semana

6. pero insisto / seguir mis consejos

B. ¿Qué me recomiendas? Tu compañero(a) de cuarto está muy aburrido(a) con su rutina diaria. ¿Qué le recomiendas?

1. recomendar / tú conocer / nuevo / amigos

2. sugerir / tú buscar / trabajo / inmediato

3. sugerir / tú llegar / clase o al trabajo temprano / de vez en cuando

4. insistir en / tú almorzar conmigo / frecuencia

5. recomendar / tú empezar / clase / baile

6. sugerir / tú sacar / dinero / banco y / hacer un viaje

CAPÍTULO 14

Cultural Topics

- **La dinastía del amor**
  Cross-cultural perceptions regarding divorce and pregnancy before marriage.
- **Noticiero cultural**
  Lugar: *Cuba: Nuestro vecino cercano pero más alejado*
  Gente: *Celia Cruz: «Azúcar» de Cuba*
- **Lectura:** *El Mundial de Fútbol*

Writing Strategies

- *Orden cronológico*

Reading Strategies

- *Pistas de tiempo y cronología*

En preparación

¡Árbitro vendido!

In this chapter, you will learn how to …

- express fears, hopes, and opinions.
- report what others say.
- describe people.
- refer to unknown entities.

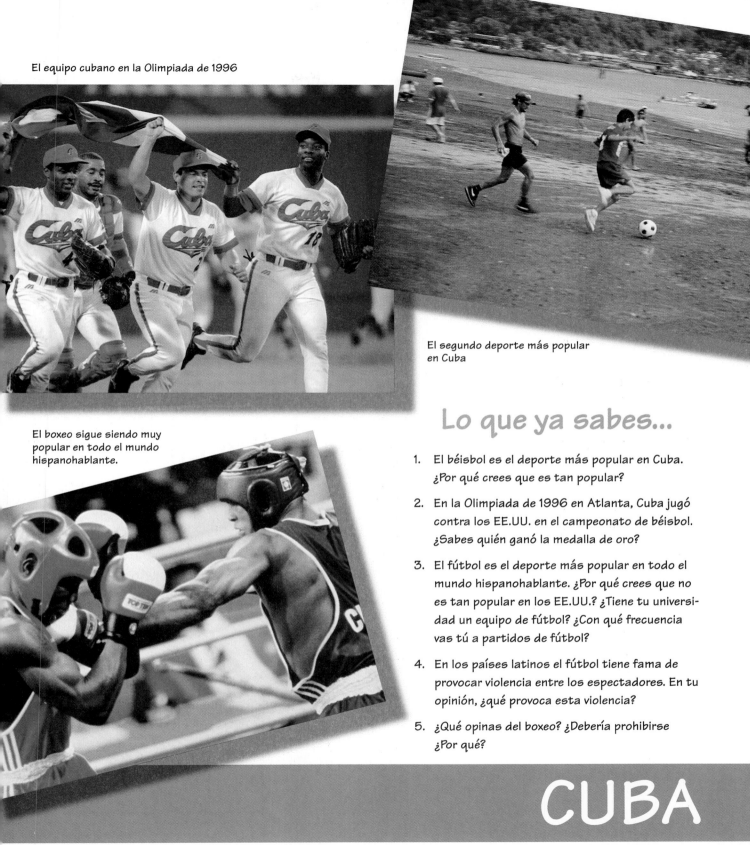

El equipo cubano en la Olimpiada de 1996

El segundo deporte más popular en Cuba

El boxeo sigue siendo muy popular en todo el mundo hispanohablante.

Lo que ya sabes...

1. El béisbol es el deporte más popular en Cuba. ¿Por qué crees que es tan popular?

2. En la Olimpiada de 1996 en Atlanta, Cuba jugó contra los EE.UU. en el campeonato de béisbol. ¿Sabes quién ganó la medalla de oro?

3. El fútbol es el deporte más popular en todo el mundo hispanohablante. ¿Por qué crees que no es tan popular en los EE.UU.? ¿Tiene tu universidad un equipo de fútbol? ¿Con qué frecuencia vas tú a partidos de fútbol?

4. En los países latinos el fútbol tiene fama de provocar violencia entre los espectadores. En tu opinión, ¿qué provoca esta violencia?

5. ¿Qué opinas del boxeo? ¿Debería prohibirse ¿Por qué?

CUBA

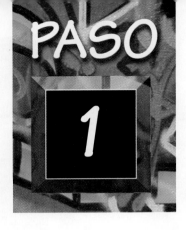

PASO

1

¡Por favor, vengan pronto!

TAREA

Antes de empezar este **Paso**, estudia **En preparación** 14.1 y 14.2 y haz por escrito los ejercicios de ¡**A practicar!** También escucha **Paso 1 ¿Qué se dice...?** del Capítulo 14 en el CD del estudiante.

¿Eres buen observador?

Ahora, ¡a analizar!

1. ¿Qué es *Escalada*? ¿Una revista de deportes? ¿de montañas? ¿de esquí? ¿de alpinismo? ¿de otra cosa?
2. Todos los deportes mencionados en el anuncio están relacionados con una cosa; ¿con qué están relacionados?
3. Explica lo que es cada deporte mencionado empezando con alpinismo.
4. ¿Qué crees que vas a aprender si lees el artículo principal de este número de *Escalada*: «Los mejores destinos del verano»?

¿Qué se dice...?

Al expresar temores, esperanzas y opiniones

Es necesario...	que no nos derroten.
Espero...	que avancemos al campeonato.
Es una lástima...	que ganemos.
Es necesario...	que no pueda jugar.

SRA. MEDINA	Espero que este año ganemos el campeonato.
SR. MEDINA	Con este último jonrón, es seguro que ganamos.
HIJO	Me sorprende que Ricardo Javier no esté de lanzador en este partido tan importante.
SR. MEDINA	Siento mucho que Ricardo Javier no pueda jugar hoy. Se lesionó en el último partido y temo que no pueda jugar por el resto del año.

HIJO	¡Qué lástima! Es mi jugador favorito. Le deseo mucha suerte de todos modos.
JAVIER	¿Es verdad que va a llover?
EDUARDO	Lo dudo. Pero es mejor que nos vayamos temprano. Tengo una cita esta noche con Melisa.

¿Sabías que... ?

En Hispanoamérica, el béisbol es un deporte muy popular, en particular en Cuba, México, Venezuela y toda la América Central. En efecto, todos los equipos de las grandes ligas estadounidenses mandan a sus reclutadores a estos países latinos en busca de nuevos jugadores. En Cuba el béisbol es tan popular que, con frecuencia, hasta Fidel Castro deja el puro *(cigar)* al lado para tomar el bate.

Ahora, ¡a hablar!

 A.   ¡Viva el deporte!   Escucha a tu compañero(a) leer los grupos de palabras en la página 503. Identifica la palabra que no pertenece *(belong)* al grupo y el deporte que se asocia con las otras tres.

Modelo

COMPAÑERO(A)   pelota, bate, salvavidas, lanzador

TÚ   **Salvavidas no pertenece; béisbol es el deporte.**

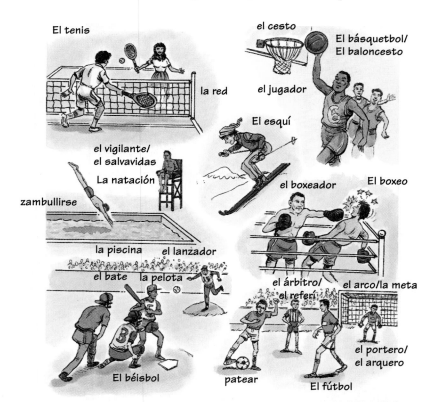

El tenis

el cesto

El básquetbol/ El baloncesto

la red   el jugador

El esquí

el vigilante/ el salvavidas

La natación

zambullirse

el boxeador   El boxeo

la piscina   el lanzador

el bate   la pelota

el árbitro/ el referí

el arco/la meta

El béisbol

patear

el portero/ el arquero

El fútbol

1. bate, pelota, lanzador, patear
2. nieve, esquí, boxeador, invierno
3. boxeo, cesto, jugador, pelota
4. tenis, bate, red, cancha
5. arquero, cesto, patear, arco
6. piscina, lanzador, zambullirse, salvavidas

B. Temores. José Antonio es reportero de fútbol para la televisión. Ahora está en los vestuarios *(locker room)* de uno de los equipos que van a jugar esta tarde. Es un partido importantísimo y todos están muy nerviosos. ¿Cuáles son sus temores?

Modelo director técnico / tener miedo / mejor jugador / lastimarse

El director técnico tiene miedo de que el mejor jugador se lastime.

1. entrenador / sentir / mejor jugador / estar enfermo
2. entrenador / sorprenderse / equipo contrario / jugar mejor
3. él también / temer / nuestro arquero / cometer / error fatal
4. nosotros / temer / nuestro equipo / perder / partido
5. árbitro / tener miedo / jugadores / no seguir / órdenes
6. jugadores / esperar / árbitro / ser imparcial

C. ¡Me siento muy nervioso! El entrenador de los Pumas está muy nervioso porque esta noche se decide el campeonato de béisbol en su región. En una entrevista esta mañana, expresó sus temores y sus esperanzas. ¿Qué dijo en la entrevista?

Modelo yo temer: los Pumas no jugar bien sin Ricardo Javier

Yo temo que los Pumas no jueguen bien sin Ricardo Javier.

1. nosotros sentir mucho: Ricardo Javier estar enfermo
2. nuestros lanzadores temer: los Tigres derrotarnos
3. yo desear: mis bateadores jugar bien
4. mi equipo esperar: árbitro ser justo
5. nosotros tener miedo: llover esta noche
6. yo esperar: el mejor equipo ganar

D. Es bueno. Marcos es el entrenador de un equipo de baloncesto. En parejas, digan qué piensa Marcos que deben hacer los jugadores antes, durante y después de un partido.

Modelo llevarse bien

Es importante que los jugadores se lleven bien.

Vocabulario útil

es urgente	es importante	es fácil	es difícil
es bueno	es malo	es excelente	es necesario

Antes		**Después**	
1.	no tomar bebidas alcohólicas	9.	felicitar al otro equipo
2.	escuchar las instrucciones de otros jugadores	10.	saber perder
3.	descansar bien la noche anterior	11.	festejar la victoria
4.	calmarse	12.	entrenarse para el próximo partido

Durante

5. concentrarse en el partido

6. no ser demasiado agresivo

7. jugar bien

8. mantener la calma

Y ahora, ¡a conversar!

A. Adivinanzas.   En grupos de dos o tres escojan un deporte y anoten la siguiente información sobre el deporte escogido. Luego den la información al resto de la clase para ver quién puede adivinar el deporte.

1. la estación del año en la cual se practica

2. el lugar donde se practica

3. si es un deporte individual o de equipo

4. el número de jugadores que forman un equipo

5. cómo es el aficionado típico

6. nombres de jugadores(as) importantes

B. Mis deportes favoritos.   Entrevista a un(a) compañero(a) sobre sus gustos en deportes y dale la misma información sobre tus gustos. ¿Comparten los mismos gustos?

1. deportes favoritos

2. deporte(s) que practica

3. con qué frecuencia practica su deporte

4. deporte(s) que prefiere ver en el estadio

5. con qué frecuencia va al estadio para ver un partido

6. deporte(s) que mira en la televisión

7. con qué frecuencia mira los deportes en la televisión

C. Expertos.   Tú y tus compañeros son expertos en deportes y mucha gente les pide consejos sobre cómo pueden llegar a ser buenos atletas. ¿Qué le dicen ustedes a una persona que quiere practicar los siguientes deportes?

Modelo   el fútbol

Es bueno que sepas correr rápidamente. Es necesario que tengas buen sentido de coordinación. Es importante que...

1. el fútbol

2. el fútbol americano

5. el béisbol

6. el voleibol

3. el tenis   7. el baloncesto

4. el boxeo   8. el ciclismo

¡Luz! ¡Cámara! ¡Acción!

A. ¡Campeonato!   Tú eres el (la) entrenador(a) de un equipo. (Tú decides de qué deporte.) Mañana tu equipo tiene un partido importante. Ahora un(a) reportero(a) del periódico escolar te va a entrevistar para saber qué temores y esperanzas tienes para el partido de mañana. Dramatiza la situación con un(a) compañero(a) de clase que hará el papel de reportero(a).

B. ¡La última oportunidad!   Tú y un(a) amigo(a) van a representar a tu universidad en el campeonato de natación de mañana. Están conversando ahora sobre sus esperanzas y temores con respecto al partido. Dramaticen su conversación.

¿Comprendes lo que se dice?

La dinastía del amor: Episodio 7

Este nuevo episodio tiene lugar en la casa de Betty y Sharon. La madre de las muchachas está hablando con el socio *(business partner)* de su esposo. Con este episodio vemos una tragedia más en la vida de esta familia. Escucha el episodio y luego contesta las preguntas que siguen.

A través de dos culturas

Telenovela

1. ¿Quién es el señor Robertson?

2. ¿Dónde estaba Betty?

3. ¿Por qué volvió tan temprano a casa?

4. ¿Cómo reacciona la señora Kennedy al ver a su hija?

5. ¿Cuál es la relación entre la señora Kennedy y el señor Robertson?

6. ¿Cuándo van a verse nuevamente el señor Robertson y la señora Kennedy? ¿Por qué?

Televidentes

7. ¿Por qué dice Juan Pedro que es probable que el adulterio no dure mucho tiempo?

8. ¿Cuál es la actitud de Luisita ante el matrimonio?

9. ¿Por qué dice la señora Gómez que sus padres se morirían si oyeran a sus nietos *(grandchildren)* hablar así?

10. Comenta las posibles reacciones de la familia Gómez frente a la posibilidad de un divorcio.

NOTICIERO
CULTURAL

Cuba

LUGAR... CUBA

Antes de empezar, dime...

1. En superficie, ¿con qué estado se compara Cuba: con Texas, con Ohio o con Maine?
2. ¿Qué países fueron los participantes principales en la guerra hispanoestadounidense y cuál fue el resultado de esta guerra?
3. ¿Qué tipo de gobierno tiene Cuba ahora: democrático, socialista o comunista? Explica por qué ha seleccionado Cuba esta forma de gobierno.

La Habana, Cuba

Cuba, nuestro vecino cercano más alejado

La República de Cuba tiene una superficie total de 42.804 millas cuadradas y una población de 11.064.000 habitantes. Existe una gran diversidad étnica y cultural entre su gente, mayormente de origen español y africano.

Cuba y Puerto Rico fueron las últimas colonias de España en América. Ambos países fueron cedidos a los EE.UU. como resultado de la guerra de 1898. La primera mitad del siglo XX significó un período de mucha inestabilidad política y social para Cuba. Durante la segunda mitad del siglo XX Cuba llegó a ser conocida como «la madre del extranjero y la madrastra del cubano» debido al favoritismo que el gobierno cubano, bajo el poder del dictador militar Fulgencio Batista, dio a los intereses extranjeros, en particular a los Estados Unidos. Fue en oposición a Batista que se estableció el movimiento guerrillero dirigido por el joven abogado Fidel Castro, quien tomó control del gobierno el 31 de diciembre de 1958. Dos años más tarde, proclamó a Cuba como una república socialista.

Desde entonces, cerca de un diez por ciento de la población ha dejado el país, concentrándose la mayoría en Miami, Florida. Entre los inmigrantes, abandonaron el país una mayoría de profesionales: abogados, médicos, arquitectos, ingenieros, etc. Esto, junto con el embargo impuesto por los EE.UU. y la caída de los gobiernos comunistas de la Unión Soviética, ha dejado el futuro del país muy nebuloso. Últimamente el gobierno de Castro parece contar sólo con el apoyo de los países latinoamericanos y algunos europeos que apoyan la autonomía de los países en cuestiones gubernamentales.

Mientras tanto, es irónico que La Habana, la ciudad capital latinoamericana más cercana geográficamente de los EE.UU., es la que al mismo tiempo se encuentra más alejada políticamente.

Y ahora, dime...

Contesten estas preguntas en parejas.

1. ¿Por qué crees que hay tanta gente de origen africano en Cuba?
2. ¿Ha sido Cuba siempre un estado socialista? Explica tu respuesta.
3. ¿Por qué es significativo que casi un diez por ciento de la población salió de Cuba?
4. ¿Por qué es irónico que Cuba y los EE.UU. estén tan alejados políticamente?

El español en otras disciplinas: Deportes

El béisbol.   El béisbol es considerado por muchos el deporte nacional de los EE.UU., pero a la vez, debemos notar también que es el deporte favorito de muchas naciones. En el mundo hispanohablante, por ejemplo, es el deporte favorito de tres naciones caribeñas: Cuba, Puerto Rico y la República Dominicana. También despierta pasiones entre los aficionados de México, Venezuela, Colombia y los países centroamericanos. Pero no sólo es popular en nuestro continente, sino que también hay gran interés en este deporte en Japón, Taiwán y Corea del Sur, entre otros países. En grupos de tres o cuatro, hagan una lista de todos los jugadores de béisbol de origen hispano en las ligas norteamericanas. ¿Cuántos pueden nombrar? ¿Pueden indicar la nacionalidad de cada uno?

Proyecto: Escribe un pequeño informe sobre uno de los jugadores de béisbol que identificaste en la actividad anterior, por supuesto ¡en español! Si es posible, incluye fotos del individuo.

¡Es increíble que te guste!

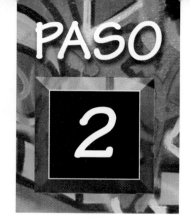

TAREA

Antes de empezar este **Paso**, estudia **En preparación** 14.3 y 14.4 y haz por escrito los ejercicios de **¡A practicar!** También escucha **Paso 2 ¿Qué se dice...?** del Capítulo 14 en el CD del estudiante.

¿Eres buen observador?

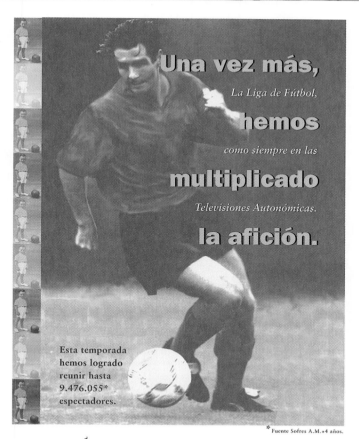

Una vez más,

La Liga de Fútbol,

hemos

como siempre en las

multiplicado

Televisiones Autonómicas.

la afición.

Esta temporada hemos logrado reunir hasta 9.476.055* espectadores.

* Fuente Sofres A.M.+4 años.

Ahora, ¡a analizar!

1. ¿Para qué es esta propaganda?
2. ¿Qué afición han multiplicado?
3. ¿Qué son las Televisiones Autonómicas? ¿Qué programas pueden verse en las Televisiones Autonómicas?
4. ¿Cuántos espectadores han logrado reunir? ¿Cuánto tiempo fue necesario para reunirlos? ¿Qué han visto estos espectadores? ¿Dónde lo han visto?
5. ¿Qué deportes miras tú en la televisión? ¿Con qué frecuencia?

Al expresar opiniones e informar sobre lo que otros dicen

1. _____ Es increíble que te guste el boxeo.
2. _____ Es cierto que el boxeo es un poco violento.
3. _____ Yo creo que es un deporte como cualquier otro.
4. _____ Ese peinado es violento.

EDUARDO   Hola, Melisa. Hola, Dino. ¡Pero qué hermosa estás, mi amor!

MELISA   ¿Te gusta mi peinado?

EDUARDO   Sí, es... interesante. Oye, Dino. ¿Quién va ganando la pelea?

DINO	Bueno, en este momento Ruiz está golpeando bien fuerte a Martí. Pero dudo que gane.
EDUARDO	Yo tampoco creo que pueda ganar. Martí es el mejor boxeador.
DINO	¿Y quién ganó el partido de béisbol?
EDUARDO	Pues, tuve que salir antes de terminar el partido para estar a tiempo con Melisa. Pero es probable que ganemos.
MELISA	Vámonos Eduardo, ya es tarde.
EDUARDO	Hasta pronto, Dino.
DINO	Buenas. Diviértanse.

Ahora, ¡a hablar!

A. Boxeo. Un matrimonio está viendo una pelea de boxeo en la televisión. A él no le gusta mucho el boxeo. ¿Qué le dice a su esposa?

Modelo   ser verdad / no gustarme / mucho / boxeo

        Es verdad que no me gusta mucho el boxeo.

1. yo / creer / boxeo / ser inhumano
2. ser obvio / los golpes / dañar / la cabeza
3. yo / no pensar / ser / un deporte justo
4. ser cierto / las peleas / estar / arregladas (*fixed*)
5. ser imposible / un boxeador / no terminar / medio loco
6. ser verdad / los organizadores / ganar / todo el dinero
7. yo / no dudar / los boxeadores / sufrir / dolores de cabeza

B. ¿Y tú? ¿Qué opinas del boxeo? Expresa tu opinión sobre lo siguiente.

Modelo   Las peleas están arregladas.

        Yo pienso que las peleas están arregladas. o
        Dudo que las peleas estén arregladas.

Vocabulario útil

(no) creer	ser obvio	ser posible	ser verdad
(no) pensar	ser cierto	ser imposible	(no) dudar

1. El boxeo es malo para la salud.
2. Los golpes dañan el cerebro (*brain*).
3. Las peleas de boxeo siempre están arregladas.
4. Todos los deportistas son materialistas.
5. El boxeo es el deporte más cruel de todos.
6. El boxeo es más cruel que la corrida (*bullfighting*).
7. ¿... ?

C. Los Juegos Olímpicos.   Pregúntale a tu compañero(a) de clase qué piensa de los Juegos Olímpicos.

> **Modelo**   Son demasiado políticos.
>
> TÚ   **¿Crees que los Juegos Olímpicos sean demasiado políticos?**
> COMPAÑERO(A)   **Es posible que sean un poco políticos pero no creo que sean demasiado políticos.**

1. ¿... ?   Unen más a las naciones del mundo.
2. ¿... ?   Provocan incidentes políticos violentos.
3. ¿... ?   Provocan sentimientos patrióticos positivos.
4. ¿... ?   Se toman demasiado en serio.
5. ¿... ?   Son un paso positivo hacia la paz mundial.
6. ¿... ?   Son simplemente un medio más de publicidad para algunos productos multinacionales.

D. Las Olimpiadas.   Tú y un(a) compañero(a) de clase son entrenadores(as) del equipo olímpico de béisbol. Es necesario que sus atletas mantengan cierta disciplina para poder estar en óptimas condiciones. ¿Qué exigen de sus atletas? Decídelo con un(a) compañero(a).

> **Modelo**   **Exigimos que se acuesten temprano y que duerman ocho horas cada noche.**

1. Exigimos que...
2. Insistimos en que...
3. Les decimos que...
4. No les permitimos que...
5. Les aconsejamos que...
6. No dejamos que...
7. Preferimos que no...

Y ahora, ¡a conversar!

A. ¡Debate!   ¿Es la competencia buena o mala para los niños? En grupos de tres preparen una lista de argumentos o a favor o en contra. Luego, en grupos de seis, lleven a cabo su debate. Informen a la clase quién ganó y cuáles fueron los argumentos más válidos.

B. ¡Más debate!   Trabajen en grupos de cuatro. Dos de cada grupo deben defender las opiniones que aparecen a continuación y los otros dos deben oponerse. Al terminar, cada grupo debe decidir quién ganó el debate o si empataron.

1. El béisbol es aburridísimo.
2. La corrida de toros combina el atletismo y el arte.
3. El fútbol americano es muy violento.
4. El tenis es un deporte sólo para los ricos.
5. El golf es aburrido y absurdo.

C. Excursión invernal.   Ustedes y sus compañeros(as) trabajan para una asociación voluntaria que se ocupa de los adolescentes. Este año deciden llevar a los chicos a las montañas por una semana. Ahora ustedes necesitan establecer algunas reglas para que no resulte una excursión infernal. En grupos de tres o cuatro decidan lo que van a permitir y lo que van a prohibir.

Permitimos que...   **Se prohíbe que...**

D.   ¿Qué me recomiendas?   Trabajando en grupos de tres o cuatro, supongan que van a tener cuatro días de vacaciones juntos. Cada uno debe sugerir varias actividades posibles y luego decidir qué sugerencias van a aceptar.

Modelo   Sugiero que vayamos a esquiar a las montañas.
            Yo prefiero que nos quedemos a descansar aquí.

¡Luz! ¡Cámara! ¡Acción!

A.   Entrenador(a).   Tú eres el (la) entrenador(a) de un equipo de (tú decides qué deporte). En una semana tu equipo va a participar en el campeonato estatal. Ahora estás dándoles instrucciones a los (las) dos mejores jugadores(as) de tu equipo. Ellos(as), claro, tienen varias preguntas para ti. Dramatiza la situación con dos compañeros(as) de clase.

B.   Decisiones, decisiones.   Eres un jugador de béisbol en Cuba y acabas de ser invitado a jugar con una liga de los EE.UU. Hoy un(a) reportero(a) cubano te entrevista para saber si te vas a ir a los EE.UU. o no. Dramatiza la situación con un(a) compañero(a).

¿Comprendes lo que se dice?

La dinastía del amor: Episodio 8

Nos encontramos una vez más en la sala de la familia Gómez frente al televisor. En este nuevo episodio se revela el secreto de Sharon y Eric. Escucha el episodio y contesta las preguntas que siguen.

A través de dos culturas

Telenovela

1.   ¿Qué noticia le da Sharon a su madre?
2.   ¿Cómo reacciona la madre?
3.   ¿Cuál es la solución que ofrece Sharon?
4.   ¿Qué preocupa a la madre?
5.   ¿Quién interrumpe la conversación?

Televidentes

6.   ¿Está de acuerdo don Sergio Gómez con la solución de Sharon y Eric? ¿Por qué?
7.   ¿Qué es más importante para Juan Pedro?
8.   ¿Qué opina Luisita?
9.   ¿Por qué piensa doña Luisa que sus hijos han cambiado? ¿Tiene razón ella?
10.   ¿Quién es más razonable frente a este problema? Explica.
11.   ¿Sería diferente la reacción de tus padres a la de don Sergio y doña Luisa? Explica.

NOTICIERO CULTURAL

GENTE... CELIA CRUZ

Antes de empezar, dime...

1. ¿Qué influencia han tenido los afroamericanos en la música de los EE.UU.? ¿Tienes algún músico afroamericano favorito? ¿Por qué te gusta?

2. ¿Qué influencia han tenido los afroamericanos en los ritmos bailables de los EE.UU.? ¿Cuáles son algunos bailes que tú consideras exclusivamente afroamericanos?

3. Prepárate para explicarle a la clase cómo bailar uno de los bailes que consideras típicamente afroamericano.

Celia Cruz: «Azúcar» de Cuba

Los ritmos tropicales y los bailes de origen afrocubano: la *rumba*, el *mambo*, el *chachachá*, han tenido un gran impacto en el gusto musical de generaciones tanto en Latinoamérica como en los EE.UU.

Celia Cruz es la cantante cubana que ha sido reconocida por todos como la reina de la rumba, la contagiosa música que en su última reencarnación es llamada *salsa* y vibra de costa a costa tanto en los EE.UU. como en Latinoamérica, y actualmente hasta en los países más lejanos como Suiza, Suecia y Japón. La biografía de Celia Cruz es muy sencilla: de su humilde niñez un día se despertó estrella. Aunque ya había establecido su carrera en Cuba, como tantos otros de su patria emigró a los EE.UU., donde su gracia y habilidad como cantante la han llevado al éxito y la fama.

Sin duda, Celia está entre los artistas hispanos más reconocidos y con frecuencia aparece con ellos. En uno de sus últimos discos, *Azúcar Negra,* canta duos con Gloria Estefan y Jon Secada. Éste, como lo han sido todos sus discos, ya ha alcanzado un éxito fenomenal. Como se dijo de la reina de la salsa en la sección de Gente en la revista *Más:* «Ayer grande, hoy gigante y mañana, si Dios y los santos quieren, ¡colosal!»

Instrucciones para bailar. Sigue la clave del ritmo agitando las caderas *(hips)* y los brazos, al mismo tiempo que mueves los pies con agilidad y elegancia. Echa por la ventana las inhibiciones. Siéntete el rey o reina del salón de baile. No les pongas mucha atención a las miradas de los presentes, sin duda que se están muriendo de envidia *(envy).* Diles en voz alta, como dice Celia Cruz al terminar una canción: **¡azúcar!**

Y ahora, dime...

Contesten estas preguntas en parejas.

1. Nombra algunos ritmos afrocubanos. Nombra también algunos ritmos afroamericanos.
2. Explica la cita de la revista *Más* que se menciona en esta lectura.
3. ¿Cuáles son los tres adjetivos que usarías para describir la salsa?
4. ¿Qué necesitas no tener para bailar bien la salsa?
5. Explica el título de esta lectura.

¿Te gusta escribir?

Antes de escribir
Estrategias para escribir: Orden cronológico

A.   La cronología.   Cuando escribimos ensayos históricos, como la breve historia de Cuba en el **Noticiero cultural** del **Paso 1,** usualmente seguimos un orden cronológico. Es decir, empezamos con el primer incidente que ocurrió, luego mencionamos el segundo, el tercero, etc., hasta el final. Después del final expresamos alguna opinión personal y global sobre el tema.

¿Es éste el proceso que usó el autor del **Noticiero cultural** del **Paso 1?** Para decidir si lo es, contesten las preguntas que siguen en grupos de tres o cuatro.

1.   ¿Empieza la lectura con el primer incidente que ocurrió? Si es así, ¿cuál es?

2.   ¿Continúa con el segundo, el tercero, el cuarto, etc.? Prepara una lista de todos los incidentes que se mencionan en el mismo orden. ¿Es un orden cronológico?

3.   ¿Incluye todos los incidentes importantes en la historia de Cuba? Si no, ¿cómo lo sabes?

4.   ¿Qué criterio crees que usó el autor para decidir qué partes de la cronología iba a incluir y qué partes tendría que excluir?

 B.   Lista de ideas.   Ahora en los mismos grupos, preparen una lista de temas apropiados para ensayos históricos. Mencionen por lo menos diez temas. Luego cada persona debe seleccionar uno de los temas para desarrollar en las siguientes secciones.

Ahora, ¡a escribir!

A.   En preparación.   Decide cuál de los temas vas a desarrollar y prepara una lista de todos los incidentes importantes relacionados con tu tema. Pon la lista en orden cronológico.

B.   El primer borrador.   Basándote en la lista que tienes del ejercicio anterior decide cuál es la información más importante y desarróllala en varios párrafos, dando detalles donde te parezca apropiado. Agrega algunas oraciones expresando tus opiniones como conclusión para cerrar la escritura.

 C.   Ahora, a compartir.   Intercambia tu ensayo con otros dos compañeros para saber su reacción. Cuando leas los de tus compañeros dales sugerencias sobre posibles cambios para mejorar su desarrollo cronológico. Si encuentras errores, menciónalos.

D.   Ahora, a revisar.   Agrega la información que consideres necesaria para tu ensayo. No te olvides de revisar los errores que mencionaron tus compañeros.

E.   La versión final.   Ahora que tienes todas las ideas revisadas y las correcciones hechas, saca una copia en limpio y entrégale la composición a tu profesor(a).

 F.   Mesa redonda.   Sepárense en grupos de cinco o seis estudiantes y lean en voz alta las redacciones. Decidan cuál ensayo histórico les pareció más interesante y explíquenle a la clase por qué lo seleccionaron.

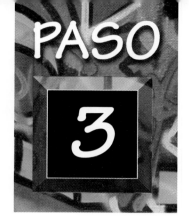

¡Qué golazo!

TAREA

Antes de empezar este **Paso**, estudia **En preparación** 14.5 y haz por escrito los ejercicios de **¡A practicar!** También escucha **Paso 3 ¿Qué se dice...?** del Capítulo 14 en el CD del estudiante.

¿Eres buen observador?

Los Juegos Olímpicos, hoy

ATLETISMO

Hombres Maratón, 7:00

BASQUETBOL

Mujeres:
Partido por la medalla de bronce 9:30.
Partido por la medalla de oro.

BOXEO

Mosca, Pluma, Welter Ligero, Mediano Ligero, Semipesado, Super Pesado, finales 13:30.

CANOTAJE

Hombres Kayak doble 500 final, 9:00.
Hombres canoa single 500 final.
Mujeres kayak single 500 final.
Hombres kayak single 500 final.
Hombres canoa doble 500 final.
Mujeres kayak doble 500 final.

ECUESTRES

Salto individual, semifinal 10:00.
Salto individual, final.

GIMNASIA RITMICA

Individual final, 13:00.

HANDBOL

Hombres partido por la medalla de bronce, 15:30.
Hombres partido por la medalla de oro.

VOLEIBOL

Hombres partido por la medalla de bronce 12:00.
Hombres partido por la medalla de oro 14:30.

CLAUSURA

Clausura de los Juegos Olímpicos de Atlanta 1996 a las 18:00 horas.

Ahora, ¡a analizar!

1. ¿Para qué es este horario? ¿Dónde tuvieron lugar estas competencias?

2. ¿Para qué día de las competencias es el horario? ¿para el primero? ¿para el segundo? ¿para el...? ¿para el último? ¿Cómo lo sabes?

3. ¿Cuántas competencias para mujeres hay por la mañana? ¿por la tarde? ¿Cuáles son?

4. ¿A qué hora es la primera competencia? ¿la última?

5. Explica lo que es canotaje, ecuestres y gimnasia rítmica.

6. ¿Cuántas categorías de boxeo más bajas en peso que el Welter hay? ¿Cuáles son? ¿Cuántas más altas en peso que el Welter hay? ¿Cuáles son?

¿Qué se dice...?

Al referirse a alguien o algo desconocido

¿Quién puede patear la pelota como Ramón Ángel? _____

¿A qué le tiene miedo Ramón Ángel? _____

LOURDES Lo que necesitamos es un árbitro que sea imparcial.

MELISA ¡Claro! ¡Que sea imparcial y que sepa algo de fútbol!

EDUARDO Dino, ¿crees que el año que viene encontrarán a un entrenador que tenga tanta experiencia como Germán?

DINO La experiencia no es la única cosa necesaria. Buscan a alguien que sepa ser buen líder también.

EDUARDO Yo no creo que tengan dificultad en encontrar a alguien. El puesto está muy bien pagado.

Ahora, ¡a hablar!

A. ¡Qué desastre!   Hoy tu equipo está jugando muy mal y está perdiendo. ¿Qué dice el público?

> **Modelo**   no hay nadie / estar en forma
>
> **No hay nadie que esté en forma hoy.**

1. no hay nadie / jugar bien
2. necesitamos un delantero / saber correr
3. no hay ningún defensor / ser capaz de / parar / pelota
4. el equipo necesita un arquero / defender mejor el arco
5. no hay nadie / manejar / bien / pelota
6. necesitan buscar un entrenador / tener / más experiencia

B. ¡Victoria!   Los fanáticos del equipo vencedor *(winning team)* están muy orgullosos de la actuación de sus jugadores. ¿Cuáles son sus comentarios?

> **Modelo**   tenemos un equipo / ser verdaderamente superior
>
> **Tenemos un equipo que es verdaderamente superior.**

1. tenemos un arquero / no dejar pasar la pelota
2. hay muchos jugadores / saber patear bien
3. tenemos un capitán / dirigir muy bien
4. el equipo tiene un entrenador / preparar bien a los jugadores
5. tenemos muchos defensores / jugar a nivel profesional
6. tenemos un equipo / poder ganar el campeonato

C. Se solicita...   Eres director(a) del departamento de educación física en tu universidad. Necesitan nuevos empleados para el nuevo curso escolar. ¿Qué tipo de experiencia requieres tú para cada puesto?

> **Modelo**   profesor(a) de golf: tener 10 años de experiencia
>
> **Buscamos un(a) profesor(a) de golf que tenga diez años de experiencia.**

Vocabulario útil

se solicita   necesitamos   buscamos

1. entrenador(a) para el equipo de fútbol: haber jugado en ligas profesionales
2. profesor(a) de tenis: tener experiencia en otras universidades
3. profesor(a) de educación física: interesarse en entrenar a los incapacitados *(handicapped)*
4. entrenador(a) para el equipo de béisbol: estar dispuesto(a) a viajar mucho
5. médico(a): tener 5 o más años de experiencia con atletas
6. dos secretarios(as): poder trabajar noches, sábados y domingos

D. Atletas. Tú quieres saber si tu compañero(a) conoce personalmente a atletas de talento. Hazle las siguientes preguntas.

> **Modelo**   ser campeón mundial de tenis

> TÚ   **¿Conoces a alguien que sea campeón mundial de tenis?**
> COMPAÑERO(A)   **Sí, conozco a alguien que es campeón mundial de tenis.** o
> **No, no conozco a nadie que sea campeón mundial de tenis.**

1. practicar alpinismo
2. participar en maratones
3. ser entrenador(a) profesional
4. jugar al fútbol profesionalmente

5. haber ganado una medalla olímpica
6. ser boxeador profesional
7. practicar el judo
8. ¿... ?

Y ahora, ¡a conversar!

A. Gimnasio. Tú y unos(as) amigos(as) deciden abrir un nuevo gimnasio y necesitan emplear a mucha gente. En grupos de tres o cuatro, decidan qué tipo de empleados necesitan y qué experiencia debe tener cada uno.

> **Modelo**   **Necesitamos algunos instructores de ejercicios aeróbicos que sepan animar a la gente.**

B. ¡Revolución! Imagínate que tú y tus compañeros(as) tienen el poder de cambiar todo lo que no les gusta de su universidad. En grupos de tres o cuatro decidan qué tipo de personas van a formar parte de su nueva universidad.

1. Queremos un presidente que...
2. Buscamos profesores que...
3. Ofrecemos becas *(scholarships)* a estudiantes que...
4. Necesitamos atletas que...
5. No queremos a nadie que...

C. En el futuro. Piensa en quién serás en unos quince años: ¿Dónde trabajarás? ¿Con quién vivirás? ¿Qué harás?... Luego hazle preguntas a tu compañero(a) para ver qué tipo de persona será y contesta las preguntas que él (ella) te haga a ti.

> **Modelo**

> TÚ   **¿Serás una persona que trabaje día y noche?**
> COMPAÑERO(A)   **Es probable que trabaje día y noche.**

¡Luz! ¡Cámara! ¡Acción!

A. Necesito más ayuda. El (La) director(a) de una escuela secundaria se reúne con los jefes de los departamentos de música, historia, matemáticas y lenguas extranjeras. Cada jefe explicará sus necesidades para el próximo año y el (la) director(a) decidirá cuántos nuevos puestos habrá. Dramaticen esta situación en grupos de cinco.

B. Hospital. Tú eres el (la) administrador(a) de un hospital. Te reúnes con las personas encargadas de la cafetería, de la lavandería, de los conserjes y de la farmacia. Cada persona va a explicar sus necesidades de personal para el próximo año. Tú tendrás que decidir qué se puede hacer y qué no se puede hacer.

¿Te gusta leer?

Antes de leer
Estrategias para leer: Pistas de tiempo y cronología

A. Pistas de tiempo. El reconocer las pistas de tiempo, por ejemplo **tercera, el 9 de agosto, luego, ayer...,** al leer es muy importante. Las pistas de tiempo ayudan al lector a establecer la cronología de los acontecimientos de la lectura. Como tal ofrecen cierto sentido de unidad y coherencia a la lectura. Lee el párrafo a continuación e identifica todas las pistas de tiempo.

La primera Copa Mundial de Fútbol se jugó en Montevideo, Uruguay, en julio de 1930. Allí los grandes rivales fueron los argentinos contra los uruguayos, venciendo y ganando la copa el equipo uruguayo. En 1934, se jugó en Italia y ganó el equipo local. Italia triunfó cuatro años más tarde en Francia. Luego el campeonato se suspendió, debido al comienzo de la segunda guerra mundial. Se reinició en 1950 en Brasil.

B. Cronología. En parejas, preparen una lista del orden cronológico de todos los eventos que se mencionan en la lectura que sigue. Los primeros eventos ya están indicados.

Eventos

1. F.I.F.A. creada por Jules Rimet
2. 1930 primera Copa Mundial
3. 1934 Italia gana

El Mundial de Fútbol

Mucho se ha dicho de y escrito sobre de todo lo relacionado con al campeonato mundial de fútbol. El campeonato es dirigido por la Federación Internacional del Fútbol Asociado (F.I.F.A.). La federación fue creada por el señor Jules Rimet, quien dio su nombre a la copa.

La primera Copa Mundial de Fútbol se jugó en Montevideo, Uruguay, en julio de 1930. Allí los grandes rivales fueron los argentinos contra los uruguayos, venciendo y ganando la copa el equipo uruguayo. En 1934, se jugó en Italia y ganó el equipo local. Italia volvió a triunfar cuatro años más tarde en Francia. Luego el campeonato se suspendió, debido al comienzo de la segunda guerra mundial. Se reinició en 1950 en Brasil.

En 1958, la Copa se jugó en Suecia, donde por primera vez triunfó el equipo brasileño. Fue en esa ocasión en la que apareció la máxima figura del fútbol de todos los tiempos: el famoso Pelé. Edson Arantes do Nacimiento tenía sólo 17 años. Pelé era un joven delgado y sonriente que entró al juego cuando, en un partido en que su equipo se enfrentaba a la entonces Unión Soviética, otro jugador del equipo brasileño se lastimó.

Cuatro años más tarde, en Santiago de Chile, Brasil obtuvo su segunda victoria. En México, en 1970, Brasil logró, con la ayuda de Pelé, quedarse definitivamente con la deseada copa «Jules Rimet» al ganar por tercera vez. Al vencer, Brasil frustró las ambiciones de Italia, que tuvo que esperar hasta 1982 para ganar su tercer campeonato.

Ganadores de la Copa "Jules Rimet"

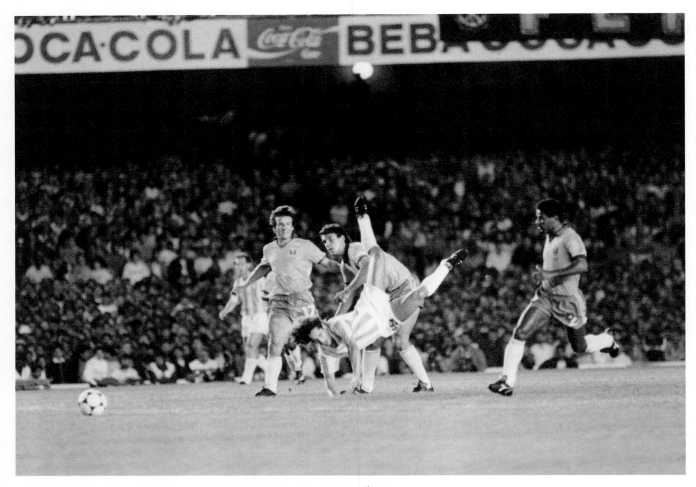

Partido en la Copa Mundial de Fútbol

El campeonato mundial de fútbol continúa congregando, al igual que los Juegos Olímpicos, a la comunidad internacional. Es una manifestación de confraternidad internacional por medio de un deporte excepcional.

A ver si comprendiste

1. El Mundial empezó en 1930 y se juega cada cuatro años. Pero hubo una temporada en que no se jugó. ¿Cuál fue? ¿Por qué se suspendió? ¿Por cuánto tiempo se suspendió?

2. ¿Quién es Jules Rimet? Explica su importancia.

3. ¿Quién es Pelé? Explica su importancia.

4. ¿Hay alguien en la clase que haya visto el Mundial en persona alguna vez? ¿en la televisión?

5. ¿Por qué crees que el fútbol no es tan popular en los EE.UU. como en el resto del mundo?

Viajemos por el ciberespacio a... CUBA

Expand your horizons! *Let's travel through cyberspace to* **Cuba** where you can . . .

- visit this small island otherwise off limits to U.S. citizens.
- view the streets of Havana, the exuberant capital of Cuba.
- stroll through many wonderfully preserved colonial cities.
- enjoy hundreds of miles of unspoiled beaches.
- listen to great music.
- appreciate Cuba's rich literary tradition.
- penetrate the mysteries of the mystic **santería** religion.

If you are a cyberspace browser, join us in **Viajemos por el ciberespacio a... Cuba,** by trying the following important addresses.

Universidad de La Habana
http://www.web.net/cuba_university

Cuba en la Internet:
Cubaweb
http://www.cubaweb.cu/

Habaguanet ciboney
http://members.icanect.net/~ciboney//

Sobre cuestiones cubanas:
Center for International Policy
http://www.us.net/cip/cuba.htm

La Fundación Nacional Cubano
Americana
http://www.canfnet.org/

Periódicos y revistas:
Periódico Granma
http://www.cubaweb.cu/granma/
index.html

Prensa Latina: Agencia de Noticias
de Cuba
http://www.prensa-latina.org/

Discursos de Fidel Castro
gopher://lanic.utexas.edu:70/11/la/
Cuba/Castro

Because addresses are likely to change without notice, the following key words will guarantee that **Viajemos por el ciberespacio a... Cuba** will get you to your desired destination.

Palabras clave

Universidad de La Habana	Escritores cubanos
República de Cuba	Silvio Rodríguez
La Habana	Playa del Varadero
Medicina en Cuba	Malecón
Música cubana	Fidel Castro
Celia Cruz	

http://www.hrwcollege.com

Vocabulario

Deportes

alpinismo	*mountain climbing*
boxeo	*boxing*
ciclismo	*cycling*
esquí *(m.)*	*skiing*
fútbol	*soccer*
fútbol	
americano *(m.)*	*football*
natación *(f.)*	*swimming*

Jugadores y oficiales

árbitro	*umpire, referee*
arquero	*goalie, goalkeeper*
bateador(a)	*batter (baseball)*
capitán (capitana)	*captain*
defensor(a)	*guard*
delantero(a)	*forward*
entrenador(a)	*coach*
lanzador(a)	*pitcher*

Fútbol

arco	*goal*
estadio	*stadium*
gol *(m.)*	*goal*
golpe de cabeza *(m.)*	*hitting (the ball) with one's head*
patear	*to kick*
pelota	*ball*

Béisbol

bate *(m.)*	*bat*
jonrón *(m.)*	*homerun*
liga	*league*

Baloncesto

cancha	*court*
cesto	*basket*
red *(f.)*	*net*

Misceláneo de deportes

campeón (campeona)	*champion*
competencia	*competition*
derrotar	*to defeat, beat*
estar en forma	*to be in shape*
juego	*game*
lastimarse	*to hurt oneself*
lesionarse	*to get hurt, get injured*
maratón *(m.)*	*marathon*
pelea	*fight*
pista	*lane; (ski) trail*
salvavidas *(m. / f.)*	*lifeguard, lifesaver*
tener cuidado	*to be careful*

Verbos

apoyar	*to aid, support*
concentrarse	*to concentrate*
dañar	*to damage, hurt*
dejar	*to allow, permit*
enumerar	*to enumerate*
exigir	*to demand*
felicitar	*to congratulate*
manejar	*to manage; to control*
prohibir	*to prohibit, forbid*
provocar	*to provoke*
sorprender	*to surprise*
temer	*to fear*
unir	*to unite*
zambullirse	*to dive, jump in (the water)*

Adjetivos

absurdo(a)	*absurd*
agresivo(a)	*aggressive*
contrario(a)	*opposite, opposing*
imparcial	*impartial*
justo(a)	*just, fair*
obvio(a)	*obvious*
político(a)	*political*

Palabras y expresiones útiles

calma	*calm*
de todos modos	*anyway*
estar dispuesto(a) a	*to be inclined to*
lástima	*pity, shame*
líder *(m. / f.)*	*leader*
mantener la calma	*to stay calm*
nivel *(m.)*	*level*
paz *(f.)*	*peace*
público	*public*
ser capaz de	*to be capable of*
tomar el pelo	*to pull one's leg, tease*

En preparación 14

14.1 Subjunctive with Expressions of Emotion

Expressing emotion

Whenever an emotion such as fear, joy, sadness, pity, or surprise is expressed in the main clause of a sentence, the subordinate clause will be expressed in the subjunctive mood.

Main Clause	Subjunctive Clause
Tememos	que Ricardo Javier no **pueda** jugar hoy.
Me alegro (de)	que **estemos** aquí.
Siento mucho	que nuestro mejor jugador **esté** enfermo.
Les **sorprende**	que el árbitro **sea** tan joven.

A. If the subject of both clauses is the same, an infinitive is used instead of a subjunctive clause.

¿Te sorprende **ganar** el premio   *Are you surprised to win the*
   del mejor jugador?   *best player award?*
Me alegro de **poder** estar aquí.   *I am glad to be able to be here.*

B. The following are some frequently used expressions of emotion.

alegrarse (de)	*to be glad*
esperar	*to hope*
estar contento(a) (de)	*to be happy*
estar furioso(a)	*to be furious*
sentir (ie, i)	*to regret, feel sorry*
sorprenderse (de)	*to be surprised*
temer	*to fear*
tener miedo (de)	*to be afraid*

¡A practicar!

A. ¡Uno más! Si gana el partido de esta noche, su equipo va a ir al campeonato. ¿Qué dicen ustedes?

1. Espero que el equipo _____ (ganar).
2. Elodia teme que ellos _____ (tener) el mejor equipo.
3. Nos sorprende que su mejor jugador _____ (ser) Andrés Salazar.
4. Estoy contenta de que todos nuestros jugadores _____ (estar) aquí.
5. Me alegro de que su mejor jugador no _____ (poder) jugar hoy.
6. Temo que ustedes _____ (beber) demasiado en el partido.

B.   ¡Televidentes!   Eduardo y Dino se preparan para ver el partido de fútbol en la televisión. ¿Qué piensan?

1.   Eduardo alegrarse de / dar el partido en la tele

2.   Dino sentir / su jugador favorito / no poder jugar hoy

3.   ellos temer / no haber bastante cerveza

4.   Eduardo tener miedo de / el árbitro / no ser imparcial

5.   Dino esperar / el partido / ser limpio

6.   Eduardo sorprenderse / haber cambiado de capitán

14.2   Subjunctive with Impersonal Expressions

Expressing opinions

Most impersonal expressions are formed with the third-person singular of the verb **ser** followed by an adjective; for example, **es importante, era triste,** and **fue bueno.** Note that in impersonal expressions, the subject *it* is understood.

A.   If an impersonal expression in the main clause expresses a certainty, such as **es cierto, es seguro, es verdad, es obvio,** then the indicative is used in the following clause.

Es obvio que nuestro equipo **va** a ganar.	*It's obvious that our team is going to win.*
Es verdad que el entrenador **está** enfermo.	*It's true that the coach is sick.*

The following are some frequently used impersonal expressions of certainty.

Es obvio	Es indudable	Es cierto
Es verdad	Es seguro	Es evidente

B.   All other impersonal expressions are followed by the subjunctive when there is a change of subject in the subordinate clause. If no change of subject occurs, then the infinitive is used.

Es increíble que **tengan** jugadores tan altos.	*It's incredible that they have such tall players.*
Es mejor que yo no **vaya** al partido.	*It's better that I not go to the game.*
Es imposible ganar ahora.	*It's impossible to win now.*

Note that in the first two examples, the focus of the dependent clause is on different subjects; in the third example the focus is on an event or a statement.

Some frequently used impersonal expressions often followed by the subjunctive include the following.

Es necesario	Es mejor	Es natural
Es lógico	Es probable	Es posible
Es imposible	Es importante	Es una pena
Es increíble		

¡A practicar!

A. ¡Campeonato de béisbol! ¿Qué opinan los cubanos de sus jugadores y de los del equipo contrario?

1. Es imposible que ellos _____ (ganar) con ese entrenador.

2. Es obvio que nosotros _____ (ir) a ganar.

3. Es mejor que nuestro equipo _____ (ser) más agresivo.

4. Es evidente que nosotros _____ (tener) excelentes oportunidades de ganar la copa.

5. Es indudable que nuestro capitán _____ (ser) el mejor.

6. Es evidente que nuestro equipo _____ (ser) excelente.

B. ¡Soy fanático! ¿Qué les dice un cubano fanático del béisbol a sus amigos antes del partido?

Modelo   ser importante / nosotros ganar

> **Es importante que nosotros ganemos.**

1. no ser bueno / nosotros tener un entrenador nuevo

2. ser increíble / el otro equipo ser tan bueno

3. no ser bueno / hacer tanto calor hoy

4. ser ridículo / las entradas ser tan caras

5. ser obvio / el estadio no ir a llenarse *(to fill up)* hoy

6. ser cierto / nuestro equipo tener excelentes jugadores

14.3 Subjunctive with Expressions of Doubt, Denial, and Uncertainty

Expressing doubt, denial, and uncertainty

A. When the main clause of a sentence expresses doubt, denial, or uncertainty, the subjunctive must be used in the subordinate clause whenever there is a change of subject.

Main Clause	Subjunctive Clause
Dudo	que **podamos** ir con ustedes.
No creo	que ellos **tengan** las entradas.
Es probable	que yo no **vaya**.

PASO 2

In spoken Spanish it is becoming acceptable to use the subjunctive even when there is no change of subject.

Dudo que **(yo) pueda** hacerlo esta tarde.

B. Remember that expressions of certainty, including those denying doubt, are followed by the indicative mood or an infinitive.

Estoy seguro de que **llegan** hoy.	*I'm sure they arrive today.*
No dudamos que **tienes** el dinero.	*We don't doubt that you have the money.*

C. The verbs **creer** and **pensar** are usually followed by the subjunctive when they are negative or in a question. They are followed by the indicative when used in the affirmative.

No creo que **estén** bien entrenados.	*I don't believe they are well trained. (They don't appear to be and probably aren't.)*
¿Crees que lo **acepten** los aficionados?	*Do you believe that the fans will accept him? (They may not.)*
Pienso que **están** en el partido.	*I think (believe) they are at the game.*

¡A practicar!

A.   Domingo deportivo.   Melisa está mirando su programa favorito, *Domingo deportivo*, en la tele. Ella es muy aficionada a los deportes. ¿Qué dice cuando mira los diferentes eventos?

> **Modelo**   no creer / su entrenador / ser tan bueno como el nuestro
> **No creo que su entrenador sea tan bueno como el nuestro.**

Fútbol
1. yo dudar / nuestro equipo / estar en forma para este partido
2. ser increíble / árbitros / ser tan injustos

Fútbol
3. yo no creer / ese equipo / ganar hoy
americano
4. ser increíble / ellos / jugar tan mal

Boxeo
5. ser cierto / Cuba / tener excelentes boxeadores
6. yo no dudar / esta pelea / terminar en un empate *(tie)*

Béisbol
7. ser lógico / el equipo cubano / tener tanto éxito
8. ser probable / nuestro equipo / ganarle a los EE.UU. en la Olimpiada.

B.   ¡Cálmate!   Tú estás muy nervioso(a) por el partido esta noche. ¿Qué estás diciendo?

1. ser obvio / el número ocho no saber nada
2. ser probable / el árbitro recibir dinero del otro equipo

3. ser posible / nuestro equipo ya estar cansado

4. yo dudar / su entrenador ser bueno

5. ¿creer tú / ellos tener mejores jugadores?

6. nosotros no dudar / ese jugador ser excelente

14.4 Subjunctive with Expressions of Persuasion, Anticipation, and Reaction

Persuading, anticipating, and reacting

Whenever the main clause in a sentence expresses desire, command, request, suggestion, permission, or prohibition, the verb in the subordinate clause is expressed in the subjunctive provided there is a subject change.

Main Clause	Subjunctive Clause
No **quiere**	que **esquiemos** solos.
Recomiendan	que **subamos** en las sillas dobles.
Aconsejan	que **nos pongamos** las gafas.
Insiste en	que **practiquemos** juntos.

A. The following frequently used expressions denote persuasion, anticipation, and reaction.

aconsejar	*to advise*	permitir	*to permit*
decir (i)	*to tell (command)*	preferir (ie, i)	*to prefer*
desear	*to desire*	prohibir	*to prohibit, forbid*
insistir (en)	*to insist*	querer (ie)	*to want*
mandar	*to order (command)*	recomendar (ie)	*to recommend*
pedir (i, i)	*to ask*	sugerir (ie, i)	*to suggest*

B. Certain expressions may either express a command or convey information. The subjunctive is used *only* when a command is being expressed.

Dice que **bajemos** despacio.	*He tells us to come down slowly.*
Dice que **bajamos** despacio.	*He says we came down slowly.*
Insiste en que no **doblemos** las rodillas.	*He insists that we not bend our knees.*
Insiste en que no **doblamos** las rodillas.	*He insists (on the fact) that we are not bending our knees.*

C. As with expressions of emotion, the subjunctive is used after expressions of persuasion, anticipation, and reaction only when there is a subject change. If there is no change of subject, an infinitive is used.

Quiero **aprender** a esquiar bien.	*I want to learn to ski well.*
Quiero que todos **aprendan** a esquiar bien.	*I want everyone to learn to ski well.*

Es importante **saber** frenar.	*It's important to know how to brake (stop).*
Es importante que **sepan** frenar.	*It's important that you know how to brake.*

¡A practicar!

A. Vacaciones de invierno.   Unos amigos quieren hacer algo diferente durante estas vacaciones de invierno. ¿Qué sugiere cada persona que hagamos todos nosotros?

> **Modelo**   Ramón / sugerir / hacer un viaje largo en tren
> **Ramón sugiere que hagamos un viaje largo en tren.**

1. yo / recomendar / ir a esquiar
2. Tina / sugerir / aprender a patinar *(skate)*
3. Tomás / querer / quedarnos en casa
4. Enrique / preferir / hacer un viaje por la costa
5. Ramona / aconsejar / pasar un fin de semana en Colorado
6. Olga / insistir / alquilar una cabaña en las montañas
7. Tomás / insistir / no gastar demasiado dinero
8. él / decir / ser mejor ahorrar nuestro dinero

B. ¡Y más consejos!   ¿Qué dice David de los consejos que él recibe de sus profesores, amigos y familiares?

1. Mi consejero _____ (decirme) que sólo _____ (yo / tomar) ocho unidades el próximo año.
2. Él _____ (decir) que yo siempre _____ (tomar) muchas unidades.
3. Mis padres _____ (preferir) que yo no _____ (trabajar) el próximo año.
4. Ellos _____ (creer) que yo _____ (trabajar) demasiado.
5. Mis amigos _____ (sugerirme) que _____ (yo / salir) con ellos.
6. Ellos _____ (pensar) que yo no _____ (salir) nunca de casa.

C. Los planes de David.   ¿Y cuáles son los deseos de David?

1. David querer: ser ingeniero
2. él querer: sus padres no trabajar más
3. él desear: terminar pronto sus estudios universitarios

4. él desear: sus hermanos estudiar en la universidad también

5. también él insistir en: practicar deportes con frecuencia

6. él insistir en: su novia practicar algún deporte también

14.5 Present Subjunctive in Adjective Clauses

Referring to unfamiliar persons, places, and things

Sometimes a clause is used as an adjective to describe a person, place, or thing. For example, in the following sentence the adjective clause describes **mujer.**

Adjective Clause

Conozco a una mujer   que ganó cinco medallas de oro.

The verb of the adjective clause may be in the subjunctive or in the indicative.

A. If the antecedent—the person, place, or thing being described—is indefinite (either nonexistent or not definitely known to exist), the verb in the adjective clause must be in the subjunctive.

Busco un entrenador que **hable** ruso.   *I am looking for a coach who speaks Russian. (I'm not sure the person exists.)*

Necesitamos una secretaria que **sepa** taquigrafía.   *We need a secretary who knows shorthand.*

B. If, on the other hand, the antecedent is known to exist, then the verb in the adjective clause must be in the indicative.

Busco al entrenador que **habla** ruso.   *I am looking for the coach who speaks Russian. (I know the person.)*

Contratamos a un secretario que **sabe** taquigrafía y contabilidad.   *We hired a secretary who knows shorthand and bookkeeping.*

Voy a solicitar el puesto que **ofrece** el mejor salario.   *I'm going to apply for the job that offers the highest salary.*

Note that the mood used in adjective clauses indicates whether the speaker is talking about a fact or something hypothetical or abstract.

C. Negative antecedents always refer to the nonexistent. Therefore, the verb in an adjective clause modifying a negative antecedent must be in the subjunctive.

No hay nadie que **esté** dispuesto a trabajar los fines de semana.   *There isn't anyone who is willing to work on weekends.*

No encuentro a ningún solicitante que **sepa** hablar japonés.   *I can't find any applicant who knows how to speak Japanese.*

The personal **a** is not usually used before an indefinite direct object. **Nadie** and **alguien,** however, always take the personal **a** when used as direct objects.

¡A practicar!

A. Nuevo personal. Los socios de un club deportivo están discutiendo los contratos de nuevo personal. ¿Qué dicen ellos?

1. necesitamos / entrenador / ser muy enérgico
2. necesitamos / entrenador / dirigir a los Atléticos
3. buscamos / lanzador / tener experiencia
4. buscamos / lanzador / jugar ahora por los Gigantes
5. contratamos / bateadores / venir de los juveniles
6. contratamos / bateadores / ya tener fama

B. Club deportivo. Un amigo está hablando con su consejero sobre la necesidad de fundar un club deportivo para estudiantes graduados. Según él, ¿qué tipo de personas necesitan para administrar el club?

1. necesitamos un presidente que / poder trabajar bien con el profesorado y los estudiantes
2. tenemos que encontrar un vicepresidente que / ser responsable y / trabajar bien con el presidente
3. para tesorero *(treasurer)*, necesitamos a alguien que / saber contabilidad *(bookkeeping)* y que / ser honesto
4. y para secretario necesitamos una persona que / escribir a máquina y / saber usar la computadora
5. también queremos nombrar a alguien que / representarnos en las reuniones del departamento

C. La universidad nos apoya. Ahora su amigo está contándoles a sus compañeros lo que dijo el consejero. ¿Qué les dice?

Dice que la universidad estará a favor de que _____ (nosotros / organizar) un club que _____ (preocuparse) de los intereses deportivos de los estudiantes graduados. Cree que debemos nombrar una persona que _____ (hablar) con la administración en seguida. Dice que hay una persona en la administración que _____ (tener) experiencia en esos asuntos *(matters)*. Y como yo soy una persona que _____ (conocer) el sistema político de la universidad, yo puedo ser el representante por el momento. Él cree que debemos elegir un representante que _____ (ser) muy activo y que no _____ (tener) miedo de defender los intereses del grupo.

CAPÍTULO 15

Cultural Topics

- **¿Sabías que…?**
  Seguro de trabajo y la mujer profesional latinoamericana
- **La dinastía del amor**
  Cross-cultural perceptions regarding maintaining a mistress and the issue of machismo.
- **Noticiero cultural**
  Lugar: *Ecuador: Las islas Galápagos*
  Gente: *La mujer en Ecuador*
- **Lectura:** *Mitos y realidades*

Writing Strategies

- *Hacer un análisis*

Reading Strategies

- *Inferencia*

En preparación

- 15.1 Conditional of Regular and Irregular Verbs
- 15.2 Subjunctive in Adverb Clauses
- 15.3 Past Subjunctive: Conditional Sentences with **si** Clauses

¿Y después de la universidad?

In this chapter, you will learn how to …

- talk about what you and others would do.
- talk about non-factual, habitual, and factual occurrences.
- hypothesize.
- state conditions.

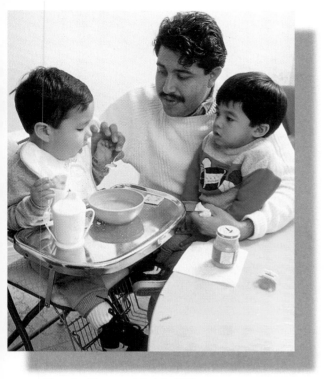

¿El padre hispano del siglo XXI?

Boda en una iglesia en
Quito, Ecuador.

Joven ecuatoriana en
busca de empleo

Lo que ya sabes...

1. En tu opinión, ¿existen quehaceres domésticos
   (household chores) que solamente la mujer
   debe hacer? ¿Cuáles? ¿Existen quehaceres
   domésticos que solamente el hombre debe
   hacer? ¿Cuáles?

2. ¿Crees que las mujeres deben quedarse en casa
   si tienen hijos preescolares? ¿Por qué? ¿Qué
   opinas de los hombres que se quedan en casa
   mientras sus esposas trabajan?

3. ¿Es fácil encontrar trabajo donde tú vives?
   ¿Cuáles son las fuentes principales de trabajo
   en tu estado?

4. ¿Aceptarías mudarte a otra ciudad o a otro estado para conseguir trabajo? Si no, ¿por qué no?

5. ¿Crees que es importante casarse en una
   iglesia? ¿Por qué?

6. ¿Qué opinas de las parejas que viven juntas sin
   casarse?

ECUADOR

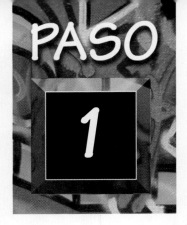

PASO 1

¿Harías algo por mí?

 TAREA — Antes de empezar este **Paso**, estudia **En preparación** 15.1 y haz por escrito los ejercicios de **¡A practicar!** También escucha **Paso 1 ¿Qué se dice...?** del Capítulo 15 en el CD del estudiante.

¿Eres buen observador?

Ahora, ¡a analizar!

1. ¿Por qué es diferente el detergente «Micolor»?
2. ¿Para qué ropa debe usarse? ¿En qué se especializa?
3. ¿Comprarías tú un detergente que no lava más blanco? ¿Por qué?
4. Explica el lema: «Al blanco lo que es del blanco y al color, Micolor».

EL ÚNICO DETERGENTE QUE NO LAVA MÁS BLANCO.

¿Para qué quieres blancura en tu ropa de color?. Los detergentes que "lavan más blanco" son demasiado agresivos con los colores. Utiliza Micolor, el auténtico especialista del color. Gracias a su fórmula con protectores, Micolor elimina la suciedad más rebelde y conserva los colores siempre como nuevos, lavado tras lavado. Prueba Micolor y notarás la diferencia.

Al blanco lo que es del blanco y al color, Micolor.

¿Qué se dice…?

Al hablar de lo que tú y otras personas harían

1. ¿Qué tipo de ayuda quiere Alicia? _____

2. ¿Qué sugieres tú que haga Raúl?

    ❑ sacar la basura   ❑ lavar los platos
    ❑ preparar la comida   ❑ cambiar los pañales del bebé
    ❑ lavar el carro   ❑ cortar el césped
    ❑ limpiar la casa   ❑ mantener el carro

RAÚL   Sí, cómo no, vida mía, ¿qué sugieres que yo haga?

ALICIA Bueno, me parece que podrías cambiar los pañales del bebé de vez en cuando y si lavaras los platos todas las noches y plancharas la ropa una vez a la…

RAÚL   Espera, espera, mi amor. Si yo acepto hacer todo eso, ¿sacarías tú la basura cada dos días? ¿Y cortarías el césped los fines de semana? ¿Lavarías el carro todos los domingos y lo mantendrías lleno de gasolina?

ALICIA ¡Ay, Raúl! ¿Por qué te pones tan machista cada vez que hablamos de quehaceres domésticos?

Ahora, ¡a hablar!

A.   Te ayudaría en todo.   Javier quiere convencer a Josefina que se case con él. ¿Qué promesas le hace? ¿Qué dice que haría por ella?

> **Modelo**   ayudarte en todo
>
> **Te ayudaría en todo.**

1.   lavar la ropa
2.   limpiar el baño
3.   sacar la basura
4.   ir de compras
5.   estar siempre contigo
6.   ser siempre muy romántico
7.   traerte flores a menudo

B.   La pareja ideal.   En tu opinión, ¿haría el esposo ideal lo siguiente o no? ¿y la esposa ideal?

> **Modelo**   salir siempre con los amigos (las amigas)
>
> **Él nunca saldría con los amigos.** o
> **Ella siempre saldría con las amigas.**

1.   ir solo(a) de vacaciones
2.   decir mentiras al (a la) cónyuge *(spouse)*
3.   tener su cuenta privada en el banco
4.   tomar decisiones sin consultar al (a la) cónyuge
5.   hacer muchos viajes solo(a)
6.   vivir en otra ciudad por razones de trabajo
7.   poner siempre la música que le gusta a la otra persona
8.   sacrificarse totalmente por la otra persona

C.   Amistad.   La amistad es tan sagrada *(sacred)* como el matrimonio y los amigos ideales no son fáciles de encontrar. Pregúntale a tu compañero(a) si cree que los amigos verdaderos harían lo siguiente.

> **Modelo**   llamarse con frecuencia
>
> TÚ   **¿Crees que los amigos verdaderos se llamarían con frecuencia?**
>
> COMPAÑERO(A)   **Sí, creo que se llamarían con frecuencia.** o
> **No, no creo que se llamarían con frecuencia.**

1.   escucharse siempre con paciencia
2.   visitarse en el hospital
3.   pedirse siempre dinero
4.   escribirse a menudo
5.   decirse mentiras
6.   ayudarse ante las dificultades

D. Y mucho más. Dile a un(a) compañero(a) lo que harías por un amigo verdadero y pregúntale qué haría él (ella).

Modelo hacer…

Yo haría cosas especiales para un amigo. Y tú, ¿qué harías?

1. decir…   5. dar…
2. tener…   6. ir…
3. hacer…   7. salir…
4. estar…   8. ¿…?

Y ahora, ¡a conversar!

A. Debate. Los Estados Unidos no ha tenido nunca a una mujer como presidenta. ¿Debería una mujer llegar a ser presidenta? Trabajando en grupos de cuatro, cada pareja debe tomar una posición opuesta y defenderla.

B. Todo sería diferente. ¿Cómo sería el mundo si tú y tus compañeros(as) fueran presidentes de unas grandes superpotencias? ¿Qué harían para mejorar el mundo? Trabajando en grupos de tres o cuatro, decidan lo que harían y cómo sería su mundo. Presenten a la clase un resumen de sus conclusiones.

C. ¿Qué harías si…? Con frecuencia nos vemos en situaciones difíciles debido a tener que vivir dentro de un presupuesto fijo *(fixed budget)*. Trabajando en grupos de tres o cuatro, decidan qué harían ustedes si se vieran en las siguientes situaciones. Comparen sus respuestas con las de los otros grupos.

1. Mañana es el cumpleaños de un amigo y como estamos a fines de mes, no tienes dinero para comprarle un regalo.
2. Hay que pagar el alquiler, pero tú y tus compañeros(as) de cuarto no tienen el dinero para pagarlo.
3. Tú y tu novio(a) están en un restaurante muy elegante celebrando su cumpleaños. Pensabas que tenías bastante dinero pero él (ella) decidió pedir el plato más caro y no te va a alcanzar el dinero.
4. Acabas de comprar un carro nuevo y después de sólo dos meses de tenerlo, te despiden del trabajo. Si te atrasaras *(fail to make)* un pago más, perderías el carro.

¡Luz! ¡Cámara! ¡Acción!

A. ¡La pobreza! Aunque los Estados Unidos es un país de mucha riqueza, todavía existe también mucha pobreza. Tú y tu compañero(a) creen que es necesario que desaparezca la pobreza en este país. Dramaticen una conversación discutiendo posibles soluciones al problema.

B. ¡Emergencia! En grupos de tres o cuatro, dramaticen lo que harían en caso de una emergencia (ustedes decidan qué tipo de emergencia) para asegurarse del bienestar de su familia, de sus vecinos y de su comunidad. ¿Cuáles serían sus prioridades?

La dinastía del amor: Episodio 9

La familia Gómez, como de costumbre, espera el comienzo de la telenovela del momento. La semana pasada los televidentes quedaron pendientes de varios asuntos: ¿Cómo dirá Betty a su familia que se casó? ¿Se casará Sharon con Eric? Escucha este episodio y luego contesta las preguntas que siguen.

Vocabulario útil

aguantar	*to bear, tolerate*	hacer daño	*to harm, to damage*
casamiento	*marriage*	un mal rato	*a bad time*

A través de dos culturas

Telenovela

1. ¿Dónde estaba la señora Kennedy?
2. ¿Qué problemas tienen Sharon y Betty?
3. ¿Qué dice Betty de los problemas de la familia?
4. ¿Quién es el culpable, según el señor Kennedy? ¿Por qué lo cree?
5. ¿Por qué vino Eric a casa de los Kennedy?
6. ¿Por qué le pide Betty a Eric que se calle?
7. ¿Qué hace Betty al final del episodio?
8. ¿Qué le pasa al padre?

Televidentes

9. ¿Es sincero don Sergio Gómez cuando dice que él se moriría si sus hijos actuaran como los Kennedy?
10. ¿Crees que Luisita tiene razón? ¿Es un crimen casarse sin avisar a nadie?

Ecuador

Esmeraldas
Quito
Manta
Guayaquil
Puerto
Bolívar
Loja

NOTICIERO CULTURAL

LUGAR... ECUADOR

Antes de empezar, dime...

1. Nombra algunas de las bellezas naturales de los EE.UU.
2. Nombra lugares de los EE.UU. en los que se preservan especies en peligro de extinción. Nombra también esas especies.
3. Nombra algunos parques nacionales de tu país.

Ecuador: Las islas Galápagos

Las islas Galápagos, llamadas oficialmente el archipiélago de Colón, se extienden al norte y al sur de la línea ecuatorial, a 600 millas de la República del Ecuador. Fueron descubiertas en 1535 por un obispo español, Tomás de Berlanga, siendo redescubiertas años más tarde por piratas y bucaneros ingleses, quienes las usaron de refugio y base para sus ataques. Ya, en los siglos XVIII y XIX fueron punto de interés de balleneros y otros navegantes, los que llegaban atraídos por la carne y el aceite de las enormes tortugas terrestres llamadas galápagos.

Estas islas son mundialmente reconocidas como un verdadero laboratorio viviente, destacándose por su exótica belleza y por la riqueza de su fauna y flora. Aunque los primeros visitantes introdujeron especies domésticas, los verdaderos «señores» son las especies más raras, como las manadas de leones marinos, los álbatros dómines, cierto tipo de pingüinos llegados de la Antártica, las iguanas y otras especies que al migrar se han ido adaptando al hábitat de las islas.

Leones marinos

Albatros dómines

Pinqüinos

Iguanas

Y fue de su corta visita (36 días) a estas islas que Charles Darwin, que viajó como naturalista del buque de investigación *HMS Beagle,* publicó en 1859, después de veinte años de reflexión, *El origen de las especies.* Esta obra revolucionó al mundo, cambiando el concepto que la humanidad tenía de sí misma. Darwin basó su teoría de la evolución de las especies, en los cambios experimentados por animales y plantas al adaptarse al ambiente en el cual se desarrollarían más tarde.

Al conmemorarse el centenario de la publicación de *El origen de las especies,* el gobierno de Ecuador, conjuntamente con un consorcio multinacional de organizaciones científicas y de conservación, establecieron el Parque Nacional de las Islas Galápagos, santuario mundial.

Y ahora, dime...

El viaje de Darwin a las islas Galápagos tuvo un impacto muy grande. Usa este diagrama araña con un(a) compañero(a) para indicar qué descubrió Darwin en las islas y el impacto que esos descubrimientos tuvieron en el mundo.

El español en otras disciplinas: Ecología

La selva tropical.   Uno de los mayores problemas que afecta al medio ambiente actualmente, además de la contaminación, es el problema de la deforestación y el peligro constante en que se debaten las reservas biológicas y las riquezas naturales del planeta. Con un(a) compañero(a) hablen entre sí y decidan cómo asignarle un número a cada uno de los problemas o peligros de la siguiente lista, otorgándole el número 1 al problema que les parece más serio, el 2 al siguiente más serio y así hasta el 8 al menos serio. Luego en grupos de cuatro, hagan una tabla de estadística con los resultados.

_____	Deforestación	_____	Especies en peligro de extinción
_____	Pesticidas y fumigantes	_____	Búhos en los bosques
_____	Intereses del petróleo	_____	Ganado en los bosques
_____	Contaminación	_____	Desechos radioactivos

Proyecto.   Haz un breve informe sobre algún problema ecológico en un país hispano. Tendrás que buscar información en los periódicos o revistas sobre la ecología. Describe el problema e indica lo que el país está haciendo para solucionarlo.

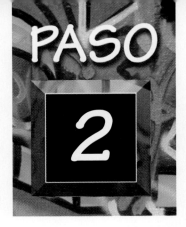

PASO 2

Aceptaré la oferta con tal que...

TAREA

Antes de empezar este **Paso**, estudia **En preparación** 15.2 y haz por escrito los ejercicios de **¡A practicar!** También escucha **Paso 2 ¿Qué se dice...?** del Capítulo 15 en el CD del estudiante.

¿Eres buen observador?

Ahora, ¡a analizar!

1. ¿Son todos estos puestos para personas con título universitario? ¿Cuáles requieren otros requisitos?
2. ¿Solicitarías tú algunos de estos puestos? Explica.
3. ¿Cuál de estos puestos tiene más requisitos? ¿Cuál tiene menos?
4. ¿Cuál crees que pagará más? ¿Por qué crees eso?
5. Explica lo que quiere decir «Se garantiza confidencialidad» en el tercer anuncio.

EL DIARIO
SOLICITA
INSPECTOR DE SEGURIDAD

★ **Requisitos:**
- Bachiller
- Conocimientos en Seguridad Industrial y Protección contra Incendios
- Dispuesto a trabajar en turno rotativo
- Nacionalidad norteamericana
- Edad entre 24 y 35 años (no limitativo)
- Residencia en el área metropolitana

★ **Interesados:** Favor dirigirse con currículum vitae y foto reciente, a la siguiente dirección: Mesa St. Edificio Diario de El Paso. Horario: 8:30 am a 11:00 am y 1:30 pm a 4:30 pm.

Empresa Internacional
SOLICITA
CONDUCTORES

Requisitos:
- Licencia de conducir
- Carta de referencias de trabajos anteriores (2)
- Una foto de frente tipo carnet reciente
- Certificado médico
- 6º grado de instrucción primaria aprobado

Interesados

dirigirse a: Calle Industrial, Edificio Importados Latinoamérica. Solicitar al Sr. Ricardo San Martín en horas de oficina.

EMPRESA DISTRIBUIDORA DE PRODUCTOS DE CONSUMO MASIVO
SOLICITA
JEFE(A) ADMINISTRATIVO(A)

- Graduado universitario
- Experiencia en el área Administrativa, Personal, Crédito y Cobranzas
- Edad entre 25 y 35 años
- Capacidad de Planificación, Organización con dinamismo e iniciativa propia
- Conocimientos generales en manejo de microprocesadores

SE GARANTIZA CONFIDENCIALIDAD

Enviar currículum vitae a la Caja Postal 7077, indicando aspiraciones de sueldo y foto reciente

---

Seguros LA SEGURIDAD
SOLICITA
ANALISTAS DE PERSONAL

Orientamos nuestra búsqueda hacia un joven dinámico, egresado de una Universidad o Instituto Universitario como Técnico Superior, Licenciado en Relaciones Industriales o carrera afín, con experiencia. Es esencial tener habilidad para establecer buenas relaciones interpersonales y facilidad para expresarse oralmente.

Interesados favor dirigirse a nuestra oficina en la Av. Universidad esq. con El Paseo, con currículum vitae y dos fotografías recientes tamaño carnet.

¿Qué se dice...?

Al hablar de hechos ciertos e inciertos

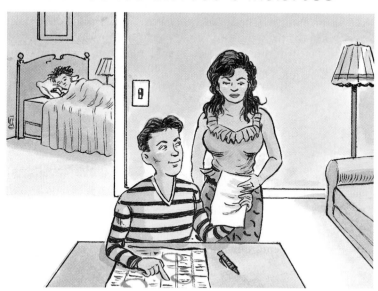

1. No sabe si quiere empleo en _____
2. No dejará su puesto actual hasta que _____
3. El ambiente es muy agradable aunque _____
4. La experiencia de la entrevista ayudará aunque _____

RAÚL   Cuando acepten mis condiciones, firmaré el contrato, y no antes.

ALICIA   Tan pronto como te ofrezcan el puesto, nos mudaremos.

RAÚL   Es cierto que después de que me den un trabajo tendremos que tomar muchas decisiones. Pero, ¡no te adelantes! El problema es que todavía no me han ofrecido nada.

ALICIA   No hay problema, Raúl. Tengo mucha confianza en ti. Espera hasta que recibas dos ofertas, entonces sí que tendremos un problema.

¿Sabías que... ?

En muchos países hispanos, la mujer cuenta con importante y excelente protección por su condición de madre de familia. Por ejemplo, a la mujer embarazada le permiten un reposo de casi un mes y medio antes —y de casi tres meses después— del nacimiento de su bebé. Además, el seguro de trabajo de la mujer le garantiza el cuidado gratuito o casi gratuito (de acuerdo a su salario) de los hijos en edad preescolar (de tres meses a cuatro años). En Chile, por ejemplo, una empresa o institución con un número superior a veinticinco empleadas tiene que crear, por decreto de ley, una guardería (*day-care center*).

Ahora, ¡a hablar!

A. Decisiones. Juan Carlos se va a graduar este verano y quiere viajar durante unos seis meses antes de empezar su vida profesional. Ahora está pensando en las ventajas y desventajas de viajar por un período tan largo. ¿Qué piensa?

> **Modelo** viajar a menos que: ofrecerme un buen puesto
>
> **Viajaré a menos que me ofrezcan un buen puesto.**

1. salir antes de que: mi novia y yo decidir casarnos
2. poder ir con tal de que: mi padre prestarme dinero
3. no ir solo a menos de que: mi amigo Jorge no poder viajar
4. visitar a mis parientes para que: mis padres estar contentos conmigo
5. no hacer planes antes de que: todos mis papeles estar en orden
6. no confirmar mis reservaciones sin que: mi amigo y yo estar seguros de ir

 B. ¿Me aceptarán? Óscar mandó una solicitud de trabajo hace una semana, pero todavía no ha recibido ninguna respuesta. A pesar de todo, como es tan optimista, ya está haciendo planes. ¿En qué está pensando?

> **Modelo** aceptaré en cuanto / recibir la oferta
>
> **Aceptaré en cuanto reciba la oferta.**

1. me mudaré tan pronto como / firmar el contrato
2. compraré un auto nuevo después de que / recibir el primer sueldo
3. haré un viaje a Europa cuando / tener mis primeras vacaciones
4. aceptaré aunque el trabajo / estar lejos
5. tendré que comprar muebles tan pronto como / mudarme
6. pero seguiré con mi vida diaria hasta que ellos / contestar mi carta

 C. ¡Felicitaciones! Óscar, por fin, recibe las noticias. Le han hecho una excelente oferta, pero en otra ciudad. Ahora está hablando por teléfono con un amigo que trabaja allá. ¿Qué le dice el amigo?

> **Modelo** aunque el lugar / estar lejos / ser un buen puesto
>
> **Aunque el lugar está lejos, es un buen puesto.**

1. tan pronto como tú / llegar / tener que llamarme
2. cuando una persona nueva / llegar / siempre / nosotros hacer una recepción
3. en cuanto tú / pasar unos días aquí / todo ser fácil
4. aunque la empresa / ser grande / todo el mundo / conocerse
5. aunque tú siempre / estar ocupado / el ambiente / ser agradable
6. cuando tú / tener problemas / alguien ayudarte

D. ¿Para qué?   Los seres humanos tenemos la capacidad de complicarnos la vida por diferentes razones. Dile a tu compañero(a) para qué haces lo siguiente y escucha mientras te dice para qué lo hace él (ella).

> **Modelo**   trabajar
>
> **Yo trabajo para que mis hijos coman bien.** o
> **Yo trabajo para comprarme un coche nuevo.**

1. hacer ejercicio
2. trabajar
3. estudiar
4. comprar una casa
5. (no) estar a dieta
6. tener tarjetas de crédito
7. pagar impuestos
8. ¿... ?

Y ahora, ¡a conversar!

A.   Problemas con el presupuesto.   Tu universidad tiene problemas serios con el presupuesto y está considerando aumentar el precio de la matrícula de los estudiantes. Tú y dos compañeros(as) de clase están en un comité estudiantil que va a hacer recomendaciones a la administración indicando bajo qué condiciones es aceptable aumentar la matrícula. ¿Qué recomendaciones hacen ustedes?

B.   ¡Por fin!   Tú y tus amigos van a graduarse en menos de un mes. En grupos de tres o cuatro discutan todo lo que piensan hacer.

> **Modelo**   **Tan pronto como me gradúe, viajaré a Sudamérica.**
> **Viajaré por tres meses a menos que...**

C.   Pasos importantes.   El matrimonio no es el único paso importante en la vida. Hay otras decisiones que nos esperan a lo largo de la vida. ¿Qué harán tú y tu compañero(a) en las siguientes situaciones?

> **Modelo**   Cuando consigamos trabajo...
>
> **Cuando consigamos trabajo podremos comprarnos carros nuevos.**

1. Tan pronto como nos graduemos...
2. Cuando tengamos bastante dinero...
3. En cuanto consigamos un buen puesto de trabajo...
4. Hasta que tengamos bastante dinero...
5. En cuanto terminemos los estudios de posgrado
6. Después de que nos jubilemos *(retire)...*

¡Luz! ¡Cámara! ¡Acción!

A. Necesito un aumento de sueldo. Tú estás hablando con tu supervisor(a) en el trabajo. Acaba de decirte que te van a dar un aumento de sueldo *(raise)* pero vas a tener que trabajar de noche, de las once de la noche hasta las siete de la mañana. Tú necesitas el aumento pero el horario no te conviene. Ofreces otras alternativas. Dramatiza la situación con un(a) compañero(a).

B. ¡Ay, los padres! Tus padres quieren que tú consigas un trabajo después de graduarte, pero quieres continuar con los estudios de posgrado. Ellos tienen sus razones y tú tienes las tuyas. Dramatiza esta situación con dos compañeros de clase.

¿Comprendes lo que se dice?

La dinastía del amor: Episodio 10

Estamos en el mes de abril y esta noche la familia Gómez verá el último episodio de la temporada. El señor Kennedy ha muerto. Sharon y Eric están casados y la señora Kennedy se prepara para casarse con el señor Robertson, el socio de su finado *(late)* esposo. Escucha ahora el último episodio y luego contesta las preguntas que siguen.

Vocabulario útil

malagradecido	*ungrateful*	vergüenza	*shame*
mentira	*lie*	engañar	*to deceive*
SIDA *(m.)*	*AIDS*	merecer	*to deserve*

A través de dos culturas

Telenovela

1. ¿Qué noticias acaba de dar Betty a su madre?
2. ¿Por qué se comporta de manera tan insolente Betty con su madre?
3. ¿Cómo reacciona la señora Kennedy?
4. Según Betty, ¿por qué se casó? ¿Cómo reacciona la madre?
5. ¿Con quién acaba de hablar Sharon? ¿Qué le dijo?
6. ¿Cuál fue la causa de la muerte de su marido, según la señora Kennedy?
7. ¿Por qué le dice Betty a su madre que «todo se paga en este mundo»?
8. ¿Cómo reacciona Sharon?

Televidentes

9. ¿Por qué cree Luisita Gómez que el señor Kennedy merecía ser engañado por su esposa?
10. ¿Qué opina Juan Pedro de una mujer que engaña a su marido? ¿y de un hombre que engaña a su esposa?
11. ¿Y qué opina don Sergio? ¿y doña Luisa?
12. ¿Tiene razón doña Luisa al decir que don Sergio y Juan Pedro son machistas? Explica.

Ecuador

Esmeraldas
✪ Quito
Manta
Guayaquil
Puerto
Bolívar
Loja

NOTICIERO
CULTURAL

GENTE... LA MUJER EN ECUADOR

Antes de empezar, dime...

1. ¿Cuándo logró el voto la mujer en los EE.UU.?
2. ¿En qué década tuvo su apogeo el Movimiento de Liberación Femenina en los EE.UU.?
3. ¿Están protegidos bajo la ley la mayor parte de derechos femeninos o todavía está la mujer estadounidense luchando por esos derechos? Explica tu respuesta.

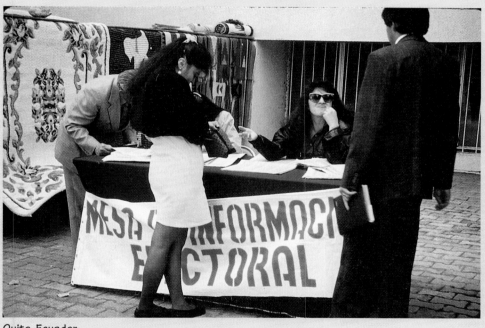

Quito, Ecuador.

La mujer en Ecuador

Muy poco sabemos de la mujer ecuatoriana, y lo que sabemos siempre está rodeado del estereotipo de la mujer indígena, pasiva, trabajadora, obediente y experta en la artesanía manual. Aunque Ecuador no figura en muchas estadísticas mundiales, los cambios que se han producido en el país relacionados a la mujer son muchos. En primer lugar, Ecuador fue el primer país de Sudamérica en permitir el divorcio y el primero en darle el derecho del voto a las mujeres en el año 1929.

Más recientemente en los años 70, se empezó a organizar el movimiento feminista con grupos de mujeres que pertenecían a la clase trabajadora. El propósito principal fue lograr más alimentos, mejores condiciones de salud y cuidado infantil, especialmente en las zonas rurales. En el año 1975 el grupo de mujeres que organizó el Comité de Solidaridad para los conflictos laborales, publicó la revista *La Pachacama* que sirvió de voz en muchos cambios sociales de miles de personas de todo el país.

En 1976 se organizó la Brigada de Mujeres Universitarias que logró cambios en los sectores de la construcción, el comercio, los servicios y la industria textil. Después de formarse el Grupo Autónomo de Mujeres, la Unión de Mujeres Trabajadoras y la Unión Nacional de Mujeres Ecuatorianas, la Oficina Nacional de la Mujer junto a la Asociación Jurídica Femenina de Guayaquil, propusieron nuevas leyes al gobierno que lograron uno de los más importantes cambios en las leyes que protegen los derechos de la mujer de Ecuador. Estas leyes, que no permiten nuevas discriminaciones en contra del sexo femenino en el país, han sido propuestas por las Naciones Unidas como ejemplo para muchos otros países del mundo.

Y ahora, dime...

Contesten estas preguntas en parejas.

1. ¿Cuál es el estereotipo que rodea a la mujer ecuatoriana? Nombra dos o tres datos que contradigan este estereotipo.

2. ¿Quién dio primero el derecho del voto a la mujer, Argentina o Ecuador? ¿EE.UU. o Ecuador?

3. ¿En qué año se empezó a formar el movimiento femenino en Ecuador? ¿Con qué propósito?

4. ¿Qué es *La Pachacama*?

5. ¿Cuáles son algunas organizaciones femeninas en los EE.UU.?

6. ¿Cómo puede ayudar a las mujeres de los EE.UU. el modelo de leyes propuesto por las Naciones Unidas?

Antes de escribir
Estrategias para escribir: Hacer un análisis

A. Generalizaciones equivocadas. En la escritura, como en el habla, hay una tendencia a generalizar y, con frecuencia, estas generalizaciones no son válidas. Por eso, siempre es bueno analizar cualquier generalización. Cuando analizamos por escrito, es importante presentar todos los hechos que apoyen o que contradigan la generalización.

Mira la generalización que se hizo de la mujer ecuatoriana a principios del **Noticiero cultural** sobre «La mujer en Ecuador».

1. ¿Qué datos contradicen este estereotipo?
2. ¿Qué publicación contradice esta generalización?
3. ¿Qué agrupaciones contradicen esta generalización?
4. ¿Qué puedes deducir, entonces, después de leer este texto de la mujer ecuatoriana?

B. ¡No es verdad! Tanto como la prensa en los EE.UU. tiende a generalizar equivocadamente a Hispanoamérica, la prensa hispanoamericana también tiende a hacer lo mismo con los EE.UU. Con dos compañeros(as) de clase, preparen una lista de generalizaciones equivocadas que ustedes saben o creen que los latinoamericanos tienen de los ciudadanos de los EE.UU. Un ejemplo es: *Todos los americanos son ricos.*

Ahora, ¡a escribir!

A. En preparación. En los mismos grupos que prepararon la lista de generalizaciones en el ejercicio anterior, seleccionen cuatro o cinco de sus generalizaciones y, para cada una, preparen una lista de hechos que contradigan la generalización.

B. El primer borrador. Basándose en las listas que acaban de preparar, desarrollen un análisis de un párrafo para cada generalización. Cada análisis debe incluir varios hechos específicos y una o dos oraciones para llamar atención a lo incorrecto de la generalización.

C. Ahora, a compartir. Intercambien su análisis con otro grupo para saber su reacción. Lean el análisis de sus compañeros y denles sugerencias sobre posibles cambios para mejorar su análisis. Si encuentran errores, menciónenlos.

D. Ahora, a revisar. Ahora agreguen la información que consideren necesaria para su análisis. No olviden revisar los errores que mencionaron sus compañeros.

E. La versión final. Saquen una copia en limpio y entréguensela a su profesor(a).

F. Publicación. En grupos de nueve, comparen sus análisis, en particular cuando escribieron sobre las mismas generalizaciones. Informen a la clase sobre las generalizaciones que los tres grupos tuvieron en común.

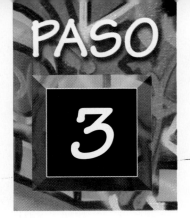

PASO 3

Si me dieran $600,00 mensuales...

¿Eres buen observador?

Ahora, ¡a analizar!

1. ¿Para qué es esta propaganda?
2. ¿Cuántas categorías distintas de seguros ofrece esta compañía? ¿Cuáles son?
3. ¿Cuáles de estos seguros son apropiados para niños? ¿adultos? ¿familias? ¿compañías o empresas?
4. ¿Qué tipos de seguros tienes tú? ¿Cuáles de estas categorías de seguros te gustaría conseguir?

INSTINTO DE PROTECCION

Sede Social: Plaza de España, 15 - Tel. 541 93 87 - 28008 Madrid

SEGUROS:

ACCIDENTES:
- INDIVIDUALES
- FAMILIAR
- GRUPO
AGRARIOS COMBINADOS
SANTA LUCIA ASISTENCIA
COMBINADO DE:
- COMERCIOS Y OFICINAS
- DECESOS Y ACCIDENTES
- EDIFICIOS Y COMUNIDADES DE VIVIENDAS

- HOGAR
- INCENDIO - ROBO
- TALLERES E INDUSTRIAS
- ROBO Y EXPOLIACION
CRISTALES
INCENDIOS:
- RIESGOS SENCILLOS
- RIESGOS INDUSTRIALES
RESPONSABILIDAD CIVIL:
- GENERAL
- OBLIGATORIO CAZADOR
- VOLUNTARIO CAZADOR

VIDA:
- PLAN DE AHORRO JUVENIL
- PLAN DE JUBILACION 6000 MIXTOS, VIDA ENTERA, TEMPORALES Y
- ANUALIDADES CAPITAL DIFERIDO CON REEMBOLSO DE PRIMAS
- RENTA VITALICIA
  - DIFERIDA
  - INMEDIATA
VIDA DE GRUPO:
- PARA CASOS DE MUERTE
  PARA CASOS DE VIDA

CAPITAL, RESERVAS Y PROVISIONES TECNICAS: 74.371.277.281 Ptas.

SANTA LUCIA
PROVEEDOR OFICIAL

LFP

¿Qué se dice...?

Al formar hipótesis y declarar condiciones

- ❏ Podrían comprar un carro nuevo.
- ❏ Tendrían que mudarse.
- ❏ Podrían pagar todas las deudas.
- ❏ No podrían invertir en la bolsa *(stock market)*.
- ❏ Alicia tendría que buscar empleo de tiempo completo.
- ❏ Alicia podría ir a la escuela tiempo completo.

RAÚL   Amor mío, no has entendido. Me ofrecen $1.625.000 sucres mensuales. Y con eso pienso pagar nuestras deudas, comprar un coche nuevo e invertir en la bolsa a la vez. Ahora te vuelvo a preguntar, si te diera a ti $325.000 al mes, ¿cómo vivirías?

ALICIA   En ese caso, viviría un poco mejor. Podría pagar algunas cuentas y compraría los libros para mis clases. Pero si la cantidad que me piensas dar fuera un poquito más grande, también ahorraría para esas vacaciones en Europa que siempre me estás prometiendo.

Ahora, ¡a hablar!

A.   Si tuviera un buen puesto.   María Antonia no gana mucho en su trabajo actual. Por eso acaba de solicitar empleo en otras compañías más importantes. ¿Qué dice María Antonia sobre la posibilidad de conseguir uno de estos puestos?

> **Modelo**   (estar) muy contenta si me ofrecieran un mejor puesto
>
> **Yo estaría muy contenta si me ofrecieran un mejor puesto.**

1.   (mudarme) si fuera necesario
2.   (poder) comprarme un auto nuevo si me pagaran bien
3.   (ser) difícil decidir si recibiera dos ofertas buenas
4.   (tener) que adaptarme a otro ambiente si otra compañía me ofreciera un puesto
5.   (adquirir) buena experiencia si cambiara de trabajo
6.   mis padres (estar) orgullosos si una compañía importante me ofreciera un puesto

B.   ¡Todo es posible!   ¿Qué harías tú si te vieras en estas situaciones?

> **Modelo**   Si ganaras un millón de dólares en la lotería...
>
> **Lo invertiría, la mitad en la bolsa y la otra mitad en bienes raíces** *(real estate).*

1.   Si tuvieras que reducir tu presupuesto en un cincuenta por ciento...
2.   Si el alquiler de tu apartamento aumentara en un cincuenta por ciento...
3.   Si ganaras un millón de dólares en la lotería...
4.   Si un pariente rico te ofreciera un viaje gratuito alrededor del mundo empezando la semana que viene...
5.   Si tu novio(a) te abandonara por una persona rica...

C.   ¡Decisiones!   Al recibir una oferta de trabajo, con frecuencia nos vemos obligados a tomar decisiones. Dile a un(a) compañero(a) lo que dirías si te vieras en estas circunstancias y escucha lo que él (ella) diría.

> **Modelo**   Si me ofrecieran un trabajo en el extranjero, yo...
>
> **Si me ofrecieran un trabajo en el extranjero, yo lo aceptaría.**

1.   Si el salario fuera bueno pero la empresa pequeña, yo...
2.   Si me dieran buenas posibilidades de ascenso pero un horario difícil, yo...
3.   Si el puesto requiriera viajar mucho, yo...
4.   Si el puesto estuviera en una ciudad muy grande, yo...
5.   Si el puesto se encontrara en un pueblo pequeño, yo...
6.   Si el ambiente en el trabajo no fuera ideal, yo...

D.   Condiciones.   ¿Bajo qué condiciones harías lo siguiente?

1.   Dejaría mi puesto actual si...
2.   Compraría un coche nuevo si...
3.   Trabajaría menos si...
4.   Viviría en otro país si...
5.   Me mudaría a otra ciudad si...
6.   Cambiaría mi estilo de vida si...
7.   Sería más feliz si...
8.   ¿...?

Y ahora, ¡a conversar!

A.   ¡Ay! ¡La conciencia no me lo permite!   Trabajando en grupos de tres o cuatro, decidan qué harían ustedes en estas situaciones. Comparen sus respuestas con las de los otros grupos.

1.   ¿Qué harían tú y dos amigos si al dar a la cajera del supermercado un billete de $20,00 ella se equivocara y les diera cambio de $50,00?

2.   ¿Qué harían ustedes si, caminando por la calle, vieran a un hombre grande y fuerte asaltar a una mujer?

3.   ¿Qué harían si al recibir su estado de cuentas del banco vieran un error de $137,00 a su favor?

4.   ¿Qué harían si hoy tuvieran que pagar el alquiler y tú y tus compañeros(as) de apartamento no tuvieran el dinero?

5.   ¿Qué harías si sólo dos meses después de comprar un carro nuevo te despidieran del trabajo?

B.   Si fuera así...   ¿Qué pasaría si tú y tus compañeros(as) tuvieran que adaptarse a algunas situaciones totalmente diferentes? ¿Qué harían ustedes en estas tres situaciones?

1.   si tuvieran que vivir un año en la selva

2.   si fueran los únicos habitantes de una isla

3.   si encontraran un tesoro

C.   Sería diferente.   Ahora inventen tres situaciones en las que se necesitaría hacer cambios radicales y pregunten a otros grupos lo que harían.

¡Luz! ¡Cámara! ¡Acción!

A.   Organización de las Naciones Unidas.   Trabajando en grupos de cuatro o cinco, imagínense que ustedes son miembros de un comité de profesionales de la Organización de las Naciones Unidas. La misión del comité es decidir qué harían si pudieran efectuar cualquier cambio para mejorar el mundo. Dramaticen la primera reunión de su comité.

B.   Gobierno estudiantil.   Trabajando en grupos de tres o cuatro, imagínense que ustedes son miembros del gobierno estudiantil de su universidad. El (La) presidente(a) de su universidad les ha pedido que le digan qué harían ustedes si la universidad tuviera que reducir su presupuesto en un quince por ciento. Dramaticen su primera reunión.

¿Te gusta leer?

Antes de leer
Estrategias para leer: Inferencia

A.   Inferir.   Inferir es sacar una consecuencia o una conclusión de una cosa o, dicho de otra manera, «leer entre líneas». Un buen lector hace inferencias constantemente al leer. Por ejemplo:

> *¿Ha visto usted alguna vez las imágenes de Hispanoamérica que proyecta la televisión estadounidense o las fotos de los países hispanos en los periódicos y revistas de este país?*

Al leer estas líneas, el lector podría inferir o llegar a la conclusión de que el autor va a hablar de imágenes o negativas o positivas de Hispanoamérica. En este punto, cualquiera inferencia sería posible. Continuemos.

Parece que las noticias siempre son malas y que el mundo sólo se interesa en los países hispanos cuando ocurre un desastre natural o político.

Nuestra primera inferencia ya se aclara y nos lleva a concluir que el autor va a hablar de imágenes negativas.

Ahora, escribe una inferencia válida para cada comentario a continuación. Luego, en grupos de cuatro, comparen sus inferencias.

1. En los anuncios de las agencias de viaje sólo vemos playas tropicales pobladas de hermosos hoteles de lujo, donde la gente de dinero es atendida por gente de piel morena y sonrisas blancas.

   Inferencia: _____

   _____

2. ¡Mire usted a su alrededor! En los EE.UU. vive una población hispana mayor que la de Venezuela. La ciudad de Nueva York tiene más habitantes hispanohablantes que La Habana, Cuba.

   Inferencia: _____

   _____

3. En Perú, de cada tres habitantes, uno habla quechua o aymará. En Paraguay, casi el noventa por ciento de la población habla guaraní en combinación con el español.

   Inferencia: _____

   _____

B. Entre líneas. Decide si las inferencias que acabas de hacer son correctas o no. Después de leer «Mitos y realidades», vuelve a tus inferencias y cámbialas si es necesario.

Mitos y realidades

¿Ha visto usted alguna vez las imágenes de Hispanoamérica que proyecta la televisión estadounidense o las fotos de los países hispanos en los periódicos y revistas de este país? Parece que las noticias siempre son malas y que el mundo sólo se interesa en los países hispanos cuando ocurre un desastre natural o político. Por el contrario, en los anuncios de las agencias de viaje sólo vemos playas tropicales pobladas de hermosos hoteles de lujo, donde la gente de dinero (casi siempre anglos) es atendida por gente morena.

¿Sabe usted cuál es la verdadera Hispanoamérica? Para ver qué sabe de sus vecinos al sur, analicemos cinco percepciones del mundo hispano. Primero califique estas percepciones como verdaderas o falsas, y luego lea el análisis de cada una para ver cuánto sabe usted de sus vecinos.

V   F   1.   Los hispanos viven en España y al sur de la frontera con los Estados Unidos.

V   F   2.   El español es la lengua común de los países hispanos.

V   F   3.   Los hispanos son gente baja, de piel morena y pelo negro.

V   F   4.   En los países hispanos predomina lo antiguo y lo tradicional.

V   F   5.   Los países hispanos son pobres y subdesarrollados.

Percepción 1   *Los hispanos viven en España y al sur de la frontera con los Estados Unidos.*

Análisis 1   ¡Mire usted a su alrededor! En los EE.UU. vive una población hispana mayor que la de Venezuela. La ciudad de Nueva York tiene más habitantes hispanohablantes que La Habana, Cuba. ¡Los EE.UU. es el quinto país que tiene más hispanohablantes del mundo! Sus vecinos hispanos no están muy lejos. ¡Están al otro lado de la calle!

Percepción 2   *El español es la lengua común de los países hispanos.*

Análisis 2   No cabe duda que el español es la lengua de los países hispanos. Sin embargo, el número de personas que hablan un idioma indígena alcanza a los veinte millones o más, ¡y va creciendo! En México, por ejemplo, más de cinco millones de personas hablan una lengua indígena. En Perú, de cada tres habitantes, uno habla quechua o aymará. En Paraguay, casi el noventa por ciento de la población habla guaraní en combinación con el español. En Bolivia y Guatemala, más de la mitad de la población habla lenguas indígenas como el aymará y el quiché.

Percepción 3   *Los hispanos son gente baja, de piel morena y pelo negro.*
Análisis 3   No todos los hispanos son morenos. En tres países —Argentina, Uruguay y Costa Rica— la población es casi exclusivamente blanca, en su mayoría de ascendencia europea. En algunos países, como Guatemala, Bolivia o Ecuador, predomina la población indígena, aunque sería difícil clasificarla como raza pura. En otros países, en particular en Cuba, Puerto Rico, la República Dominicana y por toda la costa del Caribe también hay mucha gente de descendencia africana y personas de sangre mixta llamados mulatos, una combinación de sangre negra y sangre europea. Pero en la mayor parte de Latinoamérica, como es el caso en México y Paraguay, la mayoría de la gente se podría clasificar como una mezcla de indio y europeo que dio como resultado el mestizaje. Los mestizos son los que dan la imagen popular a Hispanoamérica, pero en las grandes ciudades se distinguen también los descendientes de diversos grupos de inmigrantes, incluyendo a chinos, judíos, italianos, árabes, alemanes, ingleses, japoneses... en fin, gente de todo el mundo.

Percepción 4   *En los países hispanos predomina lo antiguo y lo tradicional.*
Análisis 4   Los hispanos representan una cultura de tradiciones muy antiguas, pero en la actualidad la población hispana es extraordinariamente joven. En casi todos los países hispanos, más de la mitad de los habitantes son menores de 25 años. En Honduras, Bolivia y Paraguay, por ejemplo, sólo un habitante de cada tres es mayor de 25 años. ¡En México, esto llega a tal extremo que un habitante de cada cuatro tiene menos de 10 años! Sin duda, ¡la juventud de Hispanoamérica es su futuro!

Percepción 5   *Los países hispanos son pobres y subdesarrollados.*
Análisis 5   Esta cuestión tiene muchas interpretaciones. Los problemas de Hispanoamérica son indiscutiblemente grandes, pero también es necesario señalar el tremendo potencial de esta cultura y lo que ya ha hecho. México es uno de los líderes del mundo en la extracción de la energía termal y tiene expertos internacionales en el cultivo de xerófilos *(drought-tolerant plants)*. Cuba posee una de las industrias ganaderas más avanzadas del mundo y Colombia sobresale en el desarrollo de las técnicas de cirugía óptica. España en la actualidad disfruta de sus propias marcas nacionales de computadoras y automóviles. En el mundo hispano sobran los recursos naturales y humanos, pero el tiempo y el dinero son escasos. Si los hispanos llegaran a responder a las crisis con lo mejor de su cultura, podrían enseñarnos soluciones a los problemas más grandes de nuestro mundo.

A ver si comprendiste

 Con un(a) compañero(a), indica las inferencias que se pueden hacer de cada una de estas cinco percepciones, y luego anoten los hechos que contradicen esas inferencias.

Percepción	Inferencia	La verdad
1. Los hispanos viven en España y al sur de la frontera con los Estados Unidos.		
2. El español es la lengua común de los países hispanos.		
3. Los hispanos son gente baja, de piel morena y pelo negro.		
4. En los países hispanos predomina lo antiguo y lo tradicional.		
5. Los países hispanos son pobres y subdesarrollados.		

Viajemos por el ciberespacio a... ECUADOR

Expand your horizons! *Let's travel through cyberspace to **Ecuador*** where . . .

- you can visit one of the most interesting ecotravel Internet sites in the world.

- through the Internet, you can visit three scenically and culturally diverse regions of Ecuador: the coast, the Andes, and the Amazon basin.

- through the Internet, you can actually visit the many varied Galapagos Islands.

- you can also learn about the ongoing struggle of the indigenous people of Ecuador and its Afro-Ecuadorian population.

If you are a cyberspace browser, join us in **Viajemos por el ciberespacio a... Ecuador** by trying the following important addresses.

Universidades:
Escuela Politécnica Nacional
  gopher://sis.poli.edu.ec/

Universidad Católica de Santiago de Guayaquil
  http://mia.lac.net/ucsg/

Ministerio de Turismo de Ecuador
  http://mia.lac.net/mintur/

Periódicos:
Diario Hoy
  http://www.ecnet.ec/hoy/hoy.htm

El Comercio
  http://www.elcomercio.com

El Universo
  http://www.eluniverso.com/

Revista Vistazo
  http://www.vistazo.com.ec

Because addresses are likely to change without notice, the following key words will guarantee that **Viajemos por el ciberespacio a... Ecuador** will get you to your desired destination.

Palabras clave

Ecuador	Indígenas Ecuador
Quito	Mujeres Ecuador
Fiestas de Quito	Otavalo
Galápagos	Puerto Lago
Guayaquil	Cabañas Cotococha

http://www.hrwcollege.com

Vocabulario

Quehaceres domésticos

cambiar los pañales	*change diapers*
cortar el césped	*to cut the grass*
planchar	*to iron*
sacar la basura	*to take out the trash*

Economía

bolsa	*stock market*
contrato	*contract*
crédito	*credit*
cuenta	*account*
deuda	*debt*
desempleo	*unemployment*
ganar	*to earn*
impuestos	*taxes*
prestar	*to lend*
presupuesto	*budget*
salario	*salary*
seguro	*insurance*
sueldo	*salary, pay*
tiempo completo	*full time*

Conjunciones

a menos que	*unless*
antes (de) que	*before*
aunque	*although*
con tal (de) que	*provided (that)*
en caso (de) que	*in case*
en cuanto	*as soon as*
para que	*so that*
sin que	*unless, without*
tan pronto como	*as soon as*

Verbos

adelantarse	*to get ahead; to go forward*
adquirir (ie)	*to acquire*
ahorrar	*to save*
atender (ie)	*to take care of, pay attention to*
aumentar	*to augment, increase*
despedir (i, i)	*to dismiss; to fire (from a job)*
engañar	*to deceive, trick*
graduarse	*to graduate*
hacer daño	*to hurt, damage*

invertir (ie, i)	*to invest*
jubilarse	*to retire*
mantener (ie)	*to maintain*
merecer	*to deserve, be worthy of*
portarse bien	*to behave*
sacrificarse	*to sacrifice oneself*
tener confianza	*to trust*
tomar decisiones	*to make decisions*

Palabras útiles

ambiente (*m.*)	*surroundings, ambience*
casamiento	*marriage*
cónyuge (*m. / f.*)	*spouse*
isla	*island*
lotería	*lottery*
malagradecido(a)	*ungrateful, unappreciative*
nota	*grade*
oferta	*offer*
selva	*jungle*
tesoro	*treasure*
un mal rato	*a bad time*

PASO

1

Stating what you would do

A. The conditional is used to state conditions under which an action may be completed. In English, the conditional is expressed with *would: I would go if . . .* In Spanish, the conditional is formed by adding the endings **-ía, -ías, -ía, -íamos, -íais,** and **-ían** to the infinitive of most **-ar, -er,** and **-ir** verbs.

Estar		Ser		Ir	
estaría	estaríamos	sería	seríamos	iría	iríamos
estarías	estaríais	serías	seríais	irías	iríais
estaría	estarían	sería	serían	iría	irían
estaría	estarían	sería	serían	iría	irían

Yo **llevaría** a los heridos al hospital. *I would take the injured to the hospital.*

Allí **recibirían** la atención médica necesaria. *There they would receive the necessary medical attention.*

B. The conditional of the following verbs is formed by adding the conditional endings to irregular stems. Note that the irregular stems of these verbs are identical to those of the irregular future tense verbs.

decir:	**dir-**
haber:	**habr-**
hacer:	**har-**
poder:	**podr-**
poner:	**pondr-**
querer:	**querr-**
saber:	**sabr-**
salir:	**saldr-**
tener:	**tendr-**
valer:	**valdr-**
venir:	**vendr-**

–ía
–ías
–ía
–íamos
–íais
–ían

Hacer

haría	haríamos
harías	haríais
haría	harían
haría	harían

Haría todo lo posible para conseguir el puesto.

I would do everything possible to get the job.

Mamá **podría** vivir conmigo.

Mother could live with me.

¡A practicar!

A. ¡Yo lo haría así! Tu mejor amiga piensa mudarse a un nuevo apartamento. ¿Qué le dices que harías tú si estuvieras en su lugar?

Modelo   lavar las ventanas

Antes de mudarme, lavaría las ventanas.

1. comprar camas nuevas
2. cambiar las cortinas del comedor
3. pedir una nueva cocina
4. pintarlo de nuevo
5. no firmar un contrato anual
6. solicitar el cambio de teléfono de inmediato
7. pagar sólo un mes de garantía
8. ¿... ?

B. ¡Me encanta! Al esposo de tu amiga le gustó el apartamento. ¿Qué dicen que harían él y su esposa si decidieran mudarse allí?

Modelo   tener que comprar un sofá nuevo

Tendríamos que comprar un sofá nuevo.

1. poner plantas por todos lados
2. tener más espacio para nuestros libros
3. poder tener una gatita aquí
4. salir a correr por el parque que está cerca
5. no querer mudarnos a otra ciudad
6. haber más tranquilidad para estudiar

C. ¡Nunca! Los padres de tu profesor ya son mayores de edad y ahora él está considerando si los llevaría a un hogar de ancianos (*nursing home*). ¿Qué dice él?

Yo jamás _____ (llevar) a mis padres a un hogar de ancianos. Ellos _____ (venir) a vivir con nosotros. Mi esposa dice que así, nuestros hijos _____ (tener) la oportunidad de conocer bien a sus abuelos. Yo los _____ (cuidar) como ellos me cuidaron a mí. Siempre _____ (querer) estar con ellos y _____ (hacer) todo lo posible para darles lo mejor. Ellos _____ (poder) ayudarnos con los niños. También, con sus muchos años de experiencia, ellos _____ (saber) aconsejarnos cuando lo necesitáramos.

PASO 2

15.2   Subjunctive in Adverb Clauses

Stating conditions

A. In Spanish, certain conjunctions are *always* followed by the subjunctive. Note that they are used to relate events that may or may not happen. Thus, a doubt is implied, requiring the subjunctive.

a menos que	*unless*	en caso (de) que	*in case*
antes (de) que	*before*	para que	*so that*
con tal (de) que	*provided (that)*	sin que	*without, unless*

Yo sacaré la basura **antes de que regrese** el jefe.	*I'll take out the trash before the boss returns.*
Yo limpiaré el baño **con tal que** tú **cambies** los pañales del bebé.	*I'll clean the bathroom provided you change the baby's diapers.*

B. Certain adverbial conjunctions may be followed by either the subjunctive or the indicative. The subjunctive follows these expressions when describing a future or hypothetical action or something that has not yet occurred. The indicative is used to describe habitual or known facts.

aunque	*although*	en cuanto	*as soon as*
cuando	*when*	hasta que	*until*
después (de) que	*after*	tan pronto como	*as soon as*

Habitual	**Future action**
Siempre lo hace cuando **llega.**	Lo hará cuando **llegue.**

Factual	**Hypothetical**
Lo aceptaré aunque **tendré** que trabajar en otro estado.	Lo aceptaré aunque **tenga** que trabajar en otro estado.

C. When the focus is on an event rather than on a participant, a preposition and an infinitive are used rather than a conjunction and the subjunctive.

Llámame **antes de venir.**	*Call me before coming.*
Lo haré **sin decirle.**	*I'll do it without telling him.*

¡A practicar!

A. Rutina semanal. Antonio y Raúl son compañeros de apartamento. Ellos distribuyen las tareas al principio de cada semana para mantenerlo limpio. ¿Cómo lo hacen esta semana?

1. Yo sacaré la basura (con tal que/sin que) tú laves los platos.

2. Tendremos que limpiar todo el apartamento (con tal que/en caso de que) vengan tus padres.

3. Podemos salir a comer esta noche (a menos que/para que) no tengamos que lavar platos.

4. Prepara el café (antes de que/con tal que) me duerma.

5. No podré lavar las ventanas (para que/sin que) tú me ayudes.

6. Yo puedo preparar la cena esta noche (a menos que/antes de que) tú quieras hacerlo.

B. Vacaciones. Ahora Antonio y Raúl están planeando salir de vacaciones. Antonio, como siempre, es muy organizado y desea dejar todo en orden. ¿Qué le dice a Raúl?

ANTONIO   Yo me bañaré antes de que tú _____ (limpiar) el baño.

RAÚL   Bien. Luego yo limpiaré el baño, con tal que tú _____ (sacar) la basura.

ANTONIO   Yo puedo lavar las ventanas a menos que tú _____ (querer) hacerlo.

RAÚL   No. Yo haré el café para que tú _____ (no dormirte).

ANTONIO   Sí, y luego tomaremos un descanso para que nosotros _____ (poder) cenar.

C. ¡Mi primera oferta! Una estudiante de ingeniería está esperando su primera oferta de trabajo. ¿En qué está pensando?

1. Llamaré a mis padres tan pronto como / recibir una oferta

2. Siempre llamo a mis padres cuando / recibir buenas noticias

3. Aceptaré aunque / tener que mudarme a otro estado

4. Mamá va a ponerse triste en cuanto / saber que voy a mudarme

5. Pero ella siempre se alegra cuando / saber que estoy contenta

6. No me mudaré hasta que / encontrar un buen apartamento allá

7. Me sentiré mejor tan pronto como / encontrar uno

8. Siempre me pongo nerviosa cuando / empezar un trabajo nuevo

9. Cuando ya / estar bien instalada, voy a hacer una fiesta muy grande

PASO 3

Hypothesizing

The past subjunctive of *all* verbs is formed by removing the **-ron** ending from the **ustedes** form of the preterite and adding the past subjunctive verb endings: **-ra, -ras, -ra, -ramos, -rais, -ran.*** Thus, any irregularities in the **ustedes** form of the preterite will be reflected in all forms of the past subjunctive. Note that the **nosotros** form requires a written accent.

Comprar		Tener		Ser	
compra///		tuvie///		fue///	
compra**ra**	comprá**ramos**	tuvie**ra**	tuvié**ramos**	fue**ra**	fué**ramos**
compra**ras**	compra**rais**	tuvie**ras**	tuvie**rais**	fue**ras**	fue**rais**
compra**ra**	compra**ran**	tuvie**ra**	tuvie**ran**	fue**ra**	fue**ran**
compra**ra**	compra**ran**	tuvie**ra**	tuvie**ran**	fue**ra**	fue**ran**

A. The past subjunctive has the same uses as the present subjunctive, except that it generally applies to past events or actions.

Insistieron en que **fuéramos.**	*They insisted that we go.*
Era imposible que lo **terminaran** a tiempo.	*It was impossible for them to finish it on time.*

B. In Spanish, as in English, conditional sentences express hypothetical conditions usually with an *if*-clause: *I would go if I had the money.* Since the actions are hypothetical and one does not know if they will actually occur, the past subjunctive is used in the *if*-clause.

Iría a Perú si **tuviera** el dinero.	*I would go to Peru if I had the money.*
Si **fuera** necesario, pediría un préstamo.	*If it were necessary, I would ask for a loan.*

C. Sentences with *if*-clauses in the present use either the present indicative or the future tense in the main clause and the present indicative in the *if*-clause. The present subjunctive is *never* used in *if*-clauses.

Si me **invitas,** voy contigo.	*If you invite me, I'll go with you.*
Pero no iré si **llueve.**	*But I won't go if it rains.*

---

*An alternate form of the past subjunctive uses the verb endings -se, -ses, -se, -semos, -seis, -sen. This form is used primarily in Spain and in literary writing, and is not practiced in this text.

¡A practicar!

A. ¡Ay, si tuviera más dinero...!   Como bien se sabe, los estudiantes con frecuencia tienen problemas económicos y siempre sueñan con tener más dinero. ¿Qué harían estos estudiantes si tuvieran más dinero?

Modelo   Marta / regresar / México

Si tuviera más dinero, Marta regresaría a México.

1. Sonia / ir / Europa / estudiar
2. Mario y Estela / mudarse / apartamento / más grande
3. Emilio / comprar / nuevo / auto
4. Anita y yo / hacer / viaje / Sudamérica
5. María y Alejandro / poder / pagar / todo / deudas
6. Salvador / poner / dinero / banco

B. La realidad es que...   Como no todos somos ricos, con frecuencia hay que encontrar otras soluciones a los problemas. ¿Qué soluciones consideran estas personas?

Modelo   Marta podría regresar a México si... (padres prestarle el dinero)

Marta podría regresar a México si sus padres le prestaran el dinero.

1. Sonia podría ir a Europa a estudiar si... (la universidad hacerle un préstamo)
2. Mario y Estela podrían mudarse a otro apartamento si... (los dos conseguir trabajo de noche)
3. Emilio podría comprar un nuevo auto si... (darle un aumento en el trabajo)
4. Anita y yo podríamos hacer un viaje a Sudamérica si... (encontrar una excursión más barata)
5. María y Alejandro podrían pagar todas sus deudas si... (sacar el dinero de su cuenta de ahorros)
6. Salvador podría poner más dinero en el banco si... (mudarse a un apartamento más barato)

568

Appendix A

Y AHORA, ¡A CONVERSAR!
Noticiero cultural

Para empezar
Noticiero cultural

Lee el número que corresponde a la respuesta que seleccionaste.

1. Rick greeted the president of the university using the **tú** form, which was totally inappropriate. The **usted** form should always be used with persons with titles such as president, professor, doctor, reverend, etc. This is the correct answer.

2. Most certainly, the president of the university is a very important person and probably does not have time to stop and talk to Rick and Julio. However, the president would not be discourteous. He would always have time to respond **«Muy bien, gracias.»** This is not the correct answer. Read the dialogue once more.

3. It is true that Rick is a first-year student and does not speak Spanish fluently. But the president of the university is a teacher himself and probably has a lot of patience with first-year students. Try another response.

Capítulo 1, Paso 1
Y ahora, ¡a conversar!

C. ¿Son los mismos?   Alicia, Carmen, José y Daniel son estudiantes de la clase de español de tu compañero de cuarto. Tú tienes unos amigos que se llaman Alicia, Carmen, José y Daniel. La descripción de tus amigos aparece *(appears)* aquí. La descripción de los amigos de tu compañero aparece en la página 32. ¿Son los mismos? *To decide if they are the same, ask your partner questions. Do not look at each other's descriptions until you have finished this activity.*

Modelo   **¿Es Alicia de Venezuela?**

JOSÉ   Es de Ecuador. No es muy serio. Es chistoso y muy simpático. Es muy activo y sociable.

DANIEL   Es de Quito. Es serio y estudioso. Es muy activo y atlético. También es algo tímido.

ALICIA   Es una amiga venezolana. Es de Caracas. Es inteligente, cómica y muy popular. También es muy atlética.

CARMEN   Es muy seria. Es inteligente, tímida y muy estudiosa. Es de Venezuela, de la capital. Es sociable pero algo conservadora.

570

Capítulo 1, Paso 2
Noticiero cultural

Lee el número que corresponde a la respuesta que seleccionaste.

1. Although English is widely spoken in the Spanish-speaking world, the majority of the people still do not speak English. It is not possible to spend the summer in three Spanish-speaking countries and speak only English. Try another response.

2. It is true that Castilian is the Spanish spoken in Castille, a region of Spain. However, Castilian is more like the Spanish spoken in Latin America than British English is like American English. A Spaniard would not have any difficulty understanding the Spanish spoken in Latin America and vice versa. Look for another response.

3. Some people believe that the Spanish spoken in Spain is very different from the Spanish spoken in the Americas. The truth of the matter is that all Spanish-speaking countries, including Spain, speak the same Spanish. True, as you travel from country to country, or even from region to region within a country, there are variations in vocabulary, intonation, and even pronunciation; however, none of these variations keep persons from different countries from understanding each other. Spanish speakers from all over the Spanish-speaking world have less difficulty understanding each other than English speakers from the U.S. have understanding British English.

Capítulo 1, Paso 3
Y ahora, ¡a conversar!

D. ¿Son diferentes? Estos dibujos y los dibujos de la página 47 son muy similares pero hay cinco diferencias. Descríbele este dibujo a tu compañero(a) y él (ella) va a describirte el otro dibujo hasta encontrar las diferencias. No se permite ver el dibujo de tu compañero(a) hasta terminar esta actividad.

Capítulo 2, Paso 2
Noticiero cultural

Lee el número que corresponde a la respuesta que seleccionaste.

1. Teresa is from Spain; she speaks and understands Spanish perfectly. Look for another possibility.

2. This is not so. Spaniards understand Puerto Ricans perfectly. Try another response.

3. There are some vocabulary differences in certain regions of the Spanish-speaking world, which is the case here. This is the correct response. Can you guess the meaning of the words Teresa didn't understand?

 ## Capítulo 3, Paso 2
Y ahora, ¡a conversar!

C. ¿Qué están haciendo?   ¿Cuántas diferencias hay entre este dibujo y el de tu compañero(a), en la página 115? Recuerda que no se permite mirar el dibujo de tu compañero(a) hasta terminar esta actividad.

Modelo   ¿Cuántas personas están bailando?

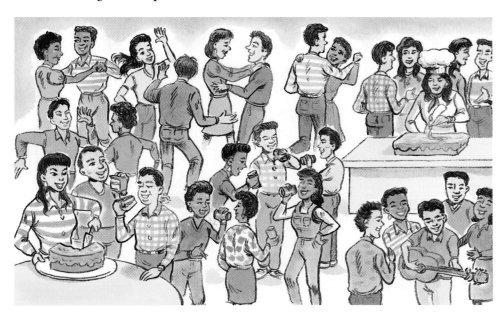

Capítulo 3, Paso 3
Y ahora, ¡a conversar!

B.   ¡Qué cambiados están!   Éstos son Daniel y Gloria después de estudiar un año en la Universidad de Salamanca. Tu compañero(a) tiene un dibujo, en la página 124, de Daniel y Gloria antes de ir a estudiar en España. Describan a las personas en sus dibujos para saber cómo han cambiado. No se permite mirar el dibujo de tu compañero(a) hasta terminar esta actividad.

Capítulo 4, Paso 1
Y ahora, ¡a conversar!

C.   ¡Robo!   *(There was a theft in the* Palacio de Bellas Artes *in Mexico City and you were the only witness.)* Usa este dibujo *(drawing)* para describir a los ladrones *(thieves)*. Tu compañero(a), un(a) artista que trabaja para la policía, va a dibujar a las personas que tú describas.

Capítulo 4, Paso 2
Y ahora, ¡a conversar!

C. En el escaparate. Tú estás de compras en la ciudad de México y quieres comprar todas las prendas de esta lista. Desafortunadamente, muchas prendas no tienen etiqueta *(price tag)*. Pídele a tu compañero(a) los precios que quieres saber y dale los precios que él (ella) necesita. El escaparate *(store window)* de tu compañero(a) está en la página 156. No se permite mirar el escaparate del compañero(a) hasta terminar esta actividad.

Tú quieres comprar:

1. pijamas para tu hermana
2. un traje para ti
3. botas para tu papá
4. pantalones para tu hermano
5. un vestido para tu mamá

 Capítulo 6, Paso 1
Y ahora, ¡a conversar!

D. ¿Cuáles son las diferencias? Tu debes usar este dibujo y tu compañero(a) el dibujo en la página 220. Ambos son similares, pero no son idénticos. Describan sus dibujos para descubrir las diferencias. No mires el dibujo de tu compañero(a) hasta descubrir todas las diferencias.

Capítulo 10, Paso 2
Y ahora, ¡a conversar!

B. Mecánicos.   ¿Es tu compañero(a) buen(a) mecánico(a)? Escucha las definiciones que tu compañero(a) te va a leer e identifica cada parte que define. Dale el nombre de la parte para que la escriba al lado de la definición. No se permite leer las definiciones, sólo escucharlas.

Capítulo 11, Paso 2
Y ahora, ¡a conversar!

C. La Cenicienta.   Los siguientes dibujos narran parte del famoso cuento de hadas *(fairytale) La Cenicienta.* Narra el cuento completo con la ayuda de tu compañero(a) que tiene, en la página 405, los dibujos que faltan.

Vocabulario útil

la madrastra	*stepmother*	la hermanastra	*stepsister*
el príncipe	*prince*	los ratoncitos	*little mice*
la chimenea	*fireplace*	el hada madrina	*fairy godmother*
la calabaza	*pumpkin*	la carroza	*carriage*
la zapatilla	*slipper*	el cristal	*crystal*
la escalera	*stairway*	el paje	*valet*
probar (ue)	*to try on*	de rodillas	*kneeling*

2. Un día su madrasta...

4. La pobre muchacha...

6. La Cenicienta...   8. El Príncipe...

 ## Capítulo 11, Paso 2
Costumbres

Lee la respuesta con el mismo número que la que tú seleccionaste.

1. Aunque en todos los países hispanos, al igual que en el resto del mundo, la gente joven usa palabras «nuevas» o «diferentes» en su vocabulario diario normal, en Costa Rica tanto los jóvenes como los adultos y los niños usan el «-tico». Esta respuesta no es la mejor.

2. Es español de Costa Rica es muy similar al español del resto del mundo hispanohablante. Hay variantes, pero nunca son tan drásticas como para impedir la comunicación. Busca otra respuesta.

3. El dialecto costarricense cambia la terminación de los diminutivos por «-tico» en vez de «-ito». Por eso Rosalía en vez de decir *poquito* dice *poquitico* y *chiquitico* en vez de *chiquito*. Esta es la respuesta correcta.

 ## Capítulo 12, Paso 1
Y ahora, ¡a conversar!

A. ¿Pingüinos? ¿En Lima?   Enrique y Olga tuvieron estupendas experiencias en su viaje a Perú, pero sin duda, la más interesante fue la de Enrique un día que paseaba por la ciudad. Para saber lo que le pasó, estudia estos dibujos mientras que tu compañero(a) estudia los que se encuentran en la página 432. Escucha a tu compañero(a) mientras él (ella) relata la primera parte del incidente. Luego cuéntale el final.

5. De repente vimos al mismo policía que...

6. El policía me preguntó ¿por qué...?

7. Llevé al pingüino zoológico como ud. sugirió y...

8. Ahora llevo al pingüino a casa porque...

Capítulo 12, Paso 1

Y ahora, ¡a conversar!

C. Viaje a Machu Picchu. Tú y un(a) compañero(a) están viajando por Sudamérica, visitando y explorando diferentes lugares. Ahora están en las famosas cataratas del Iguazú y quieren viajar por Uruguay, Argentina, Chile y Bolivia para llegar al famoso Machu Picchu. Piensan hacer ocho escalas *(stopovers)* en su viaje. ¿Quién va a llegar primero? Para avanzar una escala, tienes que contestar la pregunta de tu compañero(a) correctamente. Tus preguntas están aquí; las de tu compañero(a) están en la página 433.

1. ¿Cuál es la capital de Paraguay?
2. ¿Cuál es la capital de Perú?
3. Nombra el país que es un estado libre asociado.
4. Nombra dos de los vecinos de Perú.
5. ¿De qué país es Diego Rivera?
6. ¿Quién escribió *Cien años de soledad*?
7. ¿Cuántos países de habla española hay en Sudamérica?
8. ¿Cómo se llama la moneda de Paraguay?
9. ¿Cuál es el país más grande de Sudamérica?
10. ¿Cuáles son las dos capitales de Bolivia?
11. ¿En qué país comen *porotos* y *ají*?
12. Nombra cinco países de la América Central y sus capitales.

Appendix B

Accentuation

In Spanish as in English, all words of two or more syllables have one syllable that is stressed more forcibly than the others. The following rules govern where a word is stressed and when words require written accents.

A. Words that end in a vowel (**a, e, i, o, u**) or the consonants **n** or **s** are stressed on the next-to-the-last syllable.

tardes   capi**ta**les   **gran**de   es**tu**dia   **no**ches   **co**men

B. Words that end in a consonant other than **n** or **s** are stressed on the last syllable.

bus**car**   ac**triz**   espa**ñol**   liber**tad**   ani**mal**   come**dor**

C. Words that do not follow the two preceding rules require a written accent to indicate where the stress is placed.

ca**fé**   sim**pá**tico   fran**cés**   na**ción**   Jo**sé**   **Pé**rez

D. Diphthongs, the combination of a weak vowel (**i, u**) and a strong vowel (**e, o, a**) or two weak vowels next to each other, form a single syllable. A written accent is required to separate diphthongs into two syllables. Note that the written accent is placed on the stressed syllable.

seis	**cuo**ta	inte**rior**	**ai**re	**au**to
re**ír**	conti**nú**o	**rí**o	ma**íz**	ba**úl**

Regular Verbs

Infinitive	hablar	aprender	vivir
	to speak	*to learn*	*to live*
Present Participle	hablando	aprendiendo	viviendo
	speaking	*learning*	*living*
Past Participle	hablado	aprendido	vivido
	spoken	*learned*	*lived*

Simple Tenses

Present Indicative	hablo	aprendo	vivo
I speak, am speaking,	hablas	aprendes	vives
do speak	habla	aprende	vive
	hablamos	aprendemos	vivimos
	habláis	aprendéis	vivís
	hablan	aprenden	viven
Imperfect Indicative	hablaba	aprendía	vivía
I was speaking, used to	hablabas	aprendías	vivías
speak, spoke	hablaba	aprendía	vivía
	hablábamos	aprendíamos	vivíamos
	hablabais	aprendíais	vivíais
	hablaban	aprendían	vivían
Preterite	hablé	aprendí	viví
I spoke, did speak	hablaste	aprendiste	viviste
	habló	aprendió	vivió
	hablamos	aprendimos	vivimos
	hablasteis	aprendisteis	vivisteis
	hablaron	aprendieron	vivieron
Future	hablaré	aprenderé	viviré
I will speak, shall speak	hablarás	aprenderás	vivirás
	hablará	aprenderá	vivirá
	hablaremos	aprenderemos	viviremos
	hablaréis	aprenderéis	viviréis
	hablarán	aprenderán	vivirán
Conditional	hablaría	aprendería	viviría
I would speak	hablarías	aprenderías	vivirías
	hablaría	aprendería	viviría
	hablaríamos	aprenderíamos	viviríamos
	hablaríais	aprenderíais	viviríais
	hablarían	aprenderían	vivirían

Present Subjunctive (that) I speak	hable	aprenda	viva
	hables	aprendas	vivas
	hable	aprenda	viva
	hablemos	aprendamos	vivamos
	habléis	aprendáis	viváis
	hablen	aprendan	vivan
Past Subjunctive (that) I speak, might speak	hablara	aprendiera	viviera
	hablaras	aprendieras	vivieras
	hablara	aprendiera	viviera
	habláramos	aprendiéramos	viviéramos
	hablarais	aprendierais	vivierais
	hablaran	aprendieran	vivieran
Commands *informal* Speak *formal*	habla (no hables)	aprende (no aprendas)	vive (no vivas)
	hable	aprenda	viva
	hablen	aprendan	vivan

Compound Tenses

Present Perfect Indicative *I have spoken*	he	hemos	hablado	aprendido	vivido
	has	habéis			
	ha	han			
Past Perfect Indicative *I had spoken*	había	habíamos	hablado	aprendido	vivido
	habías	habíais			
	había	habían			
Present Progressive *I am speaking*	estoy	estamos	hablando	aprendiendo	viviendo
	estás	estáis			
	está	están			
Past Progressive *I was speaking*	estaba	estábamos	hablando	aprendiendo	viviendo
	estabas	estabais			
	estaba	estaban			

Stem-changing Verbs

-ar, -er Verbs	1. e → ie		2. o → ue*	
	pensar	perder	contar	volver
Present Indicative	pienso	pierdo	cuento	vuelvo
	piensas	pierdes	cuentas	vuelves
	piensa	pierde	cuenta	vuelve
	pensamos	perdemos	contamos	volvemos
	pensáis	perdéis	contáis	volvéis
	piensan	pierden	cuentan	vuelven
Present Subjunctive	piense	pierda	cuente	vuelva
	pienses	pierdas	cuentes	vuelvas
	piense	pierda	cuente	vuelva
	pensemos	perdamos	contemos	volvamos
	penséis	perdáis	contéis	volváis
	piensen	pierdan	cuenten	vuelvan

-ir Verbs	3. e → ie, i	4. e → i, i	5. o → ue, u
	sentir	pedir	dormir
Present Indicative	siento	pido	duermo
	sientes	pides	duermes
	siente	pide	duerme
	sentimos	pedimos	dormimos
	sentís	pedís	dormís
	sienten	piden	duermen
Present Subjunctive	sienta	pida	duerma
	sientas	pidas	duermas
	sienta	pida	duerma
	sintamos	pidamos	durmamos
	sintáis	pidáis	durmáis
	sientan	pidan	duerman
Preterite	sentí	pedí	dormí
	sentiste	pediste	dormiste
	sintió	pidió	durmió
	sentimos	pedimos	dormimos
	sentisteis	pedisteis	dormisteis
	sintieron	pidieron	durmieron

*Note: The verb **jugar** changes **u → ue**.

58)

Past Subjunctive	sintiera	pidiera	durmiera
	sintieras	pidieras	durmieras
	sintiera	pidiera	durmiera
	sintiéramos	pidiéramos	durmiéramos
	sintierais	pidierais	durmierais
	sintieran	pidieran	durmieran
Present Participle	sintiendo	pidiendo	durmiendo

Irregular Verbs

Infinitive	Participles	Present Indicative	Imperfect	Preterite
1. andar *to walk*	andando andado	ando andas anda	andaba andabas andaba	anduve anduviste anduvo
		andamos andáis andan	andábamos andabais andaban	anduvimos anduvisteis anduvieron
2. buscar *to look for*	buscando buscado	busco buscas busca	buscaba buscabas buscaba	busqué buscaste buscó
c → qu before **e**		buscamos buscáis buscan	buscábamos buscabais buscaban	buscamos buscasteis buscaron
3. caer *to fall*	cayendo caído	caigo caes cae	caía caías caía	caí caíste cayó
		caemos caéis caen	caíamos caíais caían	caímos caísteis cayeron
4. conducir *to drive*	conduciendo conducido	conduzco conduces conduce	conducía conducías conducía	conduje condujiste condujo
c → zc before **a, o**		conducimos conducís conducen	conducíamos conducíais conducían	condujimos condujisteis condujeron
5. conocer *to know*	conociendo conocido	conozco conoces conoce	conocía conocías conocía	conocí conociste conoció
c → zc before **a, o**		conocemos conocéis conocen	conocíamos conocíais conocían	conocimos conocisteis conocieron

Future	Conditional	Present Subjunctive	Past Subjunctive	Informal/Formal Commands
andaré	andaría	ande	anduviera	—
andarás	andarías	andes	anduvieras	anda (no andes)
andará	andaría	ande	anduviera	ande
andaremos	andaríamos	andemos	anduviéramos	—
andaréis	andaríais	andéis	anduvierais	—
andarán	andarían	anden	anduvieran	anden
buscaré	buscaría	busque	buscara	—
buscarás	buscarías	busques	buscaras	busca (no busques)
buscará	buscaría	busque	buscara	busque
buscaremos	buscaríamos	busquemos	buscáramos	—
buscaréis	buscaríais	busquéis	buscarais	—
buscarán	buscarían	busquen	buscaran	busquen
caeré	caería	caiga	cayera	—
caerás	caerías	caigas	cayeras	cae (no caigas)
caerá	caería	caiga	cayera	caiga
caeremos	caeríamos	caigamos	cayéramos	—
caeréis	caeríais	caigáis	cayerais	—
caerán	caerían	caigan	cayeran	caigan
conduciré	conduciría	conduzca	condujera	—
conducirás	conducirías	conduzcas	condujeras	conduce (no conduzcas)
conducirá	conduciría	conduzca	condujera	conduzca
conduciremos	conduciríamos	conduzcamos	condujéramos	—
conduciréis	conduciríais	conduzcáis	condujerais	—
conducirán	conducirían	conduzcan	condujeran	conduzcan
conoceré	conocería	conozca	conociera	—
conocerás	conocerías	conozcas	conocieras	conoce (no conozcas)
conocerá	conocería	conozca	conociera	conozca
conoceremos	conoceríamos	conozcamos	conociéramos	—
conoceréis	conoceríais	conozcáis	conocierais	—
conocerán	conocerían	conozcan	conocieran	conozcan

Infinitive	Participles	Present Indicative	Imperfect	Preterite
6. construir *to build*	construyendo construido	construyo construyes construye	construía construías construía	construí construiste construyó
i → y, **y** inserted before **a, e, o**		construimos construís construyen	construíamos construíais construían	construimos construisteis construyeron
7. continuar *to continue*	continuando continuado	continúo continúas continúa	continuaba continuabas continuaba	continué continuaste continuó
		continuamos continuáis continúan	continuábamos continuabais continuaban	continuamos continuasteis continuaron
8. creer *to believe*	creyendo creído	creo crees cree	creía creías creía	creí creíste creyó
		creemos creéis creen	creíamos creíais creían	creímos creísteis creyeron
9. dar *to give*	dando dado	doy das da	daba dabas daba	di diste dio
		damos dais dan	dábamos dabais daban	dimos disteis dieron
10. decir *to say, tell*	diciendo dicho	digo dices dice	decía decías decía	dije dijiste dijo
		decimos decís dicen	decíamos decíais decían	dijimos dijisteis dijeron
11. empezar *to begin*	empezando empezado	empiezo empiezas empieza	empezaba empezabas empezaba	empecé empezaste empezó
z → c before **e**		empezamos empezáis empiezan	empezábamos empezabais empezaban	empezamos empezasteis empezaron

Future	Present Conditional	Past Subjunctive	Informal/Formal Subjunctive	Commands
construiré	construiría	construya	construyera	—
construirás	construirías	construyas	construyeras	construye (no construyas)
construirá	construiría	construya	construyera	construya
construiremos	construiríamos	construyamos	construyéramos,	—
construiréis	construiríais	construyáis	construyerais	—
construirán	construirían	construyan	construyeran	construyan
continuaré	continuaría	continúe	continuara	—
continuarás	continuarías	continúes	continuaras	continúa (no continúes)
continuará	continuaría	continúe	continuara	continúe
continuaremos	continuaríamos	continuemos	continuáramos	—
continuaréis	continuarías	continuéis	continuarais	—
continuarán	continuarían	continúen	continuaran	continúen
creeré	creería	crea	creyera	—
creerás	creerías	creas	creyeras	cree (no creas)
creerá	creería	crea	creyera	crea
creeremos	creeríamos	creamos	creyéramos	—
creeréis	creeríais	creáis	creyerais	—
creerán	creerían	crean	creyeran	crean
daré	daría	dé	diera	—
darás	darías	des	dieras	da (no des)
dará	daría	dé	diera	dé
daremos	daríamos	demos	diéramos	—
daréis	daríais	deis	dierais	—
darán	darían	den	dieran	den
diré	diría	diga	dijera	—
dirás	dirías	digas	dijeras	di (no digas)
dirá	diría	diga	dijera	diga
diremos	diríamos	digamos	dijéramos	—
diréis	diríais	digáis	dijerais	—
dirán	dirían	digan	dijeran	digan
empezaré	empezaría	empiece	empezara	—
empezarás	empezarías	empieces	empezaras	empieza (no empieces)
empezará	empezaría	empiece	empezara	empiece
empezaremos	empezaríamos	empecemos	empezáramos	—
empezaréis	empezaríais	empecéis	empezarais	—
empezarán	empezarían	empiecen	empezaran	empiecen

Infinitive	Present Participles	Indicative	Imperfect	Preterite
12. esquiar *to ski*	esquiando esquiado	esquío esquías esquía	esquiaba esquiabas esquiaba	esquié esquiaste esquió
		esquiamos esquiáis esquían	esquiábamos esquiabais esquiaban	esquiamos esquiasteis esquiaron
13. estar *to be*	estando estado	estoy estás está	estaba estabas estaba	estuve estuviste estuvo
		estamos estáis están	estábamos estabais estaban	estuvimos estuvisteis estuvieron
14. haber *to have*	habiendo habido	he has ha (hay)	había habías había	hube hubiste hubo
		hemos habéis han	habíamos habíais habían	hubimos hubisteis hubieron
15. hacer *to make, do*	haciendo hecho	hago haces hace	hacía hacías hacía	hice hiciste hizo
		hacemos hacéis hacen	hacíamos hacíais hacían	hicimos hicisteis hicieron
16. ir *to go*	yendo ido	voy vas va	iba ibas iba	fui fuiste fue
		vamos vais van	íbamos ibais iban	fuimos fuisteis fueron
17. leer *to read*	leyendo leído	leo lees lee	leía leías leía	leí leíste leyó
i → y; stressed **i → í**		leemos leéis leen	leíamos leíais leían	leímos leísteis leyeron

Future	Conditional	Present Subjunctive	Past Subjunctive	Informal/Formal Commands
esquiaré	esquiaría	esquíe	esquiara	—
esquiarás	esquiarías	esquíes	esquiaras	esquía (no esquíes)
esquiará	esquiaría	esquíe	esquiara	esquíe
esquiaremos	esquiaríamos	esquiemos	esquiáramos	—
esquiaréis	esquiaríais	esquiéis	esquiarais	—
esquiarán	esquiarían	esquíen	esquiaran	esquíen
estaré	estaría	esté	estuviera	—
estarás	estarías	estés	estuvieras	está (no estés)
estará	estaría	esté	estuviera	esté
estaremos	estaríamos	estemos	estuviéramos	—
estaréis	estaríais	estéis	estuvierais	—
estarán	estarían	estén	estuvieran	estén
habré	habría	haya	hubiera	—
habrás	habrías	hayas	hubieras	—
habrá	habría	haya	hubiera	—
habremos	habríamos	hayamos	hubiéramos	—
habréis	habríais	hayáis	hubierais	—
habrán	habrían	hayan	hubieran	—
haré	haría	haga	hiciera	—
harás	harías	hagas	hicieras	haz (no hagas)
hará	haría	haga	hiciera	haga
haremos	haríamos	hagamos	hiciéramos	—
haréis	haríais	hagáis	hicierais	—
harán	harían	hagan	hicieran	hagan
iré	iría	vaya	fuera	—
irás	irías	vayas	fueras	ve (no vayas)
irá	iría	vaya	fuera	vaya
iremos	iríamos	vayamos	fuéramos	—
iréis	iríais	vayáis	fuerais	—
irán	irían	vayan	fueran	vayan
leeré	leería	lea	leyera	—
leerás	leerías	leas	leyeras	lee (no leas)
leerá	leería	lea	leyera	lea
leeremos	leeríamos	leamos	leyéramos	—
leeréis	leeríais	leáis	leyerais	—
leerán	leerían	lean	leyeran	lean

Infinitive	Participles	Present Indicative	Imperfect	Preterite
18. oír *to hear*	oyendo oído	oigo oyes oye	oía oías oía	oí oíste oyó
i → y		oímos oís oyen	oíamos oíais oían	oímos oísteis oyeron
19. pagar *to pay*	pagando pagado	pago pagas paga	pagaba pagabas pagaba	pagué pagaste pagó
g → gu before **e**		pagamos pagáis pagan	pagábamos pagabais pagaban	pagamos pagasteis pagaron
20. poder *can, to be able*	pudiendo podido	puedo puedes puede	podía podías podía	pude pudiste pudo
		podemos podéis pueden	podíamos podíais podían	pudimos pudisteis pudieron
21. poner *to place, put*	poniendo puesto	pongo pones pone	ponía ponías ponía	puse pusiste puso
		ponemos ponéis ponen	poníamos poníais ponían	pusimos pusisteis pusieron
22. querer *to like*	queriendo querido	quiero quieres quiere	quería querías quería	quise quisiste quiso
		queremos queréis quieren	queríamos queríais querían	quisimos quisisteis quisieron
23. reír *to laugh*	riendo reído	río ríes ríe	reía reías reía	reí reíste rió
		reímos reís ríen	reíamos reíais reían	reímos reísteis rieron

Future	Conditional	Present Subjunctive	Past Subjunctive	Informal/Formal Commands
oiré	oiría	oiga	oyera	—
oirás	oirías	oigas	oyeras	oye (no oigas)
oirá	oiría	oiga	oyera	oiga
oiremos	oiríamos	oigamos	oyéramos	—
oiréis	oiríais	oigáis	oyerais	—
oirán	oirían	oigan	oyeran	oigan
pagaré	pagaría	pague	pagara	—
pagarás	pagarías	pagues	pagaras	paga (no pagues)
pagará	pagaría	pague	pagara	pague
pagaremos	pagaríamos	paguemos	pagáramos	—
pagaréis	pagaríais	paguéis	pagarais	—
pagarán	pagarían	paguen	pagaran	paguen
podré	podría	pueda	pudiera	—
podrás	podrías	puedas	pudieras	—
podrá	podría	pueda	pudiera	—
podremos	podríamos	podamos	pudiéramos	—
podréis	podríais	podáis	pudierais	—
podrán	podrían	puedan	pudieran	—
pondré	pondría	ponga	pusiera	—
pondrás	pondrías	pongas	pusieras	pon (no pongas)
pondrá	pondría	ponga	pusiera	ponga
pondremos	pondríamos	pongamos	pusiéramos	—
pondréis	pondríais	pongáis	pusierais	—
pondrán	pondrían	pongan	pusieran	pongan
querré	querría	quiera	quisiera	—
querrás	querrías	quieras	quisieras	quiere (no quieras)
querrá	querría	quiera	quisiera	quiera
querremos	querríamos	queramos	quisiéramos	—
querréis	querríais	queráis	quisierais	—
querrán	querrían	quieran	quisieran	quieran
reiré	reiría	ría	riera	—
reirás	reirías	rías	rieras	ríe (no rías)
reirá	reiría	ría	riera	ría
reiremos	reiríamos	riamos	riéramos	—
reiréis	reiríais	riáis	rierais	—
reirán	reirían	rían	rieran	rían

Infinitive	Participles	Present Indicative	Imperfect	Preterite
24. saber *to know*	sabiendo sabido	sé sabes sabe	sabía sabías sabía	supe supiste supo
		sabemos sabéis saben	sabíamos sabíais sabían	supimos supisteis supieron
25. salir *to leave*	saliendo salido	salgo sales sale	salía salías salía	salí saliste salió
		salimos salís salen	salíamos salíais salían	salimos salisteis salieron
26. seguir *to follow*	siguiendo seguido	sigo sigues sigue	seguía seguías seguía	seguí seguiste siguió
gu → g before **a, o**		seguimos seguís siguen	seguíamos seguíais seguían	seguimos seguisteis siguieron
27. ser *to be*	siendo sido	soy eres es	era eras era	fui fuiste fue
		somos sois son	éramos erais eran	fuimos fuisteis fueron
28. tener *to have*	teniendo tenido	tengo tienes tiene	tenía tenías tenía	tuve tuviste tuvo
		tenemos tenéis tienen	teníamos teníais tenían	tuvimos tuvisteis tuvieron
29. traer *to bring*	trayendo traído	traigo traes trae	traía traías traía	traje trajiste trajo
		traemos traéis traen	traíamos traíais traían	trajimos trajisteis trajeron

Future	Conditional	Present Subjunctive	Past Subjunctive	Informal/Formal Commands
sabré	sabría	sepa	supiera	—
sabrás	sabrías	sepas	supieras	sabe (no sepas)
sabrá	sabría	sepa	supiera	sepa
sabremos	sabríamos	sepamos	supiéramos	—
sabréis	sabríais	sepáis	supierais	—
sabrán	sabrían	sepan	supieran	sepan
saldré	saldría	salga	saliera	—
saldrás	saldrías	salgas	salieras	sal (no salgas)
saldrá	saldría	salga	saliera	salga
saldremos	saldríamos	salgamos	saliéramos	—
saldréis	saldríais	salgáis	salierais	—
saldrán	saldrían	salgan	salieran	salgan
seguiré	seguiría	siga	siguiera	—
seguirás	seguirías	sigas	siguieras	sigue (no sigas)
seguirá	seguiría	siga	siguiera	siga
seguiremos	seguiríamos	sigamos	siguiéramos	—
seguiréis	seguiríais	sigáis	siguierais	—
seguirán	seguirían	sigan	siguieran	sigan
seré	sería	sea	fuera	—
serás	serías	seas	fueras	sé (no seas)
será	sería	sea	fuera	sea
seremos	seríamos	seamos	fuéramos	—
seréis	seríais	seáis	fuerais	—
serán	serían	sean	fueran	sean
tendré	tendría	tenga	tuviera	—
tendrás	tendrías	tengas	tuvieras	ten (no tengas)
tendrá	tendría	tenga	tuviera	tenga
tendremos	tendríamos	tengamos	tuviéramos	—
tendréis	tendríais	tengáis	tuvierais	—
tendrán	tendrían	tengan	tuvieran	tengan
traeré	traería	traiga	trajera	—
traerás	traerías	traigas	trajeras	trae (no traigas)
traerá	traería	traiga	trajera	traiga
traeremos	traeríamos	traigamos	trajéramos	—
traeréis	traeríais	traigáis	trajerais	—
traerán	traerían	traigan	trajeran	traigan

Infinitive	Participles	Present Indicative	Imperfect	Preterite
30. valer *to be worth*	valiendo valido	valgo vales vale	valía valías valía	valí valiste valió
		valemos valéis valen	valíamos valíais valían	valimos valisteis valieron
31. venir *to come*	viniendo venido	vengo vienes viene	venía venías venía	vine viniste vino
		venimos venís vienen	veníamos veníais venían	vinimos vinisteis vinieron
32. ver *to see*	viendo visto	veo ves ve	veía veías veía	vi viste vio
		vemos veis ven	veíamos veíais veían	vimos visteis vieron
33. volver *to return*	volviendo vuelto	vuelvo vuelves vuelve	volvía volvías volvía	volví volviste volvió
		volvemos volvéis vuelven	volvíamos volvíais volvían	volvimos volvisteis volvieron

Future	Conditional	Present Subjunctive	Past Subjunctive	Informal/Formal Commands
valdré	valdría	valga	valiera	—
valdrás	valdrías	valgas	valieras	val (no valgas)
valdrá	valdría	valga	valiera	valga
valdremos	valdríamos	valgamos	valiéramos	—
valdréis	valdríais	valgáis	valierais	—
valdrán	valdrían	valgan	valieran	valgan
vendré	vendría	venga	viniera	—
vendrás	vendrías	vengas	vinieras	ven (no vengas)
vendrá	vendría	venga	viniera	venga
vendremos	vendríamos	vengamos	viniéramos	—
vendréis	vendríais	vengáis	vinierais	—
vendrán	vendrían	vengan	vinieran	vengan
veré	vería	vea	viera	—
verás	verías	veas	vieras	ve (no veas)
verá	vería	vea	viera	vea
veremos	veríamos	veamos	viéramos	—
veréis	veríais	veáis	vierais	—
verán	verían	vean	vieran	vean
volveré	volvería	vuelva	volviera	—
volverás	volverías	vuelvas	volvieras	vuelve (no vuelvas)
volverá	volvería	vuelva	volviera	vuelva
volveremos	volveríamos	volvamos	volviéramos	—
volveréis	volveríais	volváis	volvierais	—
volverán	volverían	vuelvan	volvieran	vuelvan

Supplemental Structures

The following structures are not actively taught in *¡Dímelo tú!,* but are presented here for reference.

Perfect Tenses

In **Capítulo 11** you learned that the present perfect tense is formed by combining the present indicative of the verb **haber** with the past participle. Similarly, the past perfect, future perfect, and conditional perfect tenses are formed by combining the imperfect, future, and conditional, respectively, of **haber** with the past participle.

Past perfect		Future perfect		Conditional perfect	
había		habré		habría	
habías		habrás		habrías	
había	+ past	habrá	+ past	habría	+ past
habíamos	participle	habremos	participle	habríamos	participle
habíais		habréis		habríais	
habían		habrán		habrían	

In general, the use of these perfect tenses parallels their use in English.

> Dijo que **había vivido** allí seis años.   *He said he had lived there six years.*
> Para el año 1998, **habremos**   *By the year 1998, we will have finished*
>   **terminado** nuestro estudios aquí.   *our studies here.*
> Yo lo **habría hecho** por ti.   *I would have done it for you.*

The present perfect subjunctive and past perfect subjunctive are likewise formed by combining the present subjunctive and past subjunctive of **haber** with the past participle.

Present perfect subjunctive		Past perfect subjunctive	
haya		hubiera	
hayas		hubieras	
haya	+ past	hubiera	+ past
hayamos	participle	hubiéramos	participle
hayáis		hubierais	
hayan		hubieran	

These tenses are used whenever the independent clause in a sentence requires the subjunctive and the verb in the dependent clause represents an action completed prior to the time indicated by the independent clause verb. If the tense of the verb in the independent clause is present or future, the present perfect subjunctive is used; if the tense is past or conditional, the past perfect subjunctive is used.

Dudo que lo **hayan leído.**	*I doubt that they have read it.*
Si **hubieras llamado,** no tendríamos este problema ahora.	*If you had called, we would not have this problem now.*

Past Progressive Tense

In **Capítulo 3** you learned that the present progressive tense is formed with the present indicative of **estar** and a present participle. The past progressive tense is formed with the imperfect of **estar** and a present participle.

Past progressive tense

The past progressive tense is used to express or describe an action that was in progress at a particular moment in the past.

Estábamos comiendo cuando llamaste.	*We were eating when you called.*
¿Quién **estaba hablando** por teléfono?	*Who was talking on the phone?*

Another past progressive tense can also be formed with the preterite of **estar** and the present participle. However, its use is of much lower frequency in Spanish.

Probability in the Past and in the Future

Spanish uses both the future and conditional tenses to express probability or conjecture about present or past events or states of being.

¿Qué hora es?	*What time is it?*
No sé; **serán** las 8:00.	*I don't know; it's probably 8:00.*
¿Qué **estarían** haciendo?	*I wonder what they were doing?*
Estarían divirtiéndose.	*They were probably having a good time.*

Note that the words *probably* and *I wonder* are not expressed in Spanish, as the verb tenses convey this idea.

Stressed Possessive Adjectives and Pronouns

In **Capítulo 2** you learned to express possession using **de** or the possessive adjectives [**mi(s), tu(s), su(s), nuestro(a, os, as), vuestro(a, os, as)**]. Possession may also be expressed using the stressed possessive adjectives equivalent to the English *of mine, of yours, of ours, of theirs.*

Stressed possessive adjectives and pronouns

mío	mía ⎱	my, (of) mine	nuestro	nuestra ⎱	our, (of) ours
míos	mías ⎰		nuestros	nuestras ⎰	
tuyo	tuya ⎱	your, (of) yours	vuestro	vuestra ⎱	your, (of) yours
tuyos	tuyas ⎰		vuestros	vuestras ⎰	
suyo	suya ⎱	its, his, (of) his,	suyo	suya ⎱	their, (of) theirs
suyos	suyas ⎰	hers, (of) hers, your, (of) yours	suyos	suyas ⎰	your, (of) yours

A. As adjectives, the stressed possessives must agree in number and gender with the thing possessed.

Una amiga **mía** viene a visitar hoy.   *A friend of mine is coming to visit today.*
¿Qué hay en las maletas **suyas**, señor?   *What do you have in your suitcases, sir?*
El coche **nuestro** nunca funciona.   *Our car never works.*

Note that stressed possessive adjectives *always* follow the noun they modify. Also note that the noun must be preceded by an article.

B. Stressed possessive adjectives can be used as possessive pronouns by eliminating the noun.

¿Dónde está **la suya**, señor?   *Where is yours, sir?*
El nuestro nunca funciona.   *Ours never works.*

Note that both the article and possessive adjective must agree in number and gender with the noun that has been eliminated.

C. A stressed possessive pronoun may be used without the article after the verb **ser**.

Esta maleta no **es mía**, señor. *This suitcase is not mine, sir.*
¿**Es suya,** señora?   *Is it yours, ma'am?*

Prepositional Pronouns

Pronouns used as objects of a preposition are identical to the subject pronouns with the exception of **mí** and **ti**.

Prepositional pronouns

mí	me	nosotros(as)	us
ti	you (fam.)		
usted	you	vosotros(as)	you (fam.)
		ustedes	you
él	him	ellos	them
ella	her	ellas	them

Esta carta no es **para ella**, es **para ti**.   *This letter is not for her, it's for you.*
Habló **después de mí**.   *She spoke after me.*
¿Es posible que terminen **antes de**   *Is it possible they will finish before us?*
nosotros?

Note that **mí** has a written accent to distinguish it from the possessive adjective **mi**.

A.   The prepositional pronouns **mí** and **ti** combine with the preposition **con** to form
conmigo (*with me*) and **contigo** (*with you*).

Si tú estudias **conmigo** esta noche,   *If you study with me tonight,*
  yo iré **contigo** al médico.   *I'll go with you to the doctor.*

B.   The subject pronouns **yo** and **tú** follow the prepositions **entre, excepto,** and
según instead of **mí** and **ti**.

Según tú, yo no sé nada.   *According to you, I don't know anything.*
Entre tú y yo, tienes razón.   *Between you and me, you are right.*

Demonstrative Pronouns

Demonstrative adjectives may be used as pronouns. In written Spanish, an accent mark always distinguishes a demonstrative pronoun from its demonstrative adjective counterpart.

Esta novela es excelente; **ésa** es   *This novel is excellent; that one is*
  aburridísima.   *extremely boring.*
Ese señor es el jefe, y **aquéllos** son   *That gentleman is the boss, and those*
  sus empleados.   *are his employees.*

The neuter demonstratives **esto, eso,** and **aquello** are used to refer to a concept, an idea, a situation, a statement, or an unknown object. The neuters do not require written accents.

¡**Esto** es imposible!   *This is impossible!*
¿Qué es **eso**?   *What is that?*

Past Participles Used as Adjectives

The past participle may be used as an adjective, and like all adjectives in Spanish, it must agree in number and gender with the noun it modifies.

Los coches **hechos** en Hungría y en Corea   *Cars made in Hungary and Korea*
  son más baratos.   *are cheaper.*
Sí, pero yo prefiero uno **hecho** y   *Yes, but I prefer one made and*
  comprado en los EE.UU.   *bought in the U.S.*

Frequently the past participle is used as an adjective with the verb **estar**.

Mira, tus lentes **están rotos**.   *Look, your glasses are broken.*
El despertador **estaba puesto**.   *The alarm was turned on.*

Spanish-English Vocabulary

This vocabulary includes all the words and expressions listed as active vocabulary in *¡Dímelo tú!*. The number following the English meaning refers to the chapter and **paso** in which the word or phrase was first used actively. (The first number is the chapter; the number after the decimal is the **paso**.)

All words are alphabetized according to the 1994 changes made by the **Real Academia: ch** and **ll** are no longer considered separate letters of the alphabet. Stem-changing verbs appear with the change in parentheses after the infinitive: **(ie), (ue), (i), (ie, i), (ue, u),** or **(i, i)**.

Most cognates, conjugated verb forms, and proper nouns used as passive vocabulary in the text are not included in this glossary.

The following abbreviations are used.

adj.	adjective	*n.*	noun
adv.	adverb	*pl.*	plural
art.	article	*pp.*	past participle
conj.	conjunction	*poss.*	possessive
dir. obj.	direct object	*prep.*	preposition
f.	feminine	*pron.*	pronoun
fam.	familiar	*refl.*	reflexive
form.	formal	*rel.*	relative
indir. obj.	indirect object	*s.*	singular
interj.	interjection	*subj.*	subject
m.	masculine		

A

a to **5.1**; **a la(s)** + *time* at (time) o'clock **2.3**; **a la derecha** to the right **5.1**; **a la izquierda** to the left **5.1**; **a la parrilla** grilled **8.2**; **a menos que** unless **15.1**; **a otro perro con ese hueso** go tell it to the Marines **9.3**; **a partir de** starting in; **a pesar de** in spite of **12.3**; **a pie** on foot, walking **9.3**; **a veces** sometimes, at times **1.3**
abandonar to abandon **11.3**
abarcar to embrace, cover, include
aborto *(m.)* abortion
abogado(a) lawyer **11.3**
abrigo *(m.)* coat **13.2**
abril April **2.3**
abrir to open **2.1**
absurdo(a) absurd **14.2**
abuelo(a) grandfather / grandmother **5.1**

abuelos grandparents **5.1**
aburrido(a) boring **1.2**
acá here, over here
académico(a) academic
acampar to camp, go camping
accidente *(m.)* accident **10.1**
acción *(f.)* action
aceite *(m.)* oil
aceptar to accept **6.1**
acera *(f.)* sidewalk
acerca de about, concerning
acompañar to accompany **6.1**
aconsejar to advise **13.1**
acordarse (ue) to remember, recall
acordonar to cordon off
acostarse (ue) to go to bed **9.2**
actitud *(f.)* attitude
actividad *(f.)* activity
activo(a) active **1.1**
actor *(m.)* actor **9.3**
actriz *(f.)* actress **9.3**
actuación *(f.)* behavior, performance
actualmente currently

actuar to act; to behave
acudir to go to the aid of
acusar to accuse **10.3**
adelantarse to get ahead, go forward **15.2**
además besides **12.3**
adentro in, inside **13.2**
adiós good-bye **PE**
adivinanza *(f.)* riddle
adivinar to guess
administrador(a) administrator **2.1**
admirar to admire **6.3**
adolescencia *(f.)* adolescence
¿adónde? (to) where? **3.1**
adorar to adore **6.3**
adquirir (ie) to acquire **15.3**
aerolínea *(f.)* airline **7.2**
aeropuerto *(m.)* airport
afeitarse to shave **9.2**
afición *(f.)* liking, fondness
aficionado(a) fan *(of sporting events)* **6.1**
afuera out, outside **13.2**; abroad
agosto August **2.3**

agresivo(a)   aggressive **14.1**
agua *(f.)*   water **4.3**
aguantar   to endure, stand **13.3**
ahogarse   to drown
ahora   now **5.1**
ahorrar   to save **15.3**
aire *(m.)*   air
aislado(a)   isolated
al (a + el)   to the + *(m. noun)* **1.3**;
  al ajillo   sauteed in garlic **8.2**;
  al alcance   within reach; **al
  fondo**   in the back **8.1**; **al
  lado**   beside **5.1**; **al rato**
  in a short while **9.2**
alargado(a)   elongated
alcalde *(m.)*, **alcaldesa** *(f.)*   mayor
alcanzar   to reach; to attain
alcoba *(f.)*   bedroom **3.1**
alcohólico(a)   alcoholic
alejado(a)   distant, remote
alemán, alemana   German **4.1**
alérgico(a)   allergic
alfombra *(f.)*   carpet **5.2**
algo   something **6.1**
algodón *(m.)*   cotton **4.2**
alguien   someone, anyone **10.2**
alguna vez   sometime **10.2**
algúno, alguna   some, any **10.2**
almohadilla *(f.)*   mouse pad **2.1**
almorzar (ue)   to have lunch **4.1**
almuerzo *(m.)*   lunch **8.1**
alojarse   to lodge, room; to stay
  overnight **12.2**
alpinismo *(m.)*   mountain climbing
  14.3
alquiler *(m.)*   to rent **2.2**
alrededor   around
alternativa *(f.)*   alternative
altiplano *(m.)*   highlands
alto(a)   tall **3.2**
allí   there
amable   nice, amiable
amar   to love **6.3**
amarillo(a)   yellow **4.1**
ambicioso(a)   ambitious
ambiente *(m.)*   surroundings,
  ambience **15.2**
ambos   both
ambulancia *(f.)*   ambulance **10.1**
amenaza *(f.)*   threat
amigo(a)   friend **PE**

amistad *(f.)*   friendship
amo(a)   owner, proprietor
amoroso(a)   loving, affectionate
ampliamente   widely
amueblado(a)   furnished **5.1**
añadir   to add; to increase
análisis *(m.)*   analysis
anaranjado(a)   orange **4.1**
anatomía *(f.)*   anatomy
andino(a)   Andean
angosto(a)   narrow
animal de peluche *(m.)*   stuffed
  animal (toy) **11.1**
animar   to encourage
año *(m.)*   year **4.1**
anoche   last night **7.1**
anotar   to jot down
anterior   previous
antes de *(prep.)*   before **11.1**; **antes
  (de) que** *(conj.)*   before **15.1**
anticipar   to anticipate
anticuado(a)   very old, antiquated
antiguo(a)   antiquated, old-
  fashioned
antipático(a)   disagreeable **3.3**
antropólogo(a)   anthropologist
anuncio *(m.)*   announcement
apagar   to turn off
aparecer   to appear
aparentar (ie)   to pretend, feign
apartamento *(m.)*   apartment **2.1**
aparte   apart
apellido *(m.)*   last name **5.1**
apetito *(m.)*   appetite
apio *(m.)*   celery **8.1**
apoyar   to aid; to support **14.1**
apreciar   to appreciate
aprender   to learn **2.2**
apretar (ie)   to tighten; to squeeze
aprobar (ue)   to pass *(a class)*
apropiado(a)   appropriate
aproximadamente   approximately
  9.1
¡apúrese!   hurry up! **4.3**
aquí   here **3.2**
árbitro *(m.)*   umpire, referee **14.1**
árbol *(m.)*   tree
arco *(m.)*   goal **14.1**
arco iris *(m.)*   rainbow
arena *(f.)*   sand
arqueólogo(a)   archaeologist

arquero *(m.)*   goalie, goalkeeper
  14.1
arquitecto(a)   architect
arquitectura *(f.)*   architecture
arrasar   to level, smooth
arreglar   to fix **11.2**
arrestar   to arrest **7.1**
arrogante   arrogant
arroz *(m.)*   rice **8.3**
arte *(m.)*   art **1.2**
artesanía *(f.)*   handicrafts, crafts
artista *(m. / f.)*   artist **3.1**
asado(a)   roasted **8.2**
asaltar   to assault **10.3**
asegurado(a)   insured
asegurar   to insure; to assure
asesinar   to assassinate **7.1**
asiento *(m.)*   seat **10.2**
asistir   to attend **4.3**
asociación *(f.)*   association
asociar   to associate
aspiradora *(f.)*   vacuum cleaner
aspirina *(f.)*   aspirin **4.3**
atacar   to attack **7.2**
ataque cardíaco *(m.)*   heart attack
  10.1
atender (ie)   to take care of; to pay
  attention to **15.2**
atleta *(m. / f.)*   athlete **7.1**
atlético(a)   athletic **1.1**
atraer   attract
audífono *(m.)*   headphones **4.1**
aumentar   to augment, increase
  15.3
aún   even, even though
aunque   although **15.1**
autobús *(m.)*   bus **2.1**
automóvil *(m.)*   automobile **10.2**
autor(a)   author
auxilio *(m.)*   assistance, aid;
  ¡auxilio!   help! **10.1**
avanzar   to advance
ave *(f.)*   bird
avenida *(f.)*   avenue **5.3**
avión *(m.)*   airplane **7.1**
aviso *(m.)*   advertisement, classified
  ad **7.2**
¡ay!   oh! **5.2**
ayer   yesterday **7.1**
ayuda *(f.)*   help, assistance **10.1**
ayudar   to help **2.2**

azúcar *(m.)*   sugar **8.2**
azul   blue **4.1**

B

bailar   to dance **1.2**
baile *(m.)*   dance **6.1**
bajar   to go down, lower **13.2**;
     bajar de peso   to lose weight
bajarse   to get off, get down **9.3**
bajo(a)   short **3.3**
ballenero *(m.)*   whaler
baloncesto *(m.)*   basketball **7.1**
banco *(m.)*   bank, bench
banda *(f.)*   band
bañarse   to bathe **9.2**
baño *(m.)*   bathroom **2.2**
barato(a)   inexpensive **2.2**
barco *(m.)*   boat **9.3**
barranca *(f.)*   ravine, gorge
barrio *(m.)*   neighborhood
bastante   enough **5.3**;   **bastante bien**   well enough **PE**
bate *(m.)*   bat **14.1**
bateador(a)   batter *(baseball)* **14.1**
batear   to bat
batería *(f.)*   battery **10.2**
baúl *(m.)*   trunk, chest
bautizo *(m.)*   baptism
beber   to drink **4.3**
bebida *(f.)*   drink **6.2**
beisbolista *(m. / f.)*   baseball player
belleza *(f.)*   beauty
bendición *(f.)*   blessing
beso *(m.)*   kiss
betabel *(m.)*   beet
biblioteca *(f.)*   library **1.3**
bicicleta *(f.)*   bicycle
bien   fine, well; **bien parecido(a)**   good-looking; **Bien, gracias**   Fine, thank you. **PE**
bienvenido(a)   welcome
bigote *(m.)*   mustache **10.3**
billete *(m.)*   ticket, bill
biología *(f.)*   biology
bistec *(m.)*   steak **8.1**
blanco(a)   white **4.1**
blusa *(f.)*   blouse **4.1**
boca *(f.)*   mouth **13.2**
bocadillo *(m.)*   snack **8.1**

boleto *(m.)*   ticket **6.1**
bolígrafo *(m.)*   ballpoint pen **1.1**
bolsa *(f.)*   stock market **15.3**
bolsillo *(m.)*   pocket
bolso *(m.)*   purse, pocketbook **12.1**
bomba *(f.)*   bomb **7.1**
bombero(a)   firefighter **10.3**
borracho(a)   drunk **3.1**
borrador *(m.)*   eraser
bosque *(m.)*   forest
botas *(f.)*   boots **4.2**
bote *(m.)*   boat
botella *(f.)*   bottle **4.3**
botín *(m.)*   booty, spoils
botón *(m.)*   button
boxeo *(m.)*   boxing **14.1**
brazo *(m.)*   arm **10.1**
buceo *(m.)*   underwater swimming
bueno(a)   good **1.2**; **buena suerte** *(f.)*   good luck **9.3**; **Buenas noches**   Good evening **PE**; **Buenas tardes**   Good afternoon **PE**; **Buenos días**   Good morning **PE**
bufanda *(f.)*   scarf **9.1**
bus *(m.)*   bus
buscar   to look for **1.3**
butaca *(f.)*   armchair, easy chair
buque *(m.)*   boat

C

caballo *(m.)*   horse **13.1**
cabeza *(f.)*   head **10.3**
cabezal *(m.)*   pillow, headrest
cacique *(m.)*   Indian chief
cada *(adj. m. or f.)*   every, each **2.3**
caerse   to fall down **10.1**
café *(m.)*   coffee **1.3**; café **2.1**
cafetería *(f.)*   cafeteria
caído *(pp.)*   fallen
caja *(f.)*   cashier's office **7.3**
cajero(a)   cashier **2.1**
calamares *(m.)*   squid **8.1**
calculadora *(f.)*   calculator **1.1**
calendario *(m.)*   calendar
calidad *(f.)*   quality
cálido(a)   warm, hot
caliente   hot
calificado(a)   qualified

¡cállate!   be quiet! **13.2**
calle *(f.)*   street **5.1**; **calle principal** *(f.)*   main street **9.3**
callejón *(m.)*   alley **10.1**
calma *(f.)*   calm
calmarse   to calm (oneself) down
caloría *(f.)*   calorie
cama *(f.)*   bed **5.1**
cámara *(f.)*   camera **4.1**; **cámara de diputados**   House of Parliament
camarero(a)   waiter / waitress **8.3**
camarón *(m.)*   shrimp **8.2**
cambiar   to change, alter; **cambiar los pañales**   to change diapers **15.1**; **cambiar una llanta**   to change a tire **10.2**
cambio *(m.)*   change
caminar   to walk **2.3**
camión *(m.)*   bus
camisa *(f.)*   shirt **4.1**
camiseta *(f.)*   tee shirt **4.1**
campeón *(m.)*, **campeona** *(f.)*   champion **14.3**
campeonato *(m.)*   championship **7.1**; **campeonato mundial** *(m.)*   world championship **7.1**
campesino(a)   peasant, farmer
campo *(m.)*   camp; campus; country
canal *(m.)*   canal; channel
cancelar   to cancel
cáncer *(m.)*   cancer **13.1**
cancha *(f.)*   court (for sports) **14.1**
canción *(f.)*   song **3.1**
cangrejo *(m.)*   crab **8.3**
cantante *(m. / f.)*   singer **9.3**
cantar   to sing **3.1**
cantidad *(f.)*   quantity
capacidad *(f.)*   capacity
capitán *(m.)*, **capitana** *(f.)*   captain **14.3**
caprichoso(a)   capricious, whimsical
capturar   to capture **7.1**
cara *(f.)*   face
característica *(f.)*   characteristic
¡caramba!   goodness! good heavens! **11.3**
cargar   to load; to carry **12.2**
Caribe *(m.)*   Caribbean

carne *(f.)*   meat **8.1**;   **carne de puerco** *(f.)*   pork **8.1**;   **carne de res** *(f.)*   beef **8.1**

carnicería *(f.)*   butcher shop **9.3**

caro(a)   expensive **2.2**

carpeta *(f.)*   folder

carrera *(f.)*   race

carretera *(f.)*   highway **10.1**

carro *(m.)*   car **5.2**

carta *(f.)*   letter **2.2**; menu

cartera *(f.)*   purse, wallet **10.1**

casa *(f.)*   house **2.2**

casamiento *(m.)*   marriage **15.1**

casarse   to marry, get married

cascada *(f.)*   cascade, waterfall

casco *(m.)*   helmet

casete *(m.)*   cassette **3.1**

casi   almost **4.2**

castellano *(m.)*   Castilian, Spanish language

catarata *(f.)*   waterfall

categoría *(f.)*   category

cedido(a)   ceded, handed over

celebración *(f.)*   celebration

celebrar   to celebrate **7.3**

cementerio *(m.)*   cemetery

cena *(f.)*   dinner **1.3**

cenar   to eat dinner **6.1**

centígrados *(m.)*   centigrade **9.1**

centro *(m.)*   center, downtown **5.1**;   **centro comercial** *(m.)*   shopping center, mall **5.3**

cepillo de dientes *(m.)*   toothbrush **12.1**

cerca de   near **5.1**

cercano(a)   near, close

cero   zero

cerrar (ie)   to close **4.1**

cerveza *(f.)*   beer **3.1**

cesto *(m.)*   basket **14.1**

chaleco *(m.)*   vest

champiñón *(m.)*   mushroom

champú *(m.)*   shampoo **12.1**

chaqueta *(f.)*   jacket **4.1**

cheque *(m.)*   check

chico(a)   boy / girl **2.3**

chimenea *(f.)*   chimney **5.1**

chistoso(a)   witty, funny

chocar   to collide **10.1**

chocolate *(m.)*   chocolate

chófer *(m. / f.)*   chauffeur, driver **2.1**

choque eléctrico *(m.)*   electric shock

chuletas *(f.)*   chops

chupar   to suck *(a lemon, candy)*

ciclismo *(m.)*   cycling **14.1**

cielo *(m.)*   sky **9.1**

ciencias políticas *(f.)*   political science **1.2**

cierto(a)   true, certain

címbalo *(m.)*   cymbal **11.1**

cinco   five

cine *(m.)*   movie theater **3.2**

círculo *(m.)*   circle

cita *(f.)*   date **6.1**

ciudad *(f.)*   city

ciudadano(a)   citizen **11.1**

civilización *(f.)*   civilization

clarinete *(m.)*   clarinet **11.1**

¡claro que sí!   of course! **6.1**

clase *(f.)*   class **PE**

clásico(a)   classical **6.1**

clausurar   to close, bring to a close

clave *(f.)*   code, key

cliente *(m. / f.)*   client

clima *(m.)*   climate **9.1**

clínica *(f.)*   clinic **10.1**

cobre *(m.)*   copper

coche *(m.)*   car **3.2**

cocina *(f.)*   kitchen **3.1**

cocinar   to cook

cocinero(a)   cook **2.1**

coctel *(m.)*   cocktail

codo *(m.)*   elbow **13.2**

col *(f.)*   cabbage **8.1**

colección *(f.)*   collection

colgar (ue)   to hang, hang up

colocar   to place

columna *(f.)*   column

collar *(m.)*   necklace

comedor *(m.)*   dining room **5.1**

comentario *(m.)*   commentary

comenzar (ie)   to begin **7.2**

comer   to eat **1.2**

cometer un error   to commit an error **21.3**

cómico(a)   comical, funny **1.2**

comida *(f.)*   food **2.1**

comité *(m.)*   committee

¿cómo?   how?, what? **3.1**;   **¿cómo estás?**   how are you? **PE**;   **¡cómo no!**   why not! **6.1**;

¿cómo se llama usted? / ¿cómo te llamas?   what's your name? **PE**

cómodo(a)   comfortable **5.2**

compañero(a)   partner;   **compañero(a) de cuarto**   roommate **PE**

comparar   to compare

compartir   to share **2.2**

competencia *(f.)*   competition **14.2**

competición *(f.)*   competition **12.3**

competir (i, i)   to compete

completar   to complete

comportarse   to behave

comprar   to buy **1.3**

computadora *(f.)*   computer **2.1**

común   common

comunidad *(f.)*   community

con   with **1.3**;   **con calma**   calmly;   **con frecuencia**   frequently **5.1**;   **con precisión**   precisely **10.1**;   **¡con razón!**   no wonder! **4.2**;   **con relación a**   in relation to;   **con tal (de) que**   provided (that) **15.1**

concentrarse   to concentrate **14.1**

conciencia *(f.)*   conscience

concierto *(m.)*   concert **6.2**

conclusión *(f.)*   conclusion

concurso *(m.)*   contest

condición *(f.)*   condition **5.2**

conducir   to drive **6.1**

conexión *(f.)*   connection

confesar (ie)   to confess

confianza *(f.)*   confidence

conflicto *(m.)*   conflict

confundir   to confuse

congelado(a)   frozen **9.1**

conjunto *(m.)*   ensemble

conmigo   with me

conocer   to know **3.3**

conquista *(f.)*   conquest

conquistar   to conquer

consecuencia *(f.)*   consequence

conseguir (i, i)   to get, obtain **6.2**

consejero(a)   advisor

consejo *(m.)*   advice **13.1**

conserje *(m.)*   janitor

conservador(a)   conservative **1.1**

conservar   to conserve

considerar   to consider
constitución *(f.)*   constitution
contagioso(a)   contagious
contaminación *(f.)*   contamination, pollution
contaminado(a)   contaminated
contar (ue)   to count; to tell **8.3**
contenido *(m.)*   content
contento(a)   happy **3.1**
contestar   to answer **9.3**
contigo   with you
contiguo(a)   adjacent
continente *(m.)*   continent
continuamente   continuously **9.1**
contrario(a)   opposite, adverse **14.1**
contraste *(m.)*   contrast
contratar   to contract
contrato *(m.)*   contract **15.2**
controlar   to control **2.2**
controvertido(a)   controversial
convencer   to convince
convencido(a)   convinced
convento *(m.)*   convent
conversación *(f.)*   conversation **PE**
conversar   to converse
cónyuge *(m. / f.)*   spouse **15.1**
coordinador(a)   coordinator
copa *(f.)*   goblet; **copa de vino** glass of wine **8.2**
copia *(f.)*   copy
corazón *(m.)*   heart **6.3**
corbata *(f.)*   necktie **4.2**
cordillera *(f.)*   mountain range
correcto(a)   correct, proper
corregir (i, i)   to correct
correr   to run **2.1**
corrida *(f.)*   bullfight
corriente *(f.)*   electrical current **12.1**; *(adj.)* common, current, up-to-date
cortar   to cut; **cortar el césped** to mow the lawn **15.1**
cortarse   to cut oneself **9.2**
corte *(f.)*   court
corto(a)   short *(in length)* **4.1**
cortés   courteous, polite **10.1**
cortésmente   courteously, politely **10.1**
cosa *(f.)*   thing **5.1**
cosecha *(f.)*   harvest
costa *(f.)*   coast

costar (ue)   to cost **4.2**
costo *(m.)*   cost
costumbre *(f.)*   custom
crear   to create
creativo(a)   creative
crédito *(m.)*   credit **15.2**
crítica *(f.)*   criticism
crítico(a)   critical
cronología *(f.)*   chronology
cruce *(m.)*   crossing
crudo(a)   raw
cruel   cruel **13.3**
cruz *(f.)*   cross
cruzar   to cross
cuaderno *(m.)*   notebook **1.1**
cuadra *(f.)*   city block **5.1**
cuadrado *(m.)*   square
cuadro *(m.)*   painting **4.3**
¿cuál(es)?   which one(s)? what?
cualidad *(f.)*   quality, characteristic
¿cuándo?   when? **3.1**
¿cuánto(a)?   how much? **3.1**
¿cuántos(as)?   how many? **2.2**
cuarto *(m.)*   room; **cuarto de baño** *(m.)*   bathroom
cuarto(a)   fourth
cubierta *(f.)*   cover
cubrir   to cover
cuchara *(f.)*   spoon **8.2**
cuchillo *(m.)*   knife **8.2**
cuello *(m.)*   collar
cuenta *(f.)*   bill; account
cuentista *(m. / f.)*   short-story writer
cuento de hadas *(m.)*   fairytale
cuerpo *(m.)*   body **13.2**
cuestión *(f.)*   question, issue
cuestionario *(m.)*   questionnaire
cuidadoso(a)   careful **10.2**
cuidar   to take care of; **cuidar a los niños** to babysit, care for the children **15.1**
¡cuídate!   take care!
culpa *(f.)*   fault **11.2**
culpable   guilty, culpable **10.3**
cumpleaños *(m. s. and pl.)*   birthday **3.2**
cumplir   to carry out, realize **11.3**
cuñado(a)   brother-in-law / sister-in-law
curioso(a)   curious

D

dama *(f.)*   lady **4.2**
dañar   to damage, hurt **14.2**
dar   to give **8.3**; **dar vuelta** to turn **13.2**
dato *(m.)*   fact
de   from, about; **de repente** suddenly **10.2**; **de todos modos** anyway **14.1**; **de veras** really; **de vez en cuando** once in a while **13.3**
debajo de   under **5.1**
debate *(m.)*   debate
deberes *(m. pl.)*   responsibilities **11.3**
decano(a)   dean
decidir   to decide **2.1**
decir (i)   to say **6.2**
decisión *(f.)*   decision
decorar   to decorate **3.2**
dedicación *(f.)*   dedication
dedicar   to dedicate
dedo *(m.)*   finger **13.2**
defender   to defend
defensor(a)   guard *(soccer)* **14.3**
dejar   to leave behind **7.1**; to allow, permit **14.2**; **dejar de** to stop *(doing something)* **11.3**
delante de   in front of **5.1**
delantero(a)   forward *(soccer)* **14.3**
delgado(a)   thin **3.3**
delicioso(a)   delicious **8.3**
demasiado(a)   too much **6.1**
democracia *(f.)*   democracy **11.1**
dentista *(m. / f.)*   dentist
denunciar   to denounce **10.1**
dependiente *(m. / f.)*   store clerk, salesperson **2.1**
deporte *(m.)*   sport **7.2**
deportista *(m. / f.)*   sportsman, sportswoman **9.3**
deprimido(a)   depressed **13.1**
deprimirse   to be depressed
derecho *(adv.)*   straight (ahead); *(m.)* law
derecho(a)   right **9.3**
derrotar   to defeat, beat **14.1**
desaparecer   to disappear **7.2**
desarrollar   to develop
desarrollo *(m.)*   development

desastre *(m.)*   disaster
desayunar   to eat breakfast **8.1**
desayuno *(m.)*   breakfast **8.1**
descansar   to rest **3.2**
descendiente *(m. / f.)*   descendant
descortés   discourteous
describir   to describe **10.1**
descripción *(f.)*   description
descubrimiento *(m.)*   discovery
descubrir   to discover **7.3**
deseado(a)   desired
desear   to desire **4.3**
desempleo *(m.)*   unemployment **15.1**
desenchufar   to unplug *(electricity)* **11.1**
deseo *(m.)*   desire, wish **12.1**
desesperado(a)   desperate
desierto *(m.)*   desert
desocupado(a)   unoccupied **5.1**
desorganizado(a)   disorganized **1.3**
despedida   good-bye, farewell
despedir (i, i)   to dismiss, fire *(from a job)* **15.3**
despedirse (i, i)   to take leave, say good-bye
despertador *(m.)*   alarm clock **9.2**
despertarse (ie)   to wake up **9.2**
después de   after **5.1**
destino *(m.)*   destiny, fate
destruir   to destroy
desventaja *(f.)*   disadvantage
detallado(a)   detailed **10.2**
detalle *(m.)*   detail
determinar   to determine
destacarse   to stand out
detestar   to detest **6.3**
detrás de   behind **5.1**
deuda *(f.)*   debt **15.3**
devolver (ue)   to return (something) **10.3**
día *(m.)*   day **2.3**; **de día**   during the day **2.3**; **Día de Acción de Gracias** *(m.)*   Thanksgiving Day; **día de la semana** *(m.)* weekday **2.3**; **Día de las Madres** *(m.)*   Mother's Day; **Día de San Valentín** *(m.)*   Valentine's Day; **Día del Padre** *(m.)* Father's Day **9.1**
diálogo *(m.)*   dialogue
diario(a)   daily **12.3**

dibujo *(m.)*   drawing
diccionario *(m.)*   dictionary **1.2**
diciembre   December **2.3**
dictadura *(f.)*   dictatorship
diente *(m.)*   tooth **13.2**
dieta *(f.)*   diet
diez   ten
diferencia *(f.)*   difference
difícil   difficult **1.2**
dinámico(a)   dynamic
dinastía *(f.)*   dynasty
dinero *(m.)*   money
dios *(m.)*   god
dirección *(f.)*   address **5.1**
directamente   directly
dirigir   to direct **11.1**
disciplina *(f.)*   discipline
disco   record **3.1**; **disco compacto** *(m.)*   compact disc **3.1**
discoteca *(f.)*   discotheque
discriminación   discrimination
diseñar   to design
diseño *(m.)*   design
disfrutar   to enjoy
disparar   to fire *(a gun)* **10.1**
disponible   available **5.1**
distinto(a)   different
diversidad *(f.)*   diversity
diverso(a)   diverse
divertido(a)   amusing, funny **1.2**
divertir (ie, i)   to entertain, show a good time
divertirse (ie, i)   to have a good time, enjoy oneself **9.2**
dividir   to divide **2.1**
doblar   to turn **9.3**; to bend **13.2**
doble   double **14.3**
docena *(f.)*   dozen
dólar *(m.)*   dollar **5.1**
doler (ue)   to hurt **12.2**
dolor *(m.)*   pain, ache; **dolor de cabeza** *(m.)*   headache
dominación *(f.)*   domination
domingo   Sunday **2.3**
donar   to donate
¿dónde?   where? **3.1**
dormir (ue, u)   to sleep **1.2**
dormirse (ue, u)   to fall asleep **9.2**
dormitorio *(m.)*   bedroom **5.1**
dos   two
dramatizar   to role-play

dramaturgo(a)   playwright
ducharse   to shower, take a shower **9.2**
duda *(f.)*   doubt
dudar   to doubt **13.3**
dueño(a)   owner **5.1**
dulce *(m.)*   candy, sweet
durante   during **7.1**
durar   to last **13.1**
durazno *(m.)*   peach **8.1**
duro(a)   hard, difficult **10.2**

E

echar de menos   to miss *(someone)* **11.1**
ecológico(a)   ecological
economía *(f.)*   economics **1.2**
edad *(f.)*   age **5.3**
edificio *(m.)*   building **2.2**
educación física *(f.)*   physical education **1.2**
educado(a)   educated; raised
efecto *(m.)*   effect
eficaz   efficient
ejemplo *(m.)*   example
ejército *(m.)*   army **11.1**
elección *(f.)*   election
elegante   elegant **1.1**
elegir (i, i)   to choose, select; to elect
eliminar   to eliminate
embarazada   pregnant **13.1**
embarazo *(m.)*   pregnancy **13.1**
emborracharse   to get drunk **11.2**
emergencia *(f.)*   emergency **10.1**
emigrar   emigrate
emocionante   touching, moving
empacar   to pack *(a suitcase)* **12.1**
empapado(a)   soaking wet **9.1**
empatar   to tie *(in games and elections)* **7.1**
empezar (ie)   to begin **7.2**
empleado(a)   employee **2.1**
empleo *(m.)*   employment, work, job **7.3**
empresa *(f.)*   company **12.2**
en   on **5.1**; **en caso (de) que** in case **15.1**; **en cuanto**   as soon as **15.1**; **en efecto**   in

fact **11.2**; **en oferta** on special **4.2**; **en rebaja** reduced **4.2**; **en seguida** immediately, at once **8.2**
enamorado(a) in love **3.3**
enamorarse to fall in love
encantado(a) delighted **PE**
encargado(a) in charge
enchufar to plug in **10.1**
encima de on top of **5.1**
encontrar (ue) to find **4.1**
encuesta (f.) survey
energía (f.) energy
enero January **2.3**
enfermarse to get sick **12.3**
enfermedad (f.) illness **13.3**
enfermo(a) sick **3.1**
enfrente de in front of **5.1**
engañar to deceive; to trick **15.2**
enojarse to get angry **11.2**
enorme enormous
ensalada (f.) salad **8.2**
enseñar to teach
entender (ie) to understand **4.1**
entonces then **5.1**
entrada (f.) entrance **5.1**
entrar to enter **7.3**
entre between **5.1**
entregar to deliver, hand over
entremés (m.) appetizer **8.3**
entrenador(a) coach **14.3**
entrevista (f.) interview **7.3**
entrevistar to interview **2.1**
enumerar to enumerate **14.2**
enviar to send **12.3**
envidioso(a) envious, jealous
episodio (m.) episode **11.1**
equipaje (m.) luggage, baggage
equipo (m.) team **7.1**
escala (f.) stopover
escapar to escape **7.3**
escaparate (m.) store window, display window
escaso(a) scarce
escena (f.) scene
escoger to choose, select
escribir to write **1.2**; **escribir cartas** to write letters **1.2**
escritor(a) writer **7.2**
escritorio (m.) (teacher's) desk **1.2**
¡escúchame! listen to me! **7.3**

escuchar música to listen to music **1.2**
escuela (f.) school **9.3**; **escuela primaria** (f.) elementary school **7.2**; **escuela secundaria** (f.) high school **7.2**
escultura (f.) sculpture
ese(a) (pron. s.) that **4.1**
esencial essential
esfuerzo (m.) effort
esmeralda (f.) emerald
eso (neuter pron.) that **4.1**
esos(as) those **4.1**
espalda (f.) back **10.3**
especial special **1.3**
especialización (f.) specialization, major **3.3**
especializarse to specialize, major
específico(a) specific
espectacular spectacular **7.3**
espectáculo (m.) movie / theater section (of a newspaper) **7.2**; show, special event **12.2**
espejo (m.) mirror
esperanza (f.) hope **12.2**
esperar to wait for; to expect **3.2**
esposo(a) husband / wife **4.1**
esquema (f.) outline
esquí (m.) skiing **14.1**
esquiar to ski
esquina (f.) corner **9.3**
esta mañana / tarde / noche this morning / afternoon / evening **7.1**
establecer to establish
estación (f.) season **2.3**
estacionar to park **10.2**
estadio (m.) stadium **14.1**
estado (m.) state **3.3**
estar to be **3.1**; **estar despejado** to have clear skies **9.1**; **estar dispuesto(a)** to be inclined to **14.3**; **estar en forma** to be in shape **14.3**; **estar enamorado(a) de** to be in love with **6.3**; **estar harto(a) de** to be fed up with **12.2**; **estar loco(a) por** to be crazy about **6.3**; **estar molido(a)** to be exhausted **13.2**; **estar muerto(a)** to be dead **13.2**; **estar nublado**

to be cloudy **9.1**; **estar seguro(a) de** to be sure, certain of **12.2**
estatura (f.) height **5.3**
este (m.) (pron. s.) east **9.1**
este(a) this **4.1**
estilo (m.) style
estirar to stretch **13.2**
esto (neuter pron.) this **4.1**
estómago (m.) stomach **13.2**
estos(as) (pron. pl.) these **4.1**
estratégico(a) strategic
estrecho(a) narrow
estrella (f.) star
estrés (m.) stress **13.1**
estudiante (m. / f.) student **PE**
estudiar to study **1.3**
estudio (m.) studio
estudioso(a) studious **1.1**
estufa (f.) stove **10.1**
estupendo(a) stupendous **1.2**
eterno(a) eternal
étnico(a) ethnic
evento (m.) event **6.1**
evitar to avoid **10.3**
evolución (f.) evolution
exacto(a) exact
exagerar to exaggerate
examen (m.) exam **2.1**
excelente excellent **PE**
excepción (f.) exception
excepcional exceptional
exceso (m.) excess
excursión (f.) tour **4.1**
excusa (f.) excuse
exhibición (f.) exhibition **6.1**
exigente demanding
exigir to demand **14.2**
existir to exist
éxito (m.) success
experiencia (f.) experience **7.3**
explicar to explain **6.1**
explotar to explode **7.2**
expresar to express **6.3**
expresión (f.) expression
exquisito(a) exquisite **8.3**
extranjero(a) foreign, alien; **al extranjero** abroad, in a foreign country
extrañar to miss
extraño(a) strange
extremo(a) extreme

F

fábrica (f.)   factory **12.1**
fabricar   to produce
fabuloso(a)   fabulous
fácil   easy **1.2**
falda (f.)   skirt **4.1**
falso(a)   false
faltar   to lack, need, be missing **10.3**; **faltar a clase**   to miss class **11.2**
fama (f.)   fame
familia (f.)   family **2.2**
familiares (m. pl.)   extended family members **2.3**
famoso(a)   famous **1.1**
fanático(a)   fanatic **2.3**
fantástico(a)   fantastic **7.2**
farmacia (f.)   pharmacy **9.3**
fascinante   fascinating
fascinar   to fascinate **6.3**
favorito(a)   favorite **1.2**
febrero   February **2.3**
fecha (f.)   date **5.3**
felicidad (f.)   happiness
felicitar   to congratulate **14.1**
feliz   happy **2.3**; **¡Feliz cumpleaños!** Happy birthday! **3.2**
fenomenal   phenomenal **3.3**
feo(a)   ugly **2.3**
ferrocarril (m.)   railroad
fiebre (f.)   fever **13.2**
fiel   faithful
fiesta (f.)   party **3.2**
fijarse   to notice; to pay attention
filmar   to film **11.1**
filtro (m.)   filter
fin (m.)   end; **fin de semana** (m.) weekend **2.1**
financiar   to finance
firma (f.)   firm; signature
firmar   to sign **6.1**
física (f.)   physics **1.2**
flan (m.)   caramel custard **8.2**
flojo(a)   lazy **13.2**
flor (f.)   flower **6.1**
forma (f.)   form **12.3**
formal   formal
fortuna (f.)   fortune
foto (f.)   photo **3.3**
fotografía (f.)   photograph **4.1**

fracasar   to fail
francés, francesa   French **4.1**
frase (f.)   phrase
frenar   to apply the brakes (of a car) **10.2**
fresa (f.)   strawberry **8.1**
fresco(a)   fresh **8.3**
frito(a)   fried **8.2**
frontera (f.)   border **9.1**
frustrado(a)   frustrated **3.3**
fruta (f.)   fruit **8.1**
fuente (f.)   fountain, source
fuerte   strong, loud **5.1**
fuerza (f.)   strength, force; **fuerzas armadas** (f. pl.)   armed forces **11.1**
fumador(a)   smoker **10.2**
fumar   to smoke **7.3**
funcionar   to function, run (a motor)
fundado(a)   founded
furioso(a)   furious **3.1**
fútbol (m.)   soccer **14.1**; **fútbol americano** (m.)   football
futbolista (m. / f.)   soccer player **11.2**
futuro (m.)   future

G

gafas de sol (f. pl.)   sunglasses **12.1**
ganar   to win **7.1**; to earn **15.3**
ganga (f.)   bargain **4.2**
garaje (m.)   garage **5.1**
garantizar   to guarantee
gaseosa (f.)   carbonated drink **4.3**
gasolina (f.)   gasoline
gasolinera (f.)   gas; filling station **11.1**
gastar   to spend **12.3**
gasto (m.)   expense **6.1**
gatito(a)   small cat **5.1**
gato(a)   cat **5.1**
genealógico(a)   genealogical
generación (f.)   generation
género (m.)   gender
generoso(a)   generous
genio(a)   genius
gente (f.)   people **3.2**
gerente (m. / f.)   manager **2.1**
gigantesco(a)   gigantic
gimnasia (f.)   gymnastics, calis-

thenics **13.1**
gira (f.)   day trip, tour
gobernar (ie)   to govern
gobierno (m.)   government **7.1**
gol (m.)   goal **14.3**
golpe (m.)   hit, blow **14.1**; **golpe de cabeza** (m.)   hitting the ball with one's head **2.1**; **golpe militar** (m.)   military coup, coup d'état
golpear   to hit, beat up **7.2**
goma (f.)   pencil eraser **1.1**
gordo(a)   fat **3.3**
grabar   to record
grado (m.)   degree **9.1**
graduarse   to graduate **15.1**
grande   big, large **1.2**
gratis (adv.)   free **11.1**
gris   gray **4.1**
gritar   to cry out, shout **10.3**
grito (m.)   shout, scream
gruñón, gruñona   grouchy, grumpy **12.3**
grupo (m.)   group
guante (m.)   glove **9.1**
guapo(a)   good-looking **3.2**
guardar   to keep
guardia (m. / f.)   guard
guerra (f.)   war
guía (m. / f.)   guide **4.1**; **guía telefónica** (f.)   telephone book
guitarra (f.)   guitar **3.2**
guitarrista (m. / f.)   guitar player **3.2**
gustar   to like **8.1**

H

habitación (f.)   dwelling, room **2.2**
habitante (m. / f.)   inhabitant
hábito (m.)   habit
hablar por teléfono   to speak on the phone **1.3**
hacer   to make; to do **2.3**; **hacer buen tiempo**   to have good weather **9.1**; **hacer calor**   to be hot **9.1**; **hacer la cama**   to make the bed **12.3**; **hacer daño**   to hurt, damage **15.1**; **hacer ejercicio**   to exercise **12.3**; **hacer frío**   to be cold **9.1**; **hacer el papel**   to play the

role; **hacer la siesta** to take a nap, rest **12.2**; **hacer trampas** to cheat **10.3**; **hacer viento** to be windy **9.1**
hacia toward
hamburguesa (*f.*) hamburger **1.3**
hasta until **14.1**; **hasta la vista** good-bye, see you. **PE**; **hasta luego** see you later **PE**; **hasta mañana** see you to-morrow **PE**; **hasta pronto** see you soon **PE**
hay there is, there are
hay sol it is sunny **9.1**
hecho(a) (*adj.*) done; (*n. m.*) fact
helado (*m.*) ice cream
herido(a) wounded, injured **10.1**
hermanastro(a) stepbrother / stepsister **5.1**
hermano(a) brother / sister **5.1**
hermanos (*m. pl.*) siblings **5.1**
hermoso(a) beautiful **3.2**
hielo (*m.*) ice
hijo(a) son / daughter **5.1**
hijos (*m. pl.*) children **5.1**
hispano(a) Hispanic
historia (*f.*) history
hogar (*m.*) home
hoja de papel (*f.*) sheet of paper
¡hola! hello! **PE**
hombre (*m.*) man **3.3**
hombro (*m.*) shoulder **13.2**
honesto(a) honest **10.3**
hora (*f.*) hour, time **2.3**
horno (*m.*) oven
hospital (*m.*) hospital **10.1**
hotel (*m.*) hotel **2.1**
hoy today **5.2**
huelga (*f.*) strike **7.2**
huevo (*m.*) egg **8.1**
huir to run away, escape
humano(a) human
húmedo(a) humid
humo (*m.*) smoke **10.1**
hundido(a) sunken
¡huy! (*interj.*) oh!, ouch!

I

ideal ideal

idéntico(a) identical
identificar to identify **10.3**
idioma (*m.*) language **3.3**
iglesia (*f.*) church **5.1**
ignorar to ignore
igual alike, same **12.3**
igualmente likewise **PE**
ilustrar to illustrate
imagen (*f.*) image
imaginación (*f.*) imagination
imaginar, imaginarse to imagine **6.3**
impaciente impatient **1.1**
imparcial impartial **14.3**
impedir (i, i) to prevent, obstruct
imperio (*m.*) empire
impermeable (*m.*) raincoat **4.2**
importante important **3.2**
imposible impossible
impresión (*f.*) impression
impresionante impressive
impresionar to impress **6.1**
impresora (*f.*) printer **2.1**
improbable improbable
impuestos (*m. pl.*) taxes **15.2**
incaico(a) Inca, Incan
incendio (*m.*) fire **10.1**
incidente (*m.*) incident
incierto(a) uncertain, doubtful
incluir to include
inconsciente unconscious **10.1**
inconveniente inconvenient
increíble incredible, unbelievable
indicar to indicate
índice (*m.*) index
indígena indigenous, native
indio(a) Indian
indiscutible indisputable, unquestionable
indispensable indispensable
individuo (*m.*) individual
industria (*f.*) industry
inestabilidad (*f.*) instability
infancia (*f.*) infancy
influencia (*f.*) influence
información (*f.*) information
informal informal
informar to inform **7.1**
informativo(a) informative
informe (*m.*) report
ingeniería (*f.*) engineering **1.2**

inglés (*m.*) English (*language*) **1.2**
ingresos (*m. pl.*) income, revenue
inhumano(a) inhumane
iniciar to initiate; to begin
inmediatamente immediately **2.3**
inmenso(a) immense
innovador(a) innovative
inocente innocent
inolvidable unforgettable
insinuar to insinuate **11.1**
insistir (en) to insist (*on, upon*)
inspirar to inspire
instrumento (*m.*) instrument
integrar to integrate
inteligente intelligent
intercambio (*m.*) exchange
interés (*m.*) interest **7.2**
interesante interesting **1.1**
internacional international **7.2**
interpretar to interpret
interrumpir to interrupt
íntimo(a) intimate, private
inútil useless
inventar to invent
invertir (ie, i) to invest **15.3**
investigador(a) investigator, researcher
invierno (*m.*) winter **2.3**
invitación (*f.*) invitation
invitado(a) guest **3.1**
invitar to invite **2.3**
invocar to invoke
inyección (*f.*) injection, shot **13.3**
ir de compras to go shopping **4.2**
ironía (*f.*) irony
irónico(a) ironic
irrigación (*f.*) irrigation
irse to go away, leave
isla (*f.*) island **15.3**
itinerario (*m.*) itinerary
izquierdo(a) left **9.3**

J

jabón (*m.*) soap **12.1**
jamás never **10.2**
jamón (*m.*) ham **8.2**
japonés, japonesa Japanese **4.1**
jardín (*m.*) garden
jefe (*m. / f.*) boss, chief

jonrón *(m.)* home run **14.1**
joven *(m. / f.)* young man / woman *(adj.)* young **4.1**
joya *(f.)* jewel **11.1**
jubilarse to retire **15.2**
juego *(m.)* game **14.2**
jueves Thursday **2.3**
jugador(a) player
jugar (ue) to play **7.2**
jugo *(m.)* juice **8.3**; **jugo de naranja** *(m.)* orange juice **8.3**
jugoso(a) juicy
julio July **2.3**
junio June **2.3**
juntarse to get together
junto next to, by **5.3**
justo(a) just, fair **14.1**
juventud *(f.)* youth

L

labor *(f.)* work
laboratorio *(m.)* laboratory **1.3**
ladrón, ladrona thief **7.1**
lago *(m.)* lake **7.1**
lámpara *(f.)* lamp **5.1**
lana *(f.)* wool **4.2**
langosta *(f.)* lobster **8.3**
lanzador(a) pitcher **14.1**
lápiz *(m.)* pencil **1.1**
largo(a) long **4.1**
lástima *(f.)* pity, shame **14.1**
lastimar to injure **10.3**
lastimarse to hurt oneself **14.1**
lavandería *(f.)* laundry
lavaplatos *(m. / f., s. and pl.)* dishwasher **2.1**
lavar to wash **2.2**
le *(indir. obj. pron., s.)* (to, for) him, her, you **8.1**; **le presento a…** I'd like you to meet. . . **PE**
lector *(m.)* reader
lectura *(f.)* reading
leche *(f.)* milk **4.3**
lechuga *(f.)* lettuce **8.1**
leer to read **1.2**
legalmente legally
lejos de far from **5.1**
lengua *(f.)* tongue
lentamente slowly **9.2**

lente *(m)* contact lens **12.1**
lento(a) slow **10.2**
les *(indir. obj. pron., pl.)* (to, for) them, you **8.1**
lesionarse to get hurt, injured **14.1**
lesión *(f.)* lesion, injury
levantar to raise; to lift **13.2**
levantarse to get up **9.2**
ley *(f.)* law
leyenda *(f.)* legend
liberal liberal **1.1**
librar to free, liberate **11.1**
libre free **6.1**
librería *(f.)* bookstore **1.3**
libro *(m.)* book **1.2**
licencia *(f.)* license **10.2**
licenciatura *(f.)* degree *(school)*
líder *(m. / f.)* leader **14.3**
liga *(f.)* league **14.3**
límite *(m.)* limit; **límite de velocidad** *(m.)* speed limit
limón *(m.)* lemon
limonada *(f.)* lemonade **4.3**
limpiar to clean **2.3**
limpio(a) clean
lindo(a) pretty **4.2**
liquidación *(f.)* sale **4.2**
lista *(f.)* list
literatura *(f.)* literature **1.2**
llamada *(f.)* phone call **3.2**
llamar to call **1.3**; **llamar la atención** to call attention to **9.3**
llanta *(f.)* tire **10.2**; **llanta desinflada** *(f.)* flat tire
llave *(f.)* key **12.1**
llegar to arrive **7.1**; to wear **4.3**
lleno(a) de full of
llevar to take **6.1**; **llevar a cabo** to carry out
llevarse bien to get along well **13.3**
llorar to cry **11.2**
llover (ue) to rain **9.1**; **llover a cántaros** to rain cats and dogs **9.1**
lloviznar to drizzle, rain lightly **9.1**
lluvia *(f.)* rain **9.1**
lluvioso(a) rainy **9.2**
¡lo juro! I swear
lo siento I'm sorry **3.2**
local local **7.2**

loco(a) crazy **3.3**
locutor, locutora radio announcer
lograr to get; to achieve
lotería *(f.)* lottery **15.3**
lucha *(f.)* struggle, conflict
luna *(f.)* moon
luego then
lugar *(m.)* place
lujoso(a) luxurious
lunes Monday **2.3**
luz *(f.)* light

M

machista macho, male chauvinist
madera *(f.)* lumber; **de madera** wooden
madrastra *(f.)* stepmother **5.1**
madre *(f.)* mother **5.1**; **madre naturaleza** *(f.)* Mother Nature
malagradecido(a) ungrateful, unappreciative **15.2**
maleta *(f.)* suitcase **1.3**
malo(a) bad **5.2**
mamá *(f.)* mother
manada *(f.)* heard, flock
mandar to send **7.3**
mandato *(m.)* command
manejar to drive **7.3**; to manage, control **14.3**
manera *(f.)* manner
manga *(f.)* sleeve
manifestación *(f.)* demonstration
mano *(f.)* hand **13.2**
mantener (ie) to maintain **15.1**; **mantener la calma (ie)** to keep calm, stay calm **14.1**
mantequilla *(f.)* butter **8.2**
manzana *(f.)* apple **8.1**
mañana *(adv.)* tomorrow; *(n., f.)* morning
máquina *(f.)* machine; **máquina de afeitar** *(f.)* electric shaver **12.1**; **máquina de escribir** *(f.)* typewriter
mar *(m.)* sea
maratón *(m.)* marathon **14.3**
maravilla *(f.)* wonder, marvel
marcar to mark
marcha *(f.)* march

marchar   to march
marisco *(m.)*   seafood, shellfish
martes   Tuesday **2.3**
marzo   March **2.3**
más   more
máscara *(f.)*   mask
matar   to kill **7.3**
matemáticas *(f. pl.)*   mathematics **1.2**
materiales *(m. pl.)*   supplies
matrícula *(f.)*   registration
matrimonio *(m.)*   married couple
máximo(a)   maximum, greatest
mayo   May **2.3**
mayonesa *(f.)*   mayonnaise **8.2**
mayor   older, oldest **5.3**
mayoría *(f.)*   majority
me *(dir. obj. pron.)*   me **6.1**; *(indir. obj. pron.)*   (to, for) me **8.1**; *(refl. pron.)*   myself **9.2**; **me encantaría**   I would love to **6.1**; **me llamo…**   my name is . . .   **PE**
mecánico(a)   mechanic **10.2**
medalla *(f.)*   medal
medias *(f. pl.)*   stockings **4.2**
médico(a)   doctor
medio ambiente *(m.)*   environment
medir (i, i)   to measure **13.1**
mejor   better **5.2**
mejorarse   to get better, improve
melón *(m.)*   melon **8.1**
memoria *(f.)*   memory, remembrance **12.2**
mencionar   to mention
menor   younger, youngest **5.3**
menos   less
mensaje *(m.)*   message
mensual   monthly **5.1**
mente *(f.)*   mind
mentir (ie, i)   to tell a lie **10.3**
mentira *(f.)*   lie **7.3**
menú *(m.)*   menu
merecer   to deserve, be worthy of **15.2**
mermelada *(f.)*   marmalade
mes *(m.)*   month
mesa *(f.)*   table **6.1**
mesero(a)   waiter / waitress **2.1**
mi *(poss. adj.)*   my **PE**; **mi nombre es…**   my name is . . .   **PE**

miembro *(m. / f.)*   member
mientras   while
miércoles   Wednesday **2.3**
militar   military
mirar   to look at, watch **1.3**
misa *(f.)*   mass *(religious)*
miserable   miserable
miseria *(f.)*   misery
mismo(a)   same
misterioso(a)   mysterious
mitad *(f.)*   half
mito *(m.)*   myth
mochila *(f.)*   backpack **1.1**
moda *(f.)*   fashion
modelo *(m. / f.)*   model
modesto(a)   modest **3.3**
modo *(m.)*   manner, way
molestar   to bother **12.3**
momento *(m.)*   moment **6.1**
moneda *(f.)*   coin
mono(a)   monkey **5.3**
monólogo *(m.)*   monologue
montaña *(f.)*   mountain **2.3**
montar   to get on, ride **11.3**
monte *(m.)*   mountain
montón *(m.)*   a bunch, lots **12.2**
moreno(a)   dark *(referring to complexion and hair)* **3.3**
morir, morirse (ue, u)   to die **10.1**
mostaza *(f.)*   mustard **8.2**
mostrador *(m.)*   counter
mostrar   to show; to demonstrate
motivo *(m.)*   motive
moto *(f.)*   motorcycle **9.3**
motor *(m.)*   motor **10.2**
mucho(a)   much, a lot **1.3**; **mucho gusto**   pleased to meet you **PE**
mudarse   to move
mueble *(m.)*   furniture **5.1**
muerte *(f.)*   death **10.1**
mujer *(f.)*   woman **3.3**
multa *(f.)*   fine, ticket, parking ticket **10.2**
mundo *(m.)*   world
muralla *(f.)*   wall
museo *(m.)*   museum
música *(f.)*   music **3.1**
músico *(m. f.)*   musician **9.3**
muy   very **1.2**; **muy bien, gracias**   fine, thank you **PE**

N

nacer   to be born **7.2**
nacional   national **7.2**
nada   nothing **10.2**
nadar   to swim **1.2**
nadie   no one, nobody **3.3**
naranja *(f.)*   orange **8.3**
nariz *(f.)*   nose **13.2**
narrar   to narrate
natación *(f.)*   swimming **14.1**
naturaleza *(f.)*   nature
naturalmente   naturally **3.2**
Navidad *(f.)*   Christmas
navío *(m.)*   ship, vessel
neblina *(f.)*   fog **9.1**
necesitar   to need **1.3**
negación *(f.)*   negation
negativo(a)   negative
negocios *(m. pl.)*   business **7.2**
negro(a)   black **4.1**
nervioso(a)   nervous **3.1**
nevar (ie)   to snow **9.1**
nevera *(f.)*   refrigerator **5.1**
ni… ni   neither . . . nor **10.2**
ni siquiera   not even **12.3**
nieve *(f.)*   snow **9.1**
ningún (ninguno, ninguna)   none, not any **10.2**
niñez *(f.)*   childhood
niño(a)   child **4.1**
nivel *(m.)*   level **14.3**
no   no **PE**; **no muy bien**   not very well **1.3**; **no te preocupes**   don't worry **PE**
nocturno(a)   nightly, nocturnal
noche *(f.)*   night
nombrar   to name
nombre *(m.)*   name
norma *(f.)*   norm
norte *(m.)*   north **9.1**
nota *(f.)*   grade, note **15.2**
notar   to notice, take note **10.1**
noticias *(f. pl.)*   news **7.2**
noticiero *(m.)*   news, newscast
novedades *(f. pl.)*   latest fashions
novela *(f.)*   novel **3.2**
novelista *(m. / f.)*   novelist **9.3**
noveno(a)   ninth
noviembre   November **2.3**
novio(a)   boyfriend / girlfriend **1.2**

nueve   nine
nuevo(a)   new **2.1**
número *(m.)*   number
nunca   never **1.3**
nutritivo(a)   nutritious, nutritive

O

o... o   either . . . or **10.2**
obediente   obedient
objetivo(a)   objective
objeto *(m.)*   object, thing
obligación *(f.)*   obligation
obligado(a)   obligated
obligar   to oblige
obligatorio(a)   obligatory, compulsory
obra *(f.)*   work; **obra de teatro** *(f.)*   play *(theater)* **6.1**
obrero(a)   laborer, worker
observar   to observe
obstáculo *(m.)*   obstacle
obtener (ie)   to obtain **10.2**
obviamente   obviously
obvio(a)   obvious **14.1**
ocasión *(f.)*   occasion **6.1**
ocho   eight
octavo(a)   eighth
octubre   October **2.3**
ocupado(a)   occupied
ocupar   to occupy
ocurrir   to occur **7.2**
odiar   to hate **6.3**
oeste *(m.)*   west **9.1**
oferta *(f.)*   offer **15.2**
oficina *(f.)*   office **2.1**
ofrecer   to offer **7.3**
oído *(m.)*   inner ear **13.2**
oír   to hear **6.1**
ojalá   I hope **13.2**
ojo *(m.)*   eye **5.3**; **¡ojo!**   pay attention!
olvidar   to forget **12.1**
opción *(f.)*   option
operador(a)   operator **10.1**
opinar   to express an opinion **8.3**
oponerse   to oppose, object to
oportunidad *(f.)*   opportunity
oposición *(f.)*   opposition
optimista *(m. / f.)*   optimist

opuesto(a)   opposite
orden *(m.)*   order
ordenar   to organize, put in order; **ordenar el cuarto**   to put one's room in order **1.3**
oreja *(f.)*   outer ear **13.2**
organización *(f.)*   organization
organizar   to organize **2.2**
orgullo *(m.)*   pride
origen *(m.)*   origin **12.3**
orilla *(f.)*   border, edge
oro *(m.)*   gold
ortografía *(f.)*   spelling
os *(dir. obj. pron., fam. pl.)*   you **6.1**; *(indir. obj. pron., fam. pl.)* (to, for) you **8.1**; *(refl. pron., fam. pl.)*   yourselves
oscuro(a)   dark **5.2**
otoño *(m.)*   autumn **2.3**
otro(a)   other, another **2.1**
¡oye!   listen! **6.1**

P

paciencia *(f.)*   patience **5.3**
paciente *(m. / f.)*   patient **1.1**
padecer   to suffer; to endure
padrastro *(m.)*   stepfather **5.1**
padre *(m.)*   father **5.1**
padres *(m. pl.)*   parents **5.1**
pagar   to pay **2.2**; **pagar la matrícula**   to pay registration fees
pagaría   I would pay **4.2**
página *(f.)*   page
país *(m.)*   country
paisaje *(m.)*   landscape, countryside
palabra *(f.)*   word; **palabras afines** *(f. pl.)*   cognates
pan *(m.)*   bread **8.1**
panadería *(f.)*   bakery **9.3**
pantalones *(m. pl.)*   pants, trousers **4.1**; **pantalones cortos** *(m. pl.)*   shorts, short pants **4.1**
pañal *(m.)*   diaper
pañuelo *(m.)*   handkerchief
papa *(f.)*   potato **8.1**
papá *(m.)*   papa, daddy
papel *(m.)*   paper **1.1**; role
papelería *(f.)*   stationery store **9.3**

par *(m.)*   pair **4.2**
para   for, in comparison with, in relation to, in order to **5.3**; intended for, to be given to, toward, by a specified time, in one's opinion **9.3**; **para chuparse los dedos**   finger-licking good **8.3**; **para que**   so that **15.1**; **para servirle**   at your service
parada de autobús *(f.)*   bus stop **5.1**
paraguas *(m.s. and pl.)*   umbrella **9.1**
parar   to stop **7.3**
parcialmente   partially
parecer   to seem, appear like **6.1**
parecido(a)   similar, alike
pared *(f.)*   wall
pareja *(f.)*   pair, couple **3.3**
pariente *(m.)*   relative **5.1**
parlantes *(m. pl.)*   speakers **2.1**
parque *(m.)*   park **5.3**
parrilla *(f.)*   grill **12.2**
participar   to participate **11.1**
particular   private
partido *(m.)*   game *(competitive)*; political party
pasado(a)   past
pasaporte *(m.)*   passport **12.1**
pasar   to pass; to spend time **2.3**; to hand over; **pasar el trapo**   to dust; **pasar la aspiradora**   to vacuum
pasatiempo *(m.)*   pastime
Pascua Florida *(f.)*   Easter
pasear   to walk; to go for a ride
pasillo *(m.)*   corridor, passage
pasión *(f.)*   passion
paso *(m.)*   step, pace
pasta dental *(f.)*   toothpaste **12.1**
pastel *(m.)*   cake **3.2**
pastilla *(f.)*   pill **4.3**
pastoril   pastoral
patear   to kick **14.1**
patio *(m.)*   patio **3.1**
pavo *(m.)*   turkey **8.1**
paz *(f.)*   peace **14.2**
pecho *(m.)*   chest **13.2**
pedir (i, i)   to ask for **6.2**
pegar   to hit **10.2**
peinarse   to comb **9.3**
pelea *(f.)*   fight **14.2**

película *(f.)* film **4.1**; **película policíaca** *(f.)* detective movie
peligroso(a) dangerous **9.3**
pelo *(m.)* hair **5.3**
pelota *(f.)* ball **14.1**
peluquero(a) barber, hairdresser
pensamiento *(m.)* thought
pensar (ie) to plan; to think **4.1**
pequeño(a) small, little **3.3**
perder (ie) to lose **7.1**; **perder peso** to lose weight **12.3**
perdido(a) lost
perezoso(a) lazy **1.2**
perfecto(a) perfect
periódico *(m.)* newspaper **2.1**
periodista *(m. / f.)* newspaper reporter **2.1**
permanecer to stay, remain
permitir to permit **5.1**
pero but **6.1**
perro dog **5.1**
perseguir (i, i) to follow **10.3**
persona person
personalidad *(f.)* personality
persuadir to persuade
pertenecer to belong
pesar to weigh **13.1**
pesas *(f. pl.)* weights **13.2**
pescado *(m.)* fish **8.2**
pésimo(a) very bad **8.3**
peso *(m.)* weight **5.3**
petróleo *(m.)* petroleum, oil
piano *(m.)* piano **3.2**
pico *(m.)* beak, sharp point
pie *(m.)* foot **13.2**
piedra *(f.)* rock
piel *(f.)* skin **13.3**; hide
pierna *(f.)* leg **10.1**
pieza *(f.)* piece
pijamas *(m. pl.)* pajamas **4.2**
pimienta *(f.)* pepper **8.2**
piña *(f.)* pineapple **8.1**
pincharse to get a flat tire; to puncture
pingüino *(m.)* penguin
pintor(a) painter
pirata *(m.)* pirate
piscina *(f.)* swimming pool **5.3**
piso *(m.)* floor
pista *(f.)* lane, (ski) run **14.1**; clue

pistola *(f.)* gun **7.3**
pizarra *(f.)* chalkboard **1.2**
planchar to iron **15.1**
planear to plan
planes *(m. pl.)* plans **6.1**
plástico *(m.)* plastic **5.2**
plátano *(m.)* banana **8.1**
plato *(m.)* plate, dish **6.1**
playa *(f.)* beach **2.3**
población *(f.)* population **9.3**
poblado(a) populated
pobreza *(f.)* poverty
poco little **9.1**
poder (ue) to be able, can **4.1**
poderoso(a) powerful
policía *(f.)* police force; *(m.)* police officer *(male)* **7.1**
política *(f.)* politics
político *(m. / f.)* politician **9.3**
político(a) political **14.2**
pollo *(m.)* chicken **8.1**
polución *(f.)* pollution
polvo *(m.)* dust
poner to put **5.1**; **poner la mesa** to set the table **6.1**
ponerse to become **6.3**; to put on *(clothing)*
popular popular **1.1**
popularidad *(f.)* popularity
por by, by means of, through, along, on **5.3**; because of, during, in for, for a period of time, in, in exchange for, in place of **9.3**; **por ciento** percent; **por escrito** in writing, written; **¡por fin!** at last!; **por medio de** by means of; **¿por qué?** why? **3.1**; **por suerte** fortunately, luckily **11.2**; **por supuesto** of course **5.1**
porcentaje *(m.)* percentage **9.3**
porque because
portada *(f.)* facade, front
portarse bien to behave **15.2**
poseer to possess
posibilidad *(f.)* possibility
positivamente positively
positivo(a) positive
posteriormente subsequently, later

postre *(m.)* dessert **8.1**
practicar to practice **3.2**; **practicar un deporte** to play a sport
precaución *(f.)* precaution
precio *(m.)* price **11.2**
precioso(a) precious
preciso(a) precise **10.2**
precolombino(a) pre-Columbian
predecir (i) to predict
preferencia *(f.)* preference
preferir (ie, i) to prefer **4.1**
pregunta *(f.)* question **3.1**
preguntar to ask **9.3**
premio *(m.)* prize; **Premio Nóbel** *(m.)* Nobel Prize **11.1**
prenda *(f.)* garment, article of clothing
prensa *(f.)* press
preocupado(a) preoccupied, worried **3.1**
preocupar to worry **13.1**
preparación *(f.)* preparation
preparar to prepare; **preparar la cena** to prepare dinner **1.3**
presentación *(f.)* introduction, presentation
presión *(f.)* pressure **13.1**
prestar to lend **15.2**; **prestar auxilio** to give assistance, aid **10.1**
presupuesto *(m.)* budget **15.3**
primavera *(f.)* spring **2.3**
primer(o, a) first **6.1**; **primeros auxilios** *(m. pl.)* first aid **10.1**
primo(a) cousin **5.1**
prisionero(a) prisoner
privado(a) private
privilegio *(m.)* privilege
probar (ue) to try; to taste
problemático(a) problematic
proceso *(m.)* process
proclamar to proclaim
producto *(m.)* product
pródigo(a) prodigal, wasteful
profesión *(f.)* profession **7.1**
profesional professional **PE**
profesor(a) professor, teacher **PE**
profundamente profoundly **13.2**
profundo(a) profound

programa *(m.)* program **6.1**
programador(a) programmer
progresista *(adj. m. or f.)* progressive
prohibir to prohibit, forbid **14.2**
promesa *(f.)* promise **10.3**
prometer to promise **5.1**
pronóstico *(m.)* *(weather)* forecast **9.1**
pronto quick, rapid, fast **10.1**
propina *(f.)* tip **8.3**
propio(a) own, one's own **7.2**
proponer to propose
proteger to protect **10.3**
protestar to protest
proveer to provide, furnish
provocar to provoke **14.2**
próximo(a) next **2.3**
proyectar to project
proyecto *(m.)* project
psiquiatra *(m. / f.)* psychiatrist
publicación *(f.)* publication
publicar to publish
público *(m.)* public **14.1**; audience
puerta *(f.)* door **2.1**
puesto *(m.)* job, position **7.3**
punto *(m.)* point
puntuación *(f.)* punctuation
puntual punctual **12.1**
pupitre *(m.)* desk *(pupil's)*
puro(a) pure

Q

¿qué? what?, which?. . . **3.1**
   ¡qué desastre! what a mess! **5.2**; **¿qué tal?** how are you?. . . **PE** **¿qué te parece…?** what do you think of . . . ?
quedarse to remain, stay; to fit *(clothing)* **9.3**
quejarse to complain **11.2**
quemarse to burn (up) **10.1**
querer (ie) to want **4.1**; to love **6.3**
¿quién(es)? who? **3.1**
química *(f.)* chemistry **1.2**
quinto(a) fifth
quisiera I (he, she) would like **8.2**
quitar to take away

quitarse to take off **9.2**

R

rábano *(m.)* radish
racista *(m. / f.)* racist
radiador *(m.)* radiator
radio *(f.)* radio **1.3**
ramo de flores *(m.)* bouquet
rapero(a) rapper
rápidamente rapidly, fast **10.1**
rápido(a) rapid, fast **10.2**
raro(a) rare, uncommon
rascacielos *(m. s.* and *pl.)* skyscraper
ratón *(m.)* mouse **2.1**
raza *(f.)* race
reaccionar to react **7.2**
realidad *(f.)* reality
realizar to carry out, accomplish
rebaja *(f.)* reduction
recámara bedroom **5.1**
recepcionista *(m. / f.)* receptionist
recetar to prescribe **13.2**
rechazar to turn down, reject **6.1**
rechazo *(m.)* rejection
recibir to receive **7.1**
reciente recent
recientemente recently **7.1**
reclamado(a) reclaimed
recoger to gather, pick up
recomendación *(f.)* recommendation
recomendar (ie) to recommend **4.3**
reconocer to recognize
reconstruir to reconstruct
recordar (ue) to remember **5.3**
rector(a) president *(of a university)* **PE**
recuerdo *(m.)* souvenir **4.1**
recurso *(m.)* resource
red *(f.)* net **14.1**
redondo(a) round
reemplazar to replace
reflejar to reflect
refresco *(m.)* soft drink **1.3**
refugio *(m.)* refuge
regalar to give a gift
regalo *(m.)* gift **12.3**
región *(f.)* region

regla *(f.)* rule
regresar to return **2.3**
reina *(f.)* queen
reírse (i, i) to laugh **10.3**
relación *(f.)* relation
relacionar to relate
relajarse to relax **13.2**
religioso(a) religious
renacer to be reborn
repetir (i, i) to repeat **9.3**
reportar to report
representante *(m. / f.)* representative
representar to represent
reservación *(f.)* reservation **8.1**
reservado(a) reserved
resfriado *(m.)* cold *(illness)*
residencia *(f.)* residence, dorm **2.2**
resolución *(f.)* resolution
resolver (ue) to resolve **10.1**
respetar to respect **6.3**
respeto *(m.)* respect
respiración artificial *(f.)* artificial respiration **10.1**
respirar to breath **10.1**
responder to respond, answer
responsabilidad *(f.)* responsibility **11.1**
respuesta *(f.)* response **PE**
restaurante *(m.)* restaurant **2.1**
restaurar to restore
resto *(m.)* rest
resumen *(m.)* summary
retorno *(m.)* return
reunido(a) reunited, gathered
reunirse to reunite, get together
reunión *(f.)* meeting, gathering
revelar to reveal; to develop *(film)*
reventar (ie) to burst **10.2**; **reventar una llanta** to have a blowout **10.2**
revisar to revise; to review; **revisar el motor** to check the motor **10.2**
revista *(f.)* magazine **7.1**
revolución *(f.)* revolution
revuelto(a) scrambled *(egg)* **8.2**
rey *(m.)* king
rico(a) rich; delicious **3.2**
riguroso(a) rigorous
rincón *(m.)* corner
rin-rin ring-ring *(phone)*

ritmo *(m.)* rhythm **13.2**
robar to rob, steal **7.1**
robo *(m.)* robbery, theft **7.1**
robusto(a) robust
rodear to surround
rodilla *(f.)* knee **13.2**
romántico(a) romantic **1.1**
rojo(a) red **4.1**
romperse to break, shatter **10.1**
ropa *(f.)* clothes
rosa *(f.)* rose
rubio(a) blond
ruinas *(f. pl.)* ruins
ruta *(f.)* route
rutina *(f.)* routine, habit

S

sábado Saturday **2.3**
saber to know *(facts or information)* **3.3**
sabor *(m.)* flavor, taste
sabroso(a) tasty, delicious **8.3**
sacar to take out; **sacar buenas notas** to get good grades **11.3**; **sacar fotografías** to take pictures **4.1**; **sacar la basura** to take out the trash **15.1**
sacrificarse to sacrifice oneself **15.1**
sacudida eléctrica *(f.)* electric shock
sagrado(a) sacred, holy
sal *(f.)* salt **8.2**
sala *(f.)* living room **3.1**; **sala de urgencia** *(f.)* emergency room
salado(a) salty
salario *(m.)* salary **15.3**
salchicha *(f.)* sausage **8.1**
salir to leave, go out; **salir juntos** to date, go out together **11.1**
salsa *(f.)* sauce **8.2**; type of Puerto Rican dance and music **3.3**; **salsa de tomate** *(f.)* ketchup; **salsa picante** *(f.)* hot sauce
saltar to jump **10.1**
salud *(f.)* health **13.1**
saludo *(m.)* greeting
salvavidas *(m. / f., s. and pl.)* lifeguard, lifesaver **14.1**

sangre *(f.)* blood **13.2**
sandwich *(m.)* sandwich **4.3**
sano(a) healthy, fit
satisfecho(a) satisfied, full
saxofón *(m.)* saxophone **11.1**
se *(indir. obj. pron.)* to it, to him, to her, to you, to them **8.2**; *(refl. pron.)* himself, herself, itself, themselves **9.2**
secador *(m.)* hair dryer
secretario(a) secretary **2.1**
secreto *(m.)* secret
seda *(f.)* silk **4.2**
seguidor *(m. / f.)* follower
seguir (i, i) to continue; to follow **9.3**; **seguir un curso** to take a class **10.1**
segundo(a) second
seguridad *(f.)* security, safety
seguro *(m.)* insurance **15.3**
seis six
seleccionar to select
sello *(m.)* stamp *(postage)* **12.3**
selva *(f.)* forest, jungle **15.3**
semáforo *(m.)* traffic light **10.2**
semana *(f.)* week **1.3**
semestre *(m.)* semester
sensato(a) sensible, prudent
sensible sentimental, sensitive
sentarse (ie) to sit down **9.2**
sentido *(m.)* sense; **sentido común** *(m.)* common sense; **sentido contrario** opposite direction
sentimientos *(m. pl.)* feelings, sentiments **6.3**
sentirse (ie, i) bien to feel fine **11.2**
señalar to signal, indicate
señor man; Mr.
señora lady; Mrs. **4.1**
señorita young lady, Miss
separar to separate
septiembre September **2.3**
séptimo(a) seventh
ser capaz de to be capable of **14.3**
serie *(f.)* series
serio(a) serious **1.1**
servicios *(m. pl.)* bathroom **4.1**
servilleta *(f.)* napkin **8.2**
servir (i, i) to serve **6.2**
sexto(a) sixth

SIDA *(m.)* AIDS **13.1**
siempre always **1.3**
siete seven
siglo *(m.)* century **7.1**
significado *(m.)* meaning
siguiente following, next **9.3**
sílaba *(f.)* syllable
silla *(f.)* chair **1.2**
simpático(a) pleasant, likeable **1.1**
sin *(prep.)* without **5.1**; **sin embargo** nevertheless; **sin igual** without equal; **sin que** *(conj.)* unless **15.1**
sincero(a) sincere
sirviente *(m. / f.)* servant
sistema *(m.)* system
sitio *(m.)* site
situación *(f.)* situation
situado(a) situated
sobre over, on top of **5.1**; *(n. m.)* envelope
sobrepasar to exceed, surpass
sobresaliente outstanding
sobresalir to excel, be outstanding
sobretodo *(m.)* overcoat
sobrevivir to survive
sociable sociable
sociedad *(f.)* society
¡socorro! help! **10.1**
sofá *(m.)* sofa **5.1**
sol *(m.)* sun
solicitar to apply for; to ask for **7.3**
solicitud *(f.)* application form **7.3**
sólo *(adv.)* only **5.1**
someterse to yield, surrender
sonar (ue) to ring **11.1**
sonreír (i, i) to smile
soñar (ue) to dream **11.3**
sopa *(f.)* soup **8.2**
soportar to support
sorprendente surprising
sorprender to surprise **14.1**
sospechar to suspect **7.1**
sospechoso(a) suspicious **10.3**
soy *(from* ser*)* I am **PE**
subdesarrollado(a) underdeveloped
subir to go up; to get on **9.3**; **subir de peso** to gain weight
subterráneo(a) subterranean
suciedad *(f.)* dirt, filth
sucio(a) dirty **5.2**

sudar to perspire, sweat **9.1**
sudoeste *(m.)* southwest
sudor *(m.)* sweat, perspiration
sueldo *(m.)* salary, pay **15.2**
suelto(a) loose
sueño *(m.)* dream
suéter *(m.)* sweater **4.2**
sufrir to suffer **5.1**; **sufrir estrés**
to be under stress **sufrir lesiones**
to be injured, wounded
sugerir (ie, i) to suggest **8.2**
sumario *(m.)* summary
superficie *(f.)* surface
supermercado *(m.)* supermarket
5.1
superpotencia *(f.)* superpower
suponer to suppose, assume
suposición *(f.)* supposition, assumption
sur *(m.)* south **9.1**
suspender to suspend
sustancia *(f.)* substance
sustantivo *(m.)* noun

T

talento *(m.)* talent
taller *(m.)* workshop
tamaño *(m.)* size
también also **1.1**
tambor *(m.)* drum **11.1**
tampoco neither **10.2**
tan so **5.3**; **tan… como**
as … as **4.2**; **tan pronto como**
as soon as **15.1**
tanque *(m.)* tank **10.2**
tanto(a) so much, *(pl.)* so many
2.3; **tanto(a) como** as much
as **4.2**; **tantos(as) como** as
many as **4.2**
tapar to cover
tarde late **5.1**; *(n., f.)* afternoon
tarea *(f.)* homework **4.3**
tarjeta *(f.)* card **8.1**
te *(dir. obj. pron.)* you **6.1**; *(indir.
obj. pron.)* (to, for) you **8.1**;
(refl. pron.) yourself *(fam.,
s.)*; **te presento a…** I'd like
you to meet … **PE**

té *(m.)* tea **4.3**
teatro *(m.)* theater **1.3**
techo *(m.)* roof
teclado *(m.)* keyboard **2.1**
tele *(f.)* T.V.
teleadicto(a) couch potato **13.2**
teléfono *(m.)* phone **1.3**
telenovela *(f.)* T.V. soap opera
11.1
televisor *(m.)* T.V. set **5.1**
temer to fear **14.1**
temperatura *(f.)* temperature
9.1
temporada *(f.)* season
temprano early **5.1**
tendría *(from* **tener***)* I would have
4.2
tenedor *(m.)* fork **8.2**
tener (ie) to have **2.2**; **tener…
años** to be … years old **4.3**;
tener calor to be hot **4.3**;
tener confianza to trust **15.2**;
tener la culpa to be at fault
10.2; **tener éxito** to succeed
4.3; **tener frío** to be cold
4.3; **tener ganas de** to feel
like **4.3**; **tener hambre** to
be hungry **4.3**; **tener miedo de**
to be afraid of **4.3**; **tener prisa**
to be in a hurry **4.3**; **tener que**
to have to **4.3**; **tener razón**
to be right **4.3**; **tener sed** to
be thirsty **4.3**; **tener sueño**
to be sleepy **4.3**; **tener suerte**
to be lucky **4.3**
teniente *(m. / f.)* lieutenant
teoría *(f.)* theory
tercer(o, a) third
terminar to finish, end **7.1**
terraza *(f.)* terrace **12.2**
terremoto *(m.)* earthquake **10.1**
terreno *(m.)* terrain, ground, land
terrestre terrestrial, earthy
¡terrible! terrible! **PE**
territorio *(m.)* territory
terrorista *(m. / f.)* terrorist
tesoro *(m.)* treasure **15.3**
testamento *(m.)* testament
testigo *(m.)* witness **10.1**
testimonio *(m.)* testimony

tiempo *(m.)* weather **9.1**; time;
tiempo completo full-time
15.3
tienda *(f.)* store **2.1**
tímido(a) timid **1.1**
tío(a) uncle / aunt **5.1**
tipo *(m.)* type
titular *(m.)* headline, heading
título *(m.)* title, caption, heading
tiza *(f.)* chalk **1.2**
toalla *(f.)* towel **10.1**
tobillo *(m.)* ankle **13.3**
tocar to play *(an instrument)* **3.2**;
tocar el timbre to ring the
doorbell
todavía still **12.3**
todo(a) all **6.3**; **todo derecho**
straight ahead; **todo el día**
all day **2.1**; **todo el mundo**
everyone, everybody **3.2**; **todos
los días** every day **1.3**
tomar to drink; to take; **tomar
decisiones** to make decisions
15.1; **tomar el pelo** to pull
one's leg **14.1**
tomate *(m.)* tomato **8.1**
tonelada *(f.)* ton
tonificar to tone, strengthen **13.2**
tono *(m.)* tone
tonto(a) foolish, dumb **1.1**
toque *(m.)* touch
torero(a) bullfighter
tormenta *(f.)* storm **9.1**
tortuga *(f.)* turtle
tostado(a) toasted
trabajador(a) *(adj.)* hard-working
1.2
trabajar to work **2.1**
trabajo *(m.)* work **2.1**
tradición *(f.)* tradition
traer to bring **6.1**
tráfico *(m.)* traffic **5.3**
traje *(m.)* suit **4.1**; **traje de baño**
(m.) swimsuit **9.1**
tranquilizante *(m.)* tranquilizer
10.1
tranquilo(a) tranquil, peaceful **3.3**
transformar to transform
transporte *(m.)* transport, transportation

tras after, behind
trasladarse to move, change residence
trastes *(m. pl.)* dishes
tratado *(m.)* treaty
tratamiento *(m.)* treatment
tratar to treat; to handle; **tratar de** to try, attempt **10.3**; to deal with, be about
tremendo(a) tremendous
tren *(m.)* train **9.3**
tres three
triste sad **3.1**
triunfar to triumph
triunfo *(m.)* triumph, victory
trompeta *(f.)* trumpet **11.1**
tropas *(f. pl.)* troops
tu *(fam. poss. adj.)* your **2.2**
tú *(fam. subj. pron.)* you **PE**
tumba *(f.)* tomb
turista *(m. / f.)* tourist
tuyo(a) *(fam. poss. adj.)* your

U

ubicación *(f.)* position, location
úlcera *(f.)* ulcer
último(a) last, ultimate **2.3**; latest **11.3**
un(a) a, an **1.1**; **un mal rato** a bad time **15.1**; **un poco** a little **1.3**
único(a) only, sole, unique, extraordinary
unidad *(f.)* unit, unity
unir to unite **14.2**
universidad *(f.)* university **PE**
universitario(a) pertaining to the university **1.1**
urgente urgent **10.1**
usar to use **4.1**
uso *(m.)* use **12.3**
útil useful
utilizar to utilize, use

V

vacaciones *(f. pl.)* vacation **2.3**
vacío(a) empty
válido(a) valid
valle *(m.)* valley
valor *(m.)* valor, bravery **12.3**; value
vaqueros *(m. pl.)* blue jeans **9.2**
variedad *(f.)* variety
varón *(m.)* male, man **4.2**
vaso *(m.)* glass **8.1**
vecino(a) neighbor **12.1**
vegetal *(m.)* vegetable **8.1**
vegetariano(a) vegetarian
vejez *(f.)* old age **12.2**
vencedor *(m. / f.)* conqueror, victor
vencer to conquer **7.1**
vendedor(a) seller, salesclerk **2.1**
vender to sell **2.1**
veneno *(m.)* poison **10.1**
venir (ie, i) to come **2.2**
ventaja *(f.)* advantage
ventana *(f.)* window **5.1**
ver to see **4.1**
verano *(m.)* summer **2.3**
verdad *(f.)* truth **7.3**
verdadero(a) true
verde green **4.1**
verduras *(f. pl.)* greens, vegetables **8.1**
verificar to verify
versión *(f.)* version
vestido *(m.)* dress **4.1**
vestimenta *(f.)* dress
vestirse (i, i) to dress (oneself), get dressed **9.2**
vez *(f.)* time **7.2**
viaje *(m.)* trip **7.1**
vibrar to vibrate
víctima *(f.)* victim **10.1**
victoria *(f.)* victory
vida *(f.)* life **7.1**

viejo(a) old **5.1**
viento *(m.)* wind
viernes Friday **2.3**
vigilar to watch over, guard
vino *(m.)* wine **4.3**; **vino blanco** *(m.)* white wine **8.2**; **vino tinto** *(m.)* red wine **8.2**
violencia *(f.)* violence
violento(a) violent
visitante *(m. / f.)* visitor
visitar to visit **2.3**
visita *(f.)* tour **4.1**
vistazo *(m.)* glance
vitamina *(f.)* vitamin **13.3**
vivienda *(f.)* dwelling, housing
vivir to live **2.2**
vivo(a) bright *(colors)*, lively **7.3**
vocabulario *(m.)* vocabulary
volante *(m.)* steering wheel **10.2**
volar (ue) to fly **4.3**
volcán *(m.)* volcano
voluntario(a) volunteer **11.2**
volver (ue) to return **4.1**
voto *(m.)* vote
voz *(f.)* voice; **en voz alta** aloud; **en voz baja** quietly
vuelo *(m.)* flight **7.1**

Y

¿y tú? and you? **PE**
ya already **11.3**
yarda *(f.)* yard
¿yo? me? **PE**

Z

zanahoria *(f.)* carrot **8.1**
zapatería *(f.)* shoestore **9.3**
zapato *(m.)* shoe **4.2**
zoología *(f.)* zoology
zoológico: parque zoológico *(m.)* zoo

This vocabulary includes all the words listed as active vocabulary in *¡Dímelo tú!* Stem-changing verbs appear with the change in parentheses after the infinitive: **(ie)**, **(ue)**, **(i)**, **(ie, i)**, **(ue, u)**, or **(i, i)**.

Most cognates, conjugated verb forms, and proper nouns used as passive vocabulary in the text are not included in this glossary.

The following abbreviations are used.

adj.	adjective	*n.*	noun
adv.	adverb	*pl.*	plural
conj.	conjunction	*pp.*	past participle
dem.	demonstrative	*poss.*	possessive
dir. obj.	direct object	*prep.*	preposition
f.	feminine	*pron.*	pronoun
fam.	familiar	*refl.*	reflexive
form.	formal	*rel.*	relative
indir. obj.	indirect object	*s.*	singular
m.	masculine	*subj.*	subject

A

a un(a); **a bad time** un mal rato; **a little** un poco; **a lot** mucho(a)
abandon abandonar
able capaz; **to be able** poder **(ue)**
abortion aborto *(m.)*
about de, acerca de; **to be about** tratar de
abroad extranjero *(m.)*
absurd absurdo(a)
academic académico(a)
accept aceptar
accident accidente *(m.)*
accompany acompañar
accomplish realizar
account cuenta *(f.)*
accuse acusar
ache dolor *(m.)*
acquire adquirir **(ie)**
act actuar
action acción *(f.)*
active activo(a)
activity actividad *(f.)*

actor actor *(m.)*
actress actriz *(f.)*
add añadir
address dirección *(f.)*
administrator administrador(a)
admire admirar
adolescence adolescencia *(f.)*
adore adorar
advance adelantar, avanzar
advantage ventaja *(f.)*
adverse contrario(a)
advertisement aviso *(m.)*; **classified ad** aviso *(m.)*
advice consejo *(m.)*
advise aconsejar
advisor consejero(a)
affectionate amoroso(a)
afraid of (to be) tener miedo de
after después de
afternoon tarde *(f.)*
age edad *(f.)*
aggressive agresivo(a)
aid auxilio *(m.)*; *(v.)* apoyar; prestar auxilio
AIDS SIDA *(m.)*
air aire *(m.)*

airline aerolínea *(f.)*
airplane avión *(m.)*
airport aeropuerto *(m.)*
alarm clock despertador *(m.)*
alcoholic alcohólico(a)
alike igual *(adj., m. or f.)*; parecido(a)
all todo(a); **all day** todo el día
allergic alérgico(a)
alley callejón *(m.)*
allow dejar
almost casi
along por
aloud en voz alta
already ya
also también
alternative alternativa *(f.)*
although aunque
always siempre
ambience ambiente *(m.)*
ambitious ambicioso(a)
ambulance ambulancia *(f.)*
amiable amable *(adj., m. or f.)*
amusing divertido(a)
an un(a)

analysis   análisis *(m.)*
anatomy   anatomía *(f.)*
and   y; **and you?**   ¿y tú?
Andean   andino(a)
angry (to get)   enojarse
animal   animal *(m.)*; **stuffed animal** *(toy)*   animal de peluche *(m.)*
ankle   tobillo *(m.)*
announcement   anuncio *(m.)*
another   otro(a)
answer   responder, contestar
anthropologist   antropólogo(a)
anticipate   anticipar, anticipado
antiquated   antiguo(a), anticuado(a)
any   algún (alguno, alguna)
anyone   alguien
anyway   de todos modos
apart   aparte
apartment   apartamento *(m.)*
appear   aparecer; **appear like**   parecer
appetite   apetito
appetizer   entremés *(m.)*
apple   manzana *(f.)*
application form   solicitud *(f.)*
apply for   solicitar
appreciate   apreciar
appropriate   apropiado(a)
approximately   aproximadamente
April   abril
archaeologist   arqueólogo(a)
architect   arquitecto(a)
architecture   arquitectura *(f.)*
arm   brazo *(m.)*
armed forces   fuerzas armadas *(f. pl.)*
army   ejército *(m.)*
around   alrededor
arrest   arrestar
arrive   llegar
arrogant   arrogante *(adj., m. or f.)*
art   arte *(m.)*
article of clothing   prenda *(f.)*
artificial respiration   respiración artificial *(f.)*
artist   artista *(m. / f.)*
as . . . as   tan… como; **as many as**   tantos como; **as much as**   tanto como; **as soon as**   en cuanto, tan pronto como

ask   preguntar; **ask for (i, i)**   pedir   solicitar
aspirin   aspirina *(f.)*
assassinate   asesinar
assault   asaltar
assistance   ayuda *(f.)*
associate   asociar
association   asociación *(f.)*
assume   suponer
assumption   suposición *(f.)*
assure   asegurar
at   en; **at last!**   ¡por fin!; **at (time) o'clock**   a la(s) + *time;* **at night**   de noche; **at once**   en seguida; **at times**   a veces; **at your service**   para servirle
athlete   atleta *(m. / f.)*
athletic   atlético(a)
attack   atacar
attain   alcanzar
attempt   tratar de
attend   asistir
attitude   actitud *(f.)*
attract   atraer
audience   público *(m.)*
augment   aumentar
August   agosto
aunt   tía *(f.)*
author   autor(a)
automobile   automóvil *(m.)*
autumn   otoño *(m.)*
available   disponible *(adj., m. or f.)*
avenue   avenida *(f.)*
avoid   evitar

B

baby-sit   cuidar a los niños
back   espalda *(f.)*
backpack   mochila *(f.)*
bad   malo(a)
bakery   panadería *(f.)*
ball   pelota *(f.)*
banana   plátano *(m.)*
band   banda *(f.)*
bank   banco *(m.)*

baptism   bautizo *(m.)*
barber   peluquero(a)
bargain   ganga *(f.)*
baseball player   beisbolista *(m. / f.)*
basket   cesto *(m.)*
basketball   baloncesto *(m.)*
bat   bate *(m.)* *(v.)* batear
bathe   (oneself) bañarse
bathroom   baño *(m.)*, cuarto de baño *(m.)*, servicios *(m.)*
batter *(baseball)*   bateador(a)
battery   batería *(f.)*
be   estar; **Be quiet!**; ¡Cállate!
beach   playa *(f.)*
beak   pico *(m.)*
beat   derrotar
beat up   golpear
beautiful   hermoso(a)
beauty   belleza *(f.)*
because   porque; **because of**   por
become   ponerse
bed *(f.)*   cama
bedroom   alcoba *(f.)*, dormitorio *(f.)*, recámara *(f.)*
beef   carne de res *(f.)*
beer   cerveza *(f.)*
beet   remolacha *(f.)*; betabel *(m.)*
before   *(prep.)* antes de; *(conj.)* antes (de) que
begin   comenzar **(ie)**, empezar **(ie)**
behave   actuar; portarse bien
behavior   actuación *(f.)*, conducta *(f.)*
behind   detrás de
belong   pertenecer
bench   banco *(m.)*
bend   doblar
beside   al lado
besides   además
better   mejor
between   entre
bicycle   bicicleta *(f.)*
big   grande *(adj. m. or f.)*
bill   cuenta *(f.)*
biology   biología *(f.)*
bird   ave *(f.)*
birthday   cumpleaños *(m.s. and pl.)*
black   negro(a)
blessing   bendición *(f.)*

block cuadro *(m.)*, cubo *(m.)*; **city block** cuadra *(f.)*
blond rubio(a)
blood sangre *(f.)*
blouse blusa *(f.)*
blow golpe *(m.)*
blue azul
boat bote *(m.)*, buque *(m.)*, barco *(m.)*
body cuerpo *(m.)*
bomb bomba *(f.)*
book libro *(m.)*
bookstore librería *(f.)*
boot bota *(f.)*
border frontera *(f.)*
boring aburrido(a)
born (to be) nacer
boss jefe *(m. / f.)*
both ambos
bother molestar
bottle botella *(f.)*
bouquet ramo de flores *(m.)*
boxing boxeo *(m.)*
boy chico
boyfriend novio
brake *(apply the brakes of a car)* frenar
bravery valor *(m.)*
bread pan *(m.)*
break romper
breakfast desayuno *(m.)*
breathe respirar
bright vivo(a)
bring traer
brother hermano
brother-in-law cuñado
budget presupuesto *(m.)*
building edificio *(m.)*
bullfight corrida de toros *(f.)*
bullfighter torero(a)
bunch *(a lot)* montón *(m.)*
burn (up) quemarse
burst reventar **(ie)**
bus autobús *(m.)*, bus *(m.); **bus stop** parada de autobús *(f.)*
business negocios *(m. pl.)*
but pero
butcher shop carnicería *(f.)*
butter mantequilla *(f.)*
button botón *(m.)*
buy comprar

by junto, por; **by a specified time** para; **by means of** por medio de

C

cabbage col *(f.)*
café café *(m.)*
cafeteria cafetería *(f.)*
cake pastel *(m.)*
calculate calcular
calendar calendario *(m.)*
calisthenics gimnasia *(f.)*
call llamar; **call attention to** llamar la atención
calm calma *(f.); **calm (oneself)** calmarse
calmly con calma
calories calorías *(f. pl.)*
camera cámara *(f.)*
camp acampar
campus campo *(m.)*
can poder (ue)
cancel cancelar
cancer cáncer *(m.)*
candy dulce *(m.)*
capable of (to be) ser capaz de
capacity capacidad *(f.)*
captain capitán *(m.)*, capitana *(f.)*
caption título *(m.)*
capture capturar
car coche *(m.)*, carro *(m.)*, automóvil *(m.)*
caramel caramelo *(m.); **caramel custard** flan *(m.)*
carbonated drink gaseosa *(f.)*
card tarjeta *(f.)*
careful cuidadoso(a)
Caribbean Caribe *(m.)*
carpet alfombra *(f.)*
carrot zanahoria *(f.)*
carry cargar
carry out realizar
cashier cajero(a)
cassette casete *(m.)*
cat gato(a); **small cat** gatito(a)
category categoría *(f.)*
celebrate celebrar
celery apio *(m.)*

cemetery cementerio *(m.)*
center centro *(m.)*
centigrade centígrado *(m.)*
century siglo *(m.)*
certain cierto(a); **certain of (to be)** estar seguro(a) de
chair silla *(f.)*
chalk tiza *(f.)*
chalkboard pizarra *(f.)*
champion campeón *(m.)*, campeona *(f.)*
championship campeonato *(m.)*
change cambio *(m.); (v.)* cambiar; **change a tire** cambiar una llanta; **change diapers** cambiar los pañales
channel canal *(m.)*
characteristic característica *(f.)*, cualidad *(f.)*
cheat hacer trampas
check cheque *(m.); **check the motor** revisar el motor
chemistry química *(f.)*
chest *(for storage)* baúl *(m.); (body part)* pecho *(m.)*
chicken pollo(a)
child niño(a)
childhood niñez *(f.)*
children hijos *(m.)*, niños *(m.)*
chimney chimenea *(f.)*
chocolate chocolate *(m.)*
choose elegir **(i, i)**, escoger
chops chuletas *(f.)*
Christmas Navidad *(f.)*
church iglesia *(f.)*
circle círculo *(m.)*
citizen ciudadano(a)
city ciudad *(f.)*
civilization civilización *(f.)*
clarinet clarinete *(m.)*
class clase *(f.)*
classical clásico(a)
clean *(adj.)* limpio(a), *(v.)* limpiar
client cliente *(m. / f.)*
climate clima *(m.)*
clinic clínica *(f.)*
close cerrar (ie)
clothes ropa *(f.)*
cloudy (to be) estar nublado
clue pista *(f.)*
coach entrenador(a)

coast   costa (f.)
coat   abrigo (m.)
cocktail   coctel (m.)
coffee   café (m.)
coin   moneda (f.)
cold   frío (m.); resfriado (illness) (m.); **cold (to be)**   hacer frío (weather), tener frío (person)
collar   cuello (m.)
collection   colección (f.)
collide   chocar
column   columna (f.)
comb   peinarse
come   venir (ie, i)
comfortable   cómodo(a)
comical   cómico(a)
committee   comité (m.)
common   común (m.); **common sense**   sentido común (adj., m. or f.)
community   comunidad (f.)
compact disc   disco compacto, CD (m.)
company   empresa (f.)
compare   comparar
compete   competir (**i, i**)
competition   competición (f.), competencia (f.)
complain   quejarse
complete   completar
computer   computadora (f.)
concentrate   concentrarse
concerning   acerca de
concert   concierto (m.)
condition   condición (f.)
confess   confesar (**ie**)
confidence   confianza (f.)
conflict   conflicto (m.)
confuse   confundir
congratulate   felicitar
connection   conexión (f.)
conquer   conquistar, vencer
conqueror   vencedor (m. / f.)
conquest   conquista (f.)
conscience   conciencia (f.)
consequence   consecuencia (f.)
conservative   conservador(a)
conserve   conservar
consider   considerar
constitution   constitución (f.)
contact lens   lentes de contacto (m.)

contagious   contagioso(a)
contamination   contaminación (f.)
content   contenido (m.)
contest   concurso (m.)
continue   seguir (**i, i**)
continuously   continuamente
contract   contrato (m.); (v.) contratar
contrast   contraste (m.)
control   controlar; manejar
controversial   controvertido(a)
conversation   conversación (f.)
converse   conversar
convince   convencer
convinced   convencido(a)
cook   (v.) cocinar; (n.) cocinero(a)
copy   copia (f.)
cordon off   acordonar
corner   esquina (f.); rincón (m.)
correct   (adj.) correcto(a); (v.) corregir (i, i)
corridor   pasillo (m.)
cost   costar (**ue**)
cotton   algodón (m.)
couch potato   teleadicto(a)
count   contar (**ue**)
country   campo (m.) (countryside); país (m.) (nation)
couple   pareja (f.)
court   corte (f.) (legal); cancha (f.) (sports)
courteous   cortés
courteously   cortésmente
cousin   primo(a)
cover   cubierta (f.), (v.) abarcar, cubrir, tapar
crab   cangrejo (m.)
crafts   artesanía (f.)
crazy   loco(a); **crazy about (to be)**   estar loco(a) por
create   crear
creative   creativo(a)
credit   crédito (m.)
criticism   crítica (f.)
cruel   cruel (adj., m. or f.)
cry   llorar; **cry out**   gritar
curious   curioso(a)
currently   actualmente
custom   costumbre (f.)
cut   cortar; **cut oneself**   cortarse

cycling   ciclismo (m.)
cymbal   címbalo (m.)

D

daddy   papá (m.)
daily   diario(a)
damage   dañar; hacer daño
dance   baile (m.); (v.) bailar
dangerous   peligroso(a)
dark   moreno(a) (referring to complexion and hair); oscuro(a)
date   cita (f.); fecha (f.); (v.) salir juntos
daughter   hija
day   día (m.)
dead (to be)   estar muerto(a)
deal with   tratar de
dean   decano(a)
death   muerte (f.)
debate   debate (m.)
debt   deuda (f.)
deceive   engañar
December   diciembre
decide   decidir
decision   decisión (f.)
decorate   decorar
dedicate   dedicar
defeat   derrotar
defend   defender
degree   grado (m.) (temperature); licenciatura (f.) (educational)
delicious   delicioso(a), rico(a), sabroso(a)
delighted   encantado(a)
deliver   entregar
demand   exigir
demanding   exigente
democracy   democracia (f.)
demonstration   manifestación (f.)
denounce   denunciar
dentist   dentista (m. / f.)
depressed   deprimido(a); **to be depressed**   deprimirse
descendent   descendiente (m. / f.)
describe   describir
description   descripción (f.)
desert   desierto (m.)
deserve   merecer
design   diseñar

desire   deseo *(m.)*, *(v.)* desear
desired   deseado(a)
desk   pupitre *(m.)* *(pupil's)*,
   escritorio *(m.)* *(teacher's)*
dessert   postre *(m.)*
destroy   destruir
detail   detalle *(m.)*
detailed   detallado(a)
determine   determinar
detest   detestar
develop   desarrollar; revelar *(film)*
dialogue   diálogo *(m.)*
diaper   pañal *(m.)*
dictatorship   dictadura *(f.)*
dictionary   diccionario *(m.)*
die   morir **(ue, u)**, morirse **(ue, u)**
diet   dieta *(f.)*
difference   diferencia *(f.)*
different   distinto(a)
difficult   difícil *(adj., m.* or *f.)*,
   duro(a)
dining room   comedor *(m.)*
dinner   cena *(f.);* **eat dinner**
   cenar
direct   dirigir
directly   directamente
dirt   suciedad *(f.)*
dirty   sucio(a)
disadvantage   desventaja *(f.)*
disagreeable   antipático(a)
disappear   desaparecer
disaster   desastre *(m.)*
discipline   disciplina *(f.)*
discotheque   discoteca *(f.)*
discourteous   descortés *(adj., m.*
   or *f.)*
discover   descubrir
discovery   descubrimiento *(m.)*
discrimination   discriminación *(f.)*
dish   plato *(m.);* **dishes**
   trastes *(m. pl)*
dishwasher   lavaplatos *(m.s.* or *pl.)*
dismiss   despedir **(i, i)**
disorganized   desorganizado(a)
distant   alejado(a)
diversity   diversidad *(f.)*
divide   dividir
do   hacer
doctor   médico(a)
dog   perro(a)
dollar   dólar *(m.)*

domination   dominación *(f.)*
donate   donar
don't worry   no te preocupes *(fam.)*
door   puerta *(f.)*
dorm   residencia *(f.)*
double   doble *(adj., m.* or *f.)*
doubt   duda *(f.);* *(v.)* dudar
doubtful   incierto(a)
downtown   centro *(m.)*
dozen   docena *(f.)*
drawing   dibujo *(m.)*
dream   sueño *(m.)*, *(v.)* soñar (ue)
dress   vestido *(m.)*, *(v.)* vestirse **(i, i)**
drink   bebida *(f.);* *(v.)* beber,
   tomar
drive   conducir, manejar
driver   chófer *(m. / f.)*
drizzle   lloviznar
drown   ahogarse
drum   tambor *(m.)*
drunk   borracho(a); **to get
   drunk**   emborracharse
dumb   tonto(a)
during   durante; por; **during
   the day**   de día
dust   polvo *(m.)*, *(v.)* pasar el trapo
dwelling   vivienda *(f.)*

E

each   cada *(adj., m.* or *f.)*
early   temprano *(adv.)*
earn   ganar
earthquake   terremoto *(m.)*
earthy   terrestre *(adj., m.* or *f.)*
east   este *(m.)*
Easter   Pascua Florida *(f.)*
easy   fácil *(adj., m.* or *f.)*
eat   comer; **eat breakfast**
   desayunar
economics   economía *(f.)*
educated   educado(a)
effect   efecto *(m.)*
efficient   eficaz *(adj., m.* or *f.)*
effort   esfuerzo *(m.)*
egg   huevo *(m.)*
eight   ocho
eighth   octavo(a)
either . . . or   o... o
elbow   codo *(m.)*

elect   elegir **(i, i)**
election   elección *(f.)*
electric shaver   máquina de afeitar
   (f.)
electric shock   choque eléctrico
   (m.), sacudida eléctrica *(f.)*
electrical current   corriente *(f.)*
elegant   elegante *(adj., m.* or *f.)*
eliminate   eliminar
elongated   alargado(a)
embrace   abarcar
emerald   esmeralda *(f.)*
emergency   emergencia *(f.)*
emergency room   sala de urgencia
   (f.)
emigrate   emigrar
empire   imperio *(m.)*
employee   empleado(a)
employment   empleo *(m.)*
empty   vacío(a)
encourage   animar
end   fin *(m.);* *(v.)* terminar
endure   aguantar
energy   energía *(f.)*
engineering   ingeniería *(f.)*
English   inglés *(m.)*
enjoy   disfrutar; **enjoy oneself**
   divertirse **(ie, i)**
enormous   enorme *(adj., m.* or *f.)*
enough   bastante *(adj., m.* or *f.)*
enter   entrar
entertain   divertir **(ie, i)**
entrance   entrada *(f.)*
enumerate   enumerar
envelope   sobre *(m.)*
environment   medio ambiente *(m.)*
episode   episodio *(m.)*
eraser   borrador *(m.);* goma *(f.)*
escape   escapar
essential   esencial *(adj., m.* or *f.)*
establish   establecer
ethnic   étnico(a)
even   aún; **even though**   aún
event   evento *(m.)*
every   cada; **every day**   todos
   los días
everybody   todo el mundo
everyone   todo el mundo
evolution   evolución *(f.)*
exact   exacto(a)
exaggerate   exagerar

exam   examen *(m.)*
example   ejemplo *(m.)*
exceed   sobrepasar
excel   sobresalir
excellent   excelente *(adj., m. or f.)*
exception   excepción *(f.)*
exceptional   excepcional *(adj., m. or f.)*
exchange   intercambio *(m.)*
excuse   excusa *(f.)*
exercise   ejercicio
exhausted (to be)   estar molido(a)
exhibition   exhibición *(f.)*
expect   esperar
expense   gasto *(m.)*
expensive   caro(a)
experience   experiencia *(f.)*
explain   explicar
explode   explotar
express   expresar; **express an opinion**   opinar
expression   expresión *(f.)*
exquisite   exquisito(a)
extended family members   familiares *(m. pl.)*
extraordinary   único(a)
extreme   extremo(a)
eye   ojo *(m.)*

F

fabulous   fabuloso(a)
facade   portada *(f.)*
face   cara *(f.)*
fact   dato *(m.)*, hecho *(m.)*
factory   fábrica *(f.)*
fail   fracasar
fair   justo(a)
fairytale   cuento de hadas *(m.)*
fall   caer; **fall asleep**   dormirse **(ue, u)**; **fall down**   caerse; **fall in love**   enamorarse
fallen   caído(a)
false   falso(a)
family   familia *(f.)*
famous   famoso(a)
fan   *(of sporting events)* aficionado(a)
fanatic   fanático(a)
fantastic   fantástico(a)

far from   lejos de
farmer   campesino(a)
fascinate   fascinar
fascinating   fascinante
fast   pronto, rápidamente, rápido(a)
fat   gordo(a)
father   padre *(m.)*
Father's Day   Día del Padre *(m.)*
fault   culpa *(f.)*; **to be at fault**   tener la culpa
favorite   favorito(a)
fear   temer
February   febrero
fed up (to be)   estar harto(a) de
feel   sentir **(ie, i)**, sentirse **(ie, i)**; **feel fine**   sentirse bien **(ie, i)**; **feel like**   tener ganas de
feelings   sentimientos *(m. pl.)*
fever   fiebre *(f.)*
fifth   quinto(a)
fight   pelea *(f.)*
filling station   gasolinera *(f.)*
film   película *(f.)*; *(v.)* filmar
filth   suciedad *(f.)*
finance   financiar
find   encontrar **(ue)**
fine   multa *(f.)*; *(adv.)* bien; **fine, thank you**   bien, gracias, muy bien, gracias
finger   dedo *(m.)*; **finger-licking good**   para chuparse los dedos
finish   terminar
fire   incendio *(m.)*; *(v.)* disparar *(a gun)*; despedir **(i, i)** *(from a job)*
firefighter   bombero(a)
firm   firma *(f.)*
first   primer, primero(a)
first aid   primeros auxilios *(m. pl.)*
fish   pescado *(m.)*
fit   sano(a)
five   cinco
fix   arreglar
flat tire   llanta desinflada *(f.)*
flavor   sabor *(m.)*
flight   vuelo *(m.)*
floor   piso *(m.)*
flower   flor *(f.)*
fly   volar **(ue)**
fog   neblina *(f.)*
folder   carpeta *(f.)*

follow   perseguir **(i, i)**; seguir **(i, i)**
follower   seguidor *(m. / f.)*
following   siguiente *(adj., m. or f.)*
fondness   afición *(f.)*
food   comida *(f.)*
foolish   tonto(a)
foot   pie *(m.)*
football   fútbol americano *(m.)*
for   para, por
forbid   prohibir
force   fuerza *(f.)*
forecast   pronóstico *(m.) (weather)*
foreign   extranjero(a)
forest   bosque *(m.)*, selva *(f.)*
forget   olvidar
fork   tenedor *(m.)*
form   forma *(f.)*
formal   formal *(adj., m. and f.)*
fortunately   por suerte
fortune   fortuna *(f.)*
forward   delantero(a) *(soccer position)*
founded   fundado(a)
fountain   fuente *(f.)*
free   *(adv.)* gratis; libre *(adj., m. or f.)*; *(v.)* librar
French   francés, francesa
frequently   con frecuencia
fresh   fresco(a)
Friday   viernes
fried   frito(a)
friend   amigo(a)
friendship   amistad *(f.)*
from   de
front   portada *(f.)*
frozen   congelado(a)
fruit   fruta *(f.)*
frustrated   frustrado(a)
fryer   pollo(a)
full   satisfecho(a); **full of**   lleno(a) de
full-time   tiempo completo
function   funcionar
funny   chistoso(a); cómico(a) divertido(a)
furious   furioso(a)
furnish   proveer
furnished   amueblado(a)
furniture   muebles *(m. pl.)*
future   futuro *(m.)*

G

gain weight   subir de peso
game (*competitive*)   partido (*m.*); juego (*m.*)
garage   garaje (*m.*)
garden   jardín (*m.*)
garment   prenda (*f.*)
gas station   gasolinera (*f.*)
gasoline   gasolina (*f.*)
gather   recoger
gathered   reunido(a)
gathering   reunión (*f.*)
gender   género (*m.*)
generation   generación (*f.*)
generous   generoso(a)
genius   genio(a)
German   alemán, alemana
get   conseguir (**i, i**); **get ahead** adelantarse; **get along well** llevarse bien; **get down** bajarse; **get hurt** lesionarse; **get off** bajarse; **get on** subir, montar; **get together** juntarse, reunirse; **get up** levantarse
gift   regalo (*m.*)
gigantic   gigantesco(a)
girl   chica
girlfriend   novia
give   dar; **give a gift** regalar; **give assistance** prestar auxilio
glance   vistazo (*m.*)
glass   vaso (*m.*); **glass of wine** copa de vino (*f.*)
glove   guante (*m.*)
go   ir; **go camping** acampar; **go down** bajar; **go for a ride** pasear; **go forward** adelantarse; **go out** salir; **go shopping** ir de compras; **go tell it to the Marines** a otro perro con ese hueso; **go to bed** acostarse (**ue**); **go up** subir
goal   arco (*m.*); gol (*m.*)
goalie   arquero (*m.*)
goalkeeper   arquero (*m.*)
goblet   copa (*f.*)
god   dios

goddess   diosa
gold   oro (*m.*)
good   bueno(a); **good afternoon** buenas tardes; **good evening** buenas noches; **good heavens!** ¡caramba! **good luck** buena suerte (*f.*); **good morning** buenos días
good-bye   adiós, hasta la vista
good-looking   bien parecido(a), guapo(a)
goodness!   ¡caramba!
gorge   barranca (*f.*)
govern   gobernar (**ie**)
government   gobierno (*m.*)
grade   nota (*f.*); **get good grades** sacar buenas notas
graduate   graduarse
grandfather   abuelo
grandmother   abuela
grandparents   abuelos (*m. pl.*)
green   verde
greens   verduras (*f. pl*)
greeting   saludo (*m.*)
gray   gris
grill   parrilla (*f.*)
grilled   a la parrilla
grouchy   gruñón, gruñona
ground   terreno (*m.*)
group   grupo (*m.*)
guarantee   garantizar
guard   guardia (*m. / f.*); defensor(a); (*v.*) vigilar
guess   adivinar
guest   invitado(a)
guide   guía (*m. / f.*)
guilty   culpable (*adj., m.* and *f.*)
guitar   guitarra (*f.*); **guitar player** guitarrista (*m. / f.*)
gun   pistola (*f.*)
gymnastics   gimnasia (*f.*)

H

habit   hábito (*m.*); rutina (*f.*)
hair   pelo (*m.*); **hair dryer** secador (*m.*)
hairdresser   peluquero(a)
half   mitad (*f.*)
ham   jamón (*m.*)

hamburger   hamburguesa (*f.*)
hand   mano (*f.*); **hand over** entregar
handicrafts   artesanía (*f.*)
handkerchief   pañuelo (*m.*)
handle   tratar
hang   colgar (**ue**); **hang up** colgar (**ue**)
happiness   felicidad (*f.*)
happy   feliz; contento(a); **Happy birthday!** ¡feliz cumpleaños!
hard   duro(a); **hard-working** trabajador(a)
hate   odiar
have   tener; **have to** tener que; **have a blowout** reventar (**ie**) una llanta; **have a good time** divertirse (**ie, i**); **have clear skies** estar despejado; **have good weather** hacer buen tiempo; **I would have** tendría
head   cabeza (*f.*)
headache   dolor de cabeza (*m.*)
heading   titular (*m.*), título (*m.*)
headline   titular (*m.*)
headphones   audífono (*m.*)
health   salud (*f.*)
healthy   sano(a)
hear   oír
heart   corazón (*m.*); **heart attack** ataque cardíaco (*m.*)
height   estatura (*f.*)
hello!   ¡hola!
helmet   casco (*m.*)
help   ayuda (*f.*); **help!** ¡auxilio!, ¡socorro!; (*v.*) ayudar
her   (*dir. obj. pron. s.*) ella; (*indir. obj. pron. s.*) le
here   acá, aquí
highlands   altiplano (*m.*)
highway   carretera (*f.*)
him   (*dir. obj. pron. s.*) él; (*indir. obj. pron. s.*) le
Hispanic   hispano(a)
history   historia (*f.*)
hit   golpe (*m.*); (*v.*) golpear, pegar
holy   sagrado(a)
home   hogar (*m.*); **home run** jonrón (*m.*)

homework   tarea *(f.)*
honest   honesto(a)
hope   esperanza *(f.)*
horse   caballo *(m.)*
hospital   hospital *(m.)*
hot   caliente *(adj., m.* or *f.); * **hot (to be)**   hacer calor *(weather); * tener calor *(person); * **hot sauce** salsa picante
hotel   hotel *(m.)*
hour   hora *(f.)*
house   casa *(f.)*
housing   vivienda *(f.)*
how?   ¿cómo?; **how are you?** ¿cómo estás? *(fam.),* ¿qué tal?; **how many?**   ¿cuántos(as)?; **how much?**   ¿cuánto(a)?
human   humano(a)
humid   húmedo(a)
hungry (to be)   tener hambre
hurry up   apúrese; **in a hurry (to be)**   tener prisa
hurt   dañar; doler **(ue)** hacer daño; **hurt oneself**   lastimarse
husband   esposo

I

I   yo; **I am**   soy; **I hope** ojalá; **I'd like you to meet . . .** te presento a...
ice   hielo *(m.)*
ice cream   helado *(m.)*
ideal   ideal *(adj., m.* or *f.)*
identical   idéntico(a)
identify   identificar
ignore   ignorar
illness   enfermedad *(f.)*
illustrate   ilustrar
image   imagen *(f.)*
imagination   imaginación *(f.)*
imagine   imaginar, imaginarse
immediately   en seguida; inmediatamente
immense   inmenso(a)
impartial   imparcial *(adj., m.,* or *f.)*
impatient   impaciente *(adj., m.* or *f.)*

important   importante *(adj., m.* or *f.)*
impossible   imposible *(adj., m.* or *f.)*
impress   impresionar
impression   impresión *(f.)*
impressive   impresionante *(adj., m.* or *f.)*
improbable   improbable *(adj., m.* or *f.)*
in   *(prep.)* por, *(adv.)* adentro; **in a short while**   al rato; **in case**   en caso (de) que; **in charge**   encargado(a); **in exchange for**   por; **in fact** en efecto; **in front of**   delante de, enfrente de; **in love** enamorado(a); **in order to** para; **in place of**   por; **in relation to**   para; **in spite of** a pesar de; **in the back**   al fondo
Incan   incaico(a)
incident   incidente *(m.)*
inclined to   estar dispuesto a...
include   incluir
income   ingresos *(m.)*
inconvenient   inconveniente *(adj., m.* or *f.)*
increase   añadir, aumentar
incredible   increíble *(adj., m.* or *f.)*
index   índice *(m.)*
Indian   indio(a)
indicate   indicar, señalar
individual   individuo *(m.)*
industry   industria *(f.)*
inexpensive   barato(a)
infancy   infancia *(f.)*
influence   influencia *(f.)*
inform   informar
information   información *(f.)*
inhabitant   habitante *(m. / f.)*
inhumane   inhumano(a)
initiate   iniciar
injection   inyección *(f.)*
injure   lastimar; lesionarse
injured   herido(a)
inner ear   oído *(m.)*
innocent   inocente *(adj., m.* or *f.)*
innovator   innovador(a)
inside   adentro
insinuate   insinuar

insist (on)   insistir (en)
inspire   inspirar
instability   inestabilidad *(f.)*
instrument   instrumento *(m.)*
insurance   seguro *(m.)*
insure   asegurar
insured   asegurado(a)
integrate   integrar
intelligent   inteligente *(adj., m.* or *f.)*
intended for   para
interest   interés *(m.)*
interesting   interesante *(adj., m.* or *f.)*
international   internacional *(adj., m.* or *f.)*
interpret   interpretar
interview   entrevista *(f.); (v.)* entrevistar
intimate   íntimo(a)
introduction   presentación *(f.)*
invent   inventar
invest   invertir **(ie, i)**
invitation   invitación *(f.)*
invite   invitar
iron   planchar
ironic   irónico(a)
irony   ironía *(f.)*
irrigation   irrigación *(f.)*
island   isla *(f.)*
isolated   aislado(a)
it   *(dir. obj. pron.)* lo, la; *(indir. obj. pron.)* le; *(subj. pron.)* él, ella; **it is sunny**   hay sol
itinerary   itinerario *(m.)*

J

jacket   chaqueta *(f.)*
janitor   conserje *(m.)*
January   enero
Japanese   japonés, japonesa
jealous   envidioso(a)
jeans: blue jeans   vaqueros *(m. pl.)*
jewel   joya *(f.)*
job   puesto *(m.)*
jot down   anotar
juice   jugo *(m.)*
juicy   jugoso(a)
July   julio

jump   saltar
June   junio
just   justo(a)

K

keep   guardar; **keep calm**
    mantener **(ie)** la calma
ketchup   salsa de tomate *(f.)*
key   llave *(f.)*
keyboard   teclado *(m.)*
kick   patear
kill   matar
king   rey *(m.)*
kiss   beso *(m.)*
kitchen   cocina *(f.)*
knee   rodilla *(f.)*
knife   cuchillo *(m.)*
know   conocer; **know facts**
    saber

L

laboratory   laboratorio *(m.)*
laborer   obrero(a)
lack   faltar
lady   dama *(f.)*; señora *(f.)*
lake   lago *(m.)*
lamp   lámpara *(f.)*
land   terreno *(m.)*
lane   pista *(f.)*
language   lenguaje *(m.)*, idioma *(m.)*
large   grande *(adj., m. or f.)*
last   último(a), *(v.)* durar **last**
    name   apellido *(m.)*; **last**
    night   anoche
late   tarde
later   posteriormente; más tarde
latest   último(a)
laugh   reírse **(i, i)**
laundry   lavandería *(f.)*
law   derecho *(m.)*; ley *(f.)*
lawyer *(m.)*   abogado
lazy   flojo(a); perezoso(a)
leader   líder *(m. / f.)*
league   liga *(f.)*
learn   aprender
leave   salir; **leave behind**
    dejar

left   izquierdo(a)
leg   pierna *(f.)*
legally   legalmente
lemon   limón *(m.)*
lemonade   limonada *(f.)*
lend   prestar
less   menos
letter   carta *(f.)*
lettuce   lechuga *(f.)*
level   nivel *(m.)*
liberal   liberal *(adj., m. or f.)*
liberate   librar
library   biblioteca *(f.)*
license   licencia *(f.)*
lie   mentira *(f.)*
lieutenant   teniente *(m. / f.)*
life   vida *(f.)*
lifeguard   salvavidas *(m. / f.)*
lifesaver   salvavidas *(m.)*
lift   levantar
light   luz *(f.)*
like   gustar; **I (he, she, it) would**
    like   quisiera
likeable   simpático(a)
likewise   igualmente
liking   afición *(f.)*
limit   límite *(m.)*
list   lista *(f.)*
listen!   ¡oye!; **listen to me!**
    ¡escúchame! *(fam.)*
literature   literatura *(f.)*
little   pequeño(a); poco
live   vivir
living room   sala *(f.)*
load   cargar
lobster   langosta *(f.)*
local   local *(adj., m. or f.)*
location   ubicación *(f.)*
long   largo(a)
look at   mirar; **look for**
    buscar
loose   suelto *(m.)*
lose   perder **(ie)**; **lose weight**
    perder **(ie)** peso
lost   perdido(a)
lots   montón *(m.)*
lottery   lotería *(f.)*
loud   fuerte *(adj., m. or f.)*
love   amar, querer (ie); **in love**
    with (to be)   estar
    enamorado(a) de; **I would love to**

    me encantaría
loving   amoroso(a)
lower   bajar
lucky (to be)   tener suerte
luckily   por suerte
luggage   equipaje *(m.)*
lumber   madera *(f.)*
lunch   almuerzo *(m.)*; **to have**
    lunch   almorzar **(ue)**

M

machine   máquina *(f.)*
macho   machista *(m.)*
magazine   revista *(f.)*
maintain   mantener (ie)
major   especialización *(f.)*; *(v.)*
    especializarse
majority   mayoría *(f.)*
make   hacer; **make the bed**
    hacer la cama; **make decisions**
    tomar decisiones
male   varón *(m.)*
mall   centro comercial *(m.)*
man   hombre *(m.)*; varón *(m.)*
    young man   joven *(m.)*
manage   manejar
manager   gerente *(m. / f.)*
manner   manera *(f.)*, modo *(m.)*
marathon   maratón *(m.)*
March   marzo
march   marchar
mark   marcar
marmalade   mermelada *(f.)*
marriage   casamiento *(m.)*
marry   casarse; **get married**
    casarse
mathematics   matemáticas *(f. pl.)*
May   mayo
mayonnaise   mayonesa *(f.)*
mayor   alcalde *(m.)*, alcaldesa *(f.)*
me   *(dir. obj. pron.)* me; *(indir.*
    obj. pron.) me; *(refl. pron.)* me;
    me?   ¿yo?
meaning   significado *(m.)*
measure   medir **(i, i)**
meat   carne *(f.)*
mechanic   mecánico(a)
medal   medalla *(f.)*
meeting   reunión *(f.)*

melon   melón *(m.)*
member   miembro *(m. / f.)*
memory   memoria *(f.)*
mention   mencionar
menu   menú *(m.)*
message   mensaje *(m.)*
military   militar *(adj., m. or f.)*
milk   leche *(f.)*
mirror   espejo *(m.)*
miss   extrañar, echar de menos;
   miss class   faltar a clase
missing (to be)   faltar
modest   modesto(a)
moment   momento *(m.)*
Monday   lunes
money   dinero *(m.)*
monkey   mono(a)
monologue   monólogo *(m.)*
month   mes *(m.)*
monthly   mensual *(adj., m. or f.)*
moon   luna *(f.)*
more   más
morning   mañana *(f.)*
mother   mamá *(f.)*, madre *(f.)*;
   Mother Nature   madre naturaleza *(f.)*;   **Mother's Day**
   Día de las Madres *(m.)*
motor   motor *(m.)*
motorcycle   moto *(f.)*
mountain climbing   alpinismo *(m.)*
mountain   montaña *(f.)*, monte *(m.)*
mouse   ratón *(m.)*;   **mouse pad**
   almohadilla *(f.)*
mouth   boca *(f.)*
move   mudarse
movie theater   cine *(m.)*;   **movie /**
   theater section *(of newspaper)*
   espectáculo *(m.)*
mow the lawn   cortar el césped
Mrs.   señora *(f.)*
much   mucho(a)
museum   museo *(m.)*
mushroom   champiñón *(m.)*
music   música *(f.)*
musician   músico *(m. / f.)*
mustache   bigote *(m.)*
mustard   mostaza *(f.)*
my   *(poss. adj.)* mi;   **my name**
   is . . .   me llamo... , mi nombre
   es...
mysterious   misterioso(a)

N

name   nombre *(m.)*; *(v.)* nombrar
napkin   servilleta *(f.)*
narrate   narrar
narrow   angosto(a), estrecho(a)
national   nacional *(adj., m. or f.)*
native   indígena *(adj., m. or f.)*
naturally   naturalmente
nature   naturaleza *(f.)*
near   cerca de
necklace   collar *(m.)*
necktie   corbata *(f.)*
need   necesitar
negation   negación *(f.)*
negative   negativo(a)
neighbor   vecino(a)
neighborhood   barrio *(m.)*
neither   tampoco;   **neither . . . nor**
   ni... ni
nervous   nervioso(a)
net   red *(f.)*
never   jamás, nunca
nevertheless   sin embargo
new   nuevo(a)
news   noticias *(f.)*
newscaster   noticiero *(m.)*
newspaper   periódico *(m.)*;
   newspaper reporter   periodista *(m. / f.)*
next   próximo(a), siguiente *(adj.,*
   m. or f.);   **next to**   junto a
nice   amable *(adj., m. or f.)*
night   noche *(f.)*
nightly   nocturno(a)
nine   nueve
ninth   noveno(a)
no   no;   **no one**   nadie;   **no**
   wonder!   ¡con razón!
Nobel Prize   Premio Nóbel *(m.)*
nobody   nadie
nocturnal   nocturno(a)
none   ninguno(a)
north   norte *(m.)*
nose   nariz *(f.)*
not any   ninguno(a);   **not even**
   ni siquiera;   **not very well**
   no muy bien
note   nota *(f.)*
notebook   cuaderno *(m.)*
nothing   nada

notice   fijarse, notar
noun   sustantivo *(m.)*
novel   novela *(f.)*
novelist   novelista *(m. / f.)*
November   noviembre
now   ahora
number   número *(m.)*

O

object   oponerse
obligated   obligado(a)
obligation   obligación *(f.)*
oblige   obligar
observe   observar
obstruct   impedir **(i, i)**
obtain   conseguir **(i, i)**; obtener **(ie)**
obvious   obvio(a)
obviously   obviamente
occasion   ocasión *(f.)*
occupied   ocupado(a)
occupy   ocupar
occur   ocurrir
October   octubre
of   de;   **of course**   por
   supuesto, ¡claro que sí!
offer   oferta *(f.)*;   *(v.)* **offer**
   ofrecer
office   oficina *(f.)*;   **cashier's of-**
   fice   caja *(f.)*
oh! *(interj.)*   ¡ay!, ¡huy!
oil   aceite *(m.)*, petróleo *(m.)*
old   viejo(a);   **to be . . . years old**
   tener... años;   **old age**   vejez
   (f.);   **old-fashioned**   antiguo(a);
   very old   anticuado(a)
older   mayor
on   en, por;   **on foot**   a pie;
   on special   en oferta;   **on top**
   of   encima de, sobre
once in awhile   de vez en cuando
only   *(adv.)* sólo;   *(adj.)* único(a)
open   abrir
operator   operador(a)
opportunity   oportunidad *(f.)*
oppose   oponerse
opposite   opuesto(a), contrario(a);
   opposite direction   sentido
   contrario *(m.)*
opposition   oposición *(f.)*

optimist optimista *(m. / f.)*
orange anaranjado(a) *(color)*; naranja *(f.) (fruit)*; **orange juice** jugo de naranja *(m.)*
order orden *(f.)*
organization organización *(f.)*
organize ordenar, organizar
origin origen *(m.)*
other otro(a)
out afuera
outer ear oreja *(f.)*
outside afuera
outstanding sobresaliente *(adj., m. or f.)*; **to be outstanding** sobresalir
oven horno *(m.)*
over sobre; **over here** acá
overcoat sobretodo *(m.)*
own propio(a)
owner amo *(m.)*, dueño(a)

P

pace paso *(m.)*
pack (a suitcase) empacar
page página *(f.)*
pain dolor *(m.)*
painting cuadro *(m.)*
pair par *(m.) (things)*; pareja *(f.) (people)*
pajamas pijamas *(m. pl.)*
pants pantalones *(m. pl.)*
papa papá *(m.)*
paper papel *(m.)*
parents padres *(m. pl.)*
park parque *(m.)*; *(v.)* estacionar
parking ticket multa *(f.)*
participate participar
partner compañero(a)
party fiesta *(f.)*
pass pasar; **pass a class** aprobar **(ue)**
passage pasillo *(m.)*
passport pasaporte *(m.)*
past pasado(a)
pastime pasatiempo *(m.)*
pastoral pastoril *(adj., m. or f.)*
patience paciencia *(f.)*
patient paciente *(adj., m. or f.)*
patio patio *(m.)*

pay attention to atender **(ie)**
pay sueldo *(m.)* *(v.)* pagar; **I would pay** pagaría
peace paz *(f.)*
peaceful tranquilo(a)
peach durazno *(m.)*
pen (ballpoint) bolígrafo *(m.)*
pencil lápiz *(m.)*
people gente *(f.)*
pepper pimienta *(f.)*
percent por ciento
percentage porcentaje *(m.)*
perfect perfecto(a)
performance actuación *(f.)*
permit dejar; permitir
person persona *(f.)*
personality personalidad *(f.)*
perspiration sudor *(m.)*
perspire sudar
persuade persuadir
petroleum petróleo *(m.)*
pharmacy farmacia *(f.)*
phenomenal fenomenal *(adj., m., or f.)*
phone teléfono *(m.)*; **phone call** llamada *(f.)*
photo foto *(f.)*
photograph fotografía *(f.)*
physical education educación física *(f.)*
physics física *(f.)*
piano piano *(m.)*
pick up recoger
piece pieza *(f.)*
pill pastilla *(f.)*
pineapple piña *(f.)*
pirate pirata *(m. / f.)*
pitcher lanzador(a) *(baseball)*
pity lástima *(f.)*
place lugar *(m.)*
plan *(v.)* pensar **(ie)**, planear
plans planes *(m. pl.)*
plastic plástico *(m.)*
plate plato *(m.)*
play obra de teatro *(f.) (in theater)*; *(v.)* jugar **(ue)**; **play a sport** practicar un deporte; **play an instrument** tocar; **play the role** hacer el papel
player jugador(a)
pleasant simpático(a)

pleased to meet you mucho gusto
plug in enchufar
pocket bolsillo *(m.)*
point punto *(m.)*
poison veneno *(m.)*
police force policía *(f.)*
police officer policía *(m.)*
polite cortés *(adj., m. and f.)*
politely cortésmente
political party partido *(m.)*
political político(a)
political science ciencias políticas *(f. pl.)*
politician político *(m. / f.)*
politics política *(f.)*
pollution contaminación *(f.)*, polución *(f.)*
popular popular *(adj., m. or f.)*
popularity popularidad *(f.)*
populated poblado(a)
population población *(f.)*
pork carne de puerco *(f.)*
position puesto *(m.)*
positive positivo(a)
positively positivamente
possess poseer
possibility posibilidad *(f.)*
potato papa *(f.)*
poverty pobreza *(f.)*
powerful poderoso(a)
practice practicar
precaution precaución *(f.)*
precious precioso(a)
precise preciso(a)
precisely con precisión
predict predecir **(i)**
prefer preferir **(ie, i)**
preference preferencia *(f.)*
pregnancy embarazo *(m.)*
pregnant embarazada
preoccupied preocupado(a)
preparation preparación *(f.)*
prepare preparar; **prepare dinner** preparar la cena
prescribe recetar
presentation presentación *(f.)*
president *(of a university)* rector(a)
press prensa *(f.)*
pressure presión *(f.)*
pretend aparentar **(ie)**
pretty lindo(a)

previous   anterior *(adj., m. or f.)*
pre-Colombian   precolombino(a)
price   precio *(m.)*
pride   orgullo *(m.)*
printer   impresora *(f.)*
prisoner   prisionero(a)
private   privado(a)
privilege   privilegio *(m.)*
prize   premio *(m.)*
problematic   problemático(a)
process   proceso *(m.)*
proclaim   proclamar
prodigal   pródigo(a)
product   producto *(m.)*
profession   profesión *(f.)*
professional   profesional *(adj., m. or f.)*
professor   profesor(a)
profound   profundo(a)
profoundly   profundamente
program   programa *(m.)*
programmer   programador(a)
progressive   progresista *(m. / f.)*
prohibit   prohibir
project   proyecto *(m.); (v.)* proyectar
promise   promesa *(f.); (v.)* prometer
propose   proponer
proprietor   amo *(m.)*
protect   proteger
protest   protestar
provide   proveer
provided (that)   con tal (de) que
provoke   provocar
prudent   sensato(a)
psychiatrist   psiquiatra *(m. / f.)*
public   público *(m.)*
publication   publicación *(f.)*
publish   publicar
pull one's leg   tomar el pelo
punctual   puntual *(adj., m. or f.)*
punctuation   puntuación *(f.)*
pure   puro(a)
purse   bolso *(m.);*   cartera *(f.)*
put   poner; **put in order**   ordenar; **put one's room in order** ordenar el cuarto

Q

quality   calidad *(f.);* cualidad

(characteristic) (f.)
quantity   cantidad *(f.)*
queen   reina *(f.)*
question   pregunta *(f.)*
quick   pronto
quietly   en voz baja

R

race   carrera *(f.) (car);* raza *(f.) (ethnic)*
racist   racista *(m. / f.)*
radiator   radiador *(m.)*
radio announcer   locutor *(m. / f.)*
radio   radio *(f.)*
radish   rábano *(m.)*
railroad   ferrocarril *(m.)*
rain   lluvia *(f.), (v.)* llover *(ue);* **rain cats and dogs**   llover *(ue)* a cántaros; **rain lightly** lloviznar
rainbow   arco iris *(m.)*
raincoat   impermeable *(m.)*
rainy   lluvioso(a)
raise   levantar
rapid   pronto; rápido(a)
rapidly   rápidamente
rapper   rapero(a)
rare   raro(a)
ravine   barranca *(f.)*
raw   crudo(a)
reach   alcanzar
react   reaccionar
read   leer
reality   realidad *(f.)*
realize   cumplir
really   de veras
reborn (to be)   renacer
recall   acordarse *(ue)*
receive   recibir
recent   reciente *(adj., m. or f.)*
recently   recientemente
receptionist   recepcionista *(m. / f.)*
reclaimed   reclamado(a)
recognize   reconocer
recommend   recomendar *(ie)*
recommendation   recomendación *(f.)*
reconstruct   reconstruir
record   disco *(m.);   (v.)* grabar

red   rojo(a); **red wine**   vino tinto *(m.)*
reduced   en rebaja
reduction   rebaja *(f.)*
referee   árbitro *(m.)*
reflect   reflejar
refrigerator   nevera *(f.)*
refuge   refugio *(m.)*
region   región *(f.)*
registration   matrícula *(f.)*
reject   rechazar
rejection   rechazo *(m.)*
relate   relacionar
relation   relación *(f.)*
relative   pariente *(m.)*
relax   relajarse
religious   religioso(a)
remain   permanecer, quedarse
remember   acordarse *(ue)*, recordar *(ue)*
remembrance   memoria *(f.)*
remote   alejado(a)
rent   alquiler *(m.), (v.)* alquilar
repeat   repetir *(i, i)*
replace   reemplazar
report   informe *(m.); (v.)* reportar
represent   representar
representative   representante *(m. / f.)*
researcher   investigador(a)
reservation   reservación *(f.)*
reserved   reservado(a)
residence   residencia *(f.)*
resolution   resolución *(f.)*
resolve   resolver *(ue)*
resource   recurso *(m.)*
respect   respeto *(m.); (v.)* respetar
respond   responder
response   respuesta *(f.)*
responsibilities   deberes *(m. pl.);* responsabilidades *(f. pl.)*
responsibility   responsabilidad *(f.)*
rest   resto *(m.); (v.)* descansar, hacer la siesta
restaurant   restaurante *(m.)*
restore   restaurar
retire   jubilarse
return   retorno *(m.); (v.)* regresar; volver *(ue);* devolver *(ue) (something)*
reunite   reunirse
reunited   reunido(a)

reveal revelar
revenue ingresos *(m. pl.)*
review revisar
revise revisar
revolution revolución *(f.)*
rhythm ritmo *(m.)*
rice arroz *(m.)*
rich rico(a)
riddle adivinanza *(f.)*
ride montar
right derecho(a); **to be right** tener razón
rigorous riguroso(a)
ring sonar **(ue)**; **ring the door- bell** tocar el timbre; **ring- ring** (phone) rin-rin
roasted asado(a)
rob robar
robbery robo *(m.)*
robust robusto(a)
rock piedra *(f.)*
role papel *(m.)*
role-play dramatizar
romantic romántico(a)
roof techo *(m.)*
room cuarto *(m.)*, habitación *(f.)*
roommate compañero(a) de cuarto
rose rosa *(f.)*
round redondo(a)
route ruta *(f.)*
routine rutina *(f.)*
ruins ruinas *(f. pl)*
rule regla *(f.)*
run *(v.)* correr, funcionar (a motor); **run away** huir

S

sacred sagrado(a)
sacrifice oneself sacrificarse
sad triste *(adj., m. or f.)*
safety seguridad *(f.)*
salad ensalada *(f.)*
salary salario *(m.)*, sueldo *(m.)*
sale liquidación *(f.)*
salesclerk vendedor(a)
salesperson dependiente *(m. / f.)*
salt sal *(f.)*
salty salado(a)

same igual *(adj., m. or f.)*, mismo(a)
sand arena *(f.)*
sandwich sandwich *(m.)*
satisfied satisfecho(a)
Saturday sábado
sauce salsa *(f.)*
sausage salchicha *(f.)*
sautéed in garlic al ajillo
save ahorrar
saxophone saxofón *(m.)*
say decir (i)
scarce escaso(a)
scarf bufanda *(f.)*
scene escena *(f.)*
school escuela *(f.)*; **elementary school** escuela primaria *(f.)*; **high school** escuela secun- daria *(f.)*
scrambled *(egg)* revuelto
scream grito *(m.)*
sculpture escultura *(f.)*
sea mar *(m. / f.)*
seafood marisco *(m.)*
season estación *(f.)*; temporada *(f.)*
seat asiento *(m.)*
second segundo(a)
secret secreto *(m.)*
secretary secretario(a)
security seguridad *(f.)*
see ver; **see you later** hasta luego; **see you soon** hasta pronto; **see you tomorrow** hasta mañana
seem parecer
select elegir **(i, i)**, escoger; selec- cionar
sell vender
seller vendedor(a)
semester semestre *(m.)*
send enviar; mandar
sense sentido *(m.)*
sensible sensato(a)
sensitive sensible *(adj., m. or f.)*
sentimental sensible *(adj., m. or f.)*, sentimental *(adj., m. or f.)*, romántico(a)
sentiments sentimientos *(m. pl.)*
separate separar
September septiembre

series serie *(f.)*
serious serio(a)
servant sirviente *(m. / f.)*
serve servir **(i, i)**
set the table poner la mesa
seven siete
seventh séptimo(a)
shame lástima *(f.)*
shampoo champú *(m.)*
share compartir
sharp point pico *(m.)*
shatter romperse
shave afeitarse
sheet of paper hoja de papel *(f.)*
shellfish marisco *(m.)*
ship navío *(m.)*
shirt camisa *(f.)*; **tee shirt** camiseta *(f.)*
shoe zapato *(m.)*; **shoestore** zapatería *(f.)*
shopping center centro comercial *(m.)*
short bajo(a) *(in height)*; corto(a) *(in length)*; **short pants** pantalones cortos *(m. pl.)*
shorts shorts *(m. pl.)*, pantalones cortos *(m. pl.)*
shoulder hombro *(m.)*
shout grito *(m.)*; *(v.)* gritar
show espectáculo *(m.)*; **show a good time** divertir **(ie, i)**
shower **(take a shower)** ducharse
shrimp camarón *(m.)*
siblings hermanos *(m. pl.)*
sick enfermo(a); **get sick** enfermarse
sidewalk acera *(f.)*
sign firmar
signal señalar
silk seda *(f.)*
similar parecido(a)
sincere sincero(a)
sing cantar
singer cantante *(m. / f.)*
sister hermana
sister-in-law cuñada
sit down sentarse **(ie)**
site sitio *(m.)*
situated situado(a)
situation situación *(f.)*
six seis

sixth   sexto(a)
size   tamaño *(m.)*
ski   esquiar
skiing   esquí *(m.)*
skin   piel *(f.)*
skirt   falda *(f.)*
sky   cielo *(m.)*
skyscraper   rascacielos *(m. s.* or *pl.)*
sleep   dormir **(ue, u)**
sleepy (to be)   tener sueño
sleeve   manga *(f.)*
slow   lento(a)
slowly   lentamente
small   pequeño(a)
smile   sonreír **(i, i)**
smoke   humo *(m.); (v.)* fumar
snack   bocadillo *(m.)*
snow   nieve *(f.), (v.)* nevar **(ie)**
so   tan; **so many**   tantos(as);
    so much   tanto(a); **so that**
    para que
soap   jabón *(m.)*
soccer   fútbol *(m.);* **soccer**
    player   futbolista *(m. / f.)*
sociable   sociable *(adj., m.* or *f.)*
society   sociedad *(f.)*
sofa   sofá *(m.)*
soft drink   refresco *(m.)*
sole   único(a)
some   algún (alguno, alguna)
someone   alguien
something   algo
sometime   alguna vez
sometimes   a veces
son   hijo
song   canción *(f.)*
sorry   triste *(adj., m.* or *f.);*   **I'm**
    sorry   Lo siento.
soup   sopa *(f.)*
source   fuente *(f.)*
south   sur *(m.)*
southwest   sudoeste *(m.)*
souvenir   recuerdo *(m.)*
speak   hablar; **speak on the**
    phone   hablar por teléfono
speakers   parlantes *(m.)*
special   especial *(adj., m.* or *f.);*
    special event   espectáculo *(m.)*
specific   específico(a)
spectacular   espectacular *(adj., m.*
    or *f.)*

speed limit   límite de velocidad *(m.)*
spend   gastar *(money);* pasar
    (time)
spoon   cuchara *(f.)*
sport   deporte *(m.)*
sportsman   deportista *(m.)*
sportswoman   deportista *(f.)*
spouse   cónyuge *(m. / f.)*
spring   primavera *(f.)*
square   cuadrado *(m.)*
squeeze   apretar **(ie)**
squid   calamar *(m.)*
stadium   estadio *(m.)*
stamp *(for mail)*   sello *(m.)*
stand *(put up with)*   aguantar
star   estrella *(f.)*
state   estado *(m.)*
stationery store   papelería *(f.)*
stay   permanecer, quedarse; **stay**
    calm   mantener **(ie)** la calma;
    stay overnight   pasar la
    noche
steak   bistec *(m.)*
steal   robar
steering wheel   volante *(m.)*
step   paso *(m.)*
stepdaughter   hijastra
stepfather   padrastro *(m.)*
stepmother   madrastra *(f.)*
stepson   hijastro
still   todavía
stock market   bolsa *(f.)*
stockings   medias *(f.)*
stomach   estómago
stone   piedra *(f.)*
stop   parar; **stop doing some-**
    thing   dejar de
store   tienda *(f.);* **store clerk**
    dependiente; **store window**
    escaparate *(m.)*
storm   tormenta *(f.)*
stove   estufa *(f.)*
straight (ahead)   derecho
strange   extraño(a)
strawberry   fresa *(f.)*
street   calle *(f.);* **main street**
    calle principal *(f.)*
strength   fuerza *(f.)*
strengthen   tonificar
stress   estrés *(m.);* **be under**
    stress   sufrir estrés

stretch   estirar
strike   huelga *(f.)*
strong   fuerte *(adj., m.* or *f.)*
student   estudiante *(m. / f.)*
studio   estudio *(m.)*
studious   estudioso(a)
study   estudiar
stupendous   estupendo(a)
style   estilo *(m.)*
subsequently   posteriormente
substance   sustancia *(f.)*
subterranean   subterráneo(a)
succeed   tener éxito
success   éxito *(m.)*
suddenly   de repente
suffer   sufrir
sugar   azúcar
suggest   sugerir **(ie, i)**
suit   traje *(m.)*
suitcase   maleta *(f.)*
summary   resumen *(m.);*
    sumario *(m.)*
summer   verano *(m.)*
sun   sol *(m.)*
Sunday   domingo
sunglasses   gafas de sol *(f. pl.)*
sunken   hundido(a)
supermarket   supermercado *(m.)*
superpower   superpotencia *(f.)*
supplies   materiales *(m. pl.)*
support   apoyar, soportar
suppose   suponer
supposition   suposición *(f.)*
sure (to be)   estar seguro(a) de
surface   superficie *(f.)*
surpass   sobrepasar
surprise   sorprender
surprising   sorprendente
surrender   someterse
surround   rodear
surroundings   ambiente *(m.)*
survey   encuesta *(f.)*
survive   sobrevivir
suspect   sospechar
suspend   suspender
suspicious   sospechoso(a)
sweat   sudor *(m.); (v.)* sudar
sweater   suéter *(m.)*
sweet   dulce *(m.)*
swim   nadar; **swimsuit**   traje
    de baño *(m.)*

swimming   natación *(f.);* **swim-ming pool**   piscina *(f.)*
syllable   sílaba *(f.)*
system   sistema *(m.)*

T

table   mesa *(f.)*
take   tomar, llevar; **take care!**   ¡cuídate! **take a class**   seguir **(i, i)** un curso; **take a nap**   hacer la siesta; **take away**   quitar; **take care of**   atender **(ie)**, cuidar; **take leave**   despedirse **(i, i)**; **take note**   anotar; **take off**   quitarse; **take out the trash**   sacar la basura; **take pictures**   sacar fotografías
talent   talento *(m.)*
tall   alto(a)
tank   tanque *(m.)*
taste   sabor *(m.); (v.)* probar **(ue)**
tasty   sabroso(a)
tax   impuesto *(m.)*
tea   té *(m.)*
teach   enseñar
team   equipo *(m.)*
telephone book   guía telefónica *(f.)*
tell   contar **(ue)**; **tell a lie**   mentir **(ie, i)**
temperature   temperatura *(f.)*
terrace   terraza *(f.)*
terrain   terreno *(m.)*
terrestrial   terrestre
terrible   terrible
territory   territorio *(m.)*
terrorist   terrorista *(m. / f.)*
testament   testamento *(m.)*
testimony   testimonio *(m.)*
Thanksgiving Day   Día de Acción de Gracias *(m.)*
that   *(dem. pron.)* ése(a); *(neuter pron.)* eso
theater   teatro *(m.)*
theft   robo *(m.)*
them   *(dir. obj. pron., pl.)* los *(m.),* las *(f.); (indir. obj. pron., pl.)* les
then   entonces, luego

theory   teoría *(f.)*
there   allí
these   *(dem. adj.)* estos(as)
thief   ladrón, ladrona
thin   delgado(a)
thing   cosa *(f.)*
think   pensar **(ie)**
third   tercero(a)
thirsty (to be)   tener sed
this   *(dem. pron.)* este(a), *(neuter pron.)* ésto; **this morning / afternoon / evening**   esta mañana / tarde / noche
those   *(dem. pron.)* ésos(as), aquéllos(as)
thought   pensamiento *(m.)*
threat   amenaza
three   tres
through   por
Thursday   jueves
ticket   billete *(m.)*, boleto *(m.);* multa *(traffic)*
tie   empatar *(in games and elections)*
tighten   apretar (ie)
time   hora *(f.)*, tiempo *(m.)*, vez *(f.)*
timid   tímido(a)
tip   propina *(f.)*
tire   llanta *(f.)*
title   título *(m.)*
to   a; **to the +** *(m. s. noun)* al; **to the left**   a la izquierda; **to the right**   a la derecha
toasted   tostado(a)
today   hoy
tomato   tomate *(m.)*
tomb   tumba *(f.)*
tomorrow   mañana *(f.)*
ton   tonelada *(m.)*
tone   tono *(m.), (v.)* tonificar
tongue   lengua *(f.)*
too much   demasiado(a)
tooth   diente *(m.);* **toothbrush**   cepillo de dientes *(m.);* **toothpaste**   pasta dental *(f.)*
touch   toque *(m.)*
tour   excursión *(f.)*, gira *(f.)*
tourist   turista *(m. / f.)*
tours   visitas *(f. pl)*

toward   hacia, para
towel   toalla *(f.)*
tradition   tradición *(f.)*
traffic   tráfico *(m.);* **traffic light**   semáforo *(m.)*
trail   *(ski)* pista *(f.)*
train   tren *(m.)*
tranquil   tranquilo(a)
tranquilizer   tranquilizante *(m.)*
transform   transformar
transport   transporte *(m.)*
transportation   transporte *(m.)*
treasure   tesoro *(m.)*
treat   tratar
treatment   tratamiento *(m.)*
treaty *(m.)*   tratado
tree   árbol *(m.)*
tremendous   tremendo(a)
trick   engañar
trip   viaje *(m.)*
triumph   triunfo *(m.), (v.)* triunfar
troops   tropas *(f.)*
trousers   pantalones *(m. pl.)*
true   cierto(a), verdadero(a)
trumpet   trompeta *(f.)*
trunk   baúl *(m.)*
trust   tener confianza
truth   verdad *(f.)*
try   probar (ue), tratar de
Tuesday   martes
turkey   pavo *(m.)*
turn   dar vuelta, doblar; **turn down**   rechazar; **turn off**   apagar
turtle   tortuga *(f.)*
TV   televisión *(f.);* **TV set**   televisor *(m.);* **TV soap opera**   telenovela *(f.)*
type   tipo *(m.)*
typewriter   máquina de escribir *(f.)*

U

ugly   feo(a)
ulcer   úlcera *(f.)*
ultimate   último(a)
umbrella   paraguas *(m.s.)*
umpire   árbitro *(m.)*
unappreciative   malagradecido(a)

unbelievable   increíble *(adj., m. or f.)*
uncertain   incierto(a)
uncle   tío *(m.)*
uncommon   raro(a)
unconscious   inconsciente *(adj., m. or f.)*
under   debajo de
underdeveloped   subdesarrollado(a)
understand   entender **(ie)**
unemployment   desempleo *(m.)*
unforgettable   inolvidable *(adj., m. or f.)*
ungrateful   malagradecido(a)
unique   único(a)
unit   unidad *(f.)*
unite   unir
unity   unidad *(f.)*
university   universidad *(f.)*
unless   a menos que, sin que
unoccupied   desocupado(a)
unplug   desenchufar
unquestionable   indiscutible *(adj., m. or f.)*
until   hasta
urgent   urgente *(adj., m. or f.)*
us   *(dir. and indir. obj. pron.)* nos; *(prep. pron.)* nosotros(as)
use   uso *(m.)*; *(v.)* usar, utilizar
useful   útil *(adj., m. or f.)*
useless   inútil *(adj., m. or f.)*
utilize   utilizar

V

vacation   vacaciones *(f. pl.)*
vacuum   pasar la aspiradora; **vacuum cleaner**   aspiradora *(f.)*
Valentine's Day   Día de San Valentín *(m.)*
valid   válido(a)
valley   valle *(m.)*
valor   valor *(m.)*
value   valor *(m.)*
variety   variedad *(f.)*
vegetable   vegetal *(m.)*; **vegetables**   verduras *(f. pl.)*
vegetarian   vegetariano(a)
verify   verificar

version   versión *(f.)*
very   muy; **very bad**   pésimo(a)
vest   chaleco *(m.)*
vibrate   vibrar
victim   víctima *(f.)*
victor   vencedor(a)
victory   triunfo *(m.)*, victoria *(f.)*
violence   violencia *(f.)*
violent   violento(a)
visit   visitar
visitor   visitante *(m. / f.)*
vitamin   vitamina *(f.)*
vocabulary   vocabulario *(m.)*
voice   voz *(f.)*
volcano   volcán *(m.)*
volunteer   voluntario(a)
vote   voto *(m.)*

W

wait   esperar
waiter   camarero *(m.)*; mesero *(m.)*
waitress   camarera *(f.)*; mesera *(f.)*
wake up   despertarse **(ie)**
walk   caminar, pasear
walking   a pie
wall   pared *(f.)*, muralla *(f.)*
wallet   cartera *(f.)*
want   querer **(ie)**
war   guerra *(f.)*
warm   cálido(a)
wash   lavar
watch   mirar; **watch over**   vigilar
water   agua *(f.)*
waterfall   cascada *(f.)*, catarata *(f.)*
way   modo *(m.)*
wear   llevar
weather   tiempo *(m.)*
Wednesday   miércoles
week   semana *(f.)*; **weekday**   día de la semana *(m.)*; **weekend**   fin de semana *(m.)*
weigh   pesar
weight   peso *(m.)*
weights   pesas *(f. pl.)*

welcome   bienvenido(a)
well   bien; **well enough**   bastante bien
west   oeste *(m.)*
wet   empapado(a)
whaler   ballenero *(m.)*
what?   ¿qué?, ¿cómo?, ¿cuál(es)?; **what do you think of . . . ?**   ¿qué te parece... ?   **what's your name?**   ¿cómo se llama usted? / ¿cómo te llamas?
what a mess!   ¡qué desastre!
when?   ¿cuándo?
where?   ¿dónde?   **(to) where?**   ¿adónde?
which?   ¿qué?; **which one(s)?**   ¿cuál(es)?
while   mientras
white   blanco(a)
who?   ¿quién(es)?
why?   ¿por qué?; **why not!**   ¡cómo no!
widely   ampliamente
wife   esposa
win   ganar
wind   viento *(m.)*
windy (to be)   hacer viento
window   ventana *(f.)*
wine   vino *(m.)*
winter   invierno *(m.)*
wish   deseo *(m.)*
with   con; **with me**   conmigo; **with you** *(fam.)*   contigo
without   sin; **without equal**   sin igual
witness   testigo(a)
woman   mujer *(f.)*; **young woman**   joven *(f.)*
wooden   de madera
woods   selva *(f.)*
wool   lana *(f.)*
word   palabra *(f.)*
work   trabajo *(m.)*, empleo *(m.)*; obra *(f.) (of art)*; *(v.)* trabajar
worker   obrero(a)
workshop   taller *(m.)*
world   mundo *(m.)*
worried   preocupado(a)
worry   preocupar
worthy of (to be)   merecer

wounded   *(adj.)* herido(a);   *(v.)* sufrir lesiones

write   escribir;   **write letters** escribir cartas;   **in writing** por escrito

writer   escritor(a)

written   por escrito

Y

yard   patio *(m.)*

year   año *(m.)*

yellow   amarillo(a)

yesterday   ayer

yield   someterse

you   *(dir. obj. pron.)* te, os, lo, la, los, las;   *(indir. obj. pron.)* te, os, le, les, se;   *(prep. pron.)* ti, usted, ustedes, vosotros(a);   *(subj. pron.);* tú, usted, ustedes, vosotros(as)

younger   menor

your   *(fam. poss. adj.)* tu;   *(poss. adj.)* tuyo(a)

youth   juventud *(f.)*

Z

zero   cero

zoo   zoológico *(m.)*

zoology   zoología *(f.)*

Index of Grammar

Credits and Acknowledgments

 ## Literary/Realia Credits

The authors wish to thank publishers and organizations for the use of their material.

Más, Magazine, Univisión Publications
Clara, Publicaciones Sayrols, S.A. de C. V., Mexico, D. F.
Fonogramas & Video, 20th Century Fox
Vuelo, Secretaría de Turismo, México
El Mueble, RBA Revistas Príncipe, Barcelona, Spain
United Airlines Corporation
Sojourn International Magazine, Manzi Editores, Buenos Aires, Argentina
La nación, Buenos Aires, Argentina
Reforma, Asalto y Captura por Arturo Sanchez, 3 de agosto, México, D. F.
Departamento de Agricultura, San Juan, Puerto Rico
Pronatura, Instituto Nacional de Antropología, México, D. F.
Dónde Ir, Editorial Ciudad de México, México, D. F.
Super Pop, Barcelona, Spain
Cachoros y Mascotas, Madrid, Spain
Eres, Centro Cultural Universitario, México, D. F.
Eres, Universidad Anahuac, México, D. F.
Eres, Universidad Tecnológica de México, México, D. F.
Ecología, Amazona Metro a Metro, Madrid, Spain

TV Nota, México, D. F.
Casera, S. A., México, D. F.
Tele*Guía, México, D. F.
Micolor S. A., Madrid, Spain
Frugosa, S. A. de C.V., Jumex, México, D. F.
Heredez, S. A. de C.V., México, D. F.
Philips Mexicana, S. A. de C. V.
Oxígeno Urban Spa, Buenos Aires, Argentina
El Universal, México, D. F.
Oficina Central para Asuntos del Sida
TV Nota, Revista #56, México, D. F.
Liga de Fútbol, Juegos Olímpicos
El Universal, México, D. F.
Fútbol Profesional, Madrid, Spain
Leche Desnatada Pascua
Bravo, Madrid, Spain
Hispanic Business magazine
Una Pequena Gran Victoria from Body in Flames by Francisco Alarcon © 1990, published by Chronicle Books.
Crem Helado
Leyendas Costarricenses publicada por la Editorial de la Universidad Nacional Globus Comunicación © 1997
Hispanic Business Magazine
Manzi Publicidad, S. A., Buenos Aires, Argentina
OKY Agencia de Viajes Dos Mil, S.L, Costa Rica

 ## Photo Credits

Mark Antman/The Image Works, 3
John Warden/Tony Stone Images, 3
Odyssey/Frerck/Chicago, 3
Francois Gohier/Photo Researchers Inc., 3
Odyssey/Frerck/Chicago, 3
Odyssey/Frerck/Chicago, 3
Odyssey/Frerck/Chicago, 5

Peter Menzel, 13
Chip & Rosa Maria de la Cueva Peterson, 13
Odyssey/Frerck/Chicago, 13
Odyssey/Frerck/Chicago, 14
Peter Menzel/Stock, Boston, 14
John Cancalosi/Stock, Boston, 27
Odyssey/Frerck/Chicago, 27